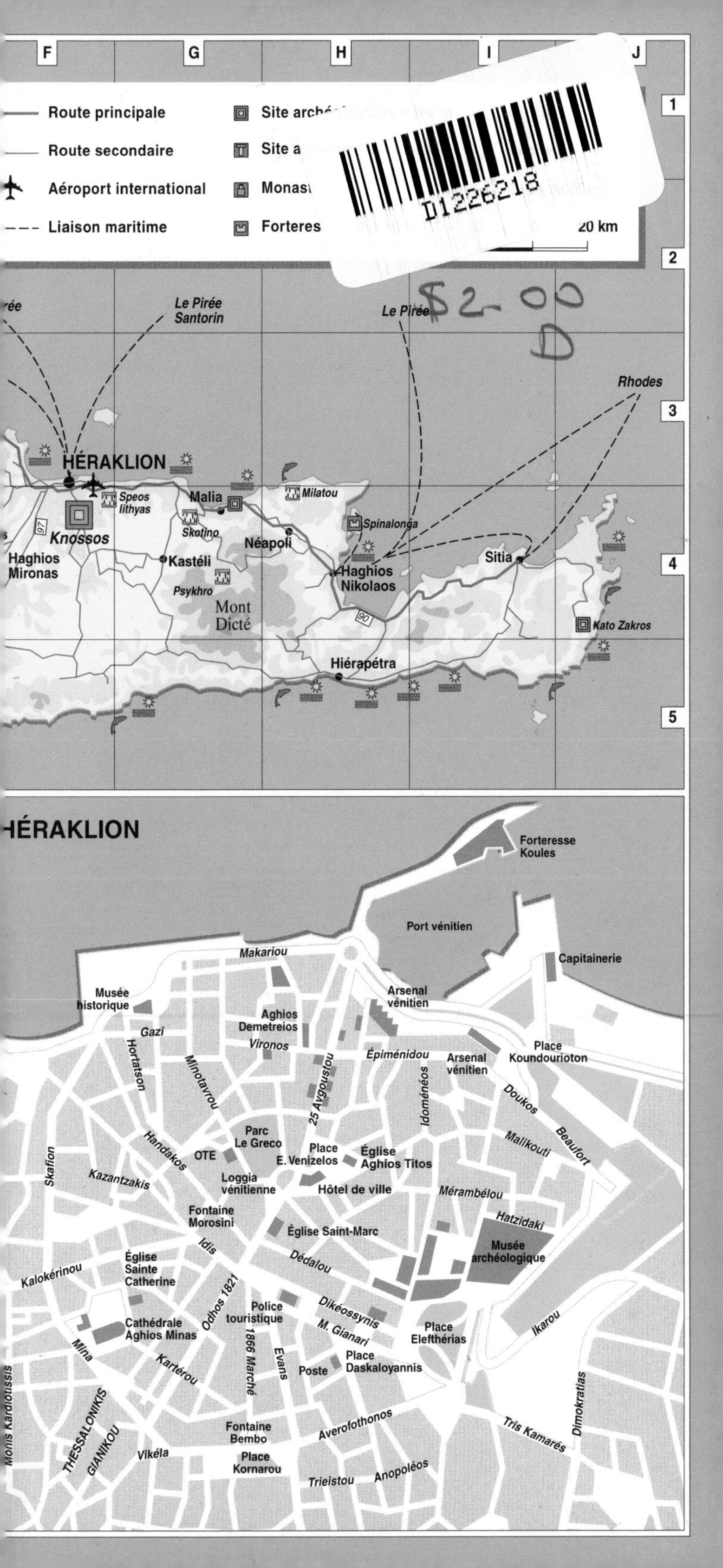
F
G
H
I
J
1
2
3
4
5
Route principale
Route secondaire
Aéroport international
Liaison maritime
Site arché
Site a
Monast
Forteres
20 km
D1226218
$2.00
D
Le Pirée
Santorin
Le Pirée
Rhodes
HÉRAKLION
Speos
lithyas
Malia
Milatou
Spinalonga
Knossos
Skotino
Néapoli
Haghios
Mironas
Kastéli
Haghios
Nikolaos
Sitia
Psykhro
Mont
Dicté
Kato Zakros
Hiérapétra
97
90
HÉRAKLION
Forteresse
Koules
Port vénitien
Makariou
Capitainerie
Musée
historique
Arsenal
vénitien
Aghios
Demetreios
Gazi
Vironos
Épiménidou
Arsenal
vénitien
Place
Koundourioton
Hortatson
Minotavrou
25 Avgoustou
Idoménéos
Doukos
Beaufort
Malikouti
Parc
Le Greco
Handakos
OTE
Place
E. Venizelos
Église
Aghios Titos
Skafion
Kazantzakis
Loggia
vénitienne
Hôtel de ville
Mérambélou
Fontaine
Morosini
Hatzidaki
Église Saint-Marc
Musée
archéologique
Idis
Dédalou
Église
Sainte
Catherine
Kalokérinou
Odhos 1821
Police
touristique
Dikéossynis
Cathédrale
Aghios Minas
M. Gianari
Place
Elefthérias
Ikarou
Mina
Kartérou
1866 Marché
Evans
Poste
Place
Daskaloyannis
Dimokratias
THESSALONIKIS
GIANIKOU
Fontaine
Bembo
Averofothonos
Tris Kamarés
Vikéla
Place
Kornarou
Trieistou
Anopoléos

GUIDES GALLIMARD
5, RUE SÉBASTIEN BOTTIN
75007 PARIS

Retrouvez le chapitre qui vous intéresse grâce au symbole situé en haut de chaque page.

CARTE DE CRÈTE

Les chiffres en italique renvoient aux pages du guide et les coordonnées à la carte de la page précédente.

Pour Nikos Kazantzaki, Héraklion, capitale de la Crète, était «la ville». Dans son roman *La Liberté ou la mort*, il décrit la cité et notamment le port avec son fort vénitien : « [...] la grande tour aux murs épais et ornée des lions ailés de Venise qui se dressait à droite en entrant dans le port.»

"Quatre fontaines l'une à côté de l'autre versaient leur onde pure, mais leurs eaux divergeaient et coulaient dans des directions différentes. Il n'est pas d'immortel, s'il lui arrivait de venir en ces lieux et de les contempler, qui ne se réjouirait, admirerait et ouvrirait son cœur."

Homère, *Odyssée*

La fontaine du village d'Ambélouzo, près de Gortyne.

"Bien que cette île ait connu l'esclavage pendant des siècles, jamais le feu de la liberté ne s'est éteint dans le cœur de ses fils. La Crète a suscité des passions et des sacrifices que n'ont jamais connu d'autres pays. Ici, ce n'est pas seulement le pays réel qui s'offre à nos yeux, qui cause un tel émoi en notre âme."

Pandélis Prévélakis

La fontaine Morosini à Héraklion.

DE NOMBREUSES PERSONNALITÉS UNIVERSITAIRES OU LOCALES ONT COLLABORÉ À CE GUIDE. TOUTES LES INFORMATIONS CONTENUES DANS CET OUVRAGE ONT ÉTÉ SOUMISES À LEUR APPROBATION.

NOUS REMERÇIONS TOUT PARTICULIÈREMENT MONIQUE KAMARI EN CRÈTE

GUIDES GALLIMARD
DIRECTION : Pierre Marchand
Assisté de : Hedwige Pasquet

COMITÉ DE RÉDACTION :
Marie-Noëlle Fustec, Nicole Jusserand, Séverine Mathorel (Itinéraires), Jean-Pierre Girard (Partie pratique), Elisabeth Cohat (graphisme)

DÉVELOPPEMENT ET PARTENARIATS
Ghislain de Compreignac
Assisté de : Jean-Paul Lacombe, Philippe Rossat

COORDINATION :
ARCHITECTURE : Bruno Lenormand
CARTOGRAPHIE : Vincent Brunot
NATURE : Philippe J. Dubois, Frédéric Bony
PHOTOGRAPHIE : Eric Guillemot

FABRICATION :
Catherine Bourrabier

PRESSE ET PROMOTION
Manuèle Destors

CRÈTE :
EDITION : Françoise Botkine, Catherine Bray, Emmanuelle Laudon, Anne Nesteroff, Sophie Nick
TRADUCTION : Marc Budin, Monique Kamari
MAQUETTE : Philippe Marchand
MISE EN PAGE : Jean Jottrand

DES CLEFS POUR COMPRENDRE
NATURE : M. Alibertis, Gérard. G. Aymonin, Monsieur Bretagnon (astronome, Observatoire de Paris), Eric Fouache, Alexis Fossi et Apostolos Trichas (Institut de Biologie marine de Crète, Héraklion)
HISTOIRE : Yolande Triantafyllidou-Baladié, Louisa Karapidakis (Musée historique, Héraklion)
LANGUE : Maria Couroucli, Monique Kamari
ARTS ET TRADITIONS : Michèle Manganas (Le costume crétois), Jacques Brûlé (Danse et musique), Philippe Garcin (Tissages, broderies, et dentelles), Madame Guest-Papamanoli (La fête de saint Georges, La Pâque orthodoxe, La poterie), Sophie Nick (L'île aux olives), Monique Kamari (Cafés et Tavernes)
ARCHITECTURE : Alexandre Farnoux, François Brosse

LA CRÈTE VUE PAR LES PEINTRES : Marina Canacakis, Monique Kamari, Michèle Manganas
LA CRÈTE VUE PAR LES ÉCRIVAINS : Monsieur Lassithiotakis (Centre néo-hellénique d'Héraklion) et Monsieur Jacques Lacarrière

ITINÉRAIRES
John Freely, Monique Kamari, Louisa Karapidakis (Musée historique d'Héraklion), Alexandra Karetsou (Musée archéologique d'Héraklion), Jean-François Laguenière (Association des Amis de N. Kazantzaki), Christoforos Vallianos (Musée ethnologique de Vori), Madame Vlazaki (Musée archéologique de La Canée)

CARNET DE VOYAGES
Sandrine Duvillier, Monique Kamari (Crète), Michèle Manganas (Crète), Sophie Nick

ILLUSTRATIONS
NATURE : Sophie Lavaux, Jean-François Peneau
ARCHITECTURE : François Brosse, Jean-François Peneau, Iusse Perret
CARTOGRAPHIE : Jean-François Binet, Pierre-Xavier Grézaud
INFOGRAPHIE : Jean-François Binet, Pierre-Xavier Grézaud

PHOTOGRAPHES
François Brosse, Jean-Marc Cholet, Dominique Cros, Christian Ferrare, Bernard Hermann, Monique Kamari, Bernard de Larminat, Michèle Manganas, Sophie Nick, Nikos Psilakis, Guido Alberto Rossi

RÉALISATION
ÉDITIONS DIDIER MILLET
77, rue du Cherche-Midi
75006 Paris

Nous remerçions également pour leur aide précieuse : Metaxia Tsipopoulou (Musée archéologique d'Haghios Nikolaos), Kostas Mamalakis (collectionneur), Georges Anemoyannis (Musée Kazantzaki, Mirtia), Messieurs A. Legakis et K. Paragamian (Institut de Biologie marine de Crète), Nikos Yannadakis (Bibliothèque Vikélaia, Héraklion), Irini Skhizaki (Héraklion), Monsieur Aymonin (Museum d'histoire naturelle de Paris), Monsieur Pirazzoli, Alexandre Rivier.

1er dépôt légal: janvier 1995. Dépôt légal: mars 1996
Numéro d'édition: 72803. ISBN 2-7424-0183-0
Photogravure: France Nova Gravure (Paris)
Imprimé en CEE par la Editoriale Libraria sur papier 100% biologique
Mars 1996

GRÈCE

CRÈTE

GUIDES GALLIMARD

Sommaire
Des clefs pour comprendre

Nature, *15*

Histoire, *35*

Art et tradition, *69*

Architecture, *87*

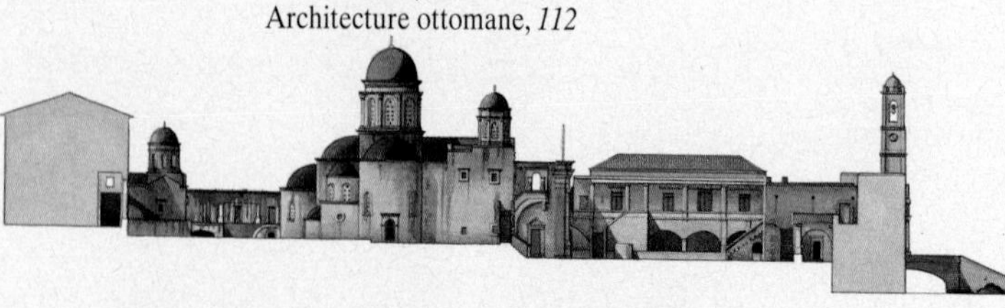

La Crète vue par les peintres, *113*

La Crète vue par les écrivains, *121*

Sommaire
Itinéraires en Crète

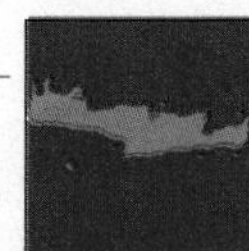
Héraklion

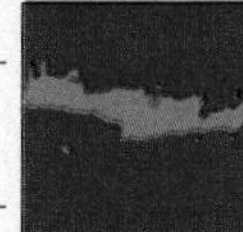
Knossos

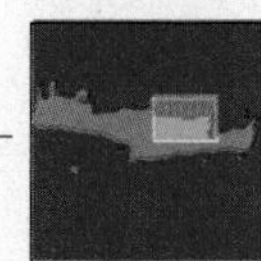
D'Héraklion à Haghios Nikolaos

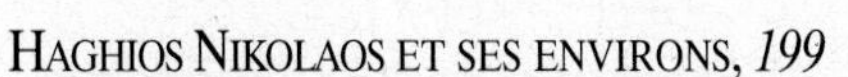

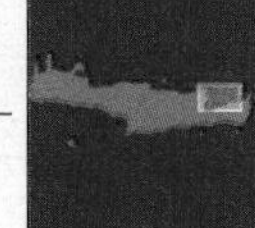
Haghios Nikolaos

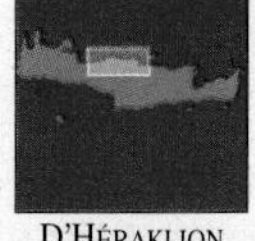
D'Héraklion à Réthymnon

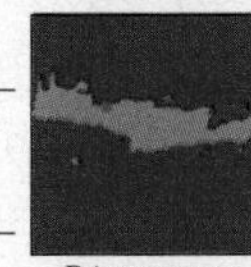
Réthymnon

De Réthymnon à La Canée

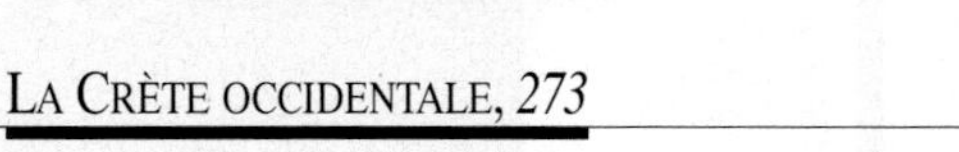

La Canée

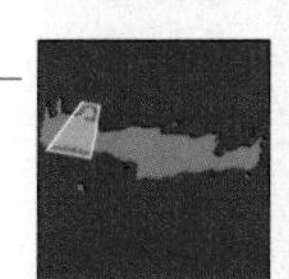
Les gorges de Samaria

▲ La Crète

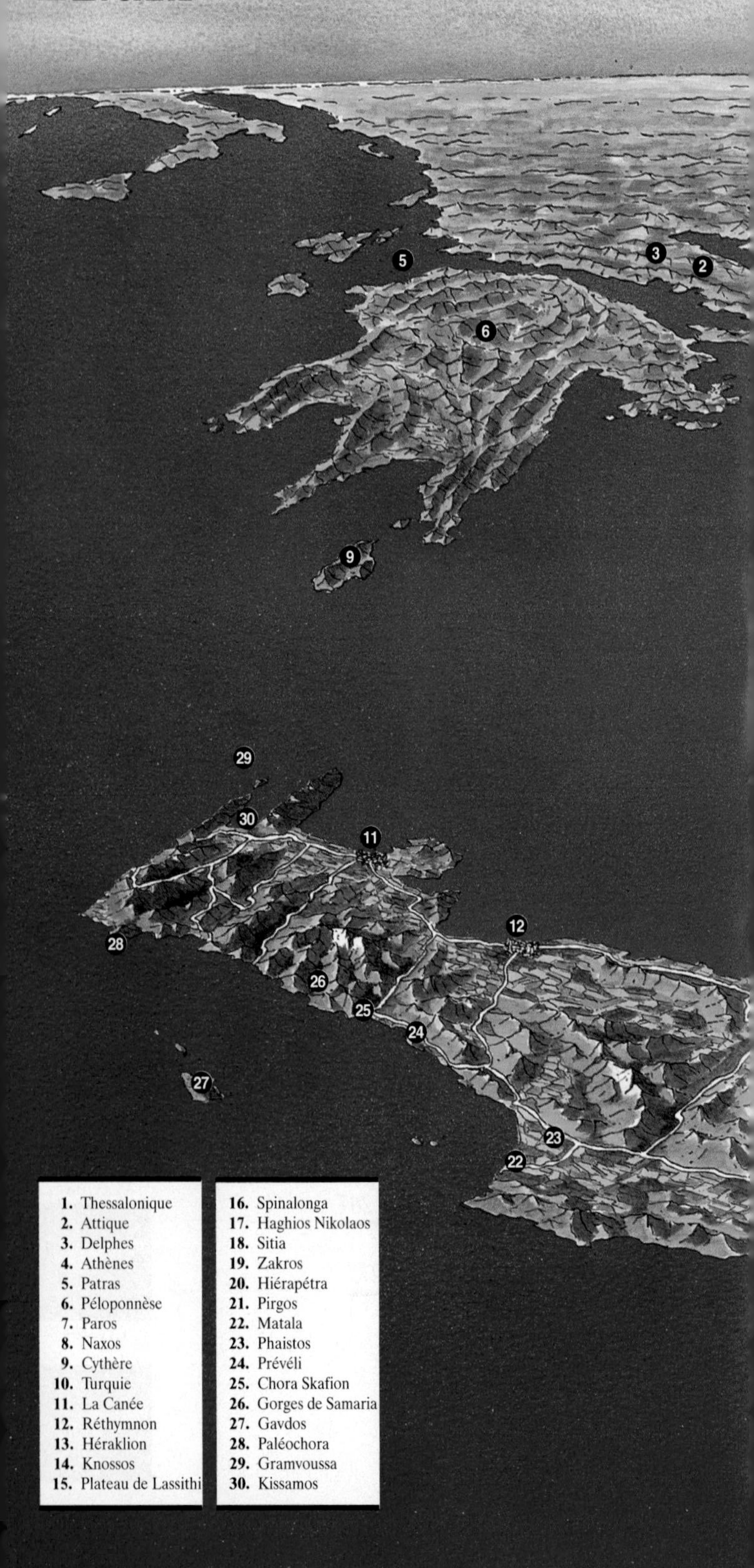
1. Thessalonique
2. Attique
3. Delphes
4. Athènes
5. Patras
6. Péloponnèse
7. Paros
8. Naxos
9. Cythère
10. Turquie
11. La Canée
12. Réthymnon
13. Héraklion
14. Knossos
15. Plateau de Lassithi
16. Spinalonga
17. Haghios Nikolaos
18. Sitia
19. Zakros
20. Hiérapétra
21. Pirgos
22. Matala
23. Phaistos
24. Prévéli
25. Chora Skafion
26. Gorges de Samaria
27. Gavdos
28. Paléochora
29. Gramvoussa
30. Kissamos

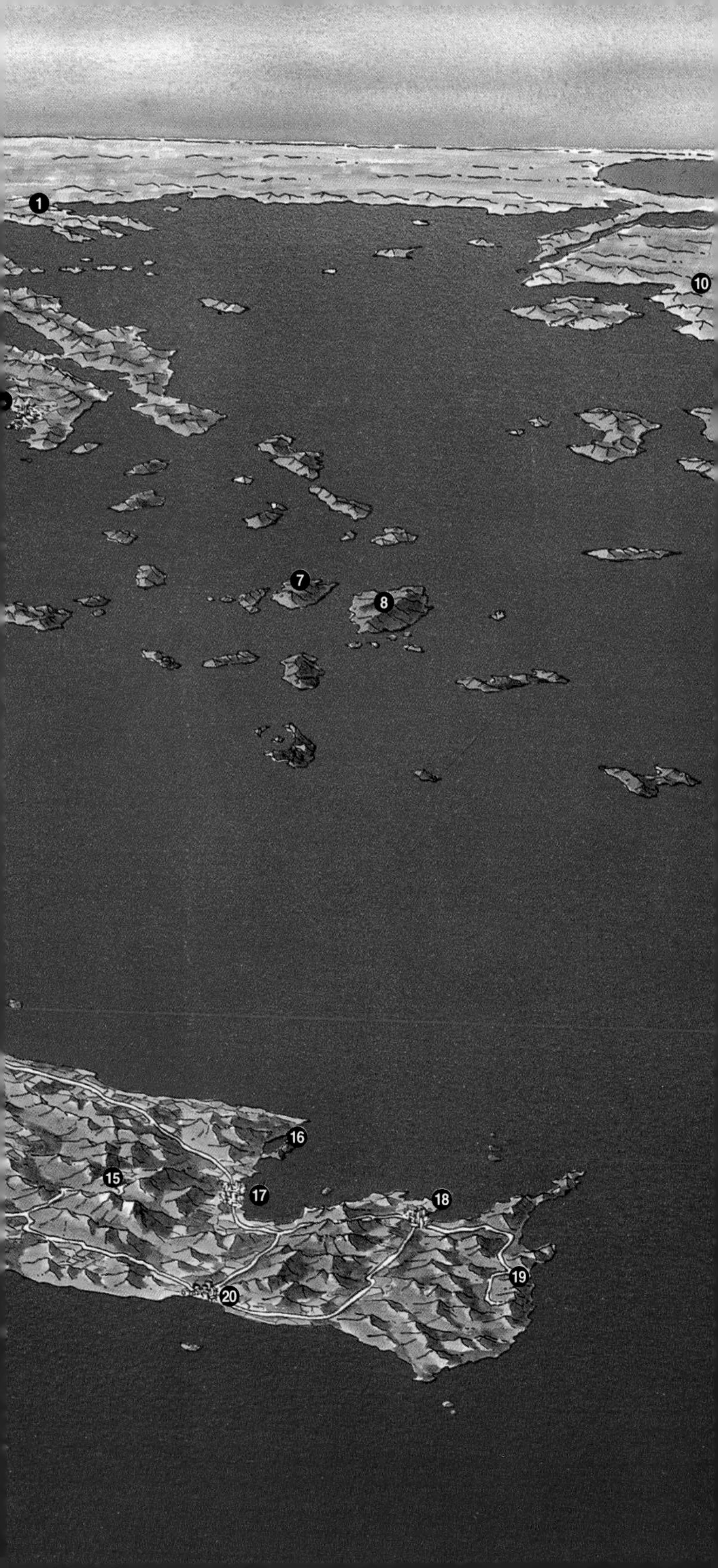
1
7
8
10
15
16
17
18
19
20

COMMENT UTILISER UN GUIDE GALLIMARD

(Page extraite du guide «Venise»)

En haut de page, les symboles annoncent les différentes parties du guide.

■ NATURE

● DES CLEFS POUR COMPRENDRE

▲ ITINÉRAIRES

◆ INFORMATIONS PRATIQUES

La carte itinéraire présente les principaux points d'intérêt du parcours et permet de se reporter à un plan.

La minicarte situe l'itinéraire à l'intérieur de la zone couverte par le guide.

♥ Le coup de cœur de l'éditeur pour un site dont la beauté, l'atmosphère ou l'intérêt culturel séduiront particulièrement le visiteur.

Au début de chaque itinéraire, les modes de déplacement possible et la durée sont signalés sous les cartes :

- En voiture
- A pied
- En bateau
- A bicyclette
- Durée

●▲■◆ Les symboles, en titre ou à l'intérieur du texte, renvoient à un lieu ou à un thème traité ailleurs dans le guide.

L'ARRIVÉE À VENISE ♥

■ *281*

PONT DE LA LIBERTÀ. Construit par les Autrichiens, cinquante ans après le traité de Campoformio (1797) ● *34*, pour relier Venise à Milan, ce pont mit fin à un isolement millénaire. Il bouleversa par la même occasion l'économie de la ville, qui, en pleine révolution industrielle, vit grandir

1/2 journée

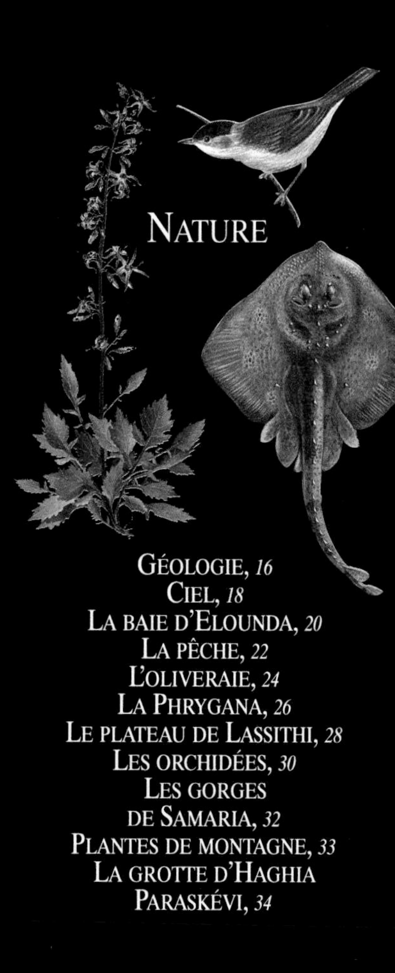

Nature

La structure géologique de la Crète résulte du mouvement des plaques tectoniques. Ce mouvement s'opère soit en extension (ouverture des océans), soit en compression (formation des chaînes de montagnes produisant failles et volcans). On peut résumer l'histoire de la formation de l'île en deux étapes. Pendant toute l'ère secondaire un vaste domaine marin, la Téthys, s'est ouvert entre la plaque eurasiatique, au nord, et la plaque africaine, au sud. Vers la fin du secondaire, puis, en phase d'accélération, au début du tertiaire, ces deux plaques se rapprochent, provoquant la contraction de l'espace marin et entraînant l'édification d'une chaîne plissée, la chaîne alpine et, dans son prolongement, la chaîne hellénique, en Grèce continentale, et la courbure sud-égéenne, dont la Crète est le plus vaste élément entre le Péloponnèse et l'Anatolie.

1 2 3 4 5 6

GNEISS
Roche métamorphique composée de feldspath, de quartz, de mica et d'autres éléments variables (**5**).

CALCITE
Coupe d'une stalactite formée à partir de calcite plus ou moins pure (**6**).

HÉMATITE
Le minerai de fer le plus répandu (**7**).

TUF CALCAIRE
Formé par réaction chimique dans une eau de source qui s'évapore (**8**).

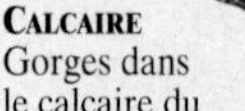

CALCAIRE
Gorges dans le calcaire du Pantocrator (Trias).

MICASCHISTE
Schiste, riche en lamelles de mica, dérivant d'une argile métamorphisée (**1**).

OPHIOLITE
Roche rouge et verte ; ici parcourue de veines de calcite (**2**).

DOLOMIE
Roche carbonatée de certains dépôts sédimentaires (**3**).

CALCAIRE COQUILLIER
Roche sédimentaire composée de restes d'organismes fossiles (**4**).

ROCHES SÉDIMENTAIRES
Molasses indifférenciées
Flyschs indifférenciés
Calcaires indifférenciés
Conglomérats marins indifférenciés
ROCHES MÉTAMORPHIQUES
Schiste
Gneiss
FORMATIONS SUPERFICIELLES
Remblais alluviaux halocènes et quaternaires
Conglomérats lacustres et continentaux pléistocènes
AUTRES
Ophiolites

CARTE LITHOLOGIQUE DE LA CRÈTE

+8,5 m

-4 m

Mouvements verticaux de l'île
La ligne de rivage d'il y a 2 000 ans se trouve actuellement à 4 m au-dessous du niveau de la mer à l'est de l'île, et s'élève à plus de 8,5 m dans sa partie occidentale (ci-dessus).

Basculement de la Crète. Des encoches de corrosion marine à plus de 5 m du niveau de la mer, dans la presqu'île des Gramvoussa, à l'ouest (ci-contre). D'anciens rivages sont visibles sur la côte nord et la côte sud, dont l'altitude s'accroît peu à peu en progressant vers le sud-ouest. Grâce à des datations au carbone 14, nous savons que ce soulèvement est la conséquence d'une surrection tectonique qui s'est produite vers le début du Ve siècle, vraisemblablement à la suite du séisme de 438 ap. J.-C.

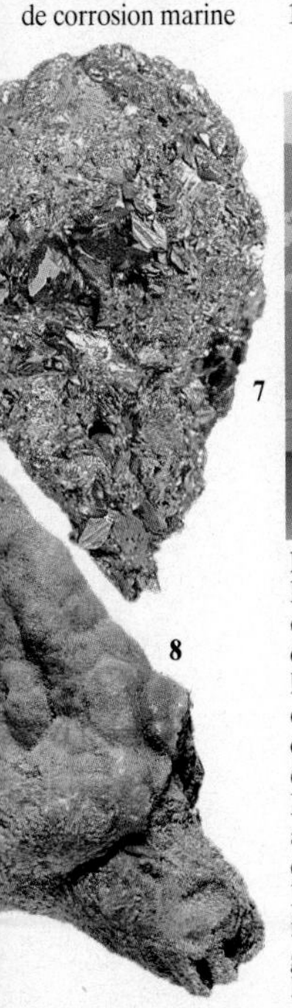

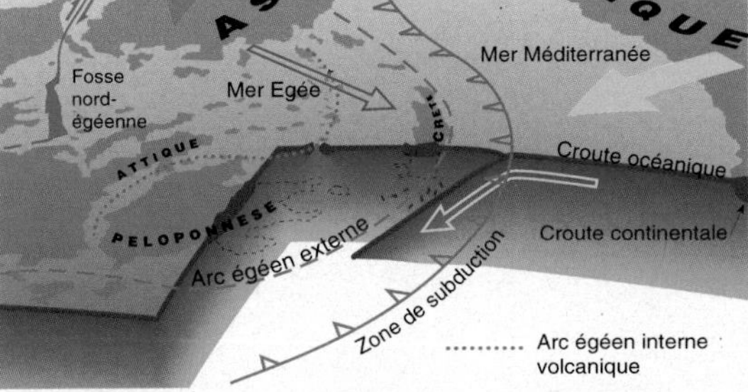

La subduction
L'enfoncement de la plaque africaine creuse la fosse hellénique, en contrebas du front convexe de la plaque égéenne, des îles Ioniennes au Péloponnèse et au sud de la Crète. Les frottements induits par le glissement sous la plaque égéenne se traduisent par une sismicité élevée. Le long du plan incliné, les matériaux de la plaque africaine et les sédiments de sa couverture sont, au fur et à mesure de la descente, réchauffés, puis fondus, et donnent naissance à un magma qui se fraie périodiquement un chemin vers la surface. Ce phénomène est à l'origine de l'arc volcanique égéen, actuellement très peu actif, mais qui constitue un risque réel, dont témoigne l'explosion de Santorin. Cette subduction se poursuit à un rythme régulier : Afrique et Europe continuent à se rapprocher de 4 cm par an en moyenne.

La rade de Santorin
Au début du XVIIe siècle av. J.-C., le volcan qui formait l'île explosa en entraînant un affaissement circulaire où la mer se précipita. On pense que la destruction des premiers palais minoens de Knossos ▲ *161* et de Malia ▲ *192* fut une des conséquences de ce cataclysme. Au cours des siècles, de nombreux séismes eurent lieu, dont les plus récents en 1925-1926, 1928 et 1956.

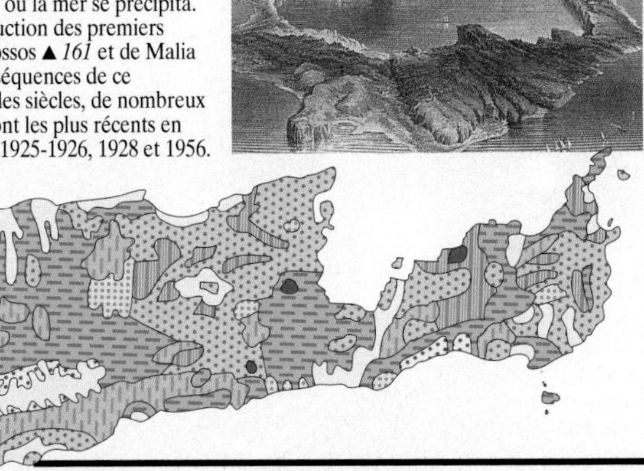

Le ciel crétois est très limpide en raison du taux d'humidité pratiquement nul en été. On peut ainsi observer la voûte céleste dans des conditions exceptionnelles, en particulier dans la région d'Héraklion et d'Haghios Nikolaos. C'est vers 130 av. J.-C. que l'astronome grec Hipparque introduisit le système des magnitudes en classant les étoiles en six catégories suivant leur éclat, depuis la première magnitude (les plus brillantes) jusqu'à la sixième (les moins visibles à l'œil nu).

21 mars 1995, 23 h 1995 UT (équinoxe à 2 h UT)

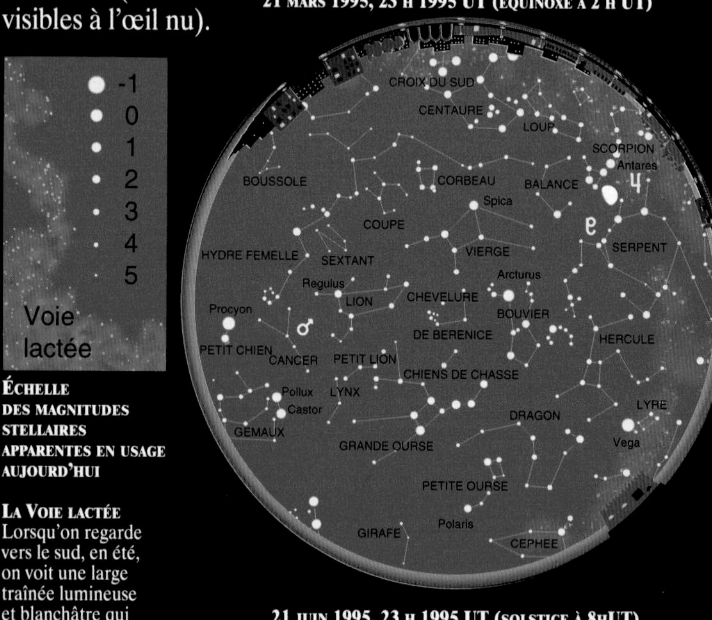

Échelle des magnitudes stellaires apparentes en usage aujourd'hui

La Voie lactée
Lorsqu'on regarde vers le sud, en été, on voit une large traînée lumineuse et blanchâtre qui s'étire à partir de la constellation du Sagittaire jusqu'au-delà de Cassiopée. C'est notre galaxie vue par la tranche. Le Soleil est l'une des 100 milliards d'étoiles, au moins, qui la composent.

21 juin 1995, 23 h 1995 UT (solstice à 8hUT)

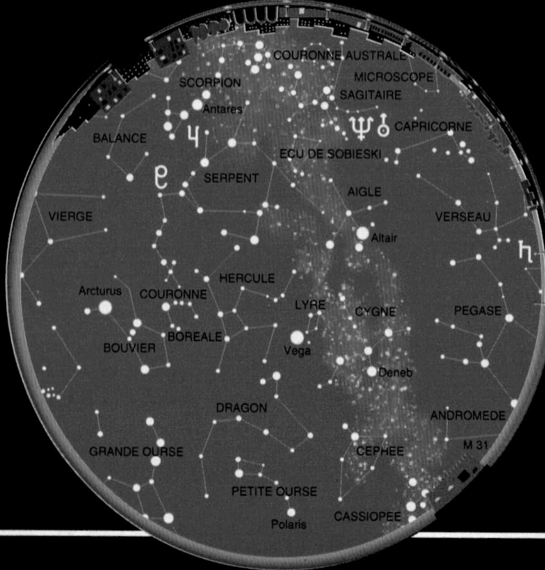

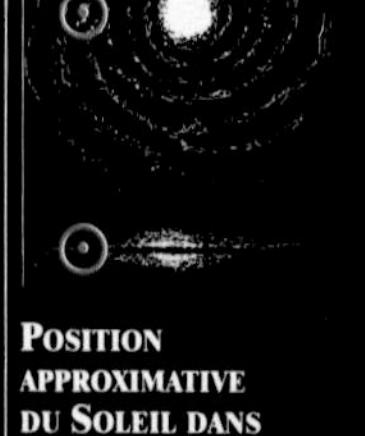

Position approximative du Soleil dans notre galaxie

La galaxie d'Andromède
Voisine et jumelle de la nôtre, M 31 (la galaxie d'Andromède) est l'objet le plus lointain visible à l'œil nu (en automne), sous la forme d'une tache allongée. Elle se situe dans la constellation d'Andromède à 2,2 millions d'années-lumière. Une année-lumière est la distance parcourue en un an par un rayon lumineux, soit environ 10 000 milliards de kilomètres.

21 septembre 1995, 22 h 1995 UT (équinoxe le 23 à 12 h UT)

- ☿ Mercure
- ♀ Vénus
- ♁ Terre
- ♂ Mars
- ♃ Jupiter
- ♄ Saturne
- ♅ Uranus
- ♆ Neptune
- ♇ Pluton

21 décembre 1995, 23 h 1995 UT (solstice le 22 à 8 h UT)

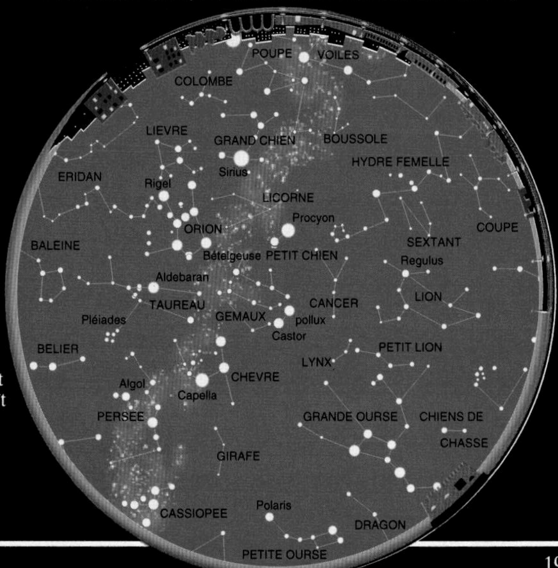

Vénus
Visible à l'œil nu, après le coucher ou juste avant le lever du soleil, Vénus est l'astre le plus brillant du ciel. On la connaît sous le nom d'étoile du Berger, car elle accompagne la vie, rythmée par le Soleil, des gardiens de troupeaux.

Particulièrement bien protégée par la presqu'île de Spinalonga, la baie d'Elounda réunit les conditions de sédimentation, de profondeurs marines et de courant favorisant le développement d'herbiers : végétation où dominent des plantes à fleurs, telles que cymodocées et posidonies. Ces dernières peuvent par leurs souches fixant le sable pendant des décennies constituer ce que les pêcheurs appellent une «matte», sorte de récif végétal favorable à une vie animale diversifiée. Bien que le cycle naturel puisse disloquer l'herbier, c'est souvent l'homme qui est à l'origine de la disparition de ce biotope marin.

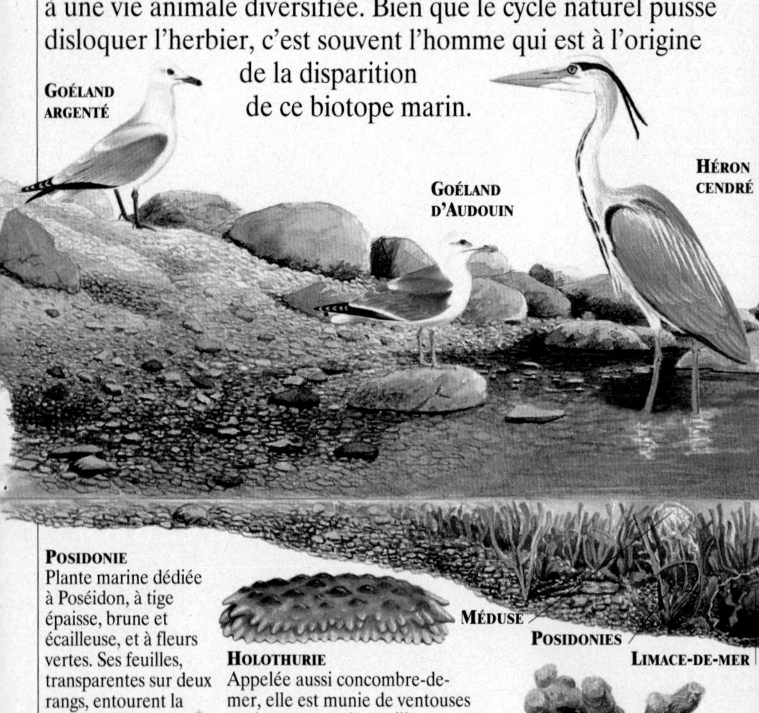

POSIDONIE
Plante marine dédiée à Poséidon, à tige épaisse, brune et écailleuse, et à fleurs vertes. Ses feuilles, transparentes sur deux rangs, entourent la tige. Ses fruits sont de la taille d'une olive.

HOLOTHURIE
Appelée aussi concombre-de-mer, elle est munie de ventouses sur le ventre et de papilles rétractiles sur le dos.

ÉPONGE «VERONGIA AEROPHOBA»
Animal marin de forme irrégulière dont le squelette poreux fournit la matière appelée «éponge».

SPIROGRAPHE
Ver marin tubicole qui possède une couronne tentaculaire atteignant parfois 15 cm:

SEICHE
Mollusque à coquille interne qui peut projeter une encre noire en cas d'attaque. Elle change de couleur selon son environnement.

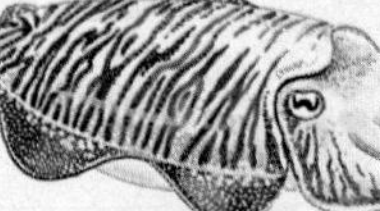

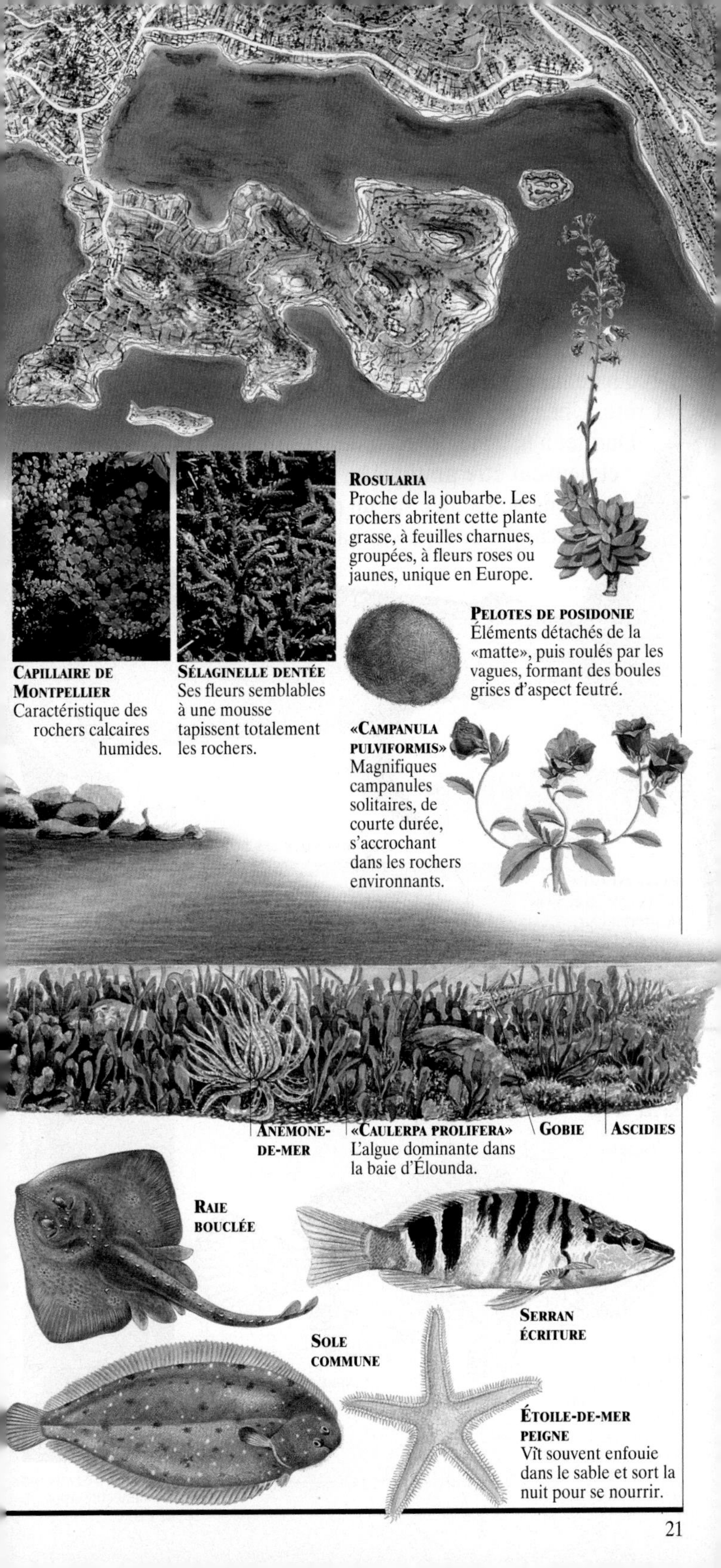
ROSULARIA
Proche de la joubarbe. Les rochers abritent cette plante grasse, à feuilles charnues, groupées, à fleurs roses ou jaunes, unique en Europe.
PELOTES DE POSIDONIE
Éléments détachés de la «matte», puis roulés par les vagues, formant des boules grises d'aspect feutré.
CAPILLAIRE DE MONTPELLIER
Caractéristique des rochers calcaires humides.
SÉLAGINELLE DENTÉE
Ses fleurs semblables à une mousse tapissent totalement les rochers.
«CAMPANULA PULVIFORMIS»
Magnifiques campanules solitaires, de courte durée, s'accrochant dans les rochers environnants.
ANÉMONE-DE-MER
«CAULERPA PROLIFERA»
L'algue dominante dans la baie d'Élounda.
GOBIE
ASCIDIES
RAIE BOUCLÉE
SERRAN ÉCRITURE
SOLE COMMUNE
ÉTOILE-DE-MER PEIGNE
Vit souvent enfouie dans le sable et sort la nuit pour se nourrir.

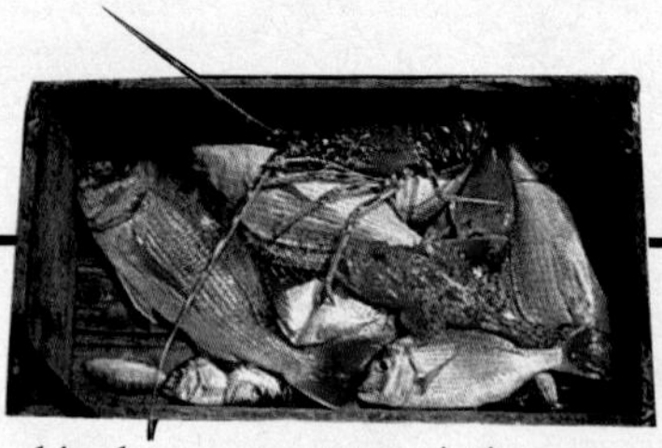

La pêche en Crète a pris de l'importance ces vingt dernières années, grâce à une demande plus importante due au développement touristique. Cette activité est concentrée sur la côte nord de l'île, en particulier à La Canée et Héraklion. On compte environ 1 100 bateaux professionnels de moins de 6 m de long en Crète. Une centaine d'embarcations font plus de 12 m. Du filet à la ligne, les techniques utilisées sont variées et peuvent être pratiquées, alternativement, tout au long de l'année sur un même bateau, souvent un caïque de type «trehadiri».

PALANGRE POUR LES DORADES

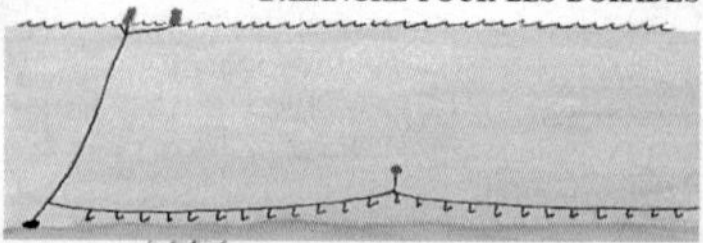

PAGRE COMMUN
Il vit entre 20 et 50 m de profondeur.

Un «trehadiri» arrive sur les lieux de pêche.

DENTÉ COMMUN
Un des plus grands prédateurs de la Méditerranée. Sa gueule est pourvue de 4 à 6 dents.

Préparation des palangres «paragadia».

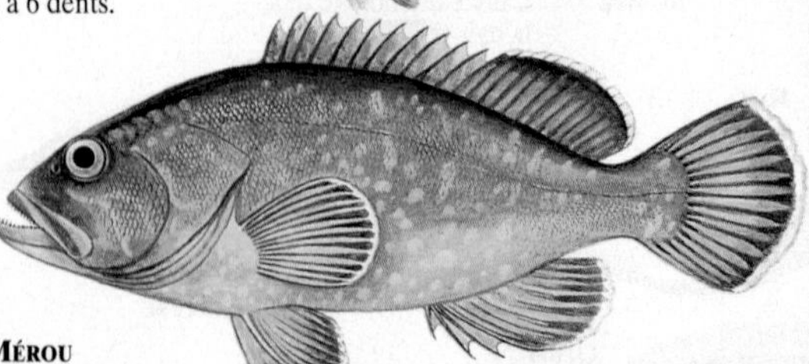

MÉROU
Classé jusqu'à une date récente dans la famille des Serranidés, ce poisson est pêché jusqu'à 200 m de profondeur.

PALANGRE POUR LES MÉROUS

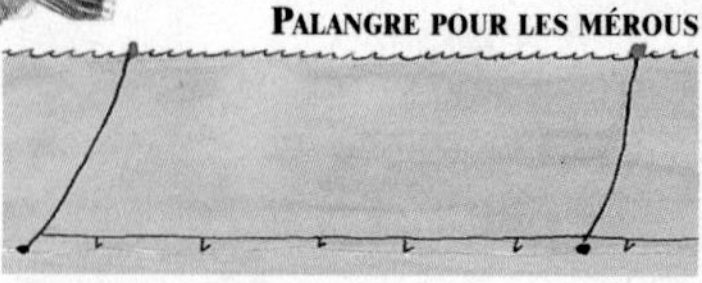

Mise à l'eau des hameçons appâtés.

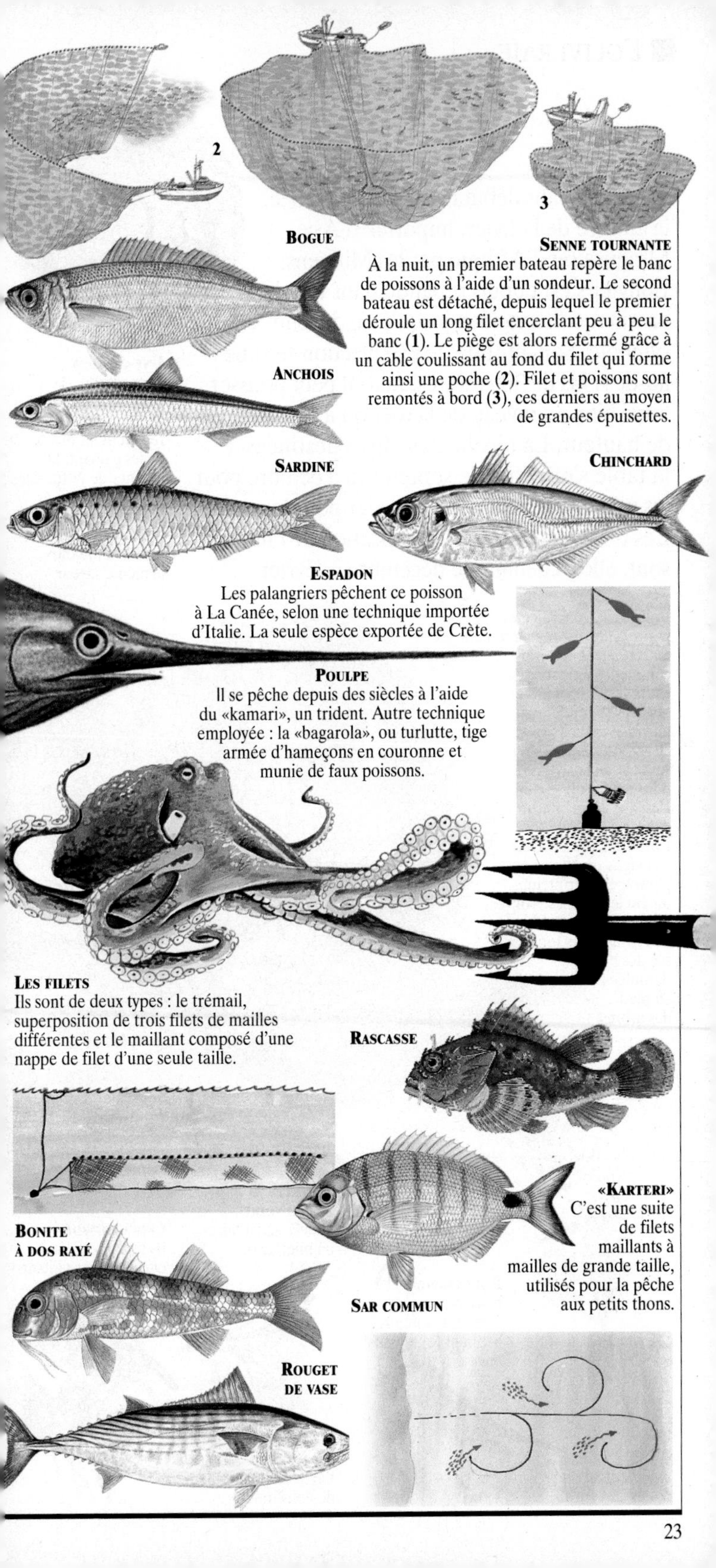

Senne tournante
À la nuit, un premier bateau repère le banc de poissons à l'aide d'un sondeur. Le second bateau est détaché, depuis lequel le premier déroule un long filet encerclant peu à peu le banc (**1**). Le piège est alors refermé grâce à un cable coulissant au fond du filet qui forme ainsi une poche (**2**). Filet et poissons sont remontés à bord (**3**), ces derniers au moyen de grandes épuisettes.

Espadon
Les palangriers pêchent ce poisson à La Canée, selon une technique importée d'Italie. La seule espèce exportée de Crète.

Poulpe
Il se pêche depuis des siècles à l'aide du «kamari», un trident. Autre technique employée : la «bagarola», ou turlutte, tige armée d'hameçons en couronne et munie de faux poissons.

Les filets
Ils sont de deux types : le trémail, superposition de trois filets de mailles différentes et le maillant composé d'une nappe de filet d'une seule taille.

«Karteri»
C'est une suite de filets maillants à mailles de grande taille, utilisés pour la pêche aux petits thons.

Il y a 3 000 ans débutait en Méditerranée la culture de l'olivier, importée d'Asie Mineure ou d'Afrique par les Minoens. L'olivier s'est depuis répandu dans tout le bassin méditerranéen jusqu'à en devenir le symbole. Son altitude de prédilection se situe au-dessous de 300 mètres, mais il peut pousser aussi bien au niveau de la mer qu'à 600 mètres de hauteur. La récolte des olives destinées à la table s'effectue de septembre à octobre pour les vertes, de novembre à janvier pour les noires. Les olives réservées à la fabrication de l'huile sont, elles, cueillies de décembre à février.

UNE CULTURE ANCESTRALE
Comme leurs ancêtres, les Grecs récoltent les olives en les gaulant. Des perches de différentes longueurs sont utilisées. Depuis l'Antiquité, l'huile d'olive a toujours la même saveur.

L'oliveraie, généralement de petite taille, est régulièrement entretenue. Un olivier commence à donner des fruits vers 3 ou 4 ans et atteint son rendement maximal entre 15 et 30 ans. Les arbres sont souvent taillés court pour faciliter la récolte. L'espace entre chacun d'eux est exploité. L'oliveraie est associée à la vigne ou laissée en pâturage au printemps, quand les dernières olives noires sont récoltées. Les fruits mûrs tombent sur des bâches déroulées au pied des arbres.

FAUVETTE À TÊTE NOIRE
Espèce sédentaire ou migratrice.

CURCULIONIDÉS
Ils se caractérisent par un rostre saillant.

ROUGEGORGE FAMILIER
Chanteur solitaire habitant les massifs boisés.

MOINEAU DOMESTIQUE
Un habitant familier de l'oliveraie.

Une fleur sur vingt donne une olive.

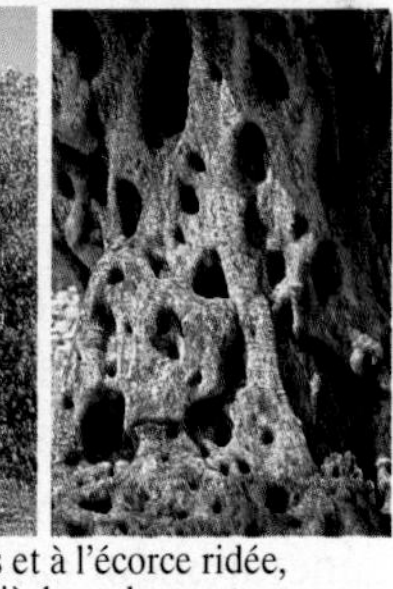

Plaine et champ d'oliviers
Cette magnifique plaine d'oliviers s'étend sur 50 km de long. On y trouve de jeunes plants géométriquement disposés, mais aussi des arbres vénérables, aux racines énormes et à l'écorce ridée, qui datent du XIIIe siècle et donnent encore 300 kg d'olives. La longévité de l'olivier est légendaire. Il reste productif jusqu'à sa 150e année.

«Meloe proscarabaeus»
De l'ordre des Coléoptères.

Lièvre brun
On le rencontre partout en Grèce.

Hérisson concolore

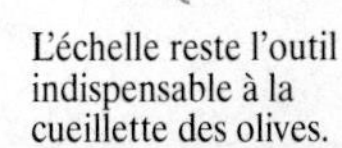

L'olivier appartient à la famille des Oléacées. L'espèce cultivée dans ces régions est l'*Olea europaea*.

L'échelle reste l'outil indispensable à la cueillette des olives.

La récolte des olives était autrefois le travail des femmes.

Le gaulage électrique est apparu à la fin des années 1980.

Le terme phrygana est un dérivé de celui créé par le botaniste grec Théophraste, au IVe siècle ap. J.-C., pour nommer ces formations basses, largement répandues dans toute la Méditerranée, comme en témoignent les *tomillares* (Espagne) et les garrigues (France). On les trouve partout en Crète, depuis les zones côtières jusqu'aux hauts plateaux. Elles sont constituées d'une végétation ligneuse, souvent épineuse, formant un couvert discontinu sur ces terrains secs et chauds, généralement calcaires rocheux. La flore de la phrygana est extrêmement riche et variée avec des plantes, annuelles ou vivaces, à la floraison printanière et automnale éblouissante et soudaine, bénéficiant des périodes de pluie. La vie animale est composée d'oiseaux, de reptiles et de petits mammifères.

RAT ÉPINEUX DE CRÈTE
Il appartient à un genre courant en Afrique, mais inconnu en Europe. Il se caractérise par des piquants de 20 mm de longueur sur le dos et les flancs.
PERDRIX CHOUKAR
Elle vit dans les buissons épineux. Elle est malheureusement très recherchée par les chasseurs.
COULEUVRE CHAT
De nombreux reptiles vivent dans la phrygana, mais aucun n'est dangereux pour l'homme.
ARBOUSIER ANDRACHNE
CHÊNE KERMÈS
GENÊT ÉPINEUX
ASPHODÈLE
PIMPRENELLE ÉPINEUSE
«EBENUS CRETICUS»
LÉZARD TRILIGNE
Habitant privilégié de la phrygana, son nom lui vient des trois lignes visibles sur le dos des jeunes.

Aspect typique de la phrygana, avec le moutonnement des genêts en coussinets épineux. L'explosion de la floraison est printanière, mais beaucoup d'espèces aromatiques exhalent de fortes senteurs l'été, alors que la végétation paraît sèche : au romarin s'ajoutent des sauges, des origans et des thyms, différents de ceux des garrigues de France.

FAUVETTE MÉLANOCÉPHALE
Reconnaissable à son chant mélodieux, elle s'installe dans les fourrés, dans la végétation clairsemée.

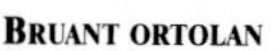

BRUANT ORTOLAN
Dos brun, ventre roussâtre, tête et poitrine brun olive, cet oiseau construit son nid à même le sol dans la phrygana.

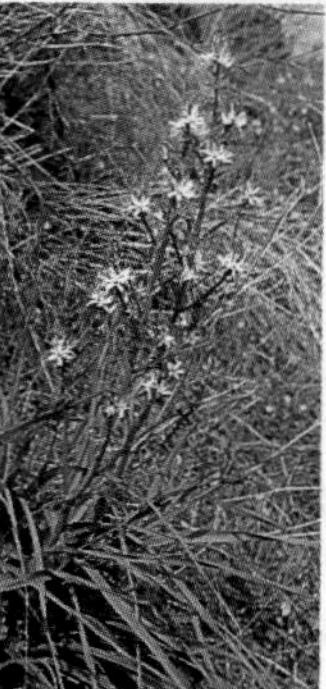

ASPHODÈLE
Grâce à leur souches profondes les asphodèles sont très résistants et parfois très abondants.

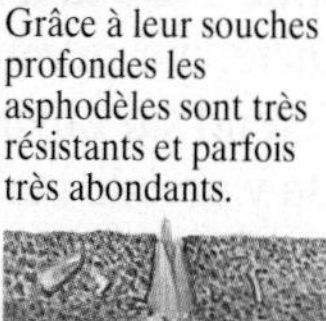

Les plantes herbacées de la phrygana sont des annuelles à cycle court, ou des vivaces à appareils souterrains accumulant des réserves. Les graines des annuelles, comme les bulbes, passent la saison sèche au repos.

RUCHES ET MIELS
Le miel a été très estimé dans l'Antiquité. La nourriture des abeilles se compose de sucs des plantes aromatiques abondantes. Les ruches colorées sont installées dans des enclos abrités des vents.

«UROMENAS ELEGANS» MÂLE
Grand orthoptère commun aux garrigues des plus vastes îles méditerranéennes (Corse, Sicile, Crète, Chypre et Sardaigne).

MERLE BLEU
Le plumage du mâle est entièrement bleu et plus foncé sur les ailes et la queue.

CAMÉLÉON
Reptile à queue prenante qui a la faculté de changer de couleur selon son environnement.

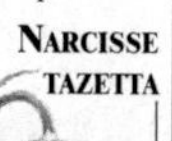

Les iris, les fritillaires, les jacinthes, les iris, les crocus et beaucoup d'autres espèces ornementales sont originaires de la garrigue et de la phrygana.

Le plateau de Lassithi

Situé à 850 m d'altitude et entouré de montagnes (dont le mont Dicté, qui culmine à 2 148 m), le plateau de Lassithi s'étend sur environ 7 km de long et 5 km de large. On y accède par deux cols dont l'un d'eux est hérissé de moulins. Sous l'occupation vénitienne, d'importants travaux d'irrigation l'ont transformé en une plaine fertile dont les produits sont réputés dans toute la Crète. Les éoliennes qui servaient à élever l'eau ont été peu à peu remplacées par des pompes motorisées. Les habitants des vingt villages disséminés sur le plateau bénéficient en été d'une fraîcheur relative.

Anémone des fleuristes
Une des plus belles fleurs sauvages de la Méditerranée, dont la floraison printanière et vivement colorée est un enchantement. La plupart des anémones cultivées dérivent de cette espèce.

Myrte
Pousse sur les pentes dominant le plateau. Ses fleurs blanches et son feuillage toujours vert dégagent un parfum suave et entêtant.

Cyclamen de Crète
Sa corolle sans taches le distingue des autres espèces.

Grande brize
Graminée annuelle, à glumes (enveloppe des fleurs, puis des graines) vert argenté devenant souvent brunâtres. Elle est utilisée dans les bouquets secs pour son élégance.

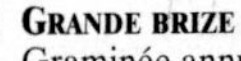

Genêt d'Espagne
Ce grand buisson de 1 à 3 m de haut, aux tiges raides portant de grandes fleurs jaunes, pousse souvent sur le bord des routes.

Arum de Crète
Grande fleur blanc pur en cornet à la floraison fugace.

Plantation d'arbres fruitiers près du village de Mohos, situé sur la route partant de Stalida, à l'est d'Héraklion ; l'un des moulins à vent en pierre, où les habitants venaient, jusqu'au début du siècle, moudre leur blé et leur seigle.

Guêpier d'Europe
Oiseau multicolore de 27 cm de long qui se nourrit des guêpes, abeilles et bourdons présents dans les vergers.

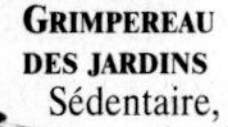

Grimpereau des jardins
Sédentaire, il niche volontiers sous l'écorce décollée des arbres.

Traquet oreillard
Les deux marques sombres sur les côtés de la tête lui donnent son nom. Visiteur d'été dans l'île, il s'envole vers ses quartiers d'hiver au sud du Sahara, en septembre-octobre.

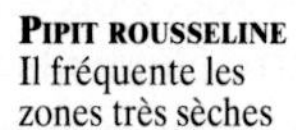

Pipit rousseline
Il fréquente les zones très sèches des monts qui entourent le plateau.

Alouette des Champs
Résident permanent, ce passereau à petite huppe se nourrit surtout de graines de céréales.

Crapaud vert
Attiré par l'humidité des terres cultivées, il lance son doux trille cristallin dans la nuit.

Fauvette passerinette
Elle fréquente plus volontiers les monts dominant le plateau.

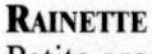

Rainette
Petite grenouille dont les doigts sont munis de ventouses qui lui permettent de s'accrocher aux feuilles.

Éolienne

Arbres fruitiers (pommiers, poiriers, pruniers, pêchers, etc.)

Nappe d'eau souterraine

Les orchidées sauvages

Bien représentées dans l'île, puisque l'on en compte 80 espèces, dont plusieurs endémiques, les orchidées sauvages attirent en Crète spécialistes et amateurs. Elles sont toutes terrestres, parfois à véritables tubercules ou à rhizomes. Leurs fleurs généralement bisexuées présentent souvent des incompatibilités entre éléments mâles et femelles. D'ingénieux systèmes assurent alors la pollinisation. Les ophrys de Crète en sont un bel exemple : les fleurs miment des insectes, avec un «miroir» sur le pétale inférieur et une odeur comparable à celle, par exemple, des hormones d'abeilles ; les mâles attirés entraînent les pollinies qui, sur une autre fleur, seront en contact avec le stigmate (organe femelle) : la fécondation pourra être assurée.

«Ophrys iricolor»

Ophrys abeille
Sa fleur illustre bien la structure d'une orchidée : une corolle externe rose de trois sépales ; un grand pétale (le labelle), avec un décor attractif et des expansions velues, surmonté d'une colonne en bec (le gynostème), incluant pollinies et stigmate, et flanqué de deux petits pétales velus.

Les Orchis
La diversité dans le genre *Orchis* en Crète est montrée par les six espèces ci-contre (de gauche à droite) : l'Orchis d'Anatolie, à tige de 10 à 40 cm de haut et à épi peu dense et assez large ; l'Orchis d'Italie, à tige robuste et épi dense et conique ; l'orchis à trois dents, à fleurs odorantes, qui vit dans la phrygana. L'*Orchis pauciflora*, trapu, à fleurs jaune brillant, préfère les pentes ombragées. L'*Orchis prisca* est endémique et l'Orchis de Bory est spécial à la Crète et au sud de la Grèce.

Outre les espèces endémiques de divers genres, comme celles rares et protégées des gorges de Samaria (l'orchis bouc), on voit en Crète des orchidées de vaste répartition européenne, comme le spiranthe d'automne (à gauche), à floraison tardive ; ou uniquement méditerranéenne, comme l'orchis de Robert (au centre). Le limidorum, sans feuilles chlorophylliennes, à racine très longue et profonde, à tige pourpre, vit en parasite dans les sites boisés. Ses grandes fleurs sont violettes à long éperon (à droite).

LES SÉRAPIAS
Gros plan sur une fleur du Listère à feuilles ovales. Sérapias d'Orient (ci-dessous, à gauche).

TUBERCULE
Les orchidées tirent leur nom du grec *orchis*, «testicule», allusion à la forme de certains tubercules.

LA DIVERSITÉ DES OPHRYS
Les fécondations croisées créant des types intermédiaires peu stables, qui déconcertent même les botanistes, induisent la diversité des Ophrys. Ceux-ci sont menacés par l'arrachage et par les pesticides, tuant insectes pollinisateurs et plantes. L'Ophrys guêpe, jaune vif, contraste avec le sombre Ophrys de Crète. L'*Ophrys candica* montre un dessin délimitant une zone brun-rouge, et l'Ophrys brunâtre est cousin de l'*Ophrys iricolor*.

L'OPHRYS MIROIR
Pourtant signalé tout autour de la Méditerranée, l'Ophrys miroir n'est mentionné qu'avec doute en Crète, où vivent des espèces à labelle moins cilié, marqué aussi de bleu (ci-contre).

ACERAS «HOMME PENDU»
Long épi de fleurs dont la silhouette d'homme pendu est encore accentuée par le petit casque rond.

Genévrier

Cyprès tabulaire

Pin brutia

Plusieurs gorges très étroites, sombres et fraîches, entaillent les montagnes calcaires de la Crète. Celles de Samaria et des Levki Ori (Montagnes Blanches), à l'ouest, sont très célèbres par leurs à-pics impressionnants. Ce couloir botanique long de 17 km abrite de nombreuses espèces de la flore et de la faune dont certaines sont endémiques comme une chèvre sauvage, ou chèvre à bézoard, appelée localement *kri-kri* ou *agrimi*. Les pins de Calabre et les extraordinaires cyprès à cimes tabulaires dominent les falaises abruptes des gorges, tandis que les parties sèches de celles-ci accueillent souvent des plantes en coussinets ou des arbrisseaux rampants.

Les torrents ont taillé une saignée jusqu'à la mer

Chênes verts, pins et lauriers-roses

Les gorges ont servi de refuge aux Crétois durant l'occupation turque

Aigle royal
Ce grand rapace, aux ailes rectangulaires et au plumage doré sur la tête, installe son nid sur une corniche inaccessible.

Pin de Calabre

Euphorbe en coussinet

Chèvre à bézoard

Éphédra (uvette des rochers)

La flore orophile comprend des espèces particulières à chacun des trois massifs dépassant 2 000 m. Ces plantes sont issues de souches très anciennes (ère tertiaire) ayant peu subi les conséquences des glaciations. Toutes les endémiques sont spécifiques et représentent une diversification marquée avec les «cousins» des continents voisins.

FLEURS PRINTANIÈRES
La pivoine de de l'Écluse est unique en Europe par ses fleurs blanches (**1**) ; tulipe des rochers aux grands sépales rose lilas , marqués de jaune(**2**) ; iris de Crète, variété à feuilles très étroites et fleur solitaire bleu lilas (**3**) ; pivoines de de l'Écluse en buisson(**4**).

L'ÉRABLE DE CRÈTE
Souvent brouté par les troupeaux de moutons, cet arbuste à feuilles persistantes survit çà et là dans la montagne.

ORCHIS BOUC DE SAMARIA
L'orchidée de Samaria fleurit de la mi-mai à la mi-juin.

CADE
Arbuste ou petit arbre, gris argenté, de 1 à 8 m de haut. Ses fruits verts deviennent brun-rouge à maturité.

ZELKOVA DE CRÈTE
Parent de l'«orme de Sibérie» (en fait un arbre du Caucase), il remonte à l'ère tertiaire. Il n'existe nulle part ailleurs en Europe.

STAEHELINA EN ARBRE
Composée étrange dont les feuilles ressemblent à celles du laurier, mais sont argentées. Il aime les rocailles et les à-pics (ci-dessous).

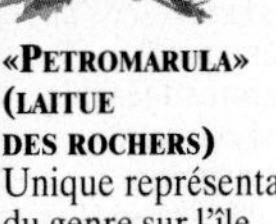

«PETROMARULA» (LAITUE DES ROCHERS)
Unique représentante du genre sur l'île. Elle a trouvé refuge dans les gorges de Samaria. Sa floraison mauve en hampe est très séduisante.

PETIT DRAGON COMMUN
L'odeur de cette énorme fleur pourpre livide est très fétide. Ses tiges bariolées marquées de taches noires atteignent 1 m de haut.

DICTAME
Plante devenue aujourd'hui très rare car elle fut trop cueillie, en raison de ses multiples propriétés médicinales.

LA GROTTE D'HAGHIA PARASKÉVI

Île calcaire et montagneuse, la Crète compte de nombreuses grottes, cavernes et gouffres. On lui connaît quelque 3 300 formes karstiques dont 2 500 grottes. Un grand nombre d'entre elles furent utilisées comme sanctuaires. La grotte d'Haghia Paraskévi, située près du village de Skoteino, à l'est d'Héraklion, est étudiée régulièrement par le Département de biologie de Crète.

PETIT-DUC SCOPS
Résident en Crète, c'est le plus petit des hiboux.

MÉSANGE CHARBONNIÈRE
Sédentaire en Crète, elle installe son nid dans une infractuosité de rocher ou une cavité d'arbre.

PREMIÈRE SALLE DE LA GROTTE D'HAGHIA PARASKÉVI

PIPISTRELLE
Il existe une douzaine d'autres espèces de chauve-souris en Crète, comme l'oreillard, la roussette, etc.

«PAEDERUS LITTORALIS»
Cet insecte rouge et noir vit sur le sol des grottes.

BLAPS MUCRONÉE
Cet insecte très habituel à l'entrée des grottes est l'un des plus grands coléoptères.

ENTRÉE DE LA GROTTE D'HAGHIA PARASKÉVI
Une doline (dépression) se trouve devant l'entrée, zone intermédiaire entre la cavité et l'extérieur.

STALAGMITES ET STALACTITES
Deuxième salle de la grotte. Elle mesure 134 m de long, 33 m de large et sa hauteur est de 30 m.

RAT NOIR
Commun à toute la Méditerranée, il se rencontre à la campagne comme à la ville.

«DOLICHOPODE PARASKEVI»
Endémique à la grotte d'Haghia Paraskévi, cette espèce vit dans les dernières salles les plus obscures.

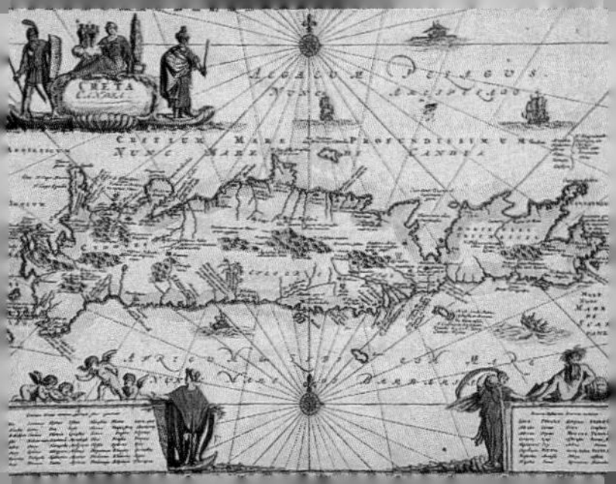
CRETA
PELAGUS.
MARE
PROFUNDISSIMUM
NUNC
CANDIA

Homère sont les principales sources p
connaissance de la mythologie. Ainsi,
Théogonie, Hésiode raconte, notamme
création du monde ; la naissance de G
Terre) et d'Ouranos (le Ciel). La Crèt
ns cette dramaturgie une place privilé

RHÉA ● CRONOS

Un subterfuge
Cronos, sachant qu'il serait évincé par l'un de ses enfants, avait pris la très fâcheuse habitude de les dévorer aussitôt nés. Rhéa, lasse de flatter l'appétit infanticide de son redoutable époux, s'en fut accoucher en Crète dans l'antre de Dikté. Puis, elle revint en hâte sur l'Olympe et tendit à Cronos, à la place de Zeus, son petit dernier, une pierre, qu'il avala tout rond.

Les Curètes
Zeus était un enfant plein de vie et déjà tonitruant. Aussi, pour que son père ne puisse l'entendre, Rhéa avait chargé les Curètes, peuple à demi divin, de danser et d'entrechoquer leurs boucliers et leurs lances au cours de rituels tumultueux, afin de couvrir ses pleurs. L'enfant-dieu et le bouc Pan, son frère de lait, furent nourris en Crète par la chèvre (ou la nymphe) Amalthée.

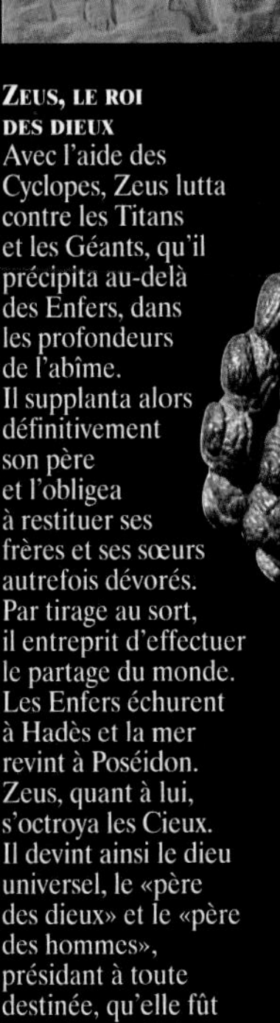

Zeus, le roi des dieux
Avec l'aide des Cyclopes, Zeus lutta contre les Titans et les Géants, qu'il précipita au-delà des Enfers, dans les profondeurs de l'abîme.
Il supplanta alors définitivement son père et l'obligea à restituer ses frères et ses sœurs autrefois dévorés. Par tirage au sort, il entreprit d'effectuer le partage du monde. Les Enfers échurent à Hadès et la mer revint à Poséidon. Zeus, quant à lui, s'octroya les Cieux. Il devint ainsi le dieu universel, le «père des dieux» et le «père des hommes», présidant à toute destinée, qu'elle fût humaine ou divine.

LES ÉPOUSAILLES DIVINES DE ZEUS
Zeus eut comme première épouse la déesse Métis (la Prudence et l'Astuce). Ayant appris par un oracle que l'enfant qui lui naîtrait pourrait inquiéter sa souveraineté, Zeus, lorsqu'elle fut enceinte, avala Métis (alliant ainsi en lui la Puissance et la Raison). Quelque temps plus tard, il souffrit d'un violent mal de tête. Héphaïstos, pour le soulager, lui perça la tempe, d'où s'échappa Athéna armée et casquée.

L'ENLÈVEMENT D'EUROPE
Europe, la fille du roi de Phénicie, jouait avec ses compagnes sur la plage de Tyr, lorsque Zeus, qui ne dédaignait pas les unions avec de simples mortelles, s'enflamma devant sa beauté. Il se transforma alors en un taureau si doux et d'une blancheur si éclatante qu'Europe caressa l'animal, puis s'enhardissant, s'assit sur son dos. Aussitôt, Zeus s'élança vers les flots, et s'éloigna du rivage à la nage, Europe se maintenant à l'une de ses cornes. Ils arrivèrent jusqu'en Crète, où ils s'unirent sous les platanes de Gortyne, qui depuis, en mémoire de leurs amours, gardent leurs feuilles toujours vertes. Ils eurent trois enfants : Minos, Radhamante et Sarpédon. Le taureau dont Zeus avait pris la forme devint une constellation et un signe dans le Zodiaque. Bien qu'Hérodote le réfute (*Histoires,* IV. XLV), on dit que le continent de l'Europe a été nommé d'après la jeune fille qui quitta ses rivages d'Asie pour se rendre en Occident et y faire souche.

Promesse non tenue
Pour convaincre ses frères qu'il devait régner seul sur la Crète et que les dieux étaient avec lui, Minos pria Poséidon de faire surgir un taureau de la mer, qu'il promit de sacrifier. Minos devint roi, mais l'animal était si beau qu'il ne se résolut pas à le tuer et l'envoya dans ses troupeaux pour en perpétuer la race. Minos prit pour reine Pasiphaé, la fille d'Hélios (le Soleil), dont il eut de nombreux enfants, dont Ariane et Phèdre.

Des amours monstrueuses
Poséidon, irrité par le parjure de Minos, se vengea en inspirant à Pasiphaé un amour coupable pour le beau taureau. Ne sachant comment assouvir sa passion, elle demanda à Dédale, architecte athénien exilé en Crète à la cour de Minos, de lui venir en aide. L'artiste conçut une vache en bois, dans laquelle la reine se glissa. Le leurre était si parfait que l'animal s'y trompa et l'accouplement contre nature put avoir lieu.

Le Minotaure
À la suite de ses funestes amours, Pasiphaé donna le jour à un être hybride, au corps d'homme et à la tête de taureau, se nourrissant de chair humaine. Honteux, Minos ordonna à Dédale de bâtir le Labyrinthe pour y cacher le monstre. Après sa victoire sur Athènes, Minos exigea en tribut que quatorze jeunes Athéniens soient tous les trois ans livrés au Minotaure. Thésée se porta volontaire, mais dès qu'Ariane le vit, elle en fut aussitôt éprise.

Le Labyrinthe, prison du Minotaure
Afin que Thésée ne s'égare pas dans le Labyrinthe, Ariane lui donna un peloton de fil que celui-ci déroula jusqu'à l'antre du Minotaure. Un violent combat s'engagea alors dont Thésée sortit vainqueur. Il n'eut ensuite qu'à suivre dans le sens inverse le fil d'Ariane pour se retrouver à la lumière. Redoutant la colère de Minos, Ariane s'enfuit en bateau avec Thésée et les autres Athéniens.

Ariane et Dionysos
À l'escale de Naxos, Thésée abandonna Ariane endormie sur la plage. Au matin, elle vit la voile des Athéniens ne formant qu'un point à l'horizon. Mais sa tristesse fut de courte durée car Dionysos, ébloui par sa grâce, l'emporta sur l'Olympe, l'épousa et la rendit immortelle.

L'ENVOL ET LA CHUTE D'ICARE
Après la mort du Minotaure et le départ d'Ariane avec Thésée, Minos, très courroucé, enferma Dédale et son fils Icare dans le Labyrinthe. Mais Dédale, dont le nom signifie en grec «artisan habile», n'était pas à court d'idées. Pour lui et son fils, il fabriqua avec des plumes deux paires d'ailes. Il les fixa aux épaules avec de la cire, puis tous deux s'envolèrent. Hélas, malgré les recommandations de son père, Icare, ivre de liberté, s'éleva trop haut, trop près du soleil. La cire de ses ailes fondit et la chute fut terrible. Il fut précipité dans la mer qui depuis porte son nom : la mer Icarienne. L'on dit que Dédale récupéra le corps de son fils et qu'il l'enterra dans l'île appelée aujourd'hui Icarie. Mais Minos ne désarmait pas. Il poursuivit Dédale jusque chez le roi de Sicile, où il mourut ébouillanté dans une baignoire inventée par Dédale.

PHÈDRE ET THÉSÉE
Phèdre se maria avec Thésée. Elle lui donna deux enfants, mais conçut une vive passion pour son beau-fils Hippolyte, qui, bien qu'innocent, fut banni, puis mis à mort. Phèdre après l'avoir accusé se pendit. Ci-dessus, Phèdre et sa servante.

Les mythes crétois plongent leurs racines dans des symboles qui ont été une source constante d'inspiration pour de nombreux artistes. Ils ont ainsi perpétué l'image de la naïve jeune fille enlevée par la force brutale du taureau, pourtant dissimulée par un blanc éclatant. Le Minotaure resurgit dans toute sa puissance, dès le tournant du siècle à Vienne, puis durant la période politique des surréalistes d'avant guerre. Ces derniers l'aimaient pour ce qu'il représentait de «sur-humain», de contre-nature, de «sur-réel».

REVUE «MINOTAURE» Couvertures créées par Picasso (*à droite*) et Dali (*à gauche*) pour la revue d'Albert Skira, dont le premier numéro est paru en février 1933.

ICARE IMMORTEL Ce dessin pour le ballet de Serge Lifar, d'après Picasso, exprime la joie de l'homme à la conquête du ciel.

LE SYMBOLE DU MINOTAURE À VIENNE Gustave Klimt fonde dans les années 1897, avec un petit groupe d'artistes, un mouvement appelé la «Sécession viennoise» qui souhaite réagir contre l'art officiel, en particulier celui des académies. Dans cette affiche dessinée pour la première exposition de la Sécession, Klimt représente des personnages tirés de la mythologie crétoise, Thésée et le Minotaure, et grecque, Athéna et Gorgone. Le carré vide du centre figure l'espace du temple ou du Labyrinthe, et l'étroite bande sombre du haut, l'antre du monstre, où s'effectue la perpétuelle et terrible lutte de l'individu avec ses propres instincts.
Il n'est pas indifférent de savoir qu'à la même époque, Freud pose les concepts fondamentaux de la psychanalyse, dont l'hypothèse est la division du psychisme en trois éléments : l'inconscient, le subconscient et le conscient. Klimt devait faire d'Athéna la figure représentative du mouvement sécessionniste, car elle réunit en elle la puissance primitive et la sensibilité, le tout placé sous l'égide de la conscience morale.

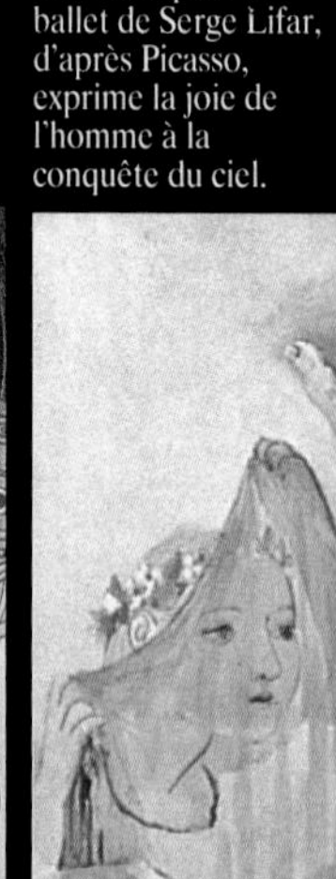

MINOTAUROMACHIES Le Minotaure est l'un des thèmes majeurs de l'univers pictural de Pablo Picasso. Il s'approprie ce symbole antique du duel entre la lumière et l'obscurité, le bien et le mal, l'amour et la mort, très proche du combat de l'arène, pour donner une version humaine, très humaine, du «monstre», à la fois bourreau et victime.

«LE SYMBOLE SE TRADUIT DANS UN LANGAGE NOUVEAU, IL DÉCLENCHE DES RÉSONANCES IMPRÉVUES, MAIS IL GARDE [...], LA FIDÉLITÉ À L'INTUITION ORIGINELLE, UNE COHÉRENCE DANS SES INTERPRÉTATIONS SUCCESSIVES.» J. CHEVALIER

Enlèvement d'Europe de Titien.

LES ORIGINES

Ci-contre, motifs géométriques relevés sur des céramiques néolithiques

6500 AV. J.-C.
Europe néolithique : débuts de la culture de céréales et de l'élevage de moutons et de chèvres.

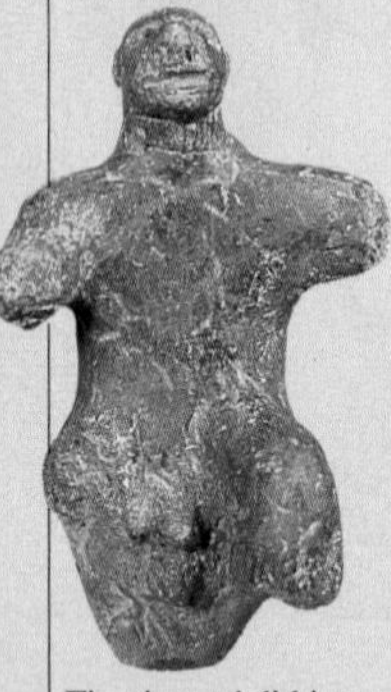

Figurines néolithiques. Musée archéologique d'Héraklion

3800 AV. J.-C.
Villages entourés de murs défensifs.

3500 AV. J.-C.
Utilisation de charrues attelées rudimentaires.

3000-2100 AV. J.-C.
Commerce maritime entre la Crète et l'archipel grec.

2000-1600 AV. J.-C.
Liens établis entre les Minoens, Byblos et l'Égypte.

Cruche dans le style de Kamarès provenant du palais de Phaïstos, 1900-1700 av. J.-C.

FORMATION GÉOLOGIQUE. Avec ses 8 300 km² la Crète est une des plus grandes îles de la mer Méditerranée ■ *16*. Elle s'étire d'ouest en est sur environ 250 km. Sa largeur n'excède pas 60 km ; elle se réduit à 12 km à l'isthme de Hiérapétra. Située entre l'Asie, l'Europe et l'Afrique, à peu près à égale distance de ces trois continents, la Crète occupe une position centrale sur l'arc insulaire qui ferme, au sud, la mer Égée. Sa formation géologique correspond à sa position géographique. En effet, si par sa partie occidentale elle n'est que prolongement des Alpes dinariques, le relief de sa partie orientale se rattache à la chaîne du Taurus. L'axe montagneux qui occupe toute sa longueur y détermine un versant nord et un versant sud, très différents du point de vue du climat et de la végétation. Trois massifs principaux divisent l'île, d'ouest en est, en trois régions : à l'ouest, les Montagnes Blanches (Lefka Ori) qui dominent la région de La Canée ; au centre, le mont Ida (Oros Idi), qui tombe en pentes abruptes sur la plaine de la Messara ; à l'est, le mont Dicté (Oros Dikti), autour duquel s'étend une région plus complexe, composée de hauts plateaux et de collines que prolongent les monts de Sitia (Sitiaka Ori) culminant à 1 476 m. Sa position géographique, son climat tempéré, les richesses de son sol ont excité très tôt la convoitise, et la Crète sera à plusieurs reprises dominée par des peuples étrangers.

PREMIÈRE PÉRIODE NÉOLITHIQUE (6100-3800 AV. J.-C.). Les premières traces de peuplement humain sur le sol crétois remontent environ à la fin du VIIe millénaire (6100 av. J.-C.). De nombreux mythes et croyances de l'Antiquité plaident en faveur de l'existence d'une population autochtone. Mais, même si un noyau primitif existait en des temps plus reculés, il est probable que le peuplement proprement dit s'est accompli par l'apport de populations venues de l'extérieur. Il est certain notamment que les Phéniciens, peuple de navigateurs, fondèrent des établissements sur l'île de Crète ; au fur et à mesure nombre d'entre eux s'y installèrent définitivement, introduisant des éléments importants de leur civilisation. La première période néolithique est caractérisée par un habitat de grottes, comme par exemple celle du mont Dicté, *Dikteon Antron*, où ont été trouvés des ossements et des outils en pierre, ou encore un habitat de constructions primitives.

SECONDE PÉRIODE NÉOLITHIQUE (3800-2800 AV. J.-C.). C'est à cette période qu'apparaît la céramique, fabrication en terre cuite, à feu ouvert. Les céramiques néolithiques sont de couleurs noirâtres et en général sombres : il s'agit d'ustensiles de cuisine, louches,

PRÉPALATIAL				PROTOPALATIAL		NÉOPALATIAL			MYCÉNIEN
00 AV. J.-C.	2550	2250	2100	1800	1650		1550		1200
MA I	MA II	MA III	MM I	MM II	MM III	MR I	MR II	MR III	

cruches, vases, mais aussi d'idoles. À cette époque existent également des objets en os ou en cristal. Des traces de cultures avancées ont été découvertes, céréales, orge, lentilles, ainsi que des ossements d'animaux, caprins, ovins, porcins, et plus rarement des bovins. La fin du néolithique correspond à l'introduction des métaux en Crète, dont témoigne une première hache en bronze.

Chronologie simplifiée des minoens qu'Evans avait répartis en trois périodes : Minoen ancien, Minoen moyen et Minoen récent, chacune subdivisée en I, II et III. Plus tard,

La civilisation minoenne (2700-1200 av. J.-C.)

Après l'évolution relativement lente du néolithique, la Crète entre, vers 2800 av. J.-C., dans une période florissante, d'une durée de quinze siècles environ et d'un niveau de civilisation exceptionnel dans tous les domaines.

L'époque minoenne est ainsi nommée d'après un roi, Minos, qui aurait régné sur l'île. Parallèlement à l'évolution de son agriculture, de l'élevage, de l'artisanat, cette époque se caractérise par un habitat plus dense ainsi que par le développement des échanges commerciaux avec l'Égypte, la Syrie et l'Asie Mineure.

Nicolas Platon crée une datation se référant au «système palatial» crétois.

Figurine votive, époque des premiers palais

Les premiers palais (protopalatial)

La construction du premier palais de Knossos se situe vers 1900 av. J.-C. Knossos fut sans doute le centre administratif le plus important de l'île. À Phaistos, Malia, Haghia Triada, d'autres palais sont construits à peu près à la même époque et suivant la même conception architecturale. Ces constructions témoignent d'une vie confortable et très évoluée, avec notamment des salles de bains et des systèmes de canalisations amenant l'eau potable parfois de très loin : celle qui alimente le palais de Knossos ● *88* provient de la région du mont Jouchtas, éloignée d'une dizaine de kilomètres. La vie artistique – peinture, théâtre, jeux de tauromachie – atteste également un niveau culturel élevé ; de même que l'apparition d'une première forme d'écriture, hiéroglyphique, du type de celle inscrite sur le disque de Phaistos ● *66*. Les échanges commerciaux avec des pays proches ou lointains amènent les Minoens à développer leur flotte : la Crète, pendant cette période et les siècles qui suivront, devient une importante puissance maritime.

1900 av. J.-C.
En Crète : écriture hiéroglyphique.

Ci-contre, superbe rhyton en cristal de roche du palais de Zakros, 1450 av. J.-C.

1550 av. J.-C.
Mycéniens en Grèce.

1450 av. J.-C.
La civilisation mycénienne l'emporte sur celle des Minoens.

Fresque des Dauphins du palais de Knossos, vers 1600 av. J.-C.

Les seconds palais (néopalatial)

Les premiers palais sont détruits vers 1750-1700 av. J.-C., très probablement par une catastrophe naturelle, peut-être une série de séismes, fréquents dans l'île. Cependant, après cette catastrophe, non seulement les anciens palais sont reconstruits mais d'autres voient le jour, à Tylissos, à Pressos, à Zakros, etc. Au cours des trois siècles suivants, entre 1700 et 1450 av. J.-C., on assiste de nouveau à une expansion économique et culturelle sans précédent. C'est l'âge d'or de la civilisation minoenne.

Le gobelet du chef, provenant d'Haghia Triada, XVIe siècle av. J.-C.

Le plus beau des bijoux minoens : le pendentif aux abeilles trouvé sur le site de Malia ▲ *192* (vers 1500 av. J.-C.)

La population croît et les villes se multiplient sur toute l'étendue de l'île. L'écriture dite «linéaire A» apparaît à cette époque. L'influence de la civilisation minoenne est grande, sur les îles de la mer Égée en particulier. Les fouilles de l'île de Théra (Santorin), qui datent d'une trentaine d'années, en témoignent. L'influence minoenne s'étend également au Péloponnèse. Mais cette grande civilisation, dont les vestiges provoquent encore notre étonnement, est victime, au cours du XVe siècle av. J.-C., d'une mystérieuse catastrophe. Historiens, archéologues et autres scientifiques sont en désaccord sur les circonstances qui l'ont provoquée. La plus plausible paraît être l'explosion du volcan de l'île de Théra qui survint à peu près à cette époque, éruption qui provoqua un raz de marée gigantesque et qui, par le dépôt de cendres volcaniques ■ *17*, aurait causé des dommages d'une telle gravité que la civilisation minoenne ne put se relever.

LES MYCÉNIENS ET LES DORIENS (1450-700 AV. J.-C.)

Casque en dents de sanglier, 1450-1300 av. J.-C.

Ci-contre, plaquette mycénienne en or représentant un sanctuaire décoré des doubles cornes

FIN XIIIe-DÉBUT XIIe SIÈCLE AV. J.-C. *Guerre de Troie.*

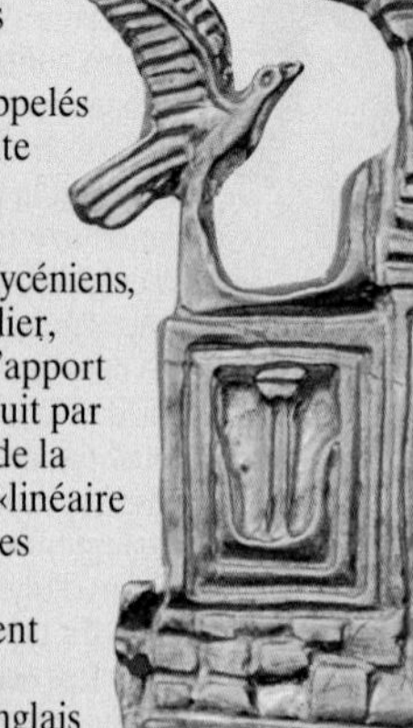

PÉRIODE POSTPALATIALE (1450-1100 AV. J.-C.) D'autres hypothèses attribuent la disparition des Minoens aux vagues d'invasions qui déferlent sur la Crète à cette même époque : elles sont le fait de peuples venus du Péloponnèse, des Achéens du continent, plus communément appelés Mycéniens. Durant cette période, dite de la civilisation créto-mycénienne, les deux cultures s'interpénètrent : l'influence minoenne sur la vie des Mycéniens, et sur leur sens artistique en particulier, est incontestable. Pour les Crétois, l'apport de la civilisation mycénienne se traduit par l'introduction d'éléments religieux, de la langue grecque et de l'écriture dite «linéaire B». Le déchiffrement des nombreuses tablettes portant ce type d'écriture, retrouvées dans toute l'île, notamment dans le palais de Knossos, et dans le Péloponnèse, a été réalisé par les Anglais M. Ventris et J. Chadwick ● *66*.

LA CRÈTE DANS LA GRÈCE ANTIQUE (700-67 AV. J.-C.)

1150 AV. J.-C. *Fin de la civilisation mycénienne : palais et cités abandonnés.*

Gobelet mycénien en or, XVe siècle av. J.-C.

PÉRIODE DORIENNE (1100-700 AV. J.-C.). La période qui suit constitue, par rapport à la précédente, une véritable rupture. La grande invasion des Doriens, peuple originaire du Nord-Est, commence en Grèce par vagues successives à partir de la fin XIIIe-début XIIe siècle av. J.-C. Par leur forme de vie économique, sociale, politique et culturelle, ces nouveaux venus se distinguent des autres peuples grecs. Les Doriens arrivent en Crète vers 1100 av. J.-C. et s'installent d'abord au centre de l'île, à Knossos, à Driros, ainsi qu'à Gortys devenue, grâce à eux, une ville importante. La période dorienne

Motifs décoratifs relevés sur des céramiques du MR I et II (1500-1400 av. J.-C.)

est marquée par d'importants changements politiques (régime aristocratique) et moraux. Si sur le plan artistique et dans les modes de vie apparaît un certain fléchissement, des villes anciennes, comme Knossos, connaissent en revanche un nouvel essor, et de nouvelles cités sont créées, telle Lato, au nord du mont Dicté. On constate également un accroissement de la population et un important développement des contacts et des échanges commerciaux, en particulier avec l'Asie Mineure. Avec la pénétration dorienne, la Crète tend à se confondre désormais avec le reste de la Grèce en ce qui concerne les coutumes, la religion, la langue et l'écriture. Cette période correspond également à celle de l'âge du fer.

900 AV. J.-C.
Début de la période géométrique.

IX

PÉRIODES ARCHAÏQUE ET CLASSIQUE (700-330 AV. J.-C.). Après l'installation des Doriens, au cours des périodes archaïque et classique, il semble que la Crète soit restée en quelque sorte en marge du monde hellénique. Ainsi, alors que le reste de la Grèce, où Athènes connaît un apogée artistique et commercial, fut impliqué dans les guerres Médiques, les Crétois ne semblent pas y avoir participé. En revanche, des rapports plus étroits se sont développés avec la Libye et la Cyrénaïque (fondation de la ville de Cyrène en 630 av. J.-C.) où nombre de Crétois émigrent. Néanmoins, les Crétois, très entraînés à l'art de la guerre depuis l'invasion dorienne, fournissent, vraisemblablement, jusqu'à 7 000 archers mercenaires à Alexandre le Grand lors de son expédition en Asie.

PÉRIODE HELLÉNISTIQUE (330 AV. J.-C.-67 AV. J.-C.). À la mort d'Alexandre le Grand, en 323 av. J.-C., ses généraux, les Diadoques se partagent son empire : une partie de la Crète, la Cyrénaïque et certaines îles de la mer Égée passent ainsi entre les mains des Ptolémées d'Égypte. Mais des rivalités pour le partage de l'île engendrent une situation politique confuse qui permet à la piraterie de se développer, mouvement que les Romains viendront réprimer.

La Dame d'Auxerre, figurine crétoise de style égyptien, 650-600 av. J.-C.

ÉPOQUE GRÉCO-ROMAINE (67 AV. J.-C.-330 AP. J.-C.)

Quintus Caecilius Metellus, après plusieurs tentatives, parvient à conquérir la Crète vers 67 av. J.-C. L'île devient alors une éparchie romaine, rattachée à la province de Cyrénaïque. Elle restera sous la domination de Rome jusqu'au IVe siècle ap. J.-C. Le siège du gouverneur romain est alors Gortyne, dont les ruines datant de cette époque sont encore visibles, non loin de la plaine de la Messara ▲ *176*. La Crète, en particulier la partie sud de l'île, connaît alors une période florissante grâce aux contacts permanents et aux échanges fréquents avec la Cyrénaïque. Les Romains, d'autre part, entreprennent des travaux importants, travaux d'irrigation pour une meilleure exploitation des terres, construction de routes, etc. ; ils permettent également à certaines villes de frapper monnaie. Le christianisme fait son

Ve SIÈCLE AV. J.-C.
Période classique : primauté d'Athènes ; siècle de Périclès et de Socrate.

IVe SIÈCLE AV. J.-C.
Période hellénistique.

IIIe SIÈCLE AV. J.-C.
Rome contrôle l'Italie.

31 AV. J.-C.
La Grèce, province romaine.

IIIe SIÈCLE AP. J.-C.
Déclin de l'Empire romain. Essor du christianisme.

Buste romain de la Ire dynastie flavienne (69-96 ap. J.-C.) et mosaïque, IIIe siècle ap. J.-C.

apparition en Crète à la même époque : en 59 ap. J.-C., le passage de saint Paul, accompagné de l'évêque Tite, favorise l'évangélisation ; elle se poursuit, après le départ du saint,

par l'œuvre de Tite qui s'est installé à Gortyne, puis par celle de son successeur, Philippe. Les vestiges de la grande basilique paléochrétienne construite plus tard à Gortyne et dédiée à saint Tite ● *100* témoignent de ces débuts du christianisme dans l'île. Au milieu du IIIe siècle ap. J.-C., sous l'empereur Decius, la Crète, comme le reste de l'Empire romain, est éprouvée par les persécutions contre les chrétiens : les victimes sont nombreuses à Gortyne et aux environs.

LA CRÈTE BYZANTINE (330-1204)

Ci-contre, croix byzantine, VIe-VIIe siècle

Ve SIÈCLE
Grandes invasions barbares.

VIe SIÈCLE
Règne de Justinien (527-565) : construction de la basilique Sainte-Sophie à Constantinople.

VIIe SIÈCLE
Règne d'Héraclius (610-641). Les Arabes conquièrent l'Égypte et s'installent en Afrique du Nord.

Monnaie arabe, IXe siècle. Musée historique d'Héraklion

VIIIe SIÈCLE
Règne de Léon III (717-741). Lutte contre les Arabes. Constantinople menacée. Le roi franc Charlemagne (747-814) sacré empereur d'Occident en 800.

PREMIÈRE PÉRIODE BYZANTINE (330-824). En 330, l'Empire romain est séparé en empire d'Orient et empire d'Occident. La Crète est rattachée au premier en 395, devenant ainsi une des provinces byzantines. Elle vivra à l'écart des grands bouleversements politiques jusqu'au début du IXe siècle, où elle sera menacée par les Arabes.

PÉRIODE ARABE (824-961). Au début du IXe siècle des Arabes, autrement dit les Sarrasins, d'Andalousie sont expulsés d'Espagne à la suite de discordes avec l'émirat de Cordoue. Établis en Afrique du Nord, ils se livrent à la piraterie dans toute la Méditerranée, y compris dans sa partie orientale. Par leurs incursions répétées dans les îles de la mer Égée et sur les côtes méditerranéennes, ils deviennent un élément déstabilisateur pour l'Empire byzantin. Très intéressés par la position géographique de la Crète, attirés également par ses richesses, ils l'attaquent à plusieurs reprises avant de s'en emparer en 828. Ils seront les maîtres du pays pendant environ cent trente ans. Pour les Byzantins la perte de l'île est un désastre. La Crète constitue pour les Arabes une base commode pour leurs opérations de piraterie. Ils y fondent la ville d'*al-Khandaq*, actuelle Héraklion, qu'ils dotent de fortifications. Les Byzantins tentent en vain et à plusieurs reprises de reconquérir l'île : ces campagnes, et notamment celle de 949, s'avèrent très coûteuses, en argent et en vies humaines. En juillet 960, Nicéphore Phokas, à la tête d'une armada considérable et d'une puissante armée de fantassins et de cavaliers, met le siège devant Khandaq. Après plusieurs mois de résistance, le stratège byzantin soumet Khandaq, le 7 mars 961, puis les autres cités occupées par les Arabes dont il détruit les fortifications.

SECONDE PÉRIODE BYZANTINE (961-1204). La Crète reconquise, les Byzantins fondent la ville de Téménos, au sud de Khandaq. Ils travaillent au rétablissement du christianisme,

«AU CONTACT DE LA GRÈCE, L'ESPRIT DES FRUSTRES CONQUÉRANTS S'EST ENNOBLI.»

HORACE

Armée arabe, IXe-Xe siècle

dangereusement menacé durant la période arabe, notamment par l'envoi de missionnaires, tels que saint Nikon et Athanase l'Athonite. Nombre de nobles familles byzantines s'installent dans l'île où leurs sont accordés de grands domaines et d'importants privilèges. La paix ramène la richesse et le commerce se développe non seulement entre la Crète et Constantinople, capitale de l'Empire byzantin, mais aussi avec la Russie. La Crète demeurera sous l'autorité byzantine un peu plus de deux siècles, jusqu'à la 4e croisade, dont les protagonistes sont les Francs et les Vénitiens : les croisés prennent et mettent à sac Constantinople en 1204, provoquant l'éclatement de l'empire d'Orient.

IXe SIÈCLE
Photius, patriarche de Constantinople.

XIe SIÈCLE
1054, schisme de l'Église grecque. 1071, bataille de Mantzikert : les Byzantins battus par les Turcs seldjoukides.

XIIe SIÈCLE
Restauration de l'Empire byzantin sous la dysnastie des Comnènes (1057-1185).

Saint Théodore, XIe siècle. Musée historique, Héraklion

LA CRÈTE VÉNITIENNE (1204-1669)

Les conquérants de Constantinople, réunis sous l'autorité de Boniface de Montferrat, proclamé roi de Thessalonique, se partagent les dépouilles de l'Empire byzantin. Partage qui ne se fait pas sans difficulté entre les différents intéressés, en particulier entre Génois et Vénitiens qui revendiquent les mêmes territoires. La grande gagnante est la Sérénissime République à qui échoit une partie de l'ancienne capitale byzantine où elle installe un patriarche latin et vénitien, Tomaso Morosini. De ce fait elle devient la protectrice spirituelle de tous les Francs d'Orient.

LA CONQUÊTE VÉNITIENNE. Pour Venise, qui était devenue entre-temps maîtresse de plusieurs provinces de la partie

1204
4e croisade, à laquelle participent les Vénitiens ; sac de Constantinople. Éclatement de l'Empire byzantin.

1261
Reconquête de Constantinople par les Byzantins.

1261-1453
Renaissance des arts et des lettres byzantins sous les Paléologues.

1275
Voyage du Vénitien Marco Polo en Chine.

XIVe SIÈCLE
Venise, enrichie par le commerce avec l'Orient, connaît son apogée économique.

Ci-contre, la forteresse de Réthymnon

Le doge Dandolo, en 1207, envoie Rainieri conquérir la Crète

occidentale de l'ancien Empire byzantin, de tout le littoral de Durrazo jusqu'à Naupacte, des îles Ioniennes, des côtes du Péloponnèse, de certaines îles de la mer Égée, ainsi que de la grande île d'Eubée, la conquête de la Crète était presque aussi importante que celle de Constantinople, à la fois du point de vue stratégique et économique.
Au croisement des routes maritimes, l'île, excellente base navale, pouvait lui assurer l'hégémonie commerciale en Méditerranée. La Crète était également riche en produits agricoles : céréales, vins, huile d'olive, fruits et légumes, dont l'exploitation pouvait lui procurer des revenus substantiels. En août 1204, les Vénitiens achètent à Montferrat la Crète dont ils finissent par s'assurer le contrôle en 1212, malgré des tentatives adverses des Génois.

1438
Conciles de Ferrare et de Florence : tentative d'union entre l'Église d'Occident et l'Église d'Orient.

1445
Premier livre imprimé par Gutenberg.

LE GOUVERNEMENT DE L'ÎLE. Les Vénitiens mettent en place un régime politique, un système juridique et social suivant, à quelques nuances près, le modèle de leur propre pays. L'île est administrée par un gouverneur nommé par le Grand Conseil de Venise et portant le titre de duc de Crète. Afin de consolider sa conquête, Venise divise la Crète en à peu près 200 fiefs qu'elle distribue à des nobles vénitiens auxquels il incombe de défendre l'île, mais aussi de livrer à la Sérénissime République, une partie de leurs productions agricoles. Un certain nombre de roturiers vénitiens reçoivent des sergenteries. D'autres s'établissent comme commerçants dans la capitale rebaptisée Candie. L'Église orthodoxe est soumise au pouvoir de l'Église latine. Les grandes familles des archontes byzantins, les Paléologues, les Skordhiles, les Kallergis, les Vlasto et bien d'autres, sont tenus à l'écart des affaires publiques et ne gardent que des privilèges économiques. La population crétoise, en particulier la paysannerie, est soumise à un statut juridique très centralisé et tracassier, avec imposition de corvées, service obligatoire aux galères, sans parler d'une oppressante fiscalité.

Candie, 1488

1453
Constantinople conquise par Mehmet II : les Ottomans dominent la Méditerranée orientale.

1492-1498
Découverte de l'Amérique et de routes maritimes par Christophe Colomb et Vasco de Gama.

LES RÉVOLTES. La domination vénitienne provoque de vives résistances en particulier aux XIIIe et XIVe siècles. Les révoltes sont parfois sanglantes. On n'en compte pas moins d'une dizaine rien qu'au XIIIe siècle, dont celle de 1282, conduite par l'archonte Alexis Kallergis, est particulièrement acharnée. Venise sera contrainte à de nombreuses concessions : autorisation des mariages mixtes, réinstallation du haut clergé de l'Église orthodoxe, libération des esclaves, etc.

Lion de saint Marc provenant de la forteresse de Candie

«À LA MÉMOIRE DU DUC DE BEAUFORT, AMIRAL DE FRANCE ET DES OFFICIERS, SOLDATS ET MARINS FRANÇAIS AU NOMBRE D'UN MILLIER, TOMBÉS SOUS LES MURS DE CANDIE. »

INSCRIPTION

Mais les révoltes ne cessent pas pour autant. Durant les XIVe et XVe siècles, des troubles bouleversent périodiquement le pays. Les derniers, ceux de 1527, sont graves et réprimés dans le sang. Cependant, à partir de cette époque s'amorce un tournant qui se traduit par un rapprochement entre les archontes crétois et les autorités vénitiennes. Le XVIe siècle voit le retour à la paix permettant à la Crète de connaître un épanouissement sans précédent.

L'EXPANSION ÉCONOMIQUE. Les troubles et les révoltes n'empêchent pas les Vénitiens d'exploiter, à leur profit, les ressources agricoles de la Crète. L'île devient un important centre d'échanges commerciaux, quand, à la fin du XVe siècle, de nouveaux marchés s'ouvrent entre divers pays. Elle est un précieux relais pour quantité de denrées convoyées depuis la mer Rouge jusqu'à la Méditerranée à destination de l'Europe occidentale : c'est le cas des épices venues d'Extrême-Orient et achetées sur la place d'Alexandrie. Dans l'île, Venise favorise dans un premier temps la culture des céréales. Vers la fin du XVe siècle, elle donne la priorité à la vigne et la Crète se transforme en un immense vignoble. L'île connaît un grand essor économique qui s'accompagne d'un niveau de vie élevé et d'un accroissement de la population : malgré les fréquents tremblements de terre et les pestes qui ravagent le pays de temps à autre, la Crète compte, vers la fin du XVIe siècle, environ 200 000 habitants.

CANDIE, LA CANÉE, RÉTHYMNON. Le XVIe siècle voit également se resserrer les liens avec Venise. Les enfants de la bourgeoisie crétoise partent faire leurs études de médecine, de droit ou de philosophie dans les universités italiennes, à Bologne, Padoue, et Venise elle-même où, par ailleurs, une importante colonie crétoise s'est installée. Les trois principales villes, Candie, La Canée et Réthymnon, sont devenues à la fois des centres économiques et des centres culturels comme en témoigne la production artistique de cette époque. Les Vénitiens y ont entrepris des travaux d'embellissement et réalisé des constructions diverses : à Candie ▲ *144* sont édifiés un palais ducal avec sa loggia, une armeria, la cathédrale San Marco, l'église Saint-Tite, la fontaine Morosini et un grand nombre des belles demeures. Des travaux d'amélioration portuaires sont entrepris et des arsenaux construits. Sont également réalisés des travaux d'intérêt général tels que la réfection des routes et des travaux d'irrigation pour une meilleure exploitation de la terre.

Monnaie vénitienne, XVe siècle. Musée historique, Héraklion

PREMIÈRE MOITIÉ DU XVIe SIÈCLE
Espagnols et Portugais contrôlent les nouvelles routes des épices. Déclin des Arabes, de Venise et de Gênes.

Apogée de l'Empire ottoman sous le règne du sultan Süleyman le Magnifique (1520-1566).

En Europe, Humanisme, Renaissance et essor de la bourgeoisie marchande.

Portail de la ville de Réthymnon

SECONDE MOITIÉ DU XVIe SIÈCLE
Essor de la marine anglaise.

1570
Les Ottomans sont maîtres de tout l'ancien Empire byzantin.

XVIIe SIÈCLE
La France de Louis XIV domine l'Europe occidentale.

1669
Conquête ottomane de la Crète.

Les arsenaux vénitiens de La Canée

Deux pièces notariées permettent d'affirmer que le célèbre peintre Doménikos Théotokopoulos dit, El Greco, naquit à Héraklion en 1541, époque où la Crète était sous domination vénitienne. L'artiste fit l'apprentissage de son art dans la capitale crétoise qu'il quitta en 1566, à l'âge de 25 ans, pour rejoindre d'abord Venise, où il fut sans doute l'élève de Titien. Arrivé à Rome en 1570, il y rencontre certainement Luis Castilla, dont le frère Diego, doyen du chapitre de la cathédrale de Tolède, sera son protecteur en Espagne. C'est dans ce dernier pays que son art atteindra sa maturité et qu'il développera le style si personnel qui lui vaudra la célébrité. El Greco décédera à Tolède en 1614.

L'autoportrait est daté de1563.
Ci-contre à droite, *Sainte Anne, la Vierge et l'Enfant* présente de nombreux traits byzantins.

Dans la notice biographique qu'il consacre au peintre en 1619, Giulio Cesare Mancini rapporte un incident qui explique peut-être la brièveté du séjour d'El Greco en Italie. Le pape Pie V, en exercice de 1566 à 1572, envisagea de faire recouvrir certains détails qu'il jugeait indécents du *Jugement dernier* peint par Michel-Ange en 1536 dans la chapelle Sixtine. Le jeune peintre crétois aurait alors déclaré que si on lui confiait cette tâche, il pourrait faire aussi bien que le grand maître romain tout en respectant les convenances. «Ayant provoqué l'indignation de tous les peintres et des amateurs de peinture, conclut Mancini, il fut forcé de partir pour l'Espagne.»

«VUE DU MONT SINAÏ»
Datée environ de 1570, c'est la seule œuvre d'El Greco exposée en Crète, au Musée historique d'Héraklion ▲ *152*. Cette peinture, sur bois «a tempera» et à l'huile, représente une vue imaginaire du mont Sinaï avec le célèbre monastère Sainte-Catherine et un groupe de pèlerins au premier plan. On peut voir, dans la déformation stylisée des montagnes, un trait caractéristique du genre futur du peintre.

Influence byzantine
La filiation artistique ou historique qui rattache El Greco à sa terre natale, la Crète, reste un objet d'interrogation et de controverse pour les historiens de l'art. Quelle est la part de l'héritage byzantin dans ses œuvres ? Certains la discernent dans le caractère théologique et non pas religieux de ses représentations, où la distinction est faite entre l'espace divin et l'espace du monde matériel : deux espaces juxtaposés mais perméables l'un à l'autre.

L'École crétoise
Ci-contre, détail de l'*Adoration des Myrrhophores*, icône de Damaskinos ▲ *148*, l'un des grands représentants de l'École crétoise du XVIe siècle, à laquelle appartiennent les œuvres de jeunesse d'El Greco.

LA MENACE OTTOMANE

Mais sur cette prospérité pèsent des menaces. D'est en ouest, du nord au sud, des régions entières ne cessent de tomber entre les mains des Ottomans depuis la prise de Constantinople. L'Empire ottoman atteint l'apogée de son expansion au XVIe siècle, sous le règne de Süleyman Ier le Magnifique (1520-1566). Au cours de la seconde moitié de ce siècle, l'Occident tente de stopper cette progression : Selim II (1566-1574) s'empare de Chypre en 1570 ; par représailles l'Occident, sous autorité espagnole, va détruire la flotte du sultan lors de la bataille de Lépante en octobre 1571. La Crète, dernier bastion chrétien face au Levant, est attaquée à plusieurs reprises.

FORTIFICATIONS ET REMPARTS

Face aux menaces grandissantes, les Vénitiens entreprennent dès 1550 des travaux de défense. À Héraklion (Candie) les vestiges de ces fortifications des XVIe et XVIIe siècles sont encore visibles : les remparts avec leurs sept bastions, les portes monumentales incrustées d'écussons, ou encore leurs galeries souterraines montrent, par leur ampleur, l'importance que Venise accordait à la défense de la Crète. La Canée est fortifiée ainsi que la baie de Souda, à peu près sur le même plan. À Réthymnon, suite à une attaque ottomane subie en 1571, les Vénitiens construisent une forteresse sur la plate-forme rocheuse de l'ancienne acropole antique. Dans le reste du pays, fortins et fortifications se multiplient, telles la forteresse de Gramvoussa, à l'ouest, ou celle de Spinalonga, à l'est, encore bien conservée. Ce programme de défense se complète par des enceintes élevées autour des bourgs et une multitude de tours bâties sur les rivages.

LA CONQUÊTE OTTOMANE. Ces mesures permettent de tenir les Ottomans en respect pendant un certain temps. Mais leur avance en Méditerranée orientale est inexorable. Le 23 juin 1645, la Crète, dernière colonie vénitienne, est attaquée par l'armée du sultan Ibrahim (1640-1648). Les Ottomans débarquent dans la baie de La Canée. En quelques mois, la ville de La Canée ainsi que toute la Crète occidentale, à l'exception de la forteresse de Gramvoussa, sont conquises. L'année suivante, Réthymnon tombe à son tour. En 1647, les Ottomans se rendent maîtres du reste de l'île à l'exception de la forteresse de Spinalonga et de la ville de Candie qui résistent. Le siège de Candie, célèbre par sa durée et par l'émotion qu'il suscitera dans l'Europe chrétienne, fera de nombreuses victimes, parmi les assiégés mais aussi parmi les Européens venus au secours de la ville. En 1669, l'armée ottomane parvient à pénétrer dans la forteresse. Après la reddition de Candie, hormis les forteresses de Gramvoussa et de Spinalonga qui seront les dernières à résister, la Crète est conquise.

Céramique du XVIe siècle, Musée historique, Héraklion

1674
Signature d'accords commerciaux, les «Nouvelles Capitulations», entre la France et l'Empire ottoman.

1687
Les Vénitiens reprennent la Morée.

Lion de saint Marc, emblème de Venise, gravure de 1651

1699
Déclin de l'Empire ottoman : traité de Karlowitz, les Ottomans perdent la Hongrie.

1702
Fondation de Saint-Pétersbourg, capitale de l'Empire russe.

1718
Défaite ottomane face aux Autrichiens.

1768-1774
Guerre entre l'Empire ottoman et la Russie : les Ottomans perdent la Crimée et les Russes obtiennent le droit de franchir les Dardanelles.

Femme de Sfakia, C. Vecelio, 1590

Le retrait vénitien. Le traité imposé par les vainqueurs est clément pour les Vénitiens qui peuvent se retirer avec leurs armes, leurs archives, leurs biens propres. Les Crétois peuvent également quitter l'île avec leurs biens mobiliers. Des milliers de personnes, presque la moitié de la population, choisissent l'exil : certains se réfugient dans les îles Ioniennes qui restent sous la domination vénitienne, d'autres s'installent à Venise. Quant aux Ottomans, désormais maîtres de l'île, ils tentent d'abord, par certaines mesures, de désarmer l'hostilité de la population, en rétablissant, en particulier, les libertés de l'Église orthodoxe. La présence ottomane va durer un peu plus de deux siècles.

Les conséquences. Dans une perspective plus large et plus générale on peut considérer que la perte de la Crète par les Vénitiens a d'importantes conséquences pour le reste de l'Europe occidentale. Le retrait de Venise annonce la fin de l'époque médiévale et le début des temps modernes. Il rend possible, comme on le verra plus loin, la pénétration économique et spirituelle de la France dans cette région du monde.

Candie, gravures du XVIIe siècle

1789
Révolution française.

1797
Fin de la république de Venise.

1798
Bataille d'Aboukir.

Inscription ottomane, Réthymnon

La flotte ottomane au large de Candie, peinture murale

Le siège de Candie

Depuis la prise de Constantinople, en 1453, l'Empire ottoman n'a cessé de s'étendre, conquérant, en Méditerranée orientale, l'Eubée, Rhodes, la Morée, Nauplie, Malvoisie, Chio et enfin Chypre, en 1571. La Crète vénitienne, dernier bastion de la chrétienté dans cette partie du monde, va être la prochaine étape de cette avancée inexorable : outre ses ressources agricoles et la richesse de ses entrepôts, elle occupe une position stratégique tant du point de vue militaire que du commerce maritime. À Candie, siège du duc de Crète et du chef des armées vénitiennes, le *capetan general*, la forteresse «Rocca al Mare» est renforcée dès 1523-1540.

Les fortifications de Candie
Entre 1550 et 1560, d'imposantes murailles, conçues par l'architecte Michele Sanmicheli (1484-1559), sont élevées autour de la cité. L'enceinte, de forme étoilée, s'étend sur environ 3 km. Elle comporte sept bastions polygonaux. Les remparts sont formés d'un parapet extérieur et d'un terre-plein protégé d'un second mur. Les bastions possèdent, au centre, un réduit, ouvrage plus élevé, protégé par un troisième mur. Chaque bastion communique avec un système de tunnels.

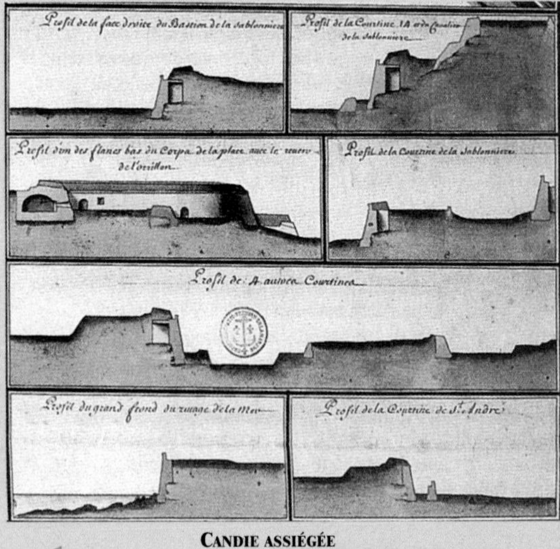

Candie assiégée
Les Ottomans conquièrent La Canée et la Crète occidentale en 1645, et Réthymnon l'année suivante. En 1647, les forteresses de Crète orientale tombent à leur tour, puis en 1648, le fort de Souda. Reste Candie. L'armée de terre ottomane se dirige alors vers la capitale, détruisant d'abord les forteresses d'Haghios Dimitrios et de Nova Candia. Le 1er mai 1648 commence le siège de la grande citadelle, «Mégalo Kastro».

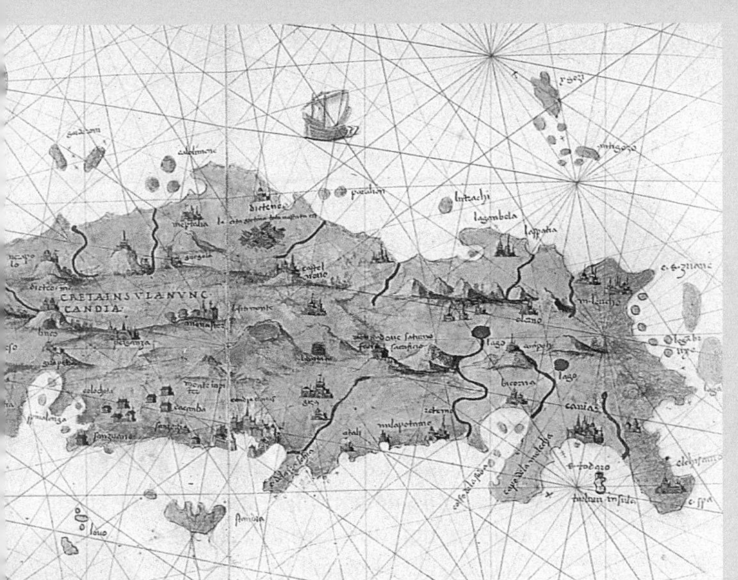

Candie isolée
Au cours des deux premières années de siège, les Ottomans isolent Candie de tous les côtés, détruisent les aqueducs qui l'approvisionnaient en eau, et livrent de nombreux assauts quotidiens. Malgré des conditions de vie difficiles, les assiégés résistent et le siège s'éternise, sans changement notable entre 1650 et 1666. Candie demeure aux mains des Vénitiens malgré les raids successifs.

La croisade de la chrétienté
À bout de forces, les Vénitiens demandent leur aide aux souverains occidentaux, donnant ainsi un caractère international au conflit. La défense de Candie devient pour l'Europe chrétienne l'objet d'une véritable croisade : dès 1666, d'importants effectifs militaires sont envoyés en renfort, ainsi que des armes, des munitions et des moyens logistiques ; une formidable artillerie est déployée et de grands travaux de machinerie réalisés.

1666-1667
En novembre 1666, le sultan Mehmet IV (1648-1677) envoie son meilleur stratège, le grand vizir Ahmet Köprülü, diriger le siège. De leur côté, les Vénitiens nomment Francesco Morosini (ci-contre, à droite) à la tête de leur armée. Malgré les continuels tirs de canons qui provoquent de graves dommages, malgré les difficultés d'approvisionnement, les assiégés gardent espoir : les puissances occidentales envoient régulièrement des renforts et la citadelle semble imprenable. Cependant le colonel Andréa Barrozi se rend aux Ottomans auxquels il révèle les points faibles des fortifications de Candie.

FRANCESCO MOROSINI
PELOPONESIACO
CVIII DOGE DI
PER LA DIO GRATIA
VENETIA, ET C.

Découragement
Cette trahison une fois connue provoque un vent de panique et les désertions commencent à se multiplier. La situation devient de plus en plus dramatique et la tension monte. Les mercenaires européens souffrent des conditions climatiques, des épidémies, des différends qui empêchent leurs chefs de coordonner leur action.

Marquis de Montbrun.

En 1668, le marquis de Saint-André Montbrun, accompagné de 68 officiers, vient exercer un commandement à Candie. Quelques mois plus tard, le duc de Feuillade et un corps armé de 600 gentilshommes débarquent. Mais la sortie qu'ils tentent se solde par un échec. Les Français finissent par se retirer en janvier 1669. En juin, les ducs de Beaufort et de Navailles dirigent une nouvelle expédition sur la ville assiégée qui, de nouveau, échoue. Découragé, Morosini capitule.

L'INTERVENTION DE L'EUROPE
De nouvelles aides parviennent à Candie : en argent, en vivres, en armes et en hommes. L'ordre des chevaliers Teutoniques envoie 200 hommes, la Sérénissime République de Venise 900, le duc de Hanovre 4 000 et Léopold Ier d'Allemagne 2 000, auxquels s'ajoutent 2 500 soldats enrôlés par le comte allemand Waldek. Puis débarquent de nouveaux renforts français, 6 000 hommes commandés par le duc de Navailles (ci-contre, en haut) et l'amiral François de Vendôme, duc de Beaufort (ci-contre, en bas). Arrivent de Bavière et de Strasbourg une escouade de canonniers et de soldats. Néanmoins le manque de cohésion entre les différents commandements prive toutes ces forces d'une réelle efficacité et les nombreuses sorties tentées ne font qu'augmenter le nombre des pertes.

LA CHUTE DE CANDIE
Le duc de Beaufort trouve la mort au cours d'une sortie générale. Le duc de Navailles, après avoir perdu près de 2 000 hommes, se retire en août 1669. Son départ entraîne de nombreuses défections dans les rangs alliés. Francesco Morosini, qui ne dispose bientôt plus que de 3 000 Vénitiens épuisés par les privations et les maladies, se résout à négocier la capitulation de la citadelle. Le traité de reddition est signé le 16 septembre. Les Vénitiens évacuent la ville accompagnés d'un certain nombre de Crétois qui se réfugient d'abord sur l'île de Dia, avant de s'exiler à Venise ou dans les îles Ioniennes. Lorsque, le 27 septembre 1669, le grand vizir Köprülü pénètre dans la citadelle, il ne trouve qu'une ville déserte et en ruine. Bien que Venise ait dépensé plus de 120 millions de ducats et que sa flotte et son armée aient livré un très illustre combat pour défendre Candie, la Sérénissime ne peut conserver la capitale du royaume de Crète qu'elle dominait depuis 465 années.

LE BILAN
Toute la Crète est désormais soumise à l'administration ottomane. La chute de Candie, après 21 années de siège, 69 assauts des Ottomans, 89 sorties des Vénitiens et de leurs alliés, 110 000 Ottomans et 30 000 chrétiens tués, consacre la fin de la puissance de la Sérénissime République. Elle allait avoir d'importantes répercussions sur l'équilibre des forces en Méditerranée et sur son histoire à venir.

LA CRÈTE OTTOMANE (1669-1898)

1821-1827
Guerre d'Indépendance de la Grèce.

1827
Victoire des alliés de la Grèce lors de la bataille de Navarin.

1830
L'indépendance de la Grèce confirmée par le protocole de Londres.

1832-1862
Othon Ier proclamé roi de Grèce.

Costumes crétois au XVIIe siècle, Musée historique d'Héraklion

LE NOUVEL ORDRE. Après leur installation, les Ottomans divisent l'île en trois départements avec un pacha à la tête de chacun d'eux. Le pacha de La Canée, le plus puissant, est également le gouverneur de l'ensemble de l'île. Les terres qui avaient appartenu aux nobles vénitiens ou aux archontes byzantins sont confisquées. Elles sont distribuées aux militaires et aux dignitaires ayant pris part à la conquête : ceux-ci n'en reçoivent que le droit d'exploitation car, d'après la loi ottomane, toutes les terres appartiennent au sultan. Une armée nombreuse est présente en permanence dans toute l'île. Les autorités ottomanes, leurs dignitaires, des artisans venus d'Asie Mineure, s'établissent dans les villes tandis que les Crétois se retirent dans les campagnes, le séjour dans les villes étant, pour la plupart d'entre eux, interdit. À La Canée, seuls continuent de résider quelques commerçants juifs, et, à Candie, quelques Arméniens. Les Ottomans, afin de réglementer toute la vie économique, établissent une nouvelle fiscalité et modifient la juridiction (installation de tribunaux religieux sous le pouvoir des cadis).

1834
Athènes est choisie comme capitale.

1854-1856
Guerre de Crimée.

Scène de massacre

Carte ottomane de la Crète

LES ÉCHANGES AVEC LA FRANCE. À peu près à l'époque où la Crète passe sous la domination ottomane, la France signe avec la Sublime Porte les «Nouvelles Capitulations» (1674) lui accordant la libre navigation de sa marine en Méditerranée orientale et le droit pour ses marchands de s'installer dans les ports ottomans, les «Échelles du Levant». Bien que ruinée après la conquête, la Crète va bientôt bénéficier de ces accords entre les deux pays. Elle peut en effet offrir un produit très demandé par la France, l'huile d'olive, nécessaire aux nombreuses savonneries de Marseille. Ainsi, cinq ans à peine après la conquête, un consulat français s'installe à La Canée, en même temps que des négociants. Ces marchands achètent la plus grande partie de la production de l'huile crétoise mais également d'autres produits tels que la cire, la soie, etc. Pour répondre à la forte demande, les Crétois multiplient les plantations d'oliviers. Le botaniste Pitton de Tournefort note, en 1700, dans sa relation de voyage : «Les environs de La Canée sont admirables, depuis la ville jusqu'aux premières montagnes. Ce ne sont que forêts d'oliviers aussi hauts que ceux de Toulon

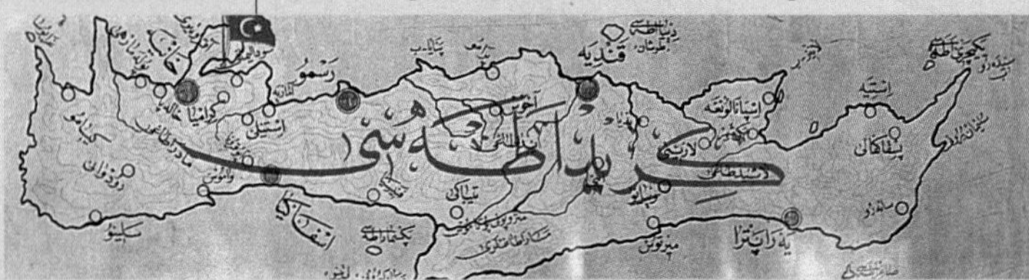

Candie vue par Pitton de Tournefort

et de Séville. Ils ne meurent jamais à Candie (Candie désigne ici l'ensemble de l'île), parce qu'il n'y gèle jamais. Ces forêts sont entrecoupées de champs, de vignes, de jardins, de ruisseaux ; et ces ruisseaux sont bordés de myrte et de lauriers-roses.»

Portrait de M. Mélitakas, commandant pendant la révolution crétoise de 1821 à 1830

LA VIE EN CRÈTE JUSQUAU DÉBUT DU XIXe SIÈCLE Grâce à la paix relative qui règne, la Crète retrouve au cours du XVIIIe siècle un certain équilibre économique. En revanche, sur d'autres plans, le bilan est plutôt négatif : l'île, repliée sur elle-même, ne connaît aucun épanouissement intellectuel ou artistique. Vers la fin du XVIIIe siècle, la guerre éclate entre l'Empire ottoman et l'Empire russe dont des agents incitent la population crétoise à se soulever. En 1770, une insurrection, durement réprimée, contre les autorités éclate dans la région montagneuse de Sfakia ▲ *263*. Le conflit russo-ottoman trouve sa résolution en 1774 avec la signature du traité de Küçük Kaïnardji, qui annonce le déclin de l'Empire ottoman : peu après, certaines libertés sont concédées à la population crétoise comme au reste des Grecs, concernant principalement la libre navigation en mer Méditerranée.

1862
Destitution du roi Othon Ier.

1863-1913
Georges Ier roi des Hellènes. Rattachement à la Grèce des îles Ioniennes et de la Thessalie.

1869
Ouverture du canal de Suez.

LE XIXe SIÈCLE

LES INSURRECTIONS DU XIXe SIÈCLE. La guerre d'Indépendance grecque commence en 1821. Au mois de juin de la même année, les Crétois se rebellent. L'insurrection échoue, suivie d'une violente répression. Pendant dix ans, les soulèvements se succèdent en Crète. À la proclamation de l'Indépendance de la Grèce, en 1827, la Crète, sur l'intervention de l'Angleterre, reste sous domination ottomane, placée sous la suzeraineté du pacha d'Égypte. En 1840, la Crète redevient province ottomane ; elle connaît une période de calme relatif, surtout entre les réformes de 1839 et celles de 1856 qui font suite au traité de Paris par lequel le sultan s'est engagé à améliorer le sort des chrétiens de son empire. Cela permet un regain économique de la Crète qui sera présente à l'Exposition universelle de Paris en 1855. Dès 1864, les troubles reprennent. L'année 1866 est sanglante avec plusieurs massacres dont le plus tristement célèbre, celui du monastère d'Arkadi, provoque l'émotion de l'Europe ▲ 222. Les grandes puissances négocient avec la Sublime Porte qui accepte certaines des revendications crétoises, comme la reconnaissance de la coexistence des deux langues. Médiocrement appliquées, ces réformes n'empêchent pas de nouveaux troubles. Après l'insurrection de 1896, les grandes puissances imposent, en 1898, l'autonomie de la Crète et placent l'île sous l'autorité du prince Georges de Grèce, qui reçoit le titre d'armoste.

Révolutionnaire crétois

Personnalité historique, Elefthérios Vénizélos (1864-1936) marquera de son empreinte la destinée de la Grèce pendant près d'un demi-siècle. Élu président de la Chambre, en 1909, puis Premier ministre de la Cité crétoise, il triomphe, en 1911, aux élections nationales et fonde le parti libéral. Vénizélos commence alors sa grande œuvre, à l'origine d'importants changements dans la politique sociale et économique. Sa perspicacité permit la réalisation du rêve de la nation hellénique et la création d'un État agrandi occupant une situation forte sur la scène internationale. Ses activités, ses succès, ses coups d'audace suscitèrent de violentes antipathies ; il fut l'objet de onze tentatives d'assassinat.

La vocation hellénique
E Vénizélos naît en 1864 à Mourniés. À partir de 1887, il est avocat à La Canée. La clarté de ses vues et son esprit brillant impressionnent déjà des hommes politiques comme G. Clemenceau et J. Chamberlain. En 1897, il réclame le rattachement de l'île à la Grèce, comme seule solution à la «question crétoise». En 1901, son désaccord avec la politique du prince Georges lui vaut d'être limogé. Autour de lui se rassemble alors l'opposition qui, en 1905, demande la révision de la Constitution crétoise. Après la révolution de Thérissos, dans une atmosphère de liesse, Vénizélos crée un «gouvernement provisoire de la Crète». Trois ans plus tard le gouvernement grec déclare le rattachement de la Crète à la Grèce.

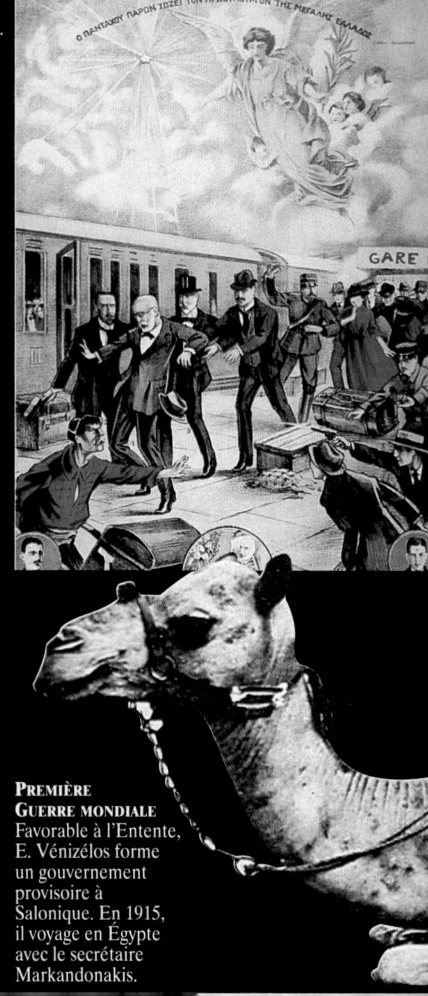

Attentat. Le 20 juillet 1920 les accords de Sèvres sont signés entre les Alliés et l'Empire ottoman. À la gare de Lyon, E. Vénizélos, s'apprêtant à rentrer sur Athènes, est attaqué par des officiers grecs.

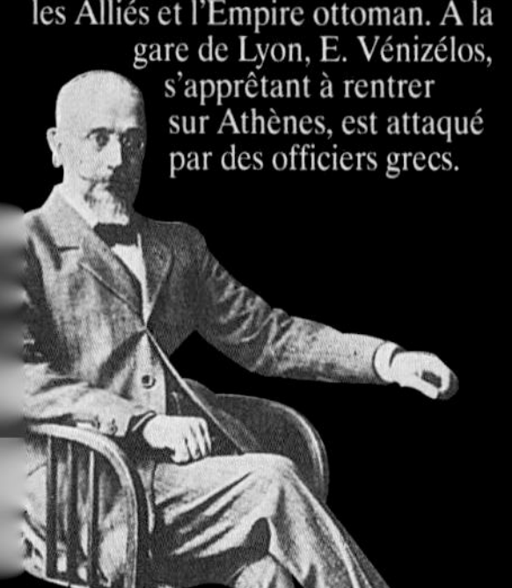

Première Guerre mondiale
Favorable à l'Entente, E. Vénizélos forme un gouvernement provisoire à Salonique. En 1915, il voyage en Égypte avec le secrétaire Markandonakis.

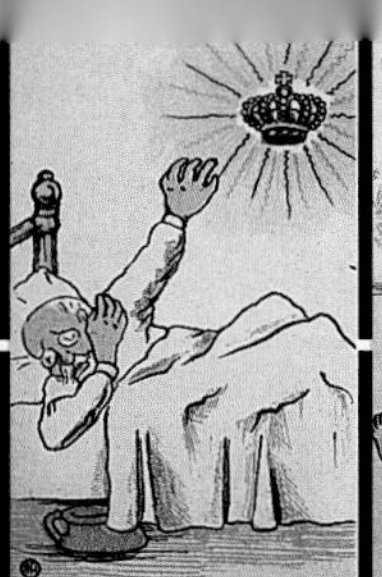

Le destin de l'Hellénisme
En 1919, Vénizélos représente les intérêts de la Grèce lors de la signature des traités de paix : le rêve de la «Grande Grèce» semble prendre forme. Mais les Turcs réagissent et c'est la défaite d'Asie Mineure. E. Vénizélos est battu aux élections de 1920 et s'exile. Avec obstination et diplomatie, il livre alors bataille pour les terres grecques tout en essayant d'enrayer l'ampleur du désastre, et signe, le 24 juillet 1923, le traité de Lausanne, qui limite les frontières de l'État turc. La Grèce traverse pendant l'entre-deux-guerres une période de récession et d'instabilité politique. En 1928, Vénizélos est rappelé de l'étranger pour participer de nouveau activement à la vie politique du pays qu'il va réorganiser. Parallèlement, il améliore les relations de la Grèce avec les pays voisins.

Funérailles nationales
Après une série de revers, Vénizélos abandonne définitivement la politique en 1932 et quitte la Grèce. Décédé à Paris en 1936, il est inhumé à La Canée, sur la péninsule d'Akrotiri.

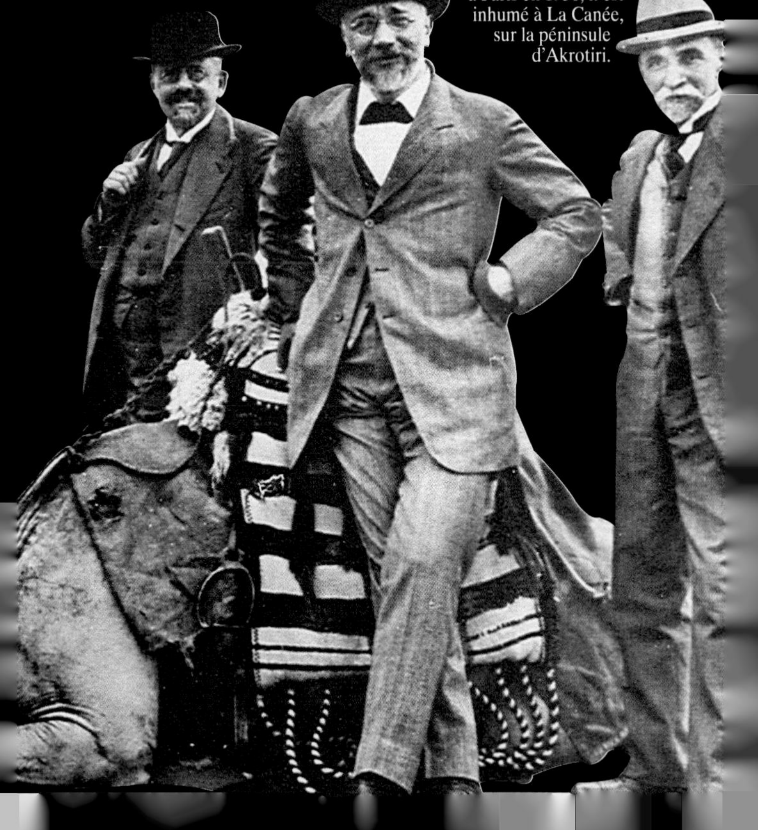

1913
Assassinat de Georges Ier et accession au trône de Constantin Ier.

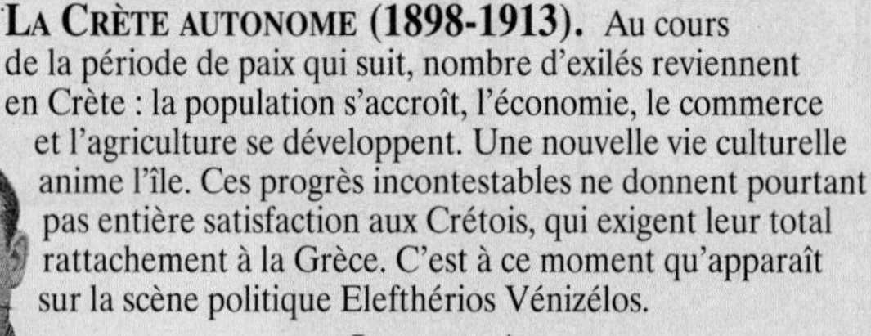

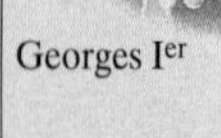

Georges Ier

1917-1920
Constantin Ier déchu et exilé. E. Vénizélos, Premier ministre.

Constantin Ier

1916-1918
La Grèce entre en guerre aux côtés des Alliés.

1920-1922
Mustafa Kémal premier président de la République turque.

Guerre gréco-turque. Déroute de l'armée grecque. Abdication de Constantin Ier.

Les députés crétois gardés sur les vapeurs de guerre européens, en 1911

1924
Proclamation de la République grecque.

1935
La royauté est rétablie avec Georges II.

La Crète autonome (1898-1913). Au cours de la période de paix qui suit, nombre d'exilés reviennent en Crète : la population s'accroît, l'économie, le commerce et l'agriculture se développent. Une nouvelle vie culturelle anime l'île. Ces progrès incontestables ne donnent pourtant pas entière satisfaction aux Crétois, qui exigent leur total rattachement à la Grèce. C'est à ce moment qu'apparaît sur la scène politique Elefthérios Vénizélos.

Le XXe siècle

Le rattachement à la Grèce (1913) En 1908, les Jeunes-Turcs du comité nationaliste Union et Progrès prennent le pouvoir dans ce qui reste de l'Empire ottoman. En 1910, appelé par le roi de Grèce à former le cabinet hellénique, Vénizélos déclare que l'*Enosis* est une question militaire. En effet l'annexion grecque devait résulter de la guerre. En 1911, un conflit éclate entre l'Italie et la Turquie, suivi en 1912 par l'engagement de la Grèce dans les guerres Balkaniques. Les Alliés invitent Constantinople à introduire des réformes dans l'Empire. Devant leur refus, le gouvernement hellénique autorise les Crétois à siéger en leur parlement. Les Turcs, vaincus par les Grecs, doivent de nouveau abandonner des territoires. Le 17 mai 1913, le traité de Londres rattache officiellement la Crète à la Grèce. L'île est alors administrée par un gouverneur général et réorganisée en quatre départements, ou *nome*, d'Héraklion, de Réthymnon, de La Canée et de Lassithi.

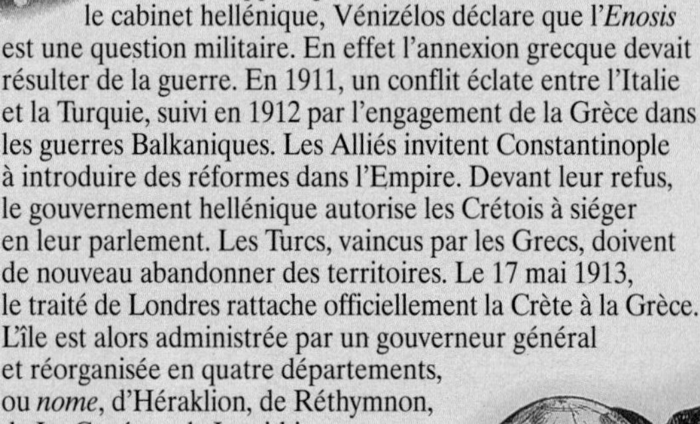

La «catastrophe d'Asie Mineure». En 1916, la Crète soutient la politique de Vénizélos pour l'entrée en guerre contre l'Allemagne. Il en sera de même lors de la poursuite du conflit gréco-turc qui s'éternise depuis 1912 : la Grèce gagne en 1919 la Thrace occidentale mais devra renoncer à la Thrace orientale en 1923, après les défaites infligées par la Turquie kémaliste. La «catastrophe d'Asie Mineure» se soldera par un important échange de population : les Turcs quittant l'île étant remplacés par des Grecs venant d'Asie Mineure.

«La Crète est un berceau, un instrument, un tube à essai, dans lequel une expérience volcanique est en train d'être exécutée.»

Henry Miller

La Seconde Guerre mondiale. Le 28 octobre 1940 la Grèce rejoint la coalition alliée. Trois jours plus tard, les troupes anglaises s'installent, en accord avec le gouvernement grec, à la base militaire crétoise de la baie de Souda et installent des terrains d'aviation à Réthymnon et Héraklion. En avril 1941, l'offensive allemande est lancée sur la Grèce. Les forces grecques libres doivent se replier sur la Crète, protégée par la flotte anglaise. L'état-major allemand décide d'attaquer la Crète par la voie des airs : de violents bombardements aériens auront raison des villes crétoises qu'évacuent les unes après les autres les Anglais dont les pertes sont lourdes. La résistance s'organise, harcelant l'occupant jusqu'à la libération.

Churchill déclara dans ses *Mémoires* : «En Crète, Goering ne remporta qu'une victoire à la Pyrrhus car les forces qu'il y a dépensées auraient pu facilement lui donner Chypre, l'Irak...»

La Crète, province hellénique. Après guerre, la Crète entreprend la modernisation de son agriculture, de son industrie (quasi inexistante) et de son commerce. Elle compte aujourd'hui plus de 500 000 habitants. C'est une île riche qui exporte ses productions agricoles dans une grande partie de l'Europe. Mais c'est surtout du tourisme qu'elle retire de confortables revenus. Plusieurs écrivains internationalement connus concourent à la renommée de sa vie culturelle. La Crète est actuellement une des plus florissantes provinces de Grèce et l'une des destinations touristiques les plus importantes de la Méditerranée.

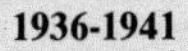

1936-1941
Dictature du général Métaxàs.

1941
L'offensive allemande est lancée sur la Grèce en avril.

21-31 mai 1941
Bataille de Crète. Occupation allemande de l'île.

Héraklion bombardée

1944
Les Allemands se retirent de Grèce.

1947
Retour de Georges II. Paul Ier et Constantin II lui succéderont.

Hitler et son état-major décident des plans sur la Crète

1955-1963
C. Caramanlis, Premier ministre.

1964-1967
Georges Papandréou, Premier ministre.

1967-1974
Dictature des Colonels en Grèce.

1974
La République est restaurée en Grèce.

1980
C. Caramanlis élu président de la république de Grèce.

1981
Adhésion de la Grèce à la CEE. Élection d'Andréas Papandréou.

1986
La Grèce membre à part entière du Marché commun.

L'écriture hiéroglyphique est composée de 90 signes différents auxquels s'ajoute un certain nombre d'idéogrammes dont seuls les plus communs ont pu être identifiés. Ceux du disque de Phaistos (détails ci-dessus, à gauche) représentent, entre autres, des formes d'hommes et d'animaux, des plantes, des outils et des bateaux.

LE LINÉAIRE A
Il est composé de 70 signes et de plus de 164 idéogrammes. La plupart des tablettes retrouvées consignent sans doute des textes religieux ou comptables : aujourd'hui, seuls les nombres ont pu être identifiés. Bien qu'encore indéchiffrée, on peut affirmer que cette écriture syllabique se lit de gauche à droite et de haut en bas.

LES PREMIÈRES ÉCRITURES

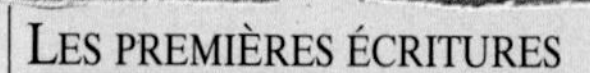

L'ÉCRITURE HIÉROGLYPHIQUE. Les premiers exemples d'écriture découverts en Crète sont des sceaux de pierre d'époque prépalatiale (2600-1900 av. J.-C.) portant des idéogrammes, sans doute influencés par l'écriture égyptienne. À l'époque paléopalatiale (1900-1700 av. J.-C.), durant laquelle les Minoens construisent les premiers grands palais, les idéogrammes évoluent vers une forme hiéroglyphique plus stylisée : plusieurs exemples de cette écriture ont été découverts sur les grands sites minoens comme Knossos et Malia. Le fameux disque de Phaistos (détails ci-dessus), daté environ de 1700-1600 av. J.-C., est un objet mystérieux et excitant qui suscite maintes interprétations quant à sa provenance et sa destination ▲ *180*.

LE LINÉAIRE A. L'écriture hiéroglyphique coexiste quelque temps avec l'écriture linéaire A, apparue au néopalatial (1700-1450 av. J.-C.), qui correspond à la seconde phase de la civilisation minoenne, marquée par la reconstruction des grands palais. «Linéaire» parce que faite de signes qui se coupent et se croisent sans forcément reproduire une réalité. Elle est composée de signes syllabiques et de quelques logogrammes ; certains de ses caractères se présentent comme une stylisation des hiéroglyphes antérieurs. Les mots étaient séparés par des points ou des barres. Des textes en linéaire A ont été retrouvés, hors la Crète, en Grèce continentale et dans certaines îles de la mer Égée, où s'étendait le commerce minoen. La plus riche collection de tablettes en linéaire A fut découverte à Haghia Triada ▲ *264*, non loin de Phaistos ; mais le nombre de documents est encore insuffisant pour en permettre le déchiffrement.

LE LINÉAIRE B. Dans les années 1890, sir Arthur Evans ▲ *168* découvre chez des antiquaires d'Athènes des pierres gravées qu'il pense pouvoir être des fragments d'écriture préhistorique. Il remonte à leur source jusqu'en Crète, où ces pierres, nombreuses, sont portées en guise d'amulettes par les femmes. Cet indice l'amène à entreprendre des fouilles sur le site déjà connu de Knossos, avec le succès que l'on sait. Il y découvre des tablettes portant une écriture qu'il considère également minoenne et baptise linéaire B. Cette dernière s'avérera être en fait une adaptation du linéaire A à la langue grecque par les Mycéniens qui dominèrent l'espace grec à l'époque postpalatiale (1450-1100 av. J.-C.). L'abondance des matériaux découverts à Knossos permettront à l'architecte et polyglotte Michael Ventris de déchiffrer

«La langue de la littérature néo-hellénique ne contient nul message. La langue est le message. La façon de s'exprimer d'un écrivain, c'est l'argument de son livre.»
Vassilis Vassilikos

cette écriture en 1952. Les documents rédigés en linéaire B se présentent sous forme de tablettes en argile, dites en «feuille de palmier», ou de formats «pages». Ces tablettes furent conservées grâce aux incendies qui les durcirent.

La koïné. Le système d'écriture continue d'évoluer au cours de ce qu'on appelle les âges sombres : époques protogéométrique, géométrique et archaïque. À l'aube de l'époque classique (500-330 av. J.-C.) les Grecs adoptent un alphabet consonantique, inspiré de celui des Phéniciens. La rationalité de ce système de transcription phonétique favorise l'unification des langues grecques et permet l'épanouissement d'une littérature écrite : les contes oraux de l'aède Homère seront transcrits au VIIIe siècle av. J.-C.

Le linéaire B
Il s'agit d'un syllabaire composé de 87 «syllabogrammes» combinés avec une centaine d'idéogrammes accompagnés de chiffres et de signes phonétiques. Sur ces tablettes les fonctionnaires notaient toutes les informations sur le royaume. Aussi constituent-elles des archives qui nous renseignent sur l'organisation administrative des palais.

Les avatars du grec moderne

Le grec parlé aujourd'hui est la résultante de l'évolution historique de la langue orale et d'une série de réformes entreprises depuis la création de l'État grec. À la veille de la guerre d'Indépendance, il s'agissait de choisir une langue nouvelle pour la jeune nation. Un courant intellectuel formé autour de Koraïs, écrivain grec vivant à Paris, proposa un compromis entre la langue de l'Église, antiquisante, et celle de la bourgeoisie. Considérant que les Grecs étaient les descendants directs des Hellènes, Koraïs pensait que la Grèce nouvelle devait renaître sur le terreau de la culture antique. Il fallait donc remplacer la langue vulgaire par une langue purifiée des mots étrangers qui se ressourcerait au passé.

La diglossie en Grèce. La Grèce se retrouve ainsi dotée de deux langues : celle épurée, *katharévoussa* (de *katharos*, pur), essentiellement écrite, qui devient la langue officielle ; et celle populaire, *dhimotiki* (de *dhimos*, peuple), qui évolue avec la langue parlée. Des hommes de lettres se battent pour la reconnaissance de cette dernière et il faudra attendre 1975 pour que la langue néo-hellénique, comme on l'appelle dorénavant, devienne langue officielle.

Le dialecte crétois. Le dialecte crétois constitue une forme méridionale du grec, caractérisée par une prononciation spécifique et par de nombreux archaïsmes dans la morphologie, la syntaxe et le vocabulaire. Jusque dans la première moitié de ce siècle, des mots, provenant du grec ancien ou du byzantin, ou encore empruntés à l'italien ou au turc, doublaient en Crète les termes de la langue athénienne. Mais aujourd'hui la plupart d'entre eux ne sont plus guère connus et employés que par les Crétois les plus âgés, les villageois ou les bergers : l'urbanisation a, ces dernières années, imposé la langue de la capitale.

L'«Iliade» d'Homère
Le chef-d'œuvre fondateur de la littérature grecque fut imprimé, en langue grecque, pour la première fois en 1488, à Florence.

LA LITTÉRATURE CRÉTOISE

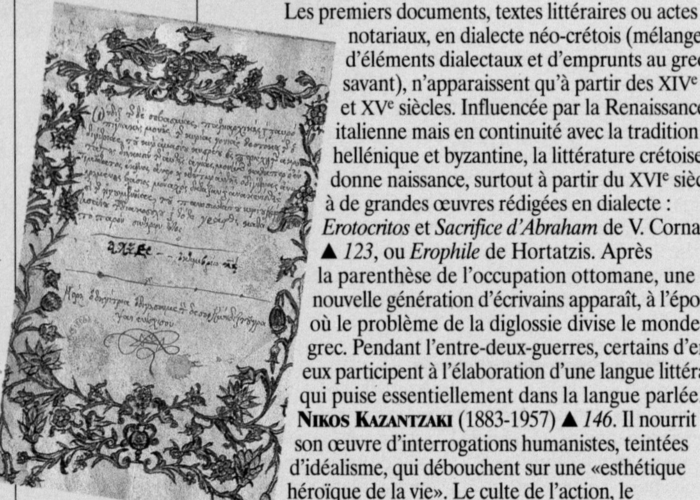

LES MANUSCRITS
Les très nombreux monastères crétois conservent précieusement les travaux des moines copistes. Ci-dessus, un manuscrit du monastère de Gonia.

Les premiers documents, textes littéraires ou actes notariaux, en dialecte néo-crétois (mélange d'éléments dialectaux et d'emprunts au grec savant), n'apparaissent qu'à partir des XIVe et XVe siècles. Influencée par la Renaissance italienne mais en continuité avec la tradition hellénique et byzantine, la littérature crétoise donne naissance, surtout à partir du XVIe siècle, à de grandes œuvres rédigées en dialecte : *Erotocritos* et *Sacrifice d'Abraham* de V. Cornaros ▲ *123*, ou *Erophile* de Hortatzis. Après la parenthèse de l'occupation ottomane, une nouvelle génération d'écrivains apparaît, à l'époque où le problème de la diglossie divise le monde grec. Pendant l'entre-deux-guerres, certains d'entre eux participent à l'élaboration d'une langue littéraire qui puise essentiellement dans la langue parlée.

NIKOS KAZANTZAKI (1883-1957) ▲ *146*. Il nourrit son œuvre d'interrogations humanistes, teintées d'idéalisme, qui débouchent sur une «esthétique héroïque de la vie». Le culte de l'action, le renoncement ascétique, mais aussi son attachement viscéral à son île natale, sont parmi ses grands thèmes. Grand défenseur de la langue démotique, il y a introduit de très nombreux nouveaux mots, populaires ou anciens ; il avait en préparation un important dictionnaire.

PANDÉLIS PRÉVÉLAKIS (1909-1986). Il étudie le droit et la philosophie à Athènes. À partir de 1937, il enseigne l'histoire de l'art à l'académie des Beaux-Arts d'Athènes dont il est nommé directeur. Dans sa trilogie *Le Crétois* (1948-1950), *Chronique d'une cité* (1958), *Les Chemins de la création* (1959-1966), un souffle quasi lyrique anime ces récits d'événements historiques ou portraits de la vie quotidienne. Son style révèle la poésie des paysages et des hommes, la magie des légendes et des destinées.

L'«EROTOCRITOS»
Ce long poème de 10 502 vers fut probablement composé aux environs de 1645. Il associe la forme métrique du roman byzantin et le style épique et lyrique de la Renaissance italienne au caractère spirituel de la littérature crétoise et à la sobriété de son dialecte.

ODYSSÉAS ÉLYTIS (né en 1911). Par l'entremise de son ami et poète Andréas Embirikos, il découvre en 1935 le surréalisme, qui influencera sa poésie. Il publie ses premiers poèmes dans les années 1940 (*Soleil, le premier,* 1943), puis séjourne en France. Ses recueils, *Axion Esti* (1951), *Six et un remords pour le ciel* (1960), *Maria Néféli* (1978), s'inspirent de la douloureuse histoire de la Crète et de ses somptueuses couleurs. Il reçoit en 1979 le prix Nobel de littérature.

Arts et traditions

Le costume crétois est surtout connu dans sa version masculine, la *vraka*, ainsi nommée d'après le pantalon du même nom. Ce dernier est l'un des plus compliqués et des plus élégants de Grèce. Alors que dans les autres îles, le costume masculin fut le premier à être abandonné au profit de vêtements modernes, il persiste en Crète où l'attachement aux traditions est toujours aussi vif.

Les costumes crétois du XVIIIe siècle étaient visiblement influencés par la mode ottomane notamment dans la coiffe.

À gauche, la femme porte un costume aux manches très évasées, détail caractéristique de cette époque.

LE COSTUME FÉMININ
Il diffère suivant les villages, surtout en ce qui concerne les motifs tissés. Les femmes portent un long pantalon de coton blanc, recouvert d'un tablier devant, et d'une demi-jupe, ou *sartza*, derrière. Le gilet est souvent très court, bleu foncé ou noir, en laine et quelquefois brodé d'or. La tête est couverte d'un foulard. Aujourd'hui, le costume traditionnel féminin n'est plus porté que les jours de fête.

Fresques minoennes
On peut y admirer le costume des prêtresses, 1 500 ans av. J.-C. Assimilées à des déesses de la Fécondité, elles portaient un corset qui mettait en valeur leurs seins dénudés et serrait la taille au-dessus d'une jupe évasée, à volants ou recouverte de tabliers.

Le costume masculin
En souvenir du deuil que les Crétois durent faire de leur liberté par le passé, plusieurs éléments de leur costume sont noirs : la coiffe, les bottes, et parfois même la chemise. Un foulard en filet noir se noue autour de la tête en laissant souvent pendre les franges sur le front. Il aurait été introduit en Crète par des pirates originaires d'Algérie.

Le «kiousteki»
La montre est reliée à une chaîne d'argent, le *kiousteki*, qui pend sur un gilet à boutonnage croisé, généralement brodé.

Le pantalon crétois
La *vraka* est maintenue par une ceinture de huit mètres de long, dans laquelle se glisse le couteau en argent, le *bassalis*. Le dos du pantalon était autrefois plus long qu'il ne l'est aujourd'hui.

La musique populaire crétoise comporte des mélodies et des instruments différents de ceux du reste de la Grèce. Les «mantinades», issues d'une longue tradition orale, sont des sérénades improvisées sur le thème de l'amour. Elles sont rimées et composées de treize syllabes. Les «rizitikas» sont les héritières des complaintes chantées aux époques d'occupation dont les paroles exprimaient, sous une forme allégorique, le désir de liberté. Comme la définit Yannis Markopoulos, la musique crétoise est «libre et humaine, sans fioritures inutiles, rude et malgré tout belle et sensible comme le plumage d'un oiseau».

LE «SYRTO»
Originaire des îles du Dodécanèse, le *syrto* dériverait des antiques danses pyrrhiques. Cette danse, qui compte en Crète plusieurs variantes, est pleine de grâce et de légèreté. Hommes et femmes, formant un cercle autour de celui qui mène la danse, exécutent des mouvements qui rappellent ceux des vagues : ils tiennent des mouchoirs qui évoquent l'écume.

LE «PENDOZALIS»
C'est une danse à cinq pas. Virile, guerrière, elle exige force et souplesse. La légende veut qu'elle soit inspirée de l'antique *pyrichios* que dansaient les Curètes ● 37, les bons génies de Crète, sur le mont Ida. Ceux-ci frappaient leurs boucliers de leurs lances afin de couvrir les cris de Zeus nouveau-né, échappé, grâce à la ruse maternelle, à la voracité de son père Cronos.

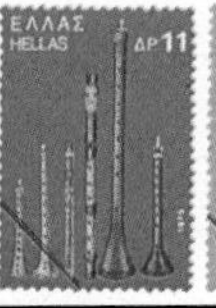

Les précurseurs
Deux grandes figures marquent la musique crétoise des années trente : Rodinos et Baxevanis. Andréas Rodinos fut l'un des joueurs de *lyra* les plus importants ; mort à 23 ans, en 1936, il est depuis devenu un mythe. Baxevanis, dit «le Baxes», était joueur de *laouto* et chanteur de «mantinades». Sa voix était renommée bien au-delà de la Crète.

Nikos Xylouris
Originaire d'une vieille famille crétoise d'Anogia ▲ *227* qui compta nombre de guerriers, ménestrels et bardes, Xylouris fut berger dans sa jeunesse : à cette époque, il fabrique lui-même sa *lyra* et perfectionne son jeu. Après plusieurs tournées dans les fêtes de villages, il est reconnu comme compositeur et poète. Mort jeune, il est devenu une légende pour les Crétois qui évoquent toujours avec nostalgie l'artiste «à la voix d'or». Il a enrichi la musique traditionnelle de nombreuses créations, «syrtos» et «mantinades».

Yannis Markopoulos
Né en 1939, ce compositeur crétois est à l'origine du renouveau de la musique populaire. Ses œuvres sont profondément imprégnées par le folklore traditionnel. Les plus classiques d'entre elles ont touché un large public et ont été interprétées à Paris, Londres et Tokyo. Nikos Xylouris fut jusqu'à sa mort son interprète favori. Aujourd'hui, c'est Charalambos Garganourakis qui joue ce rôle.

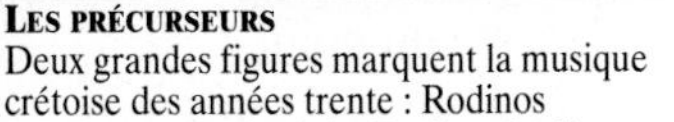

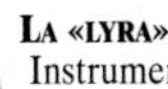

La «lyra»
Instrument spécifiquement crétois, la *lyra* est fabriquée en vieux bois de mûrier noir, noyer ou érable. Elle possède trois cordes accordées en quintes justes. Elle se joue avec un petit archet (quelquefois muni de grelots) tenu de la main droite. À main gauche, le musicien effleure les cordes de l'ongle mais ne les pince pas. La *lyra* est souvent accompagnée du *laouto,* dont la variante crétoise est plus grande et plus évasée que dans le reste de la Grèce.

Dans chaque maison crétoise, un métier à tisser témoigne de la persistance de l'artisanat du tissage qui, dans sa forme actuelle, semble exister depuis le XIe siècle. Ses origines remontent sans doute à des époques bien plus reculées puisque certaines fresques du palais minoen de Knossos attestent déjà la pratique du tissage. La broderie et la dentelle restent également couramment pratiquées : il existe un point géométrique propre à la Crète, appelé le point réthymnote. Les pièces de décoration intérieure et les vêtements portés à l'occasion des fêtes continuent d'être, le plus souvent, réalisés dans le cadre familial.

Le tissage reste un art qui se transmet de mère en fille. Jusque vers 1870, les décors sont traditionnellement géométriques et le losange constitue le dessin dominant. On distingue des variantes locales, tels les losanges emboîtés par paire qui caractérisent le centre de l'île. Plus tard sont apparus des motifs inspirés de la nature et d'événements historiques.

JETÉ DE LIT
La décoration intérieure fait la part belle aux tissages : jetés de lit, tapis, panneaux muraux. Ce tissage broché à effet de velours mêle les formes géométriques aux éléments figuratifs, tel l'oiseau bicéphale, hérité de Byzance.

DENTELLES
La pratique de la dentelle reste vivace, que ce soit à l'échelle familiale ou artisanale. Les plus anciennes dentelles crétoises conservées remontent au XVIIe siècle : ce sont des bordures de chemises de femmes.

«La jeune mariée, lorsqu'elle brodait, racontait l'histoire de la terre et du ciel.»

Poésie crétoise

Coussin de dentellière
Il permet à la fois de tendre la dentelle, au moyen d'épingles, et de la juxtaposer au modèle. La dentellière dévide son fil à partir d'un ensemble de fuseaux.

Mouchoir brodé
Sur les vêtements féminins d'apparat, la broderie décore essentiellement le gilet (fils dorés sur feutre noir) et le tablier. D'autres éléments plus discrets, mouchoirs et foulards, peuvent être également brodés.

Tablier crétois
Le costume traditionnel de la Crétoise comporte un tablier de coton blanc, brodé de rouge, assorti à une demi-jupe bordeaux drapée par derrière.

L'art de la poterie remonte en Crète au VIIe millénaire av. J.-C. La tradition spécifiquement crétoise des *pithoi*, ou grandes jarres, est historiquement liée à la technique et au mode de vie particulier des potiers itinérants. Ces équipes d'artisans campaient six mois durant aux abords de villages producteurs d'huile, près d'un point d'eau. Ils fabriquaient au colombin dix *pithoi* à la fois, posés sur dix tours alignés, ajoutant successivement un étage à chacun. Le jour de la cuisson, une fois par semaine, prenait des allures de fête. Ce sont de tels maîtres potiers qui ont réalisé les fameux *pithoi* de Knossos, de Phaistos ou de Malia. On trouve aujourd'hui encore quelques ateliers de potiers, notamment à Trapsano dont la production est réputée.

Le 21 mai, à la Saint-Constantin, les potiers quittaient Trapsano ▲ *197* par groupes de cinq ou six : le *mastoras* (maître potier), le *sotomastoras* (assistant), le *trocharis* (tourneur), le *xylas* (préposé au bois), le *chomatas* (préposé à la terre) et le *kouvalitis* (porteur-apprenti). Chacun avait ses outils et son âne. Après plusieurs jours de marche, ils arrivaient sur le lieu du travail où était aussitôt construit un four avec des briques crues.

Dans la partie inférieure du four, un pilier rond sert d'appui aux arcs qui soutiennent une grille. Au centre, l'emplacement pour le feu ; tout autour, un couloir circulaire, surmonté d'un mur en brique et pierre.

«MOI QUI ESPÉRAIS DU FOND DU CŒUR ME MARIER EN VILLE, JE ME SUIS MARIÉ À THRAPSANO POUR TAMISER DE LA TERRE»

CHANSON POPULAIRE

1. Le *chomatas*, préposé à l'argile, bat la terre avec une massue.

2. Après avoir été battue, la terre argileuse sera tamisée.

3. La terre tamisée est longuement mélangée avec de l'eau.

4. La pâte argileuse est pétrie avec les pieds, en rythme régulier.

5. Le *mastoras* pose, sur la tourelle, la base de la future jarre.

6. Après avoir étalé la base, le *mastoras* pose le premier colombin.

7. Le *mastoras* et le *trocharis* montent les parois de la jarre.

8. Le *trocharis* actionne la tourelle à la vitesse indiquée par le *mastoras*.

9. Le premier colombin doit pouvoir supporter le poids des denrées.

10. Dans chacune des jarres, on reconnaît le tour de main du *mastoras*.

11. Après avoir séché plusieurs jours, les jarres sont mises au four.

12. Rempli de jarres et de céramiques, le four est coiffé de tôles et d'argile.

13. La cuisson dure du crépuscule jusque tard dans la nuit.

14. Au matin, le sommet du four est détruit, livrant la nouvelle production.

Les olives donnent de nombreux produits dérivés. En Crète, la quasi-totalité de la production est transformée en une huile d'une qualité réputée dans tout le bassin méditerranéen. Depuis l'époque minoenne, l'huile d'olive reste une ressource fondamentale de l'île. Les oliveraies se transmettent par héritage et peuvent également constituer la dot d'une fille de producteur. La culture de l'olivier est un investissement à long terme, qui peut parfois être ravagé en quelques minutes par les incendies. Loin de se contenter des acquis d'une tradition vieille de plus de 3 000 ans, la Crète améliore sans cesse ce patrimoine, notamment par les travaux de l'Institut des plantes subtropicales et de l'olivier de La Canée.

Les Minoens tenaient la comptabilité de leurs palais sur des tablettes d'argile. Les idéogrammes en linéaire B diffèrent suivant qu'ils désignent un olivier, un olivier cultivé, un olivier sauvage ou de l'huile d'olive.

À l'époque minoenne, les offrandes d'huile ou de vin étaient apportées dans des rhytons, vases percés à la base, comme le montre la fresque de la procession de Knossos. L'utilisation religieuse de l'huile n'a pas disparu aujourd'hui. Ce précieux liquide alimente souvent les petites lampes qui éclairent les icônes.

LA PRESSE À HUILE
Trouvée dans la villa minoenne de Vathipétro ▲ *197*, près d'Archanes, c'est l'une des mieux conservées.

Dans l'Antiquité, l'huile servait principalement de combustible pour s'éclairer. Elle était également utilisée dans les gymnases où les athlètes s'en enduisaient le corps.

«ARBRE BÉNI, IGNORÉ DE L'ASIE, ARBRE INVINCIBLE ET IMMORTEL, NOURRITURE DE NOTRE VIE, OLIVIER COULEUR PÂLE QUI PROTÈGE ATHÉNA, LA DÉESSE AUX YEUX BRILLANTS.»

SOPHOCLE, «HYMNE À L'OLIVIER»

En Crète, 100 000 familles (c'est-à-dire presque toute la population) produisent environ 90 000 tonnes d'huile par an. À maturité, de 15 à 30 ans d'âge, un olivier donne, tous les deux ans en moyenne, 12 kilos d'olives qui peuvent fournir jusqu'à 2 litres d'huile.

PRESSOIRS ARTISANAUX
Les olives sont broyées par des meules rotatives.

La pâte d'olive est étalée sur des tapis circulaires, empilés puis pressés.

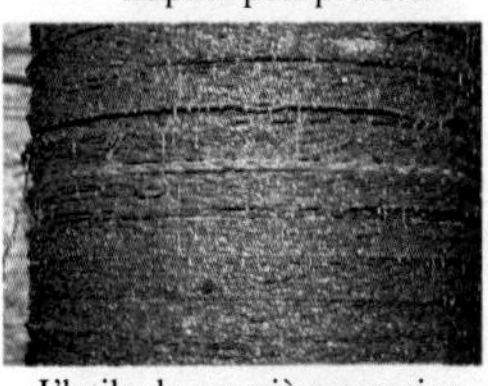

L'huile de première pression, la meilleure, a un taux d'acide oléique inférieur à 1%.

Les olives vertes sont ramassées en automne et les noires, plus mûres, en hiver. Leur amertume est réduite par des bains successifs dans différentes saumures. En Crète, les olives noires sont souvent simplement mélangées à du sel.

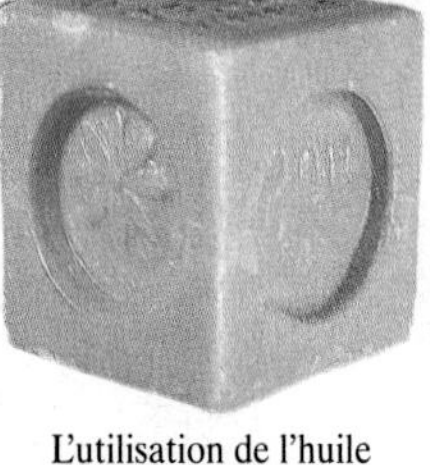

L'utilisation de l'huile d'olive pour la fabrication de savons a beaucoup diminué ces dernières années. Il n'existe plus en Crète qu'une seule usine en produisant.

L'huile *Union* couronnée par un prix international.

Les églises grecques sont dédiées à la Vierge, au Christ, à la Sainte Trinité ou à un saint protecteur. Le jour de la fête de ce saint, les villageois organisent une *panigiri*, manifestation où se mêlent le profane et le religieux. Au programme : messes, processions, musique, danses et festins. Un des saints les plus vénérés en Crète, avec saint Nicolas, qui veille sur les marins, est saint Georges. Il est considéré comme le protecteur des automobilistes, des paysans et des bergers. Les chapelles qui lui sont dédiées sont innombrables. Il est pratiquement assimilé à un héros mythologique. La Saint-Georges, qui est fêtée le 23 avril, donne lieu à des célébrations particulières notamment à Asi Gonia, Haghii Déka, Plakias et Kastéli ; l'occasion pour tous de partager les meilleures bouteilles de vin vieux.

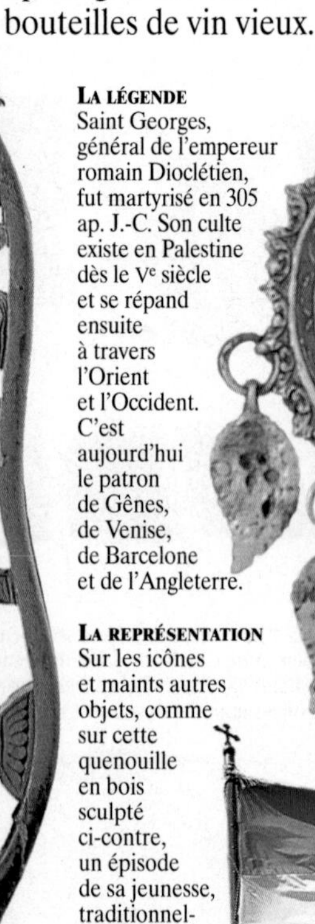

LA LÉGENDE
Saint Georges, général de l'empereur romain Dioclétien, fut martyrisé en 305 ap. J.-C. Son culte existe en Palestine dès le Ve siècle et se répand ensuite à travers l'Orient et l'Occident. C'est aujourd'hui le patron de Gênes, de Venise, de Barcelone et de l'Angleterre.

LA REPRÉSENTATION
Sur les icônes et maints autres objets, comme sur cette quenouille en bois sculpté ci-contre, un épisode de sa jeunesse, traditionnellement située à Beyrouth, est le plus souvent représenté : monté sur un cheval blanc, saint Georges terrasse un dragon menaçant une princesse.

Son statut de général a fait de saint Georges un lien entre les militaires et les religieux. C'est le protecteur de l'armée de terre grecque et il décore ses drapeaux et ses emblèmes.

«On suppliait [les saints] de donner un petit coup de main, d'opérer un miracle, même si cela malmenait un peu l'ordre du Créateur !»

Pandélis Prévélakis

Fête des bergers
La Saint-Georges est un jour de fête dans de nombreux villages crétois. Notamment ceux, comme Asi Gonia, où habitent encore de nombreux bergers. La liturgie y est plus longue qu'ailleurs en Grèce, et tous les bergers y assistent avec leurs troupeaux. D'après la croyance populaire, l'absence d'un berger peut provoquer la colère du saint. Ainsi, la légende raconte que celui-ci aurait, en pleine nuit, battu un berger et réveillé ses enfants pour les obliger à conduire leurs moutons à l'église. Il y aurait également guidé lui-même un troupeau. Cette fête coïncide avec le départ des bergers pour les pâturages des Montagnes Blanches.

Le jour de la fête
Des centaines de moutons, qui, la veille au soir, ont été lavés et ornés de multiples cloches, remplissent les rues du village. Appelé par le prêtre, chaque troupeau, habilement séparé, entre, l'un après l'autre avec son ou ses bergers, dans la *courta*, le lieu de rassemblement.

Les bergers reçoivent la bénédiction. Ils embrassent la main et la croix du pope et obtiennent un petit pain rond, ou *artos*.

La bénédiction
Pendant que les bergers traient les brebis, les popes récitent la liturgie de saint Georges dans l'église. La traite d'un troupeau terminée, ils s'interrompent pour bénir les bêtes en les aspergeant avec une branche d'olivier, tout en psalmodiant.

Le lait recueilli est bouilli, béni, mis en commun et offert à tout le village. Chacun échange des vœux de bonheur.

La pâque, fin avril-début mai, est la plus grande fête du calendrier orthodoxe. Elle est l'héritière de la *Pessah* juive mais aussi de rituels antiques célébrés au printemps. La pâque orthodoxe est la fête de la Résurrection du Christ ainsi que de l'épanouissement de tout ce qui vit. Point de repère dans la vie collective et privée, elle est rythmée par des rites hérités de Byzance, hauts en couleur et chargés d'émotions. L'Église grecque orthodoxe, traditionaliste pour tout ce qui concerne le culte, utilise les Évangiles dans leur version originale, comprise par le peuple, et des psaumes vieux de quinze siècles. Les rites se déroulent dans un cadre ruisselant de dorures et embaumant l'encens et les fleurs.

CROIX BYZANTINE
Cette croix ornant les Évangiles témoigne de la pérennité de l'orthodoxie byzantine, qui a su allier le christianisme à l'hellénisme.

ÉVÊQUE DE RÉTHYMNON
Dès les premiers siècles de Byzance et jusqu'à nos jours, le clergé orthodoxe grec a joué un rôle capital dans la transmission de la langue, de la culture et de l'imaginaire helléniques investis dans les fêtes religieuses qui, de ce fait, ont constitué un réservoir inépuisable d'identité nationale.

LA SEMAINE SAINTE
Le jeudi, la Passion est évoquée par des gestes symboliques et le Christ, sur la croix couverte de couronnes de fleurs, est au cœur des longs services religieux. La nuit, les femmes décorent de broderies et de fleurs l'*Epitaphios* représentant le tombeau du Christ. Porté en procession le vendredi soir, il est suivi des fidèles tenant des bougies et entonnant d'antiques lamentations. Le samedi, à minuit, la lumière de la Résurrection, symbolisée par les cierges, est transmise de personne en personne alors que feux d'artifice et pétards explosent partout. Tard dans la nuit, on se réunit autour du premier repas pascal. Le dimanche, les parfums des fleurs se mêlent aux odeurs de l'agneau grillé que l'on partagera autour d'une grande table couverte de mets, avant de s'adonner à la danse.

ANASTASIS
Ressuscité, le Christ s'élève vers la lumière, symbolisée ici par la voûte dorée. Il entraîne hors de l'Hadès, dont les portes gisent brisées sous ses pieds, Adam, Ève et l'humanité entière. Vêtus des habits des empereurs byzantins de la dynastie macédonienne, les rois hébreux, Salomon et David le vénèrent.

L'AGNEAU
Emblème du Christ, l'agneau est brodé sur cet habit sacerdotal, mais aussi grillé à la broche pour le repas pascal. Il porte le nom d'*ovelias* comme les offrandes antiques.

LES ŒUFS ROUGES
Le Mercredi saint, les femmes teintent des œufs en rouge, couleur du sang du Christ et couleur de la joie. On s'échange ces œufs, symboles du message de la Résurrection : *Christos Anesti.*

CIERGES DE LA PÂQUE
Le blanc, symbole de pureté, est omniprésent : ce sont aussi bien les maisons et les rues blanchies à la chaux que les cierges par lesquels on recevra la flamme purificatrice annonçant la Résurrection. Privilège des enfants, les cierges de la pâque, enrubannés et décorés, envahissent alors les magasins.

«XARATIGANA» CRÉTOIS

La recette des *xaratigana* réunit les principaux produits traditionnels de le cuisine crétoise : miel, orange, huile d'olive. D'inspiration orientale, cette patisserie peut être dégustée en dessert ou être offerte, comme le veut la coutume crétoise, lors d'une visite chez des amis.

2. Dans une terrine, mélanger la farine, le sel, le jus d'orange, 2 cuillères d'huile et l'eau jusqu'à obtenir une pâte dense. Couvrir et laisser reposer pendant une heure.

3. Étaler la pâte en couches aussi fines que du papier sur une table préalablement farinée et couper des morceaux d'environ 10 x 15 cm.

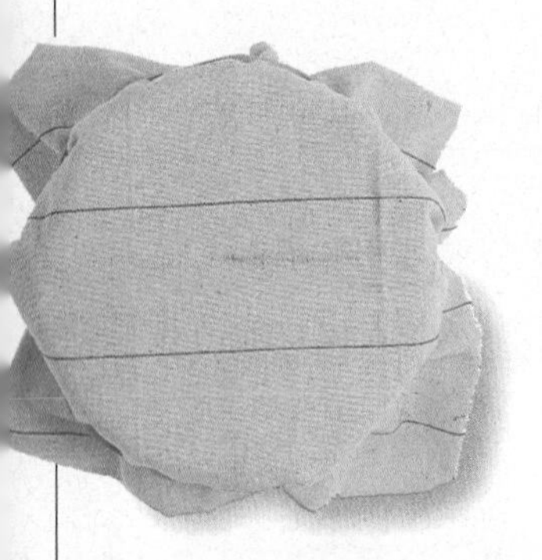

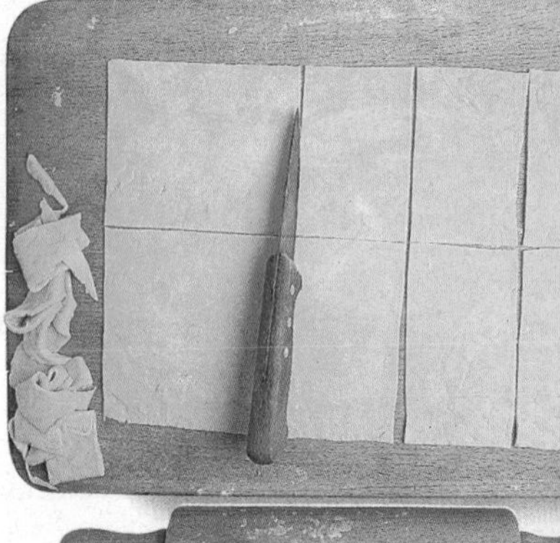

4. Mettre le reste de l'huile à chauffer, une fois brûlante, y jeter un à un les morceaux. Ils prennent alors des formes variées. Les retirer dès qu'ils sont légèrement dorés.

5. Disposer les morceaux de pâtes sur un plat avec du papier absorbant afin de boire l'huile et verser le sirop dessus.

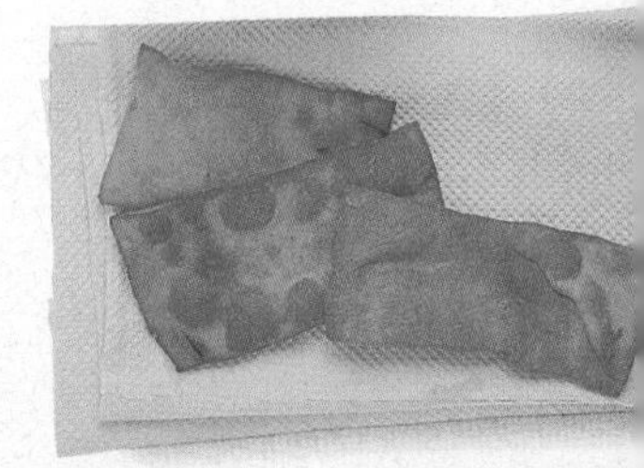

1. Ingrédients : 2 tasses à thé de farine, 1 petite cuillère de sel, 1 1/2 tasse d'huile d'olive, 1/2 tasse à thé de jus d'orange, 3 cuillères à soupe d'eau, 1/2 tasse de miel. 1 tasse de sucre, noix concassées, cannelle en poudre et en morceaux, sésame, 2 clous de girofle.

6. Préparation du sirop : Mettre dans une casserole le miel, le sucre, 1/2 tasse d'eau, un morceau de cannelle et 2 clous de girofle. La mousse qui apparaît à l'ébullition doit être retirée. Verser ensuite le sirop sur les *xaratigana*. Saupoudrer de noix, de sésame et de cannelle en poudre.

Broderies

Huile d'olive, Retsina (vin blanc sec) et Castillo (vin rouge).

Les armes, notamment les couteaux, sont très appréciées des Crétois.

»LYRA« Typiquement crétoises, elles sont fabriquées artisanalement.

«KOULOURA» Pain et patisserie.

BIJOUX Reproduction de bijoux minoens ou créations originales ◆ *304*.

FROMAGES. Au lait de brebis ou de chèvre, il en existe plusieurs variétés selon les régions : le *mitzithra*, le *kaskavali* ou le *kritiko*.

JOURNAUX. Chaque ville publie son quotidien.

Architecture

Les premiers palais apparaissent vers 1900 av. J.-C., en même temps que les grandes villes dans lesquelles ils s'insèrent. Centre politique, économique et religieux, le palais s'organise de façon asymétrique autour d'une cour principale orientée nord-nord-est. Les bâtiments, de plusieurs étages, abritent des appartements d'apparat, des pièces à fonction religieuse et des batteries de magasins. Des voies d'accès traversent une esplanade extérieure et s'intègrent dans le tissus urbain. Les palais possèdent également une aire théâtrale, située soit dans la cour principale, soit à l'extérieur.

COLONNE DE KNOSSOS
Ci-contre, une reconstitution en béton de l'époque d'Evans. Se référant aux fragments de fresques découvertes. Evans ▲ *161* supposa que les colonnes disparues étaient des troncs de cyprès renversés. La colonne vient se caler dans la base en marbre à l'aide d'un tenon.

SYSTÈME D'ÉCOULEMENT DES EAUX À KNOSSOS
À en juger par la quantité de rigoles, conduites et canalisations qui ont été repérées, l'eau semble avoir été très présente dans la demeure des Minoens. Les palais et les riches maisons possédaient des citernes et un dispositif d'évacuation des eaux qui était le plus avancé d'Europe. Ci-dessous, une canalisation faite de tuyaux en terre cuite emboîtables et un caniveau en dalles de pierre passant sous les bâtiments, ils constituaient un véritable système d'égouts.

SALLE À SIX PILIERS DE MALIA
Ces piliers, simples ou doubles, massifs, quadrangulaires, devaient aussi soutenir les parties les plus hautes de l'édifice. La destination de ce type de salle, toujours présent dans les grands palais, n'est pas définie avec certitude. Les nombreuses pièces de vaisselle découvertes laissent supposer qu'il pouvait s'agir d'une salle à manger ou d'une cuisine, occupant l'étage inférieur d'une salle de banquet.

COUPE D'UN MAGASIN, KNOSSOS. Ce sont de longs compartiments sans fenêtres, accolés les uns aux autres et desservis par un couloir à entrée unique, communiquant avec les sanctuaires. Y étaient conservées des jarres d'huile ou de vin. Dans le sol étaient maçonnées des cuves fermées par une dalle où étaient entreposés des denrées périssables (huile) et des objets précieux. Des fragments de faïence, de cristal et d'or y ont été retrouvés.

RECONSTITUTION DU PALAIS DE MALIA
Les caractéristiques de l'architecture minoenne sont l'asymétrie (les façades sont à redans), l'agglutination et l'empilement des blocs. Le «cubisme» des formes résulte des toits en terrasse et de l'assemblage des montants en bois. Les façades extérieures, jouxtant souvent celles des maisons alentour, sont neutres ; celles qui donnent sur l'esplanade sont plus majestueuses, le haut des terrasses étant décoré du symbole des doubles cornes.

MÉGARON DU ROI, KNOSSOS
Palais et villas étaient dotés d'un mégaron à la crétoise ou *polythyron*, une salle d'apparat ou de réception, dallée et ouverte sur plusieurs côtés. Elle était éclairée et aérée grâce à la proximité d'un puits de lumière (**1**). S'y ajoutait à l'extérieur, un portique à colonnes (**2**). Le mégaron crétois est adapté au climat insulaire : dans cette salle, le mur plein est remplacé par un mur à baies (**3**) et multiples portes. Des piliers ménagent des ouvertures closes par des portes de bois pivotantes s'effaçant dans l'embrasure des piliers.

BAIN LUSTRAL DE MALIA
C'est une salle à demi-enfouie, à laquelle on accède par un escalier coudé : le mur transversal renforce l'intimité de ce lieu où s'accomplissaient sans doute des rites de purification. Cette salle, ici de petites dimensions, peut prendre des proportions imposantes. Cet ensemble est l'une des unités architecturales minoennes les plus étonnantes.

Les matériaux utilisés par les Minoens proviennent des ressources naturelles du sol de la Crète où abondent les chistes, les calcaires, l'«anmouda» (grès dunaire) de taille très facile, l'argile indispensable aux maçons comme aux potiers, et le bois. Le marbre, en revanche, est rare. Le plan des édifices semble n'avoir obéi à aucune contrainte pour s'adapter à la nature du site. Des structures élémentaires se retrouvent dans toute construction et s'inscrivent dans un rectangle ou un carré : la cour centrale, le puits de lumière, le *polythyron*, la salle lustrale et les magasins. Aucun arrondi, aucune voûte ou coupole ne viennent briser les lignes de l'ensemble.

Les Minoens plaçaient, à la base, une assise débordante et une rangée de grands blocs de pierre qui servaient de socle aux maçonneries. Les murs étaient recouverts de différentes couches de stuc.

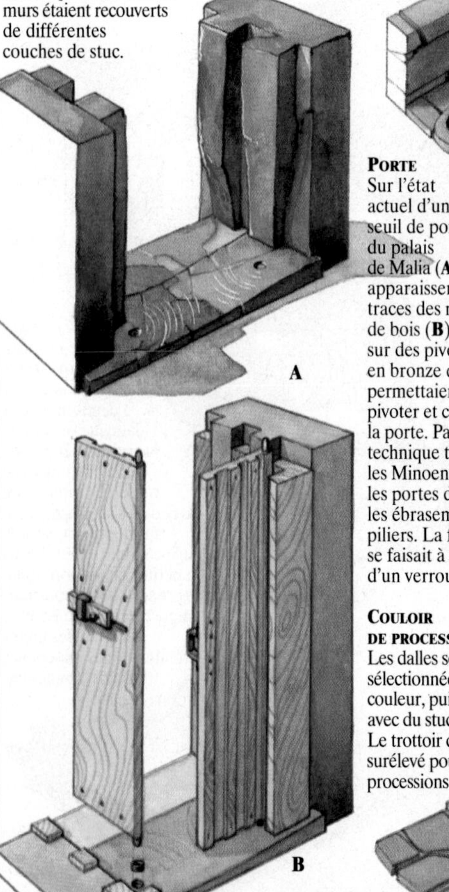

PORTE
Sur l'état actuel d'un seuil de porte du palais de Malia (**A**) apparaissent les traces des montants de bois (**B**) montés sur des pivots en bronze qui permettaient de faire pivoter et coulisser la porte. Par cette technique très habile, les Minoens effaçaient les portes dans les ébrasements des piliers. La fermeture se faisait à l'aide d'un verrou en bois.

COULOIR DE PROCESSION
Les dalles sont sélectionnées pour leur couleur, puis jointes avec du stuc rouge. Le trottoir central est surélevé pour les processions.

PRESSOIR DE VATHIPÉTRO
De nombreux pressoirs, à huile ou à vin (ci-dessus), ont été retrouvés par les archéologues. La pièce est aménagée spécialement à cet usage. La cavité creusée dans le sol recueillait le moût du raisin. Les poteries de la cuisine ci-dessus, encastrées dans une banquette en maçonnerie recouverte de stuc, servaient, grâce à la cendre chaude, à réchauffer les aliments.

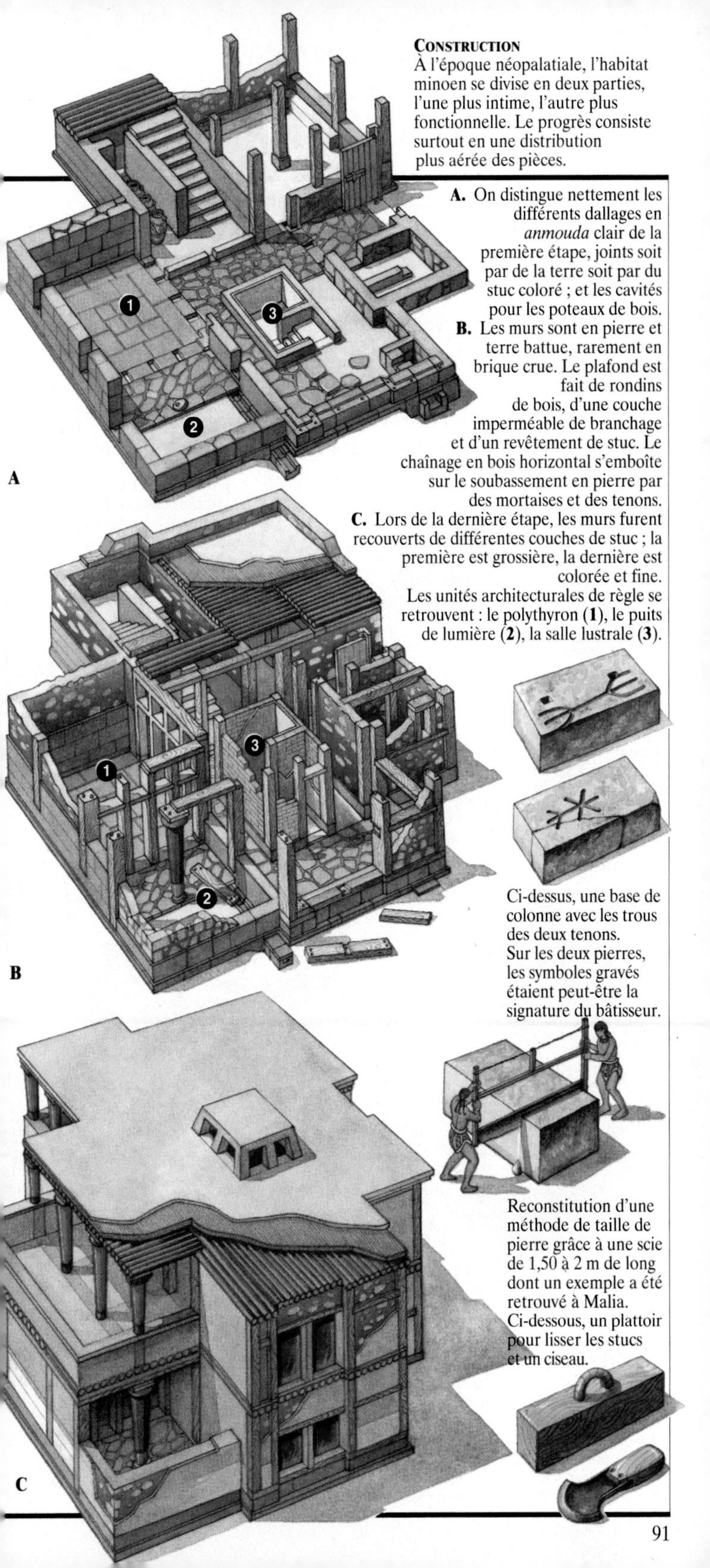

Construction
À l'époque néopalatiale, l'habitat minoen se divise en deux parties, l'une plus intime, l'autre plus fonctionnelle. Le progrès consiste surtout en une distribution plus aérée des pièces.

A. On distingue nettement les différents dallages en *anmouda* clair de la première étape, joints soit par de la terre soit par du stuc coloré ; et les cavités pour les poteaux de bois.

B. Les murs sont en pierre et terre battue, rarement en brique crue. Le plafond est fait de rondins de bois, d'une couche imperméable de branchage et d'un revêtement de stuc. Le chaînage en bois horizontal s'emboîte sur le soubassement en pierre par des mortaises et des tenons.

C. Lors de la dernière étape, les murs furent recouverts de différentes couches de stuc ; la première est grossière, la dernière est colorée et fine.

Les unités architecturales de règle se retrouvent : le polythyron (**1**), le puits de lumière (**2**), la salle lustrale (**3**).

Ci-dessus, une base de colonne avec les trous des deux tenons. Sur les deux pierres, les symboles gravés étaient peut-être la signature du bâtisseur.

Reconstitution d'une méthode de taille de pierre grâce à une scie de 1,50 à 2 m de long dont un exemple a été retrouvé à Malia. Ci-dessous, un plattoir pour lisser les stucs et un ciseau.

L'évolution de l'architecture minoenne reflète celle de sa civilisation et cela sur une période de près de 1500 ans : depuis la plus ancienne maison connue, la «maison ovale» de Chamézi – bâtiment de plusieurs pièces enfermé dans une enceinte aux contours arrondis – jusqu'à la destruction totale des sites vers 1450 av. J.-C. Les archéologues ont analysé les différents types de vestiges de constructions qui, mis en plan, permettent de nombreuses interprétations de l'organisation sociale, des habitudes de vie des communautés minoennes.

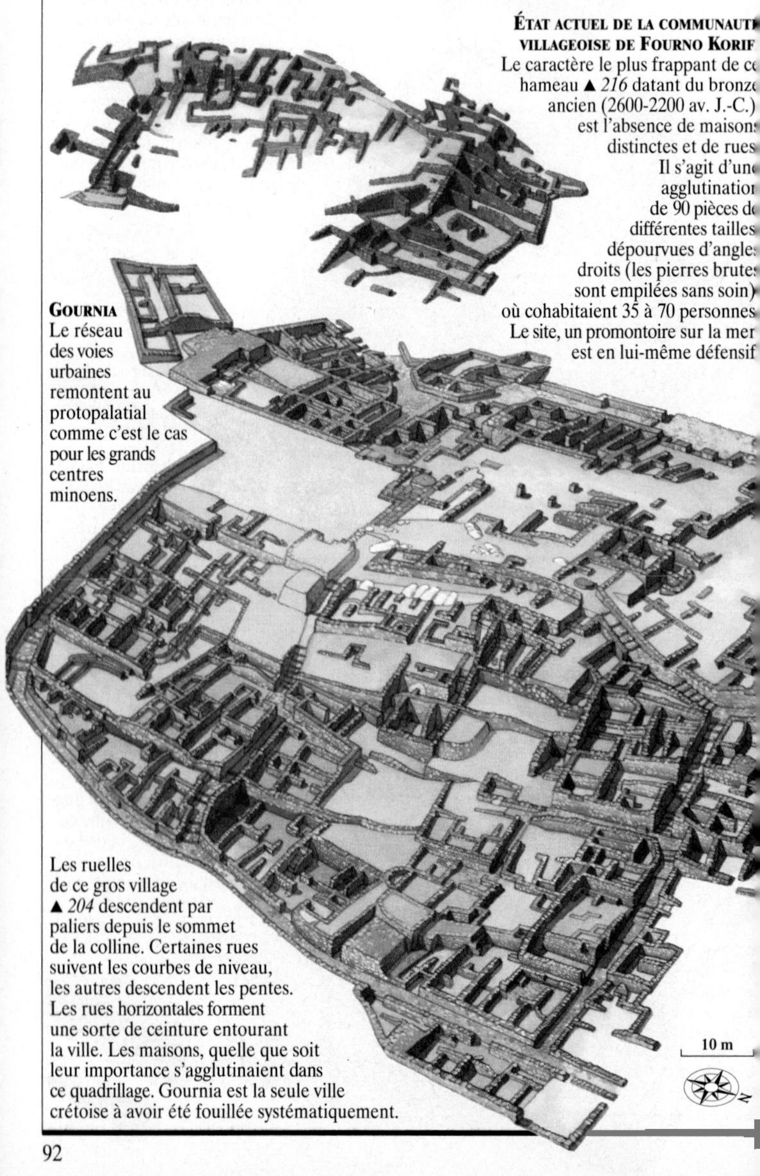

ÉTAT ACTUEL DE LA COMMUNAUTÉ VILLAGEOISE DE FOURNO KORIF
Le caractère le plus frappant de ce hameau ▲ *216* datant du bronze ancien (2600-2200 av. J.-C.) est l'absence de maisons distinctes et de rues. Il s'agit d'une agglutination de 90 pièces de différentes tailles dépourvues d'angles droits (les pierres brutes sont empilées sans soin) où cohabitaient 35 à 70 personnes. Le site, un promontoire sur la mer est en lui-même défensif.

GOURNIA
Le réseau des voies urbaines remontent au protopalatial comme c'est le cas pour les grands centres minoens.

Les ruelles de ce gros village ▲ *204* descendent par paliers depuis le sommet de la colline. Certaines rues suivent les courbes de niveau, les autres descendent les pentes. Les rues horizontales forment une sorte de ceinture entourant la ville. Les maisons, quelle que soit leur importance s'agglutinaient dans ce quadrillage. Gournia est la seule ville crétoise à avoir été fouillée systématiquement.

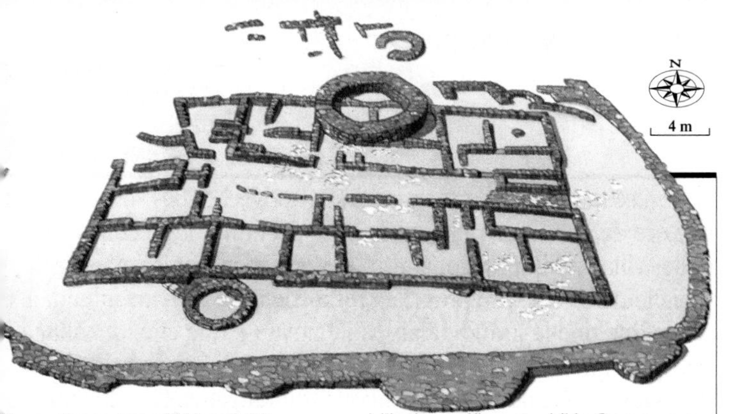

HAGHIA FOTHIA (VERS 2000 AV. J.-C.)
Première apparition de l'angle droit et du plan au sol, rectangulaire et parfaitement ordonné. On y distingue les prémices d'une cour principale. Plusieurs familles s'y regroupent dans des habitations distinctes. La présence d'un mur d'enceinte induirait une volonté de protection, ce qui contredirait le mythe d'une civilisation pacifique et paisible. On remarque, en bas, une citerne ronde ou un silo (grenier à blé) ; en haut, une tombe circulaire, qui est postérieure. La base des murs consiste en assises de pierres brutes liées par un mortier rudimentaire. Les murs des maisons étaient faits de terre, torchis ou briques crues maintenues par des claies de bois.

CRYPTE HYPOSTYLE DE MALIA
L'apparition de véritables villes et des premiers palais, vers 1900 av. J.-C., dénote un important accroissement démographique et une organisation urbaine plus élaborée. Différentes classes sociales émergent, comme l'atteste l'existence, à Malia ▲ *192*, d'un quartier d'artisans spécialisés (potiers, tailleurs de pierre, etc.) La crypte hypostyle, autre élément nouveau, a donné lieu à diverses interprétations : centre politique extérieur au palais, salle de conseil des anciens, qui ont permis d'imaginer une société minoenne communautaire. Ce type de pièce offre deux salles à banquettes, dissemblables, qui se font vis-à-vis et communiquent avec une série de magasins. Le dispositif facilite la vision et le mouvement. Les colonnes, soutenant le plafond, sont décalées par rapport à l'axe des pièces. Les techniques se sont perfectionnées comme le prouve l'utilisation de blocs de pierre taillée.

VILLAGE DE GOURNIA
Il date de l'époque des seconds palais (1700 à 1450 av. J.-C.), apogée de la civilisation minoenne. Les maisons à étages sont très élaborées et se regroupent par 10 à 15 en îlots qu'encerclent des ruelles (en bleu) munies de caniveaux pour l'évacuation des eaux usées. Les seuils des maisons sont en pierre. Les toits sont plats. Cet habitat ne diffère pas grandement des villages crétois traditionnels.

RECONSTITUTION DE GOURNIA
Les maisons des pauvres se différencient par leur pièce unique qui servait aussi d'atelier. Au sommet du village dominent une place allongée et un petit palais.

La civilisation minoenne connaît à son apogée (1700-1450 av. J.-C.) une ère de paix et de richesse. Le luxe décoratif des seconds palais et des villas est impressionnant. Ces dernières sont les maisons de «seigneurs» locaux, de propriétaires terriens ou de leurs intendants. De même que le grand palais est le noyau d'une cité, un village se développe autour de la villa qui est un maillon dans la chaîne des pouvoirs économiques, politiques ou religieux. Des documents retrouvés sur des tablettes en linéaire A et des empreintes de sceaux prouvent l'existence d'un échelon administratif. Un réseau de routes les relie aux villes plus importantes.

VILLA D'AMNISSOS, 1600 AV. J.-C.
Tous les murs de cette villa ▲ *190* étaient recouverts d'un badigeon blanc et décorés de fresques, dont la plus célèbre, dite «aux lys», est exposée au Musée archéologique d'Héraklion ▲ *158*. Les sols étaient dallés de plaques d'ardoise ou de marbre de couleur, réunies par des joints en stuc colorés. On y retrouve les éléments habituels des villas : pièces d'habitations (**1**) *polythyron* (**2**) ouvert sur une terrasse (**3**) offrant une vue sur la mer, puits de lumière (**4**).

La découverte à Knossos de pièces de faïence colorée, ci-dessus, représentant des façades renseigne sur les élévations des maisons.

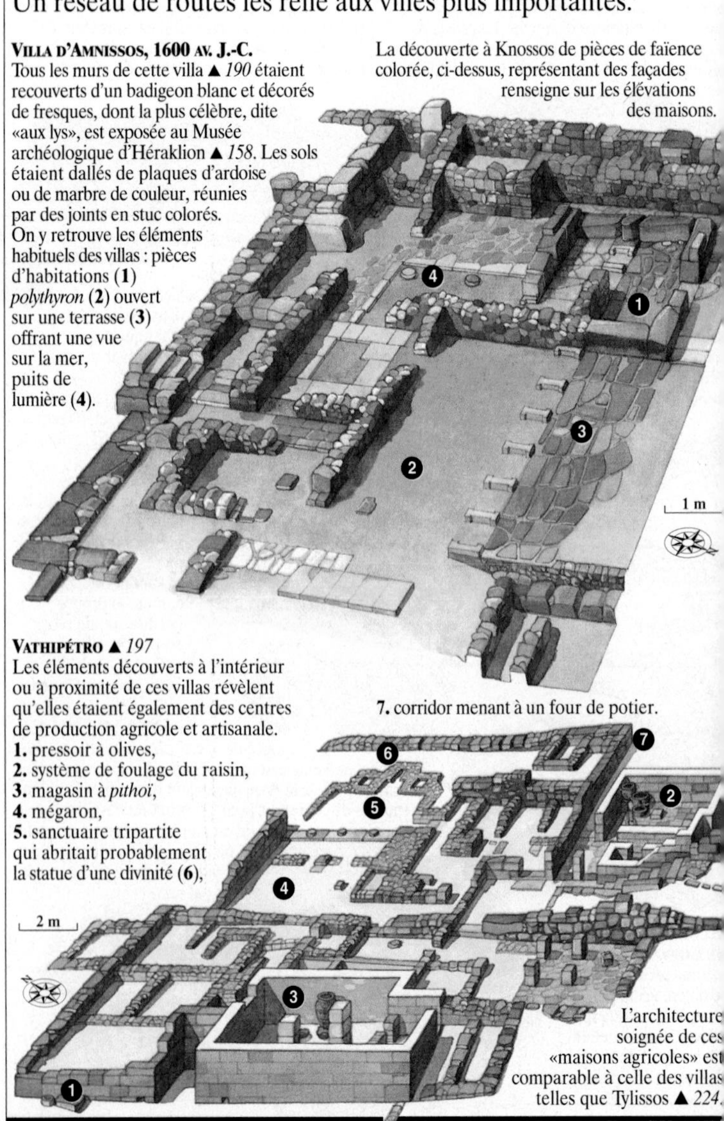

VATHIPÉTRO ▲ *197*
Les éléments découverts à l'intérieur ou à proximité de ces villas révèlent qu'elles étaient également des centres de production agricole et artisanale.
1. pressoir à olives,
2. système de foulage du raisin,
3. magasin à *pithoï*,
4. mégaron,
5. sanctuaire tripartite qui abritait probablement la statue d'une divinité (**6**),
7. corridor menant à un four de potier.

L'architecture soignée de ces «maisons agricoles» est comparable à celle des villas telles que Tylissos ▲ *224*.

Les salles réservées au culte dans les palais laissent supposer que des «rois-prêtres» y régnaient, cumulant pouvoirs terrestres et religieux. Les sanctuaires, lieux de cérémonies et d'offrandes à des dieux qui nous sont inconnus, occupent le cœur des cités, les maisons privées, le sommet des montagnes et les grottes. La présence dans les tombes d'objets ayant appartenu au défunt révèle la croyance en un au-delà. Le rhyton, la double corne, la double hache sont quelques-uns des accessoires et symboles du culte. Les sépultures revêtent différentes formes, privées ou collectives.

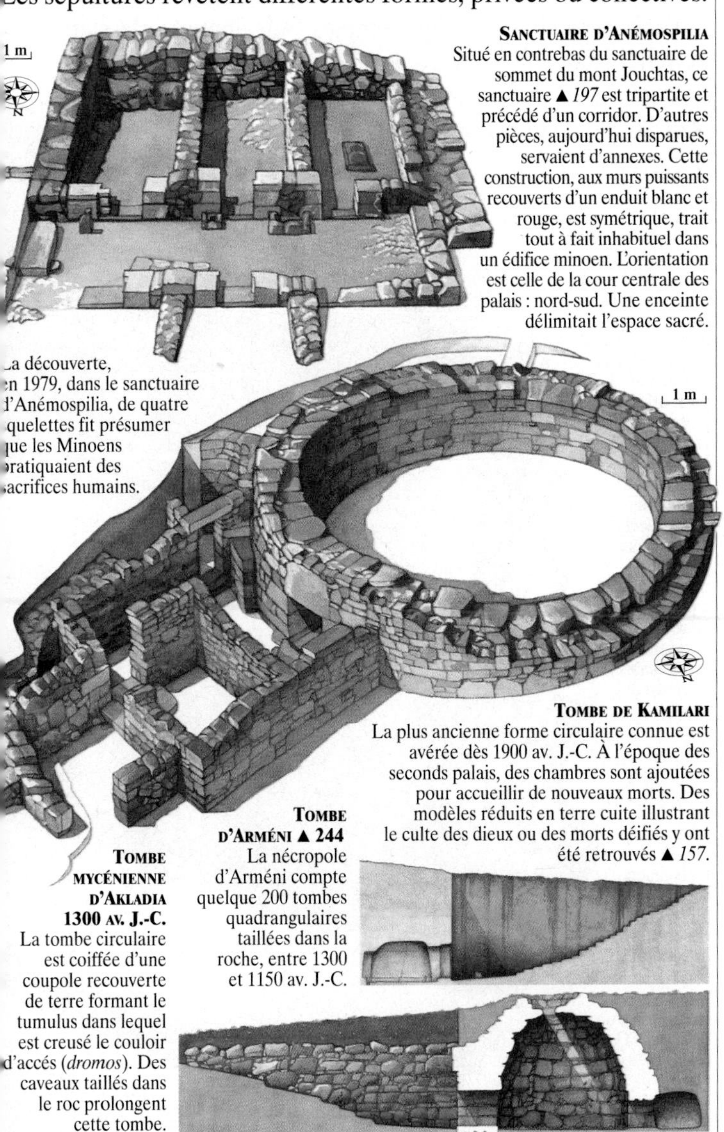

SANCTUAIRE D'ANÉMOSPILIA
Situé en contrebas du sanctuaire de sommet du mont Jouchtas, ce sanctuaire ▲ *197* est tripartite et précédé d'un corridor. D'autres pièces, aujourd'hui disparues, servaient d'annexes. Cette construction, aux murs puissants recouverts d'un enduit blanc et rouge, est symétrique, trait tout à fait inhabituel dans un édifice minoen. L'orientation est celle de la cour centrale des palais : nord-sud. Une enceinte délimitait l'espace sacré.

La découverte, en 1979, dans le sanctuaire d'Anémospilia, de quatre squelettes fit présumer que les Minoens pratiquaient des sacrifices humains.

TOMBE DE KAMILARI
La plus ancienne forme circulaire connue est avérée dès 1900 av. J.-C. À l'époque des seconds palais, des chambres sont ajoutées pour accueillir de nouveaux morts. Des modèles réduits en terre cuite illustrant le culte des dieux ou des morts déifiés y ont été retrouvés ▲ *157*.

TOMBE MYCÉNIENNE D'AKLADIA 1300 AV. J.-C.
La tombe circulaire est coiffée d'une coupole recouverte de terre formant le tumulus dans lequel est creusé le couloir d'accés (*dromos*). Des caveaux taillés dans le roc prolongent cette tombe.

TOMBE D'ARMÉNI ▲ 244
La nécropole d'Arméni compte quelque 200 tombes quadrangulaires taillées dans la roche, entre 1300 et 1150 av. J.-C.

Templ
archaïqu
Lato Etéra
VIIe siècle av. J.-C

Après la destruction des palais et la période postpalatiale, de nouvelles populations arrivent en Crète. Les habitants de l'île, descendants des Minoens, vont se réfugier dans les montagnes et y ériger des cités notamment sur le mont Karfi. Entre 1100 et 900 av. J.-C., les Doriens importent les modèles de la Grèce continentale. Les périodes géométrique et archaïque (900-500 av. J.-C.) voient la création d'une centaine de cités-États, et l'apparition des premiers temples. Aux époques classique et hellénistique (500-67 av. J.-C.), la Crète est une province grecque à part entière. À partir de 67 av. J.-C., elle forme avec la Cyrénaïque une province romaine.

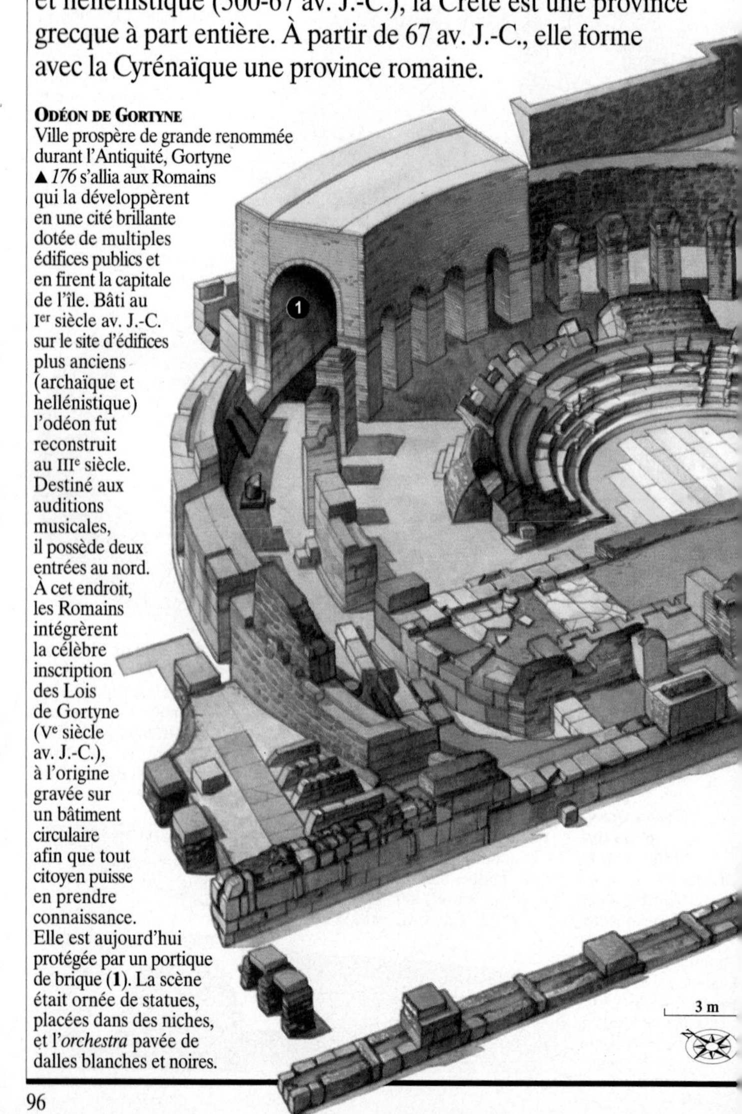

ODÉON DE GORTYNE
Ville prospère de grande renommée durant l'Antiquité, Gortyne ▲ *176* s'allia aux Romains qui la développèrent en une cité brillante dotée de multiples édifices publics et en firent la capitale de l'île. Bâti au Ier siècle av. J.-C. sur le site d'édifices plus anciens (archaïque et hellénistique) l'odéon fut reconstruit au IIIe siècle. Destiné aux auditions musicales, il possède deux entrées au nord. À cet endroit, les Romains intégrèrent la célèbre inscription des Lois de Gortyne (Ve siècle av. J.-C.), à l'origine gravée sur un bâtiment circulaire afin que tout citoyen puisse en prendre connaissance. Elle est aujourd'hui protégée par un portique de brique (**1**). La scène était ornée de statues, placées dans des niches, et l'*orchestra* pavée de dalles blanches et noires.

Citerne romaine, Aptéra
Des réserves d'eau étaient constituées à des fins préventives, qu'il s'agisse de citernes creusées dans le roc, ou, comme ici à Aptéra ▲ *252*, d'ouvrage maçonné.

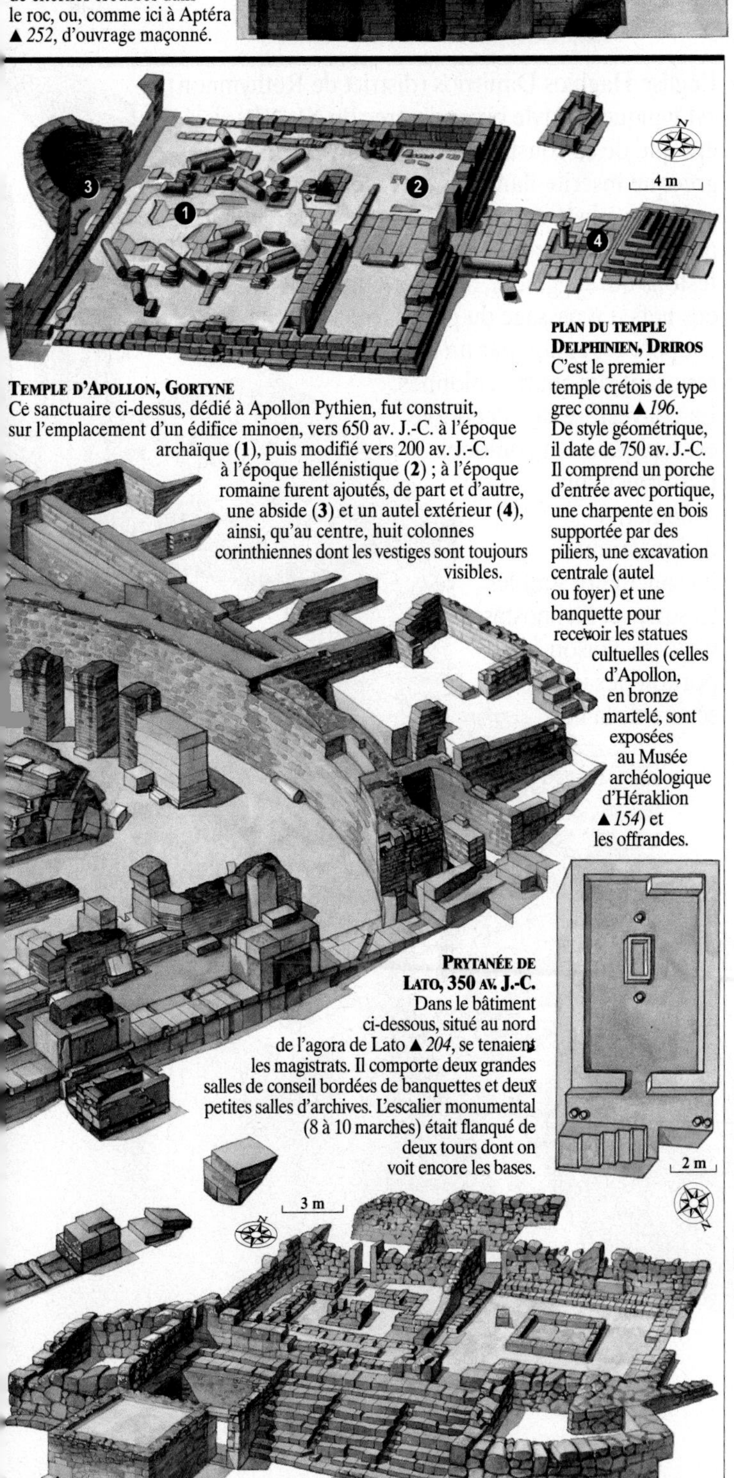

Temple d'Apollon, Gortyne
Ce sanctuaire ci-dessus, dédié à Apollon Pythien, fut construit, sur l'emplacement d'un édifice minoen, vers 650 av. J.-C. à l'époque archaïque (**1**), puis modifié vers 200 av. J.-C. à l'époque hellénistique (**2**) ; à l'époque romaine furent ajoutés, de part et d'autre, une abside (**3**) et un autel extérieur (**4**), ainsi, qu'au centre, huit colonnes corinthiennes dont les vestiges sont toujours visibles.

Plan du temple Delphinien, Driros
C'est le premier temple crétois de type grec connu ▲ *196*. De style géométrique, il date de 750 av. J.-C. Il comprend un porche d'entrée avec portique, une charpente en bois supportée par des piliers, une excavation centrale (autel ou foyer) et une banquette pour recevoir les statues cultuelles (celles d'Apollon, en bronze martelé, sont exposées au Musée archéologique d'Héraklion ▲ *154*) et les offrandes.

Prytanée de Lato, 350 av. J.-C.
Dans le bâtiment ci-dessous, situé au nord de l'agora de Lato ▲ *204*, se tenaient les magistrats. Il comporte deux grandes salles de conseil bordées de banquettes et deux petites salles d'archives. L'escalier monumental (8 à 10 marches) était flanqué de deux tours dont on voit encore les bases.

L'église Haghios Dimitrios (district de Réthymnon) est typique du style byzantin grec du XIe-XIIe siècle, époque de sa construction. Le plan est en croix grecque inscrite dans un carré. Ici la pierre est préférée à la brique qui néanmoins reste utilisée pour le haut tambour et pour les ornements en festons qui suggèrent, à l'extérieur, la ligne de voûte des nefs. Le passage du plan carré au cercle de la coupole est assuré par un système de pendentifs reposant sur quatre colonnes. La couverture de la coupole est typiquement conique. Les principaux ornements de l'intérieur du sanctuaire sont les fresques et l'iconostase, sorte de cloison, portant des icônes, qui sépare de la nef.

1. Nef centrale
2. Nefs latérales
3. Croisée du transept
4. Abside

Iconostase de l'église de Moni Kremaston. La disposition est définie : le Christ, à droite de la Belle Porte, la Vierge à l'enfant à gauche, puis les Saints. Au-dessus, des icônes représentent le *dodécaorton*.

Fresques et icônes

Les Byzantins importèrent leur livre d'images religieuses qui se retrouveront dans toutes les églises sous formes de fresques ou d'icônes. Les Crétois assimilent cette nouvelle iconographie et vont exprimer à partir du XVe siècle un style bien reconnaissable.

5. Fragments de fresques du XIVe siècle
6. Pendentifs
7. Tambour
8. Coupole.

La première période byzantine (330-824) en Crète est synonyme de diffusion de la religion chrétienne. Lors de la seconde période (961-1204), qui suit un siècle d'occupation arabe, le raffermissement du pouvoir byzantin va de pair avec le regain de ferveur religieuse. Le legs architectural de ces époques consiste en de nombreuses églises et monastères qu'ornent fresques et icônes. Le style byzantin perdurera sous l'occupation vénitienne (1204-1669).

BASILIQUE HAGHIOS TITOS, VIe SIÈCLE, GORTYNE ▲ *177*
Construite durant la première période byzantine, son architecture est fortement influencée par le style constantinopolitain. Surmontée d'une coupole, elle était constituée d'une nef centrale, flanquée de deux nefs latérales. Seules sont encore visibles, les chapelles carrées et l'abside voûtée en plein cintre de son extrémité orientale.

ÉVOLUTION DES ÉGLISES BYZANTINES
Du IVe au VIe siècle, la basilique constitue le modèle, le plus souvent à trois nefs séparées par des colonnades ou des piliers, et se terminant par une abside semi-circulaire ; au VIe siècle, les Byzantins intègrent la coupole au plan basilical. À partir de la période classique (VIIIe-XIIe siècles), le plan en croix grecque inscrite avec coupole domine largement ; les tambours s'élèvent et les coupoles sont couvertes d'une toiture conique.

ÉGLISE DE LA PANAGHIA, FODÉLÉ ▲ *219*
Ci-contre, elle fut construite au XIIIe siècle, à l'emplacement d'une ancienne basilique du VIIIe siècle. Elle est de plan carré et cruciforme à coupole.

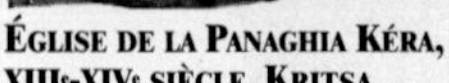

ÉGLISE DE LA PANAGHIA KÉRA, XIIIe-XIVe SIÈCLE, KRITSA
La Panaghia Kéra du village de Kritsa ▲ *203* se composait à l'origine d'une nef unique avec coupole. Deux nefs latérales, voûtées en berceau, ont été ajoutées ultérieurement au nord et au sud. Ces ajouts du XIVe siècle ont été renforcés par des contreforts qui donnent à la Panaghia Kéra sa ligne si particulière. La façade orientale se termine par trois absidioles ; ci-contre, la façade d'entrée, à l'ouest.

Fenêtres d'absides du katholikon de Moni Arvis, de l'église Haghios Antonios de Moni Arvis et de l'église de la Panaghia, Archanès.

FENÊTRES D'ABSIDES
Les principaux ornements visibles à l'extérieur des églises sont les sculptures qui ornent le pourtour des portes et les fenêtres des absides. Plus ou moins sophistiqués, les motifs sont géométriques ou végétaux, et intègrent parfois des silhouettes.

FAÇADE SUD DE L'ÉGLISE HAGHIOS FANOURIOS, MONI VALSAMONÉRO ▲ *188*
Il s'agit d'une église à deux nefs, bordées à l'ouest par une troisième nef qui tient lieu de narthex, suivi d'un exonarthex : la nef nord, dédiée à la Panaghia, date de 1326 ; la nef sud, dédiée à saint Jean-Baptiste, date de 1400-1407 ; le narthex, dédié à Fanourios, fut ajouté en 1426-1431 et l'exonarthex à la fin XVe-début XVIe siècle. Sur la façade sud, particulièrement harmonieuse, on remarque des assiettes incrustées à la hauteur de l'exonarthex.

ÉGLISE MICHAÏL-ARCHANGELOS, ÉPISKOPI-KISSAMOS
Épiskopi ▲ *274* fut, comme son nom l'indique, le siège d'un évêché, à l'époque vénitienne. Son église, l'une des plus anciennes de Crète, a la particularité d'être construite autour d'une rotonde datant du VIIe-VIIIe siècle ou de la seconde moitié du Xe siècle.

Fenêtre d'abside de l'église de Moni Kéra Kardiotissa ▲ *183*.

Durant l'occupation vénitienne, les ouvrages des architectes Serlio (1475-1554) et Palladio (1518-1580) ont une large audience en Crète où ils inspirent les artisans locaux. L'influence de la Renaissance italienne est patente dans nombre d'églises et de monastères construits au XVIe siècle : c'est le cas de l'église Santa Maria, à Réthymnon, de Moni Arkadi ou de Moni Haghia Triada, sur la péninsule d'Akrotiri. Les plans des églises, quant à eux, restent ceux établis précédemment, la croix grecque avec coupole et le type basilical à trois nefs.

Ci-dessus, chapiteau corinthien altéré à feuilles d'acanthes pliées, ancienne église San Francesco, XVIe siècle, La Canée ▲ *258*.

BASE DE COLONNE, MONI GOUVERNETO
Cette sculpture représentant une créature fabuleuse, est typique du style vénitien du XVIe siècle ▲ *265*.

FAÇADE OUEST DE L'ÉGLISE DE MONI ARKADI
Le plus connu des monastères de la période vénitienne est Moni Arkadi (1538) ▲ *221*.
La façade occidentale de son église à deux nefs est caractéristique de ce que l'on a appelé la «Renaissance crétoise» : un mélange d'éléments romans et baroques.
Elle comporte, au niveau inférieur, des doubles colonnes corinthiennes et des arcs en plein-cintre ; au niveau supérieur, des pilastres et des arcs en tiers-point. Arabesques et guirlandes baroques complètent sa belle ornementation.

Basilique San Marco, Héraklion
Élevée en 1239 et en partie détruite par deux tremblements de terre, elle fut restaurée en 1508 ▲ *145*. Elle appartient au type basilical classique, avec une nef centrale flanquée de deux collatéraux. Elle est précédée d'un porche soutenu par une arcade à six colonnes de marbre vert, provenant sans doute d'un temple romain. Si, à l'intérieur, les arcs brisés appartiennent encore à une structure gothique, à l'extérieur, les arcs en plein cintre sont de style Renaissance.

Les églises d'époque vénitienne

La seconde période d'occupation vénitienne fut fertile sur le plan artistique. Ce que l'on a pu nommer, au XVe siècle, la «Renaissance» crétoise est le fruit de deux mouvements esthétiques : la Renaissance italienne importée par les Vénitiens, et le style byzantin déjà ancré dans l'île. Parmi les nouveaux Crétois d'adoption, on compte également de grands artistes de Constantinople et de Grèce ayant fui l'envahisseur turc. Dans le domaine de l'art religieux, un très grand nombre d'églises et de centres monastiques, servant souvent de refuges, sont construits ; l'École crétoise renouvelle l'art de la fresque et des icônes en intégrant des éléments italiens et en créant de nouveaux types byzantins.

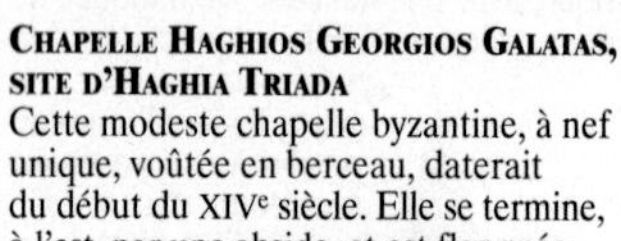

Chapelle Haghios Georgios Galatas, site d'Haghia Triada
Cette modeste chapelle byzantine, à nef unique, voûtée en berceau, daterait du début du XIVe siècle. Elle se termine, à l'est, par une abside, et est flanquée, au nord et au sud, d'ossuaires rajoutés à l'époque vénitienne ▲ *183*.

Église Haghia Ekatérini, Héraklion
Construite en 1555 ▲ *151*, cette église faisait partie du célèbre monastère de Sainte-Catherine du mont Sinaï. Modifié par les Ottomans au XVIIe siècle, cet édifice en croix grecque présente un mélange d'architecture vénitienne et ottomane : sa coupole à côtes est construite sur un tambour qui repose non pas sur des pendentifs, mais sur sur des trompes d'angles, système souvent utilisé dans l'élévation des mosquées.

MONI HAGHIA TRIADA, PÉNINSULE D'AKROTIRI
Le monastère ci-dessus ▲ *264*, également appelé Moni Tzagarolon, fut fondé en 1630 par une famille de marchands vénitiens convertis à la religion orthodoxe. Il possède deux chapelles et, au centre, une église dédiée à la Sainte Trinité. L'église est de plan cruciforme, chaque travée surmontée d'une coupole, une grande pour la nef centrale et une plus petite pour chaque nef latérale. Sa façade rythmée de quatre colonnes doriques est fortement influencée par le style vénitien.

MONI TOPLOU
Il représente l'exemple type du monastère fortifié ▲ *207*. À l'intérieur, se dresse une église de la première moitié du XIVe siècle, époque de la fondation du monastère. Celui-ci fut détruit et reconstruit à plusieurs reprises, en 1460-1470, puis en 1612. Afin de le protéger d'éventuels nouveaux agresseurs, fut élevée une enceinte de forme approximativement carrée, et haute d'environ 10 m. L'enceinte reprend les caractères typiques des fortifications vénitiennes et, notamment, le renforcement de la partie inférieure des angles par l'élargissement de leurs bases ainsi que la légère inclinaison des murs.

ÉGLISE DE MONI PRÉVÉLI
Ci-dessus, cette église de style vénitien ▲ *242* est en fait une reconstitution de 1836 d'un précédent édifice du XVIIe siècle. Elle s'intègre à l'austère combinaison des bâtiments cubiques du monastère.

ROSACE «GOTHIQUE» DE LA CHAPELLE DE MONI TOPLOU
La rose ou grande baie circulaire subdivisée par un décor de pierre est une amplification ornementale de l'ancien oculus.

La nécessité de protéger un bien aussi convoité que la Crète, amena les Vénitiens à construire de nombreuses fortifications au cours de leurs quatre siècles d'occupation : celles-ci consistaient principalement en forteresses, enceintes de villes, entrepôts, ports et arsenaux. Au XVe-XVIe siècle, le fameux Michele Sanmicheli, architecte originaire de Vérone et formé à Rome et Venise, dessine les défenses de La Canée, de Réthymnon et d'Héraklion. Les installations portuaires de ces villes sont également de cette époque. Ces ouvrages, bien qu'endommagés par les nombreux séismes mais aussi et surtout par les dégâts causés par les Turcs, témoignent toujours de la forte empreinte vénitienne.

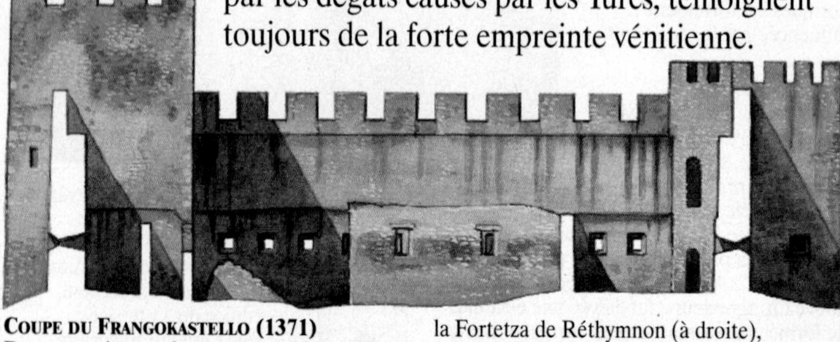

COUPE DU FRANGOKASTELLO (1371)
De cette puissante forteresse vénitienne ▲ *247*, aujourd'hui sans canons, demeurent les murailles extérieures et les quatre tours massives. Sur la face sud, le portail d'entrée est surmonté d'un blason en relief représentant le lion de saint Marc. Au même titre que les forteresses de Gramvoussa, Spinalonga ▲ *203* ou que la Fortetza de Réthymnon (à droite), le Frangokastello fait partie des chef-d'œuvres vénitiens parvenus jusqu'à nous. Ces forteresses prouvèrent leur efficacité en résistant de longues années aux Ottomans.

KASTRO KOULÈS, HÉRAKLION
Le port de la capitale est protégé par le Kastro Koulès ci-dessus ▲ *160*, reconstruit, à l'emplacement d'un bâtiment arabe, puis génois, par les Vénitiens en 1523-1540. Cet ouvrage venait en complément d'un important système de fortifications entourant la cité : une enceinte triangulaire de 3 km, renforcée par sept bastions.

Arsenauxs vénitiens de La Canée
Comparables à ceux d'Héraklion, les arsenaux de La Canée ▲ *257* furent construits en deux temps, au XVe et au XVIIe siècle. Aujourd'hui, seulement neuf des vingt-trois entrepôts ont conservé leurs plafonds voûtés et sont toujours en service.

Fortetza de Réthymnon
Édifiée par les Vénitiens entre 1573 et 1583, elle fut conçue par Michele Sanmicheli et construite par les ingénieurs Sforza Pallavicini, puis Ioannis P. Therari ▲ *236*. De très massives voûtes surmontent les bouches des batteries. Son enceinte, de 1307 m de circonférence, se double de quatre impressionnants bastions. À l'intérieur, subsistent les vestiges de bâtiments administratifs, logements, casernes, et entrepôts pour les munitions et la nourriture. Au centre, s'élevait une église, aujourd'hui disparue. Seule demeure une petite mosquée construite par les Ottomans.

Ci-dessous, arsenaux vénitiens d'Héraklion, XVIe siècle

Suivant les caractères esthétiques de leur pays, les Vénitiens dotèrent les villes crétoises de monuments, de fontaines et de maisons richement décorées. La loggia d'Héraklion fut construite en 1626-1628, par l'architecte Francesco Basilicata, suivant les préceptes établis par Andréa Palladio (1508-1580), et déjà développés en Crète par Michele Sanmicheli (1484-1559). L'harmonie ressort ici de la simplicité des volumes : la balustrade supérieure souligne le rythme d'une façade à sept arcades, scandée par des colonnes doriques, au niveau inférieur, et ioniques à l'étage. Cette loggia servit de modèle au pavillon vénitien de l'exposition de Rome en 1911.

FONTAINE MOROSINI, HÉRAKLION
Elle fut inaugurée en 1628 ▲ *145*. Son bassin octolobé (plan ci-contre) est décoré de superbes sculptures représentant nymphes et tritons. La vasque supérieure, supportée par des lions, faisait certainement partie d'une fontaine vénitienne antérieure datant probablement du XIVe siècle.

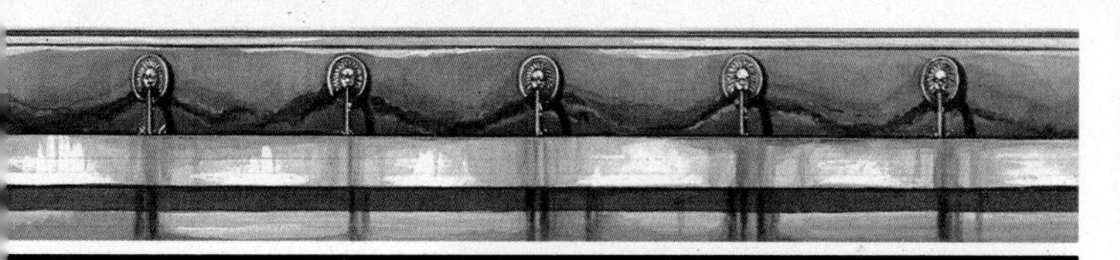

CI-DESSUS, FONTAINE DE SPILI (DÉTAIL)
Le verdoyant bourg de Spili ▲ *242* se construisit autour d'une source réputée. Les Vénitiens y édifièrent une élégante et inhabituelle fontaine composée de 25 bouches d'eau, dont 19 représentent des têtes de lions, rejetant l'eau dans un bassin.

FONTAINE RIMONDI, RÉTHYMNON
Cette fontaine monumentale (ci-contre) date de 1629 ▲ *237*. Elle présente un mélange de différents styles : les quatre colonnes corinthiennes rappellent l'Antiquité grecque ; les trois têtes de lion d'où jaillit l'eau sont typiquement vénitiennes ; le mur sur lequel elle repose a été restauré par les Turcs.

FONTAINE BEMBO, HÉRAKLION
Elle date de 1588 et porte les armoiries de la famille Bembo ▲ *151*, de part et d'autre d'une statue romaine, sans tête, découverte par l'architecte Zuanne Bembo à Hiérapétra.

LOGGIA D'HÉRAKLION
(ci-dessous)

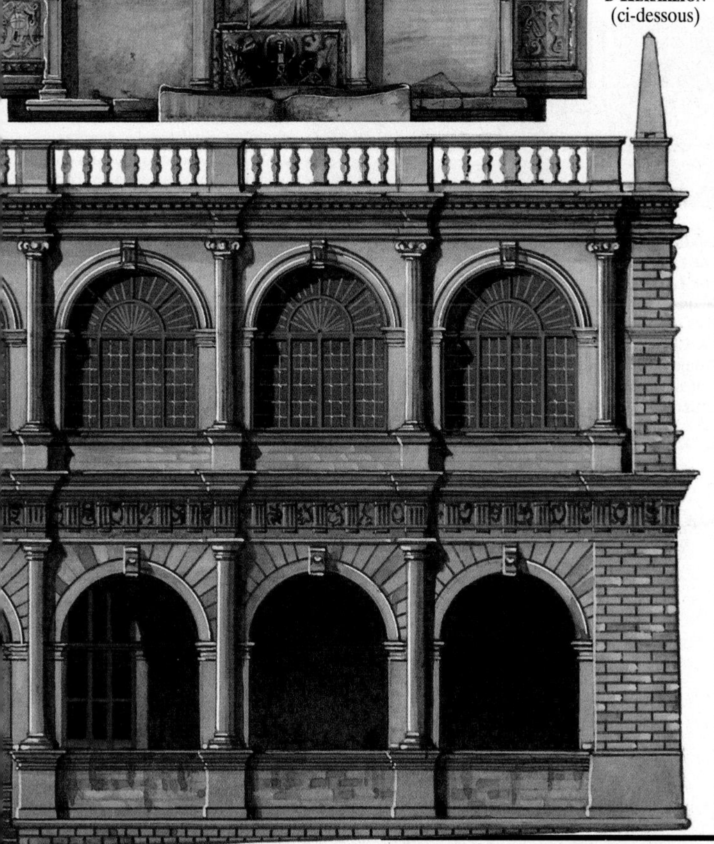

Les villages crétois sont caractérisés par la densité de leurs constructions ; les rues sont étroites et les maisons disposées en amphithéâtre. Parfaitement intégrés dans leur cadre naturel, les villages sont souvent divisés en plusieurs groupes d'habitations, correspondant à des altitudes différentes : on a ainsi «kato chorio», le village du bas, «meso chorio», le village du milieu, et «pano chorio», le village du haut. Marqués par les occupations successives, ils sont souvent implantés dans des lieux naturellement fortifiés, au sommet des collines, au fond des gorges ou sur le flanc des montagnes.

La pemière maison est très étroite, constituée d'une seule pièce avec un coin feu-cuisine. La cheminée, dépassant du toit plat, est recouverte d'une jarre cassée qu'une pierre vient combler par temps de pluie.

«MITADO» OU «KOUMOS»
Cette petite maison ronde et basse, composée de pierre à l'état brut, est la forme la plus primaire d'architecture traditionnelle. Utilisée de façon saisonnière par les bergers, on la rencontre en haute et moyenne montagne.

Les maisons les plus simples sont rectangulaires, sans étage, à toit plat, avec de rares ouvertures dans les murs et une façade étroite. Il n'y a qu'une seule grande pièce à l'intérieur où se concentrent toutes les activités : cuisine, chambre, stockage des denrées et de la récolte, et même abri pour animaux. Les vieux villages, composés de maisons construites en pierre, se fondent parfois totalement avec les rochers du paysage. Ci-dessous, pièce unique d'une maison modeste.

MAISON-MOULIN DE LA HAUTE PLAINE DE LASSITHI
Construits en pierre, ces moulins à vent ▲ *198* servaient toujours au début du siècle pour moudre le blé.

Les pierres sont utilisées en leur état naturel. et le mur est maçonné avec des gravats. La petite niche intérieure reçoit une cruche d'eau.

Ci-dessus, «kamarospito» surélevé d'un étage
C'est à Chora Sfakion, au sud-ouest de l'île ▲ *272*, que l'on trouve les plus beaux exemples de ces habitations. Les murs sont plâtrés et blanchis à la chaux ; les ouvertures soulignées de bleu ou de brun égaillent l'ensemble. Ci-dessous, la façade étroite d'une maison portuaire.

Maison Myriodomanolis à Douliana
Elle est caractéristique de la maison composite à deux étages en forme de L. Le toit en tuiles remplace souvent le toit plat dans les régions de Crète occidentale. Ces tuiles sont de type byzantin et liées entre elles par un mortier. Au rez-de-chaussée, se trouvent le séjour, la cuisine avec la cheminée et la cour. Le premier étage abrite les chambres.

Ci-dessus, «kamarospito»
C'est une maison dont le toit plat surmontant la cour intérieure est soutenu par une arche extérieure en pierre (*kamara*). Cette forme est caractéristique des régions de Crète où le bois manque pour fabriquer les grandes poutres supportant le toit.

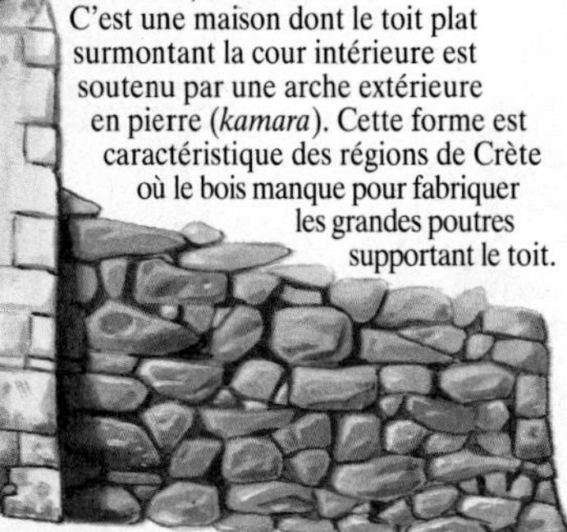

Au cours de deux siècles d'occupation, les Ottomans construisirent essentiellement des édifices nécessaires à la pratique de la religion musulmane : mosquées, minarets et fontaines d'ablutions. Souvenirs d'une période noire de l'histoire crétoise, ces monuments furent longtemps négligés, voire systématiquement détruits. Ceux qui subsistent sont, depuis peu, l'objet du soin des restaurateurs.

MAISON DE RÉTHYMNON
De nombreuses maisons de style ottoman subsistent dans les vieux quartiers de Réthymnon. Elles sont reconnaissables à leurs kiosques en bois s'avançant au premier étage ▲ 232. Cet élément d'origine balkanique est sans doute dérivé de l'*iliakos* byzantin.

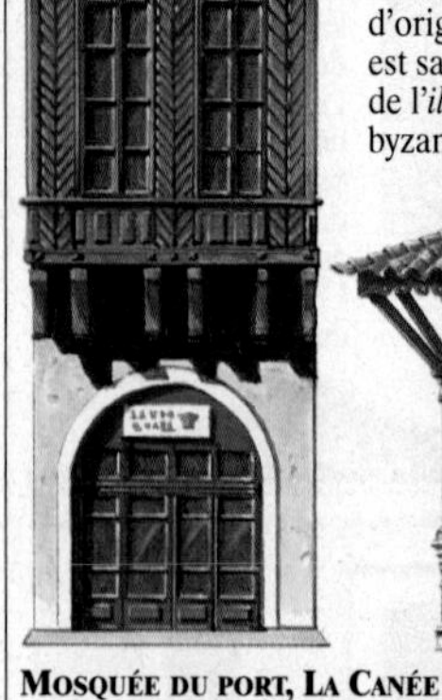

SARDIVAN, HÉRAKLION
Cette fontaine aux ablutions fut construite près de l'église Saint-Sauveur, transformée en mosquée. Sur plusieurs de ses faces des *sebil,* «chemin de Dieu» étaient utilisés par les fidèles pour la toilette précédant la prière.

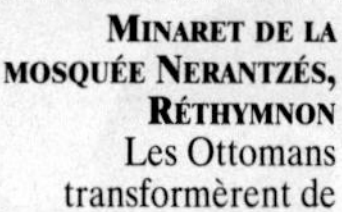

MOSQUÉE DU PORT, LA CANÉE
La mosquée des Janissaires ▲ *236*, érigée en 1645, est de taille modeste et de plan carré. Elle est surmontée d'une coupole plus nettement sphérique qu'il n'est habituel ; d'où, sans doute, la nécessité de l'affermir par quatre arcs-boutants, en très bel appareillage de pierre, comme le reste de l'édifice.

MINARET DE LA MOSQUÉE NERANTZÉS, RÉTHYMNON
Les Ottomans transformèrent de nombreuses églises en mosquées, l'aménagement principal consistant en la construction d'un minaret ▲ *237*.

La Crète vue par les peintres

Marina Canacakis

«LE VENT MÊME QUAND IL SOUFFLE NE NOUS RAFRAÎCHIT PAS
ET L'OMBRE RESTE MINCE SOUS LES CYPRÈS»

GEORGES SÉFÉRIS

Exposées à Héraklion, à la bibliothèque Vikélas ainsi qu'à la maison Chronakis, les toiles de EVANGHELOS MARKOYANNAKIS (1874-1956) constituent d'irremplaçables documents sur les dernières années de l'occupation ottomane. Ici, l'œuvre intitulée *Turcs à la fontaine* **(1)** révèle Héraklion au début du siècle avec l'ancienne place du Pantocrator, actuelle porte de La Canée ▲ *144*.

Y. GHIORGHIADIS, né en 1935, est diplômé des Beaux-Arts de Lyon. Peintre, mais aussi pianiste et amateur de théâtre, cet homme cosmopolite et raffiné est dans un premier temps influencé par l'impressionnisme et le cubisme. Par la suite, il retrouve ses racines crétoises. Les tonalités d'orange et d'ocre dominent dans ses paysages comme dans ses portraits. Dans *L'Église Haghios Titos de Gortyne* **(2)**, il rend la théâtralité imposante, mais sobre, des ruines du site de Gortyne surgissant dans la lumière émouvante d'un crépuscule du sud ▲ *176*. Le paysage harmonieux et serein des *Collines d'Haghia Irini* **(3)**, hameau proche de Knossos, est plus nettement inspiré des impressionnistes.

1 2 3

«NUIT GRANDE COMME LA TÔLE AU MUR DE L'ÉTAMEUR. CHANT
PRÉCIEUX COMME LA MICHE DE PAIN. SUR LA TABLE DU PÊCHEUR
'ÉPONGES. ET VOICI LA LUNE CRÉTOISE DÉVALANT LES GALETS.»

YANNIS RITSOS

Dessinateur, humoriste, auteur de célèbres livres de «nonsense», et grand voyageur, EDWARD LEAR (1812-1888) visite la Crète au printemps 1864. Infiniment plus personnel que ses compatriotes et devanciers Pashley ou Spratt, il livre dans son journal le récit animé de ses tribulations crétoises. Ce texte est accompagné de dessins ou d'aquarelles, le plus souvent des paysages de facture très classique, généralement dans des tons clairs. Ci-contre, *Le Mont Ida avant le lever du soleil*, ce sujet a inspiré à E. Lear une série considérée comme une de ses plus belles œuvres réalisées en Crète.

Dans les années 1850, le capitaine THOMAS A. B. SPRATT effectue plusieurs voyages en Crète pour le compte de l'Amirauté britannique. La *Description générale de l'île de Crète* paraît à Londres en 1865. Lors de ses missions, le capitaine Spratt s'est appliqué à identifier les sites archéologiques de l'île, mais son intérêt le portait plus vers la cartographie et la météorologie. Passionné par la mer, il a inspecté toutes les côtes crétoises. *Les Pêcheurs d'éponges*, ci-contre, évoquent, dans une atmosphère sombre et orageuse, le dur labeur des hommes de Kalimnos et de Kalkis. La pêche aux éponges fut largement pratiquée sur les côtes orientales de la Crète jusqu'au début du XXe siècle.

De sa Crète natale, LÉFTÉRIS KANAKAKIS (1934-1985) garde quelques éléments iconographiques. Son art intense où règne le silence, dit sa conscience politique (*Les Décorations* **(1)** furent réalisées en 1973), son amour des objets simples ou symboliques et son idée de l'être humain. Son tempérament puissant et introverti s'affirme par la force et la densité des couleurs comme par la sobriété des compositions. La lumière translucide confère à l'ensemble de son œuvre une frappante unité. Réthymnon, le saluant comme l'un des peintres les plus marquants, lui a dédié son musée d'art contemporain ◆ *298*.

Plus inspiré par la grécité perdue des rivages anatoliens que par les paysages crétois, ARISTIDE VLASSIS (né en 1947) construit une œuvre très personnelle – mêlant rêve et réalité, comme dans *Moni Gonias* **(2)** ▲ *275* – dont les vibrations rappellent souvent la poésie surréaliste d'Andréas Embiricos.

E. MARKOYANNAKIS, dans l'*Église du Sauveur à Héraklion* **(3)**, nous restitue dans un style impressionniste, une image pleine de charme de cette église vénitienne, transformée en mosquée, puis démolie en 1973.

1	2
	3

«Une mer d'un bleu sombre, immense,
allant jusqu'aux rivages africains.
Au matin, elle embaumait comme une pastèque.»

Nikos Kazantzaki

Dans cette composition très structurée, intitulée *Sur les murs* **(1)**, se retrouvent toutes les caractéristiques du style d'ARISTIDE VLASSIS : paysage lointain, précis et pourtant onirique (ici le Kastro Koulès d'Héraklion ▲ *160*) et, au premier plan, des personnages magiquement échappés au temps.

P. TETSIS (né 1925) dépeint avec *Parea* **(2)** une scène familière et intemporelle du monde méditerranéen : villageois assis, devisant paisiblement à la tombée de la nuit.

L'œuvre de TAKIS PÉRAKIS (né en 1952) est nettement hyperréaliste. Dans *Sud* **(3)** son travail est très architecturé et les aplats du bleu intense du Sud dominent.

La Crète vue par les écrivains

Michel Lassithiotakis
Jacques Lacarrière

LA CATASTROPHE DE CRÈTE

En 1508, un tremblement de terre ravagea Candie et sa région, faisant de très nombreuses victimes. Un écrivain inconnu, Manolis Sclavos, décrit avec force détails, dans un poème intitulé La Catastrophe de Crète, *les effets dévastateurs d'un séisme par lequel se manifeste, pense-t-il, la colère divine, et la fuite des populations épouvantées qui croient venu le jour du Jugement dernier.*

« Dieu secoua violemment la terre, pour que changent les mœurs,
que cessent les péchés sans nombre des hommes.
Il provoqua un séisme, un grand fracas : le monde s'obscurcit,
le peuple, saisi de peur, se mit à crier : «Seigneur, aie pitié de nous !»
Des maisons de seigneurs s'écroulèrent, des palais de notables,
et les clochers des églises et les demeures des humbles.
Des villages, des bourgs furent détruits, des châteaux se disloquèrent.
Que d'hommes de haut rang la malemort emporta !
Des indigents périrent en si grand nombre
que je ne saurais faire le compte des disparus.
J'ai vu des mères trouver leurs enfants écrasés,
j'ai vu mourir de mort violente des couples de haute lignée,
des notables respectés et des enfants choyés ;
j'ai vu de grandes dames se frapper la poitrine, et des jeunes filles aux cheveux défaits
qui s'écriaient : «Mon père, mon maître, où es-tu à présent ?»,
et d'autres qui disaient : «Maman, ma maîtresse et ma mère !»
Tout devint noir, tous furent pris de frayeur.
Nul ne cherchait à retrouver ses biens : on fuyait, on se lamentait.
Riches, puissants et pauvres, tous pleuraient ensemble,
tous s'arrachaient la barbe et les cheveux en répétant : «Malheur !»
Pareil à l'agneau qui gémit et pleure
quand le berger le saisit et s'apprête à l'égorger,
le peuple criait : «Dieu nous engloutit,
Dieu, dans son grand courroux, nous anéantit !»
Il a détruit Saint-François, le vénérable monastère,
qui nourrissait et confortait les affamés.
Et Saint-Démètre, cette église illustre
qui avait été bâtie dans la ferveur, la voici à présent en ruine.
Ces églises fameuses qui étaient la fierté de la Crète,
ces églises qui étaient si belles, le séisme les a détruites.
Elles étaient, ces deux églises, renommées dans le monde entier :
les voici maintenant disloquées, ravagées par le séisme.
Les caveaux se sont fendus, les tombes se sont ouvertes,
projetant au-dehors les corps sans vie, épouvantés.
La grand'rue, que l'on enviait tant à la ville, a été ravagée par la catastrophe :
beaucoup ont été écrasés, riches autant que pauvres,
que l'on a recueillis au matin, méconnaissables.
On eût dit que la foudre, le feu céleste s'étaient abattus sur elle pour la brûler :
qui, parmi ceux qui ont connu cette rue, pourrait n'en être pas affligé ?
Le quartier juif a été détruit, où se concluaient tant d'affaires,
où l'on trouvait des marchandises de toutes sortes, de la soie en abondance :
là aussi, la catastrophe fut certes meurtrière,
et le malheur des Juifs désola notre pays.
Qui, fût-il étranger, pourrait devant tant de deuil, ne pas être consterné ?
Aucune porte n'était restée ouverte, toutes étaient verrouillées ;
dans les quartiers régnaient le silence et la désolation. »

MANOLIS SCLAVOS
TRAD. MICHEL LASSITHIOTAKIS, POUR LA PRÉSENTE ÉDITION

«LE PETIT BATEAU NAVIGUE CHARGÉ DE LA MUSIQUE DE TOUT UN MONDE ET TRANSFORME LE ROMAN DE CHEVALERIE EN UNE HISTOIRE DES MALHEURS DE LA GRÉCITÉ ...»

GEORGES SÉFÉRIS

«EROTOCRITOS»

L'œuvre la plus accomplie de la littérature crétoise de la Renaissance est un long roman en vers, Erotocritos, *composé vers 1600-1610 par Vincent Cornaros qui appartenait à une ancienne famille vénitienne installée en Crète depuis plusieurs siècles et largement hellénisée. Inspiré de l'adaptation italienne d'un roman français du Moyen Âge, le poème a pour sujet les amours d'Arétousa, fille du roi d'Athènes, et d'Erotocritos, de condition plus modeste. D'abord banni du royaume pour avoir osé prétendre épouser la princesse, le héros parviendra, au terme d'une série d'épreuves et d'exploits qui lui vaudront la reconnaissance du roi, à obtenir la main d'Arétousa. Le prologue du roman résume le message oral et philosophique que Cornaros entend transmettre à ses auditeurs ou lecteurs.*

“Les vicissitudes de la Fortune qui change sans cesse,
le mouvement de sa roue qui tantôt s'élève, tantôt plonge dans les abîmes,
le cours instable du temps qui, sans relâche,
fait se succéder joies et malheurs,
l'agitation des guerres, les haines et les peines,
la puissance de l'Amour et la grâce de l'affection,
voilà les sujets qui m'inspirent aujourd'hui
ce récit où je dirai les épreuves que durent subir
une jeune fille et un jeune homme qu'unissait
une affection candide et sans reproche.
Que tous ceux qui ont eu à connaître l'esclavage du désir
écoutent bien ce qui est écrit dans ce livre :
ils y trouveront un exemple et une leçon
et sauront bâtir un amour pur et confiant.
Car quiconque poursuit sans feinte l'accomplissement de son désir
finit par réussir, fût-ce au prix de débuts difficiles.
Soyez donc attentifs, et que les sages parmi vous retiennent cette histoire :
ils pourront ainsi conseiller et guider autrui.”

VINCENT CORNAROS, *EROTOCRITOS*,
TRAD. M. LASSITHIOTAKIS, POUR LA PRÉSENTE ÉDITION

Le siège de Candie

Issu d'une famille aristocratique de Réthymnon, Marinos Tzanès Bounialis fut contraint par l'occupation turque, en 1646, de quitter sa ville natale pour se réfugier à Candie, puis dans les îles Ioniennes. Dès la reddition de Candie (1669), il entreprit la composition d'un vaste poème, La guerre de Candie, *minutieuse chronique qui couvre les vingt-cinq ans de conflit, depuis le premier débarquement turc (1645) jusqu'à la capitulation finale. Le plus souvent, Bounialis s'attache moins à relater les faits qu'à célébrer l'héroïsme de la résistance crétoise. Épique et patriotique dans ses meilleurs moments, son poème s'achève sur une longue lamentation : Candie personnifiée oppose, aux malheurs de la guerre et à la désolation présente, la prospérité et les plaisirs que goûtaient les Crétois en temps de paix.*

« L'ennemi m'attaque avec une pluie de pierres, une grêle de balles,
et un tonnerre sans fin de coups de canons.
Il a détruit mes églises, abattu mes palais ;
il s'est précipité sur moi comme une tornade pour m'engloutir.
Il a terrifié et tué mes seigneurs,
et les meilleurs parmi mes valeureux soldats.
Nul ne pouvait se promener sans être pris de peur.
Me voici à présent désolée, n'ayant pour parure
que des dépouilles de Chrétiens, et leur sang répandu.
Hélas, Crétois infortunés, où sont donc vos chevaux,
où sont vos mulets, où sont vos limiers,
où sont vos éperviers, où sont vos travaux,
où sont vos hautes demeures, où sont vos clercs ?
Où sont l'huile et le vin, et les blés et la soie,
où sont vos jardins, vos vénérables monastères ?
Où est le temps où vous montiez vos chevaux pour gagner la campagne,
et goûter le repos de l'été, ses plaisirs ?
Où sont l'eau des fontaines, les jardins pleins de fleurs ?
Quiconque les contemplait en oubliait ses peines.
Où sont les roses et les lys odorants,
et les serviteurs fidèles, où sont-ils donc,
eux qui savaient danser joliment, évoluer avec adresse
au son des violons, des guitares et des luths ?
Ils festoyaient, veillaient toute la nuit,
les rossignols chantaient et volaient autour d'eux.
De tant de plaisirs, pourquoi faut-il que les Crétois soient aujourd'hui privés ? »

Marinos Tzanès Bounialis, *La Guerre de Candie*,
trad. M. Lassithiotakis, pour la présente édition

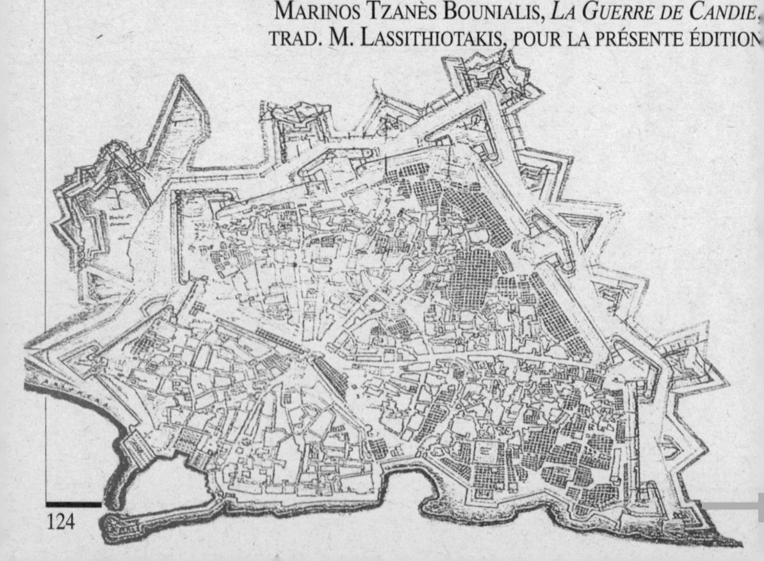

LES DOULEURS DE LA CRÈTE

Les récits historiques et les chroniques ne sont pas les seules compositions qu'ait inspirées la longue guerre menée contre l'assaillant turc : la défaite finale et la conquête ottomane, dont l'importance historique fut aussitôt perçue non seulement dans le monde grec mais par l'ensemble de la chrétienté occidentale, suscitèrent aussi quelques textes poétiques de circonstance. Le plus émouvant d'entre eux reste sans doute la déploration écrite, quelque temps après la chute de Candie, par un prélat orthodoxe d'origine crétoise, Gérasime Palladas, qui deviendra en 1688 patriarche d'Alexandrie. Palladas y retrace les grandes étapes de ce conflit meurtrier, insistant sur ses conséquences les plus dramatiques : fuite pathétique des Crétois, désespoir de ceux qui, rentrés dans leur pays, n'y rencontrent que deuil et désolation.

« Comme est changeant le cours des choses !
Il est pareil aux eaux d'un fleuve
qui s'écoulent et fuient
à jamais, sans retour,
il est pareil à la pluie qui tombe.
N'en cherchez pas loin les exemples :
qu'il vous suffise de songer
aux calamités, au châtiment que la Crète a subis
et de pleurer sur son sort.
Elle était comme une fleur épanouie,
comme un soleil radieux,
qui éclairait toutes les villes ;
de la terre elle était le joyau,
du monde entier.
Ses beautés n'étaient point matérielles :
c'étaient les ornements de l'esprit,
la culture et la pureté et toutes les autres vertus.
Mais voici qu'elle est tombée, comme un château s'écroule,
voici qu'elle s'est éteinte comme une bougie soufflée par le vent.
Elle a disparu, nous l'avons perdue :
comme un mourant elle a rendu l'esprit.
Elle s'est tarie comme une source,
comme un arbre elle a dépéri.
Mon cœur, mon âme, quel malheur est venu nous frapper !
Crète, ma patrie, tous tes fils,
les enfants que tu as élevés
ont disparu : ils ont péri tous
dans tes douves embrasées.
Les églises, les monuments,
les tombes, les cimetières
sont à présent défigurés,
sont à présent habités par l'hérésie.
Des ossements de nos frères,
des dépouilles de nos pères,
les Infidèles se sont emparés,
pour les jeter dehors,
comme on se débarrasse d'immondices. »

GÉRASIME PALLADAS,
TRAD. M. LASSITHIOTAKIS, POUR LA PRÉSENTE ÉDITION

EXISTE-T-IL UNE LITTÉRATURE CRÉTOISE ?

Né en 1925, Jacques Lacarrière, après des études classiques en Sorbonne et à l'École de langues orientales, part pour la Grèce dès 1947. Il y séjournera à plusieurs reprises jusqu'en 1970. Spécialiste de la littérature grecque contemporaine, Lacarrière la traduit avec fidélité et passion.

« Existe-t-il une littérature crétoise contemporaine, j'entends une littérature qui se réclamerait exclusivement de la Crète ? Non. Si l'on excepte le cas particulier de Pandélis Prévélakis, aucun écrivain grec contemporain ne se prétend exclusivement crétois, pas même Nikos Kazantzaki qui a consacré à son île natale des pages pourtant très fortes. Je crois d'ailleurs que cette question n'a guère de sens. Autant se demander si Giono est un écrivain français ou provençal ! Il a bien existé une littérature spécifiquement crétoise, oui, mais c'était au temps de la présence vénitienne, il y a quatre siècles. Entre-temps les Turcs occupèrent l'île jusqu'au tout début de ce siècle, si bien que les Crétois eurent d'autres soucis en tête que d'écrire. N'oublions pas d'ailleurs que la Crète n'obtint son autonomie qu'en 1898 et ne fut rattachée à la Grèce qu'en 1913. C'est une libération de fraîche date qui explique que les premières œuvres littéraires proprement crétoises ne virent le jour qu'au lendemain de la Première Guerre mondiale.
Une seule exception : Yannis Kondylakis (1861-1920), instituteur, journaliste et écrivain qui publia son premier roman *Patouchas* en 1892 et par la suite des nouvelles et des souvenirs : *Quand j'étais instituteur* (La Canée, 1916) et *Premier amour* (La Canée, 1919), récits sur son enfance en Crète, sa vie d'enseignant et l'éveil de l'amour chez un villageois adolescent. *Quand j'étais instituteur* parut d'ailleurs en traduction française en 1932 mais qui s'en souvient encore ?
Autre écrivain né en Crète et qui l'a souvent évoquée dans ses œuvres : Yannis Sphakiannakis qui publia successivement un recueil de souvenirs, *Nous, les bêtes et la fille du surveillant* (1936), et un roman très intéressant, non traduit en français, *Le Maître de Vatherne*, paru à Athènes en 1955.
Les années, voire les siècles de lutte contre l'occupant turc ont marqué profondément la Crète au point d'en faire une terre à la fois témoin et martyre de la résistance. On comprend que, dès la libération de l'île, les auteurs se soient attachés à décrire ces combats, exalter l'héroïsme crétois. Cette tendance épique a perduré jusqu'à nos jours comme en témoigne le récent roman de Réa Galanaki, *La Vie d'Ismail Ferik Pacha* (1989) qui se déroule pendant le soulèvement de 1866 et celui de 1896. Son écriture romanesque, sensible, particulièrement élaborée, ne doit pas faire oublier l'époque ni le sujet : c'est bien de la Crète héroïque et révolutionnaire qu'il s'agit, de celle qui fournit à l'histoire tant d'exemples épiques et uniques, aux limites de l'humain.
Mais c'est surtout Pandélis Prévélakis (1909-1986) que l'on peut tenir pour le plus crétois des écrivains grecs. Né à Réthymnon, il a grandi en Crète avant de venir étudier à Athènes. Son œuvre exalte l'épopée crétoise, la lutte des partisans contre l'occupant turc, la naissance difficile, héroïque d'une liberté chèrement acquise. Mais elle décrit aussi la vie, les coutumes, la religion, les mentalités, les légendes et les traditions, tout ce qu'on pourrait nommer la mémoire crétoise. Dans cette œuvre épique, la Crète n'est plus seulement une île mais un monde autonome, un univers où les éléments naturels, le paysage, les animaux, les saints participent à la libération de tous, où la nature se mêle aux êtres humains, à leurs pensées intimes et leur destin en un panthéisme païen. Pandélis Prévélakis a fait de la Crète un pays quasi mythique où légende et histoire deviennent inséparables. Ce chemin de combat, d'exploits et de vertige, on peut le suivre dans des œuvres telles que *Crète infortunée* (1945), les trois volumes du *Crétois* (1948-1950), *Chronique d'une cité* (1958) et *Le Soleil de la mort* (1959), le dernier de ses livres crétois qui relate l'histoire d'une vendetta.
Émotion, dévotion qu'on retrouve identiques dans l'œuvre de Nikos Kazantzaki (1883-1957). Né à Héraklion (appelé en son temps Mégalo Kastro, le Grand Fort) Kazantzaki passa lui aussi son enfance en Crète avant d'aller à Athènes puis de parcourir le monde. Mais la Crète a joué dans son œuvre un rôle différent de celui

qu'elle joua pour Prévélakis. Elle est présente, vivante, vivace même mais ne constitue pas l'axe essentiel de sa création. Il en a surtout parlé dans *Capetan Michaelis* (1950), traduit en français sous le titre de *La Liberté ou la mort*, et dans ce testament spirituel qu'est la *Lettre au Gréco*. Kazantzaki voit dans la Crète, bien sûr, la source et le foyer de toute pensée combattante mais aussi et surtout un creuset où l'homme doit apprendre à s'accomplir, une forge qui doit tremper son cœur, son âme pour les combats futurs, bref une matrice dont tôt ou tard l'artiste, le créateur devra se séparer. Kazantzaki ne s'est jamais senti un écrivain spécifiquement crétois, il s'est voulu universel. Mais cette universalité, c'est justement la Crète qui la lui enseigna en exigeant de lui un regard lucide sur le monde, ce regard crétois, comme il le nomme, fait de fierté, de bravoure, d'exigence et de générosité, de besoin de se dépasser et d'aller jusqu'aux limites ultimes de ses forces. On ne saurait mieux définir ce regard que par cette phrase de la *Lettre au Gréco*, résumant à elle seule ce que veut dire être crétois : «Il y a en Crète une sorte de flamme, disons une âme, quelque chose de plus fort que la vie et la mort. Il y a la fierté, l'obstination, la bravoure et en même temps quelque chose d'autre, d'inexprimable, d'inpondérable, qui fait que l'on est à la fois heureux et terrifié d'être crétois.»"

JACQUES LACARRIÈRE, POUR LA PRÉSENTE ÉDITION

PHAISTOS ET ARTÉMISE

En 1950, au cours de son premier séjour, Jacques Lacarrière visite la Crète antique. Il se retrouve au pied de l'acropole de Phaistos, dans le sud du pays. Sans y être le moins du monde préparé (il n'avait pas encore lu le livre de Miller) Lacarrière rencontre Alexandros le gardien qui y officiait toujours, et découvre son étonnante gentillesse et son exubérance. Ainsi avait-il accompli à son insu un véritable pèlerinage sur les traces de Henry Miller.

"Autour de moi sur la colline, autour des pierres, entre les pierres poussent de grandes herbes. Je les regarde, cherchant à retrouver les ombelles, les volutes des lys et des papyrii qu'on voit sur les beaux vases minoens. Mais ce ne sont plus les mêmes fleurs. La terre a-t-elle changé ? Le Crétois d'aujourd'hui a-t-il oublié les plantes d'autrefois ? A-t-il perdu à jamais ce regard que ses ancêtres portaient sur le monde vivant, cet attrait pour les poulpes, les coquillages, les poissons, les oiseaux, les lys, les papyrii, tout cet univers retranscrit, magnifié, sur les fresques et les poteries, fait d'ombelles, d'orbes et d'oves, de tentacules, de méandres, de spirales vivantes, comme un labyrinthe de tiges et de bras où la beauté est prise au piège ? Ainsi décoré, empreint des messages tourmentés de la vie, chaque vase minoen apparaît comme une main dodue enserrant dans sa paume les rites et les détours secrets d'un monde que nul n'aperçoit plus. Je me demande d'ailleurs, en pensant à tous ces dessins, à ces hymnes de lignes et de formes si tout cela ne fut pas en Crète l'œuvre d'artistes femmes. Idée absurde de prime abord puisque la poterie fut surtout une activité d'hommes. Mais il y a dans cette île, et surtout en ces deux acropoles du sud, une telle présence féminine, un tel parfum de femme

qu'on ne peut s'empêcher de pressentir leur influence, leur regard et peut-être leur main dans ces œuvres d'argile. Phaestos est une femme-acropole et Haghia Triada et d'autres sites encore, moins connus, perdus sur les montagnes de la Crète orientale - Zakros, Lato, Dréros.
Île-femme, ventre chatoyant au nombril d'oiseau bleu, matrice vergetée de spirales et de labyrinthes, ombilic de poulpes et dédale de lys, terre-nombril par où s'enfante une beauté jamais retrouvée par la suite, même en Grèce, une beauté librement déployée dans les volutes de la joie.
En fait de femmes, Phaestos me réserva une surprise. Quand je revins à la nuit tombante vers la petite maison du gardien, déserte lors de mon arrivée, j'y trouvai deux jeunes étudiantes athéniennes. Elles s'appelaient Artémise et Cléopâtre et parlaient admirablement le français. À côté d'elles, un personnage s'agitait et gesticulait, un être étrange, petit et turbulent, avec des yeux mobiles et rieurs, qui se précipita vers moi en criant : «Enfin ! Enfin, un visiteur !» Il avait nom Alexandros et Artémise m'expliqua qu'il était depuis des années le gardien de Phaestos où, depuis la guerre, il vivait pratiquement seul. J'étais le premier étranger qu'il avait le plaisir et l'honneur de recevoir ici, signe pour lui de la paix retrouvée. Quand, des années plus tard, je lus le *Colosse de Maroussi* d'Henry Miller, je retrouvai exactement dans sa description l'Alexandros qui ce soir-là s'était précipité sur moi en m'embrassant. C'était bien le même homme, exubérant, volubile, généreux et intarissable sur les mystères de Phaestos. Et je fus stupéfait en lisant le livre de Miller de voir combien j'avais éprouvé le même sentiment en débouchant sur l'acropole : cette impression physique de voir le ciel rapproché de la terre, comme aux premiers temps de ce monde lorsque le ciel et la terre vivaient enlacés l'un à l'autre.
Ce soir-là, après avoir dîné dehors, je vins m'asseoir avec Artémise sur les gradins du théâtre en plein air. Le ciel était rempli de myriades d'étoiles et je me souviens que, des heures durant, nous avons parlé de théâtre et surtout de Racine. Artémise le connaissait par cœur et se mit à me réciter des passages de *Phèdre*, debout au milieu de la scène. Aujourd'hui, cela m'aurait agacé de venir en plein cœur de la Crète pour retrouver des souvenirs scolaires. Mais ce soir-là tout était beau, calme, presque grandiose : le ciel, les étoiles et dans la nuit où je devinais tout juste sa silhouette, la voix chantante d'Artémise déclamant Racine. Cette journée s'achevait dans l'émerveillement nocturne comme elle avait commencé dans l'enchantement de l'aube : le corps de Vasilika, endormie sous la treille, avec les draps moulant ses seins, dans la journée mes premières rencontres avec le paysage crétois, l'amitié des paysans m'offrant des figues et des raisins sur le chemin, la révélation de Phaestos et du grand corps de femme de la Crète et, pour finir, après ce merveilleux repas arrosé d'un vin crétois lourd et fruité, cette voix nocturne, parlant dans l'ombre comme la bouche de la nuit. Les fantômes de Racine s'agitèrent et s'évanouirent tour à tour dans l'odeur des herbes rafraîchies. Puis Artémise vint s'asseoir à côté de moi, qui l'avais écoutée sans mot dire, – odeur de son corps mêlée à celle des pierres chaudes et de la terre – et sur ma main la pression de ses doigts. Nous nous sommes embrassés longtemps avant de rentrer dans la maison d'Alexandros. Oui, la Crète est toujours le pays des femmes.”

JACQUES LACARRIÈRE, *L'ÉTÉ GREC*,
ÉDITIONS PLON, 1976

«ET CE REGARD QUI FIXE AINSI LA VIE ET LA MORT, JE L'APPELLE CRÉTOIS.»

NIKOS KAZANTZAKI

L'ÂME DE LA CRÈTE

Je tiens cette terre de Crète et je la serre avec une douceur, une tendresse, une reconnaissance inexprimables, comme si je serrais dans mes mains, pour en prendre congé, la poitrine d'une femme aimée.» C'est bien ainsi que Nikos Kazantzaki (1883-1957) ressent la Crète : comme une femme aimée ou une mère qui vous a donné vie, amour, tendresse mais qu'un jour il faudra quitter. Une Crète initiatrice en somme mais qui peut prendre maints visages. Par exemple, celui d'un vieux capitaine comme dans cet extrait du chapitre intitulé «La mort du grand-père» *dans la* Lettre au Greco.

« Il y avait un vieux capitaine que l'on appelait l'homme aux mouchoirs, parce qu'il en avait toujours sur lui une foule – un sur la tête, un sous le bras gauche, deux qui pendaient à sa ceinture de soie, et l'autre, il le tenait à la main et en essuyait son front qui était toujours en sueur. C'était un ami de mon père, il venait souvent à son magasin. Les hommes plus jeunes se rassemblaient autour de lui, mon père lui faisait apporter du café et un narguilé, l'autre ouvrait sa tabatière, se bourrait les narines de tabac, éternuait et se mettait à parler.

Je me tenais debout à l'écart et j'écoutais : la guerre, des assauts, des massacres ; Mégalo Kastro s'effaçait, les montagnes de Crète se dressaient devant moi, l'air se remplissait de rugissements, les chrétiens rugissaient, les Turcs rugissaient, mes yeux étincelaient du reflet des pistolets argentés. C'étaient la Crète et la Turquie, et elles se battaient. – Liberté ! criait l'une. – Mort ! répondait l'autre, et mon esprit se remplissait de sang. Un jour le vieux capitaine s'est retourné, a plissé les yeux et m'a jugé du regard : – Les pommiers ne portent pas de poires, me dit-il ; tu as compris, mon petit gaillard ? J'ai rougi : – Non, capitaine, répondis-je. – Ton père est un brave, tu deviendras un brave toi aussi, que tu le veuilles ou non !

Que tu le veuilles ou non ! Cette parole s'est incrustée dans mon esprit ; c'était la Crète qui parlait par la bouche du vieux capitaine. Je n'ai pas compris alors cette parole lourde de sens, mais beaucoup plus tard j'ai senti que j'avais en moi une force qui ne m'appartenait pas, une force plus haute que moi-même et que c'était elle qui me dirigeait. Maintes fois j'étais prêt à m'avilir mais cette force ne me laissait pas faire – la Crète. »

NIKOS KAZANTZAKI, *LETTRE AU GRECO*, TRAD. MICHEL DAUNIER, ÉDITIONS PLON, 1961

UN SAINT CRÉTOIS

En Crète, les saints ne peuvent être que des saints engagés dans le quotidien combat contre l'Infidèle. Comme le grand Pan qui jadis, dit-on, avait contribué à mettre les Perses en fuite à la bataille de Marathon en semant la panique en leurs rangs, saint Minas, le protecteur d'Héraklion, passe moins de temps sur ses icônes que dans les rues du quartier turc pour y intimider, voire y terroriser les Infidèles. Saint Minas est bien le descendant des Esprits et des génies de l'Antiquité.

« Dans ces anciens temps héroïques Mégalo Kastro n'était pas seulement un troupeau de maisons, de magasins et de ruelles étroites, entassés sur un rivage de Crète, devant une mer continuellement déchaînée. La cité tout entière était une garnison, chaque âme était aussi une garnison éternellement assiégée, et avait pour capitaine un saint, saint Minas, le protecteur de Mégalo Kastro. Toute la journée, il restait debout, immobile, sur son icône, dans sa toute petite église, monté sur un cheval gris, et brandissait une lance rouge. Toute la journée, il était là tout chargé d'ex-voto d'argent, de mains, de pieds, d'yeux, de cœurs, que les gens de Mégalo Kastro avaient suspendus devant sa grâce en lui demandant de les guérir ; il restait immobile, faisait semblant de n'être qu'une peinture – une planche et de la couleur. Mais dès que la nuit tombait, que les chrétiens se retiraient dans leurs maisons, et que les lumières s'éteignaient une à une, il donnait un grand coup, écartait les ex-voto d'argent et les couleurs, éperonnait son cheval et venait parcourir les quartiers grecs. Il partait faire sa ronde. Et quand les Turcs aiguisaient leurs poignards et se préparaient à se jeter sur les chrétiens, saint Minas bondissait de son icône pour protéger les gens de Mégalo Kastro. Les Turcs ne le voyaient pas, mais ils entendaient son cheval qui hennisait, voyaient les étincelles que lançaient sur les pavés les sabots du cheval, reconnaissaient sa voix et allaient se tapir, épouvantés, dans leurs maisons. À l'instant où il apparaissait au coin de la rue, Mustapha, hodja à moitié fou, l'avait vu, était parti en courant et s'était mis à hurler : «Allah ! Allah ! saint Minas fait une descente». Les Turcs avaient entrouvert leurs portes, l'avaient guetté et l'avaient vu avec son armure dorée, sa barbe grise et bouclée, sa lance rouge ; leurs genoux s'étaient dérobés sous eux et ils avaient remis leurs poignards dans le fourreau. Saint Minas n'était pas seulement un saint pour les gens de Mégalo Kastro, c'était aussi leur capitaine ; ils l'appelaient capitaine Minas et lui portaient en secret leurs armes pour qu'il les bénisse. Mon père lui allumait des cierges et Dieu sait ce qu'il pouvait bien lui dire et combien il devait se plaindre de ce que la Crète tardait à se libérer.

NIKOS KAZANTZAKI, *LETTRE AU GRECO*,
TRAD. MICHEL SAUNIER, ÉDITIONS PLON, 1961

«PERSONNE NE PARLAIT ; NOUS SENTIONS QUE CET INSTANT ÉTAIT SAINT, QUE CET ENDROIT ÉTAIT SAINT, ET QUE SEUL LE SILENCE LEUR CONVENAIT. »

NIKOS KAZANTZAKI

LE REGARD CRÉTOIS

En 1910, Kazantzaki visite le site minoen de Knossos où il rencontre un autre visiteur, un Français, l'abbé Mugnier. C'est là, devant le théâtre ou l'arène qu'avaient lieu les courses de taureaux, que Kazantzaki prend conscience du nessage de la Crète antique. Il écrira plus tard : «Les Crétois ne tuaient pas le taureau nais jouaient avec lui avec la plus grande aisance. Ainsi transformèrent-ils l'horreur en in jeu supérieur où la vertu de l'homme se tonifiait au contact immédiat du monstre. C'est ce regard héroïque, sans espoir et sans crainte – ce regard serein fixé sur le taueau, sur l'abîme – que j'appelle le regard crétois.»

“Nous nous sommes assis entre deux colonnes ; le ciel était embrasé et brillait omme de l'acier. Autour du Palais, dans l'olivaie, les cigales faisaient un bruit ssourdissant. Le gardien s'est appuyé contre une colonne, a tiré de sa ceinture ıne blague à tabac et s'est mis à rouler une cigarette. Deux pigeons ont volé aulessus de nous et sont venus se poser sur une colonne. Les oiseaux sacrés de la Grande Déesse, qu'adoraient ici les Crétois. Tantôt nous pouvions les voir posés ur la colonne, et à d'autres moments la déesse les tenait entre ses seins tout gonflés de lait.

Mon esprit débordait de questions, mais je n'ai pas parlé. Les fresques nerveilleuses sont passées à nouveau devant moi – de grands yeux en amande, les cascades de tresses noires, des dames imposantes, la poitrine découverte, ıvec des lèvres charnues et voluptueuses ; des oiseaux, faisans, perdrix, des singes bleus, de petits princes coiffés de plumes de paon, des taureaux sauvages sacrés, le toutes jeunes prêtresses portant des serpents sacrés enroulés autour de leurs bras, des garçons bleus dans des jardins fleuris. Une joie, une force, une grande richesse, un monde plein de mystère, une Atlantide surgie du fond de la terre crétoise nous regarde, semble-t-il, de ses immenses yeux noirs, mais ses lèvres sont encore scellées.

Quel monde est-ce là, pensais-je, quand donc ses lèvres s'ouvriront-elles, pour qu'il parle ? Quels projets ont bien pu faire ces ancêtres, sur ce sol que nous foulons ? La Crète a été le premier pont entre l'Europe, l'Asie et l'Afrique. La Crète a été la première à être illuminée, dans toute l'Europe ténébreuse de cette époque. C'est ici que l'âme de la Grèce accompli la mission que lui avait confiée la destinée : amener la divinité à l'échelle de l'homme. Les immenses statues immobiles des Égyptiens et des Assyriens sont devenues ici, en Crète, petites, gracieuses ; le corps s'est mis en mouvement, les lèvres ont souri, le visage et la stature du dieu sont devenus le visage et la taille de l'homme.

Une humanité nouvelle s'est mise à vivre et à jouer dans les terres crétoises, originale, différente de la Grèce qui lui a succédé, toute faite d'agilité, de grâce et de raffinement oriental...

Je regardais autour de moi les collines basses, apprivoisées, les oliviers au feuillage rare, un cyprès mince s'inclinait lentement entre les rochers, j'écoutais le tintement léger et harmonieux d'un invisible troupeau de chèvres, respirais

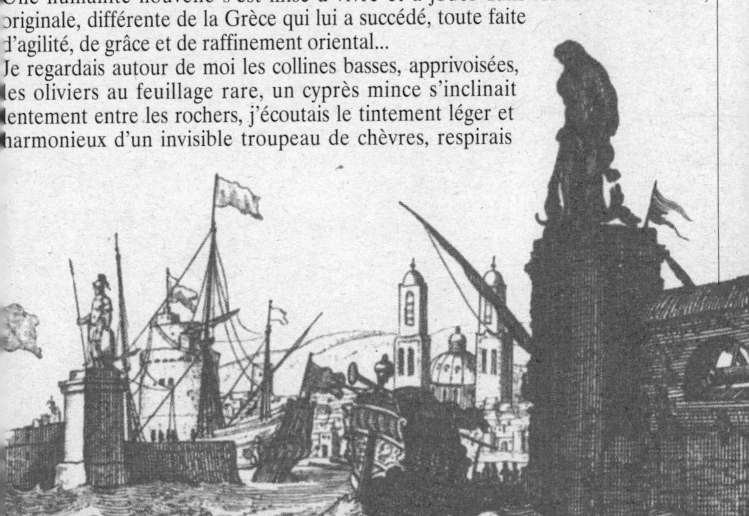

l'air parfumé qui, passant par-dessus la colline, arrivait de la mer – et je crois que l'antique secret des Crétois entrait toujours plus profond en moi et ne cessait de s'éclairer. Celui-là ne se soucie pas des problèmes qui dépassent la terre, mais des problèmes quotidiens, sans cesse renouvelés, tout entiers faits de détails brûlants des problèmes de la vie humaine sur terre.
– À quoi penses-tu ? me demanda l'abbé.
– À la Crète...
– Moi aussi, à la Crète, dit mon compagnon, à la Crète et à mon âme... Si je devais renaître, je voudrais revoir la lumière ici, sur cette terre. Il y a ici un enchantement invisible. Allons-nous-en.»

NIKOS KAZANTZAKI, *LETTRE AU GRECO*
TRAD. MICHEL SAUNIER, ÉDITIONS PLON, 1961

UN CHÊNE SUR L'IDA

Constantin Marcantonios est le principal personnage de la trilogie romanesque de Pandélis Prévélakis (1909-1986) intitulée Le Crétois. *Le livre suit le garçon depuis sa naissance jusqu'à l'année 1910, date où la Crète, devenue indépendante, prépare son rattachement à la Grèce. Dans le passage qui suit, Constantin a fait le tour des bergeries du mont Ida, le plus haut mont de Crète, pour recevoir de la part des bergers des dotations de biens et de bêtes. C'est là qu'il va s'étendre et méditer au pied d'un chêne.*

«Après le déjeuner, Constantin partit s'étendre à l'ombre pour se reposer, dans la montagne. Sur un plateau, au-dessus de Mérovigli, poussait un chêne centenaire de plus de vingt mètres de haut. Le garçon avait l'habitude d'aller s'y asseoir n'importe quand, pour y méditer. Aujourd'hui, plus que jamais, son cœur cherchait la solitude. Il sentait que sa vie entrait dans une phase nouvelle. Le soleil commençait à baisser, l'ombre de l'arbre tournait vers l'est. Constantin s'assit. En face de lui, tel un Juge, il voyait le Roi des sommets, l'Ida.
Au-dessus de lui, le chêne, dont les énormes branches pendaient jusqu'à terre bruissait sourdement. Sa rumeur était entrecoupée par instants par les gazouillis confus de centaines d'oiseaux, qui se posaient par bandes dans les branches, repartaient et revenaient : moineaux, pinsons, chardonnerets... Le pic-vert frappait le tronc, à la recherche des vers qui nichent sous l'écorce. La queue longue et fournie d'un écureuil courait bondissait, sautait de branche en branche. Sur le sol, pêle-mêle, circulaient des fourmis et des scarabées. Toutes sortes de vers se traînaient sur les feuilles, tout un peuple de bestioles, oiseaux, insectes, nichaient dans cet arbre contre lequel le jeune homme appuyait sa tête pour réfléchir et décider de son destin.

«JE COMPRIS ALORS QUE LES GRECS ÉTAIENT TOUJOURS LES POÈTES NATURELS DU LEVANT.»

LAWRENCE DURRELL

Constantin frissonna comme si une sève glacée descendue de l'arbre pénétrait dans ses veines pour les rafraîchir et se perdre à nouveau dans les branches. Toute cette vie, grouillant au-dessus de sa tête, lui semblait n'être qu'une parcelle de sa propre vie. Il était devenu arbre et homme, bois et chair. Ses pieds n'étaient pas ceux qu'il apercevait sur le sol : ils se perdaient sous la terre, comme autant de racines profondes qui soutenaient l'énorme masse dont le front touchait le ciel. Il n'aurait pu dire à présent depuis combien de temps il était né. Il se sentait aussi âgé que l'arbre, il avait deux cents, cinq cents ans. Tout ce que son corps avait éprouvé, tout ce qui l'avait pénétré jusqu'alors n'était rien à côté de la soif qu'il ressentait à cet instant précis, à l'unisson de l'arbre. Se désaltérer à même la terre, boire le soleil par ses myriades de feuilles, préparer une floraison de grappes, aussi nombreuses que les étoiles d'un ciel de janvier !

Devant lui, maintenant qu'il était un homme, il avait une grande tâche à accomplir. Était-ce pour lui un devoir, ou le désir profond de son être ? Il n'aurait su le dire. Créer un foyer, procréer, élever des enfants, des petits-enfants... Mais il fallait d'abord qu'il soit capable de nourrir une famille, et puis choisir une femme – il pensa à Vangélia et la tête lui tourna – l'épouser, en faire sa compagne. L'image de la jeune fille passa devant lui, telle la Vierge de l'Annonciation : les yeux baissés, le front humble, les longs cheveux tressés autour de la tête comme de grosses torsades de soie. Constantin imaginait ce que serait sa vie avec cette compagne, unis tous deux dans l'amour, selon l'humaine loi, sa vie à Mérovigli, qu'il rebâtirait avec l'aide de Manassis. Son esprit travaillait comme une roue qui tournerait à vide. Il fut pris de vertige : «N'y a-t-il rien d'autre à faire sur cette terre, au-delà de tout ça ? se dit-il en lui-même. Le temps des plaisirs est passé ! La Crète est occupée par les Turcs. Quel est le devoir de l'homme dont les Infidèles ont tué le père, et le père de son père, et commis autant de meurtres qu'il avait eu d'ancêtres avant lui ? L'Insurrection, mes enfants ! L'Insurrection, arbres, oiseaux ! L'Insurrection, ciel paré d'étoiles !»

Le soleil était bas. Les ombres s'allongeaient. Les chauves-souris volaient d'un vol ouaté autour du chêne. Un nouveau tumulte éclata dans le feuillage, où les oiseaux se couchaient. Un émoi – comme des préparatifs hâtifs devant un danger – se répandait dans toute la nature. On entendait la nuit s'étendre comme un flot montant du sol, comme un grand voile tombant du ciel. Constantin dressa l'oreille, ses narines frémirent, son cœur trembla. Ce n'était ni la terreur ni l'appréhension de la nuit qui l'envahissaient, mais il sentait, pour la première fois, qu'un profond mystère l'entourait, un mystère jaillissant de son propre cœur comme une source.

Les premières étoiles s'allumèrent dans le ciel. Le vent apportait avec lui la fraîcheur des montagnes enneigées. Les grillons entamèrent leur chant. Constantin se retrouva enseveli dans la nuit et, dans son étreinte obscure, sentit sourdre de son cœur sa virilité, comme un feu dévorant !”

PANDÉLIS PRÉVÉLAKIS, *LE CRÉTOIS*,
TRAD. JACQUES LACARRIÈRE, ÉDITIONS GALLIMARD, 1962

LE «PIDICHTO», DANSE CRÉTOISE

Le Crétois regorge de descriptions de scènes quotidiennes, religieuses, rurales et traditionnelles. Le livre est, par moments, un véritable almanach de la vie crétoise d'autrefois, mêlant travaux champêtres et fêtes dominicales, mariages et cultes montagnards, croyances, superstitions et magies. Dans l'extrait suivant, Prévélakis décrit, à l'occasion d'un mariage, une danse crétoise, le pidichto, *qui signifie «la bondissante».*

“Hommes et femmes commencèrent à danser, en se tenant par la main. Ils gardèrent au début un rythme lent, laissant glisser leurs pas et déportant le cercle vers la droite. On aurait dit qu'ils tâtaient le sol pour l'essayer, mesurer l'aire de la danse. Les vieux s'enhardirent et rejoignirent l'essaim. Le meneur chantait, tout en dansant, les autres cueillaient le chant sur ses lèvres et le répétaient, tantôt pour activer la danse, tantôt pour remercier le rebec. L'instrument jouait posément, tout au plaisir, lui aussi, de ces premiers tâtonnements. On distinguait clairement les pas : trois en avant et deux en arrière. La corolle humaine se contractait puis se relâchait, comme parcourue d'une respiration.
La ronde, comme si elle avait perçu la beauté de cette respiration, cessa son mouvement en oblique. Le premier donna la main au dernier, le cercle se boucla puis, à nouveau, se contracta et se dispersa comme les vagues qui s'étalent en chantant sur la rive. Ils imitèrent ainsi la mer jusqu'à satiété. Le rythme s'accéléra. Les pas se firent plus rapides, les pieds s'entrecroisèrent, frétillant sur place. Deux ou trois danseuses brisèrent le cercle et se placèrent en tête, en tenant l'essaim par la main gauche. Leurs pas pressaient le rythme du rebec, leurs corps ondulaient comme un ruisselet sinueux. Elles dansaient avec une perfection à vous faire perdre la tête. Tout le monde, autour d'elles, le souffle coupé, restait béat d'admiration devant les splendeurs de cette danse.

– Heureux leur maître et seigneur ! Qu'elles vivent et restent d'aplomb aussi longtemps que les montagnes ! fit un vieillard, et ses mots redoublèrent leur ardeur.
Un distique s'envola comme un oiseau, fit rougir les joues de la première :

Meneuse de la danse, parure de la danse
Frégate étincelante au cœur de l'océan !

Un autre fit rougir la deuxième :

J'aime les cyprès, les odorants cyprès,
Pareils à toi, ô fille, en grâce, en élégance !

Autour de la ronde, celles qui attendaient leur tour formaient comme une muraille. Elles gazouillaient en chœur les distiques, battaient des mains en cadence. Les louanges qui leur venaient aux lèvres montaient en procession jusqu'au ciel. Au premier distique, la danseuse était une frégate étincelante ; au deuxième, un cyprès odorant ; maintenant, elle devenait citronnier au double fruit, pommier lourd de pommes. Chaque nouveau couplet portait les danseuses plus haut vers les nues. Elles fleurissaient comme le jasmin, embaumaient comme la cannelle. Leurs charmes devenaient indicibles, elles étaient plus belles que l'aube, plus splendides que le soleil. Elles étaient l'Archange descendu du ciel, la Messe du Jeudi Saint, l'Évangile de Pâques !”

Pandélis Prévélakis,
Le Crétois,
traduction
Jacques Lacarrière,
Éditions Gallimard, 1962

«C'EST L'UNE DES RARES OCCASIONS DE MA VIE OÙ J'AI EU PLEINEMENT CONSCIENCE D'ÊTRE AU BORD D'UNE GRANDE EXPÉRIENCE.»

HENRY MILLER

:ACROPOLE DE PHAISTOS

Lorsque Henry Miller (1891-1980) décide, à la veille de la Seconde Guerre mondiale, de se rendre en Grèce à l'invitation de son ami Lawrence Durrell, il n'a pas la moindre idée de ce qu'il va rencontrer ni découvrir. N'ayant pas fait 'études classiques, il n'a aucune opinion précise ni préconçue de ce pays et c'est cela, ette virginité si rare de l'œil et de l'esprit qui donne à son livre Le Colosse de Maroussi *ı force et la vie d'une authentique découverte. On est en 1939, les touristes sont encore ıres, de plus la guerre approche. Avant de rentrer chez lui, Miller décide de faire le tour 'e la Crète. Voici ce qu'il retire de sa visite de Phaistos, de sa rencontre avec le ciel crétois et... le gardien des ruines, Alexandros, que quelques années plus tard, Jacques ,acarrière retrouvera sur les mêmes lieux.*

«Alexandros était entré pour un instant, me laissant arpenter lentement la ›iazza du pavillon, et contempler le spectacle grandiose. Je me sentais pris d'une égère démence, comme ces grands monarques d'autrefois qui consacraient leur ie à ennoblir les arts et la littérature. Je ne sentais plus le besoin de m'enrichir, 'avais atteint à l'apogée ; ce que je voulais, c'était donner, donner prodigalement, :t sans distinction, tout ce que je possédais...
Alexandros sortit une table et mit la nappe. Il me suggéra de faire le tour des lieux, :t de visiter les ruines. Je l'écoutais comme en extase. Oui, sans doute, je devrais ıller faire un tour et me pénétrer de tout. C'est ce qu'on fait d'habitude. Je descenlis le large escalier du palais nivelé, et regardai de-ci de-là, comme un automate. Je 'avais pas la moindre envie de fouiner alentour, d'inspecter les linteaux, les urnes, es poteries, les jouets d'enfants, les cellules votives et choses de cet ordre. À mes ›ieds, se déroulant comme un tapis magique, à l'infini, s'étendait la plaine de la Messara, ceinte d'une chaîne majestueuse de montagnes. De ces hauteurs sublimes :t sereines, elle a toute l'apparence du Jardin d'Éden. Aux portes mêmes du Paradis, es descendants de Zeus ont fait halte ici, sur la route de l'éternité, pour jeter un derıier regard sur la terre, et ils ont vu, avec les yeux de l'innocence, que la terre est en 'érité telle qu'ils l'avaient toujours rêvée : un lieu de beauté, de joie et de paix. Au ond de son cœur, l'homme est uni au monde entier. Phaestos contient tous les élénents du cœur. Phaestos relève de la femme entièrement. Tout ce que l'homme a pu accomplir serait perdu, n'était ce stade final de la contrition, qui trouve ici son incarnation dans le séjour des reines célestes.
Je fis un tour des lieux, embrassant le panorama sous tous les angles. Je décrivis un cercle à l'intérieur des collines enveloppantes. Au-dessus de moi, la gigantesque voûte sans toit, ouverte grande sur l'infini. Monsieur Herriot avait raison et tort en même temps. On est ici plus près du ciel, mais jamais on n'a été plus loin de tout ce qui se trouve au-delà. Atteindre le ciel n'est rien – jeu d'enfant – du faîte de cet édifice terrestre suprême ; mais atteindre au-delà, saisir, ne serait-ce qu'un instant, le rayonnement et la splendeur de ce royaume lumineux où la lumière des cieux n'est qu'une faible et maladive lueur, est impossible. Ici, les pensées les plus sublimes se trouvent annulées, arrêtées dans leur essor ailé par un halo dont l'infini profond va sans limite et dont l'irradiation fixe le processus même de la pensée. Au mieux, la pensée n'est que spéculation, passetemps comme en goûte la machine quand elle fait des étincelles. Dieu a pensé à tout, d'avance. Nous n'avons rien à résoudre : tout a été résolu pour nous. Il ne nous reste qu'à nous fondre, qu'à nous dissoudre, qu'à baigner dans la solution. Nous sommes des poissons solubles, et le monde est un aquarium.»

HENRY MILLER, *LE COLOSSE DE MAROUSSI*,
TRAD. GEORGES BELMONT,
ÉDITIONS HACHETTE, L. G. F., 1983

ART CRÉTOIS ET MODERN STYLE

Paul Morand (1888-1976) s'arrête en Crète en 1960 au retour d'un voyag en Égypte. En fait, ce n'était pas son premier voyage. Morand était déjà ven sur l'île huit ans plus tôt. Il s'était attardé au musée de Knossos, visite qui lui suggéra des réflexions fort amusantes sur la «crétomanie» de la Belle Époque Mais la Crète de 1960, déjà marquée par le tourisme, le déçoit inévitablement L'enthousiasme fait place au désabusement et Paul Morand sonne bien le glas de l Crète crétoise...

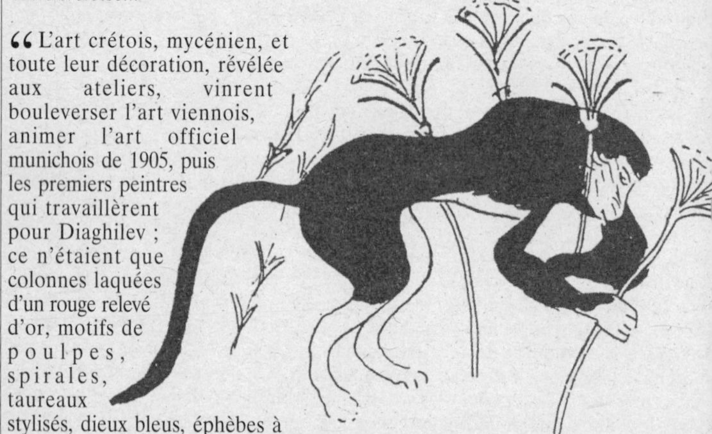

«L'art crétois, mycénien, et toute leur décoration, révélée aux ateliers, vinrent bouleverser l'art viennois, animer l'art officiel munichois de 1905, puis les premiers peintres qui travaillèrent pour Diaghilev ; ce n'étaient que colonnes laquées d'un rouge relevé d'or, motifs de poulpes, spirales, taureaux stylisés, dieux bleus, éphèbes à la taille de guêpe, poissons noirs à piquant, casques à crins rigides et swastika annonciatrices ; les janissaires, dans «Scheherazade» ressemblaient aux officiers d la Garde noire de Minos, les sultans étaient costumés en rois-prêtres, et le danseuses étoiles, qui buvaient dans des cratères d'or inspirés du musée de Candie copiaient leurs tuniques sur la Déesse aux Serpents. Moscou, Munich, Vienne n rêvaient que de vases de Kamarès, de la fresque de l'oiseau bleu de Cnossos et de vases à poulpes de Palaiokastro. Cocteau donnait le «Dieu bleu». Les banque bavaroises et hambourgeoises s'ornaient de mosaïques d'or, et les salles de théâtre style Sécession, ressemblaient à ces grottes initiatiques, vieilles de quatre mille an où la Crète pratiqua sa religion inconnue dont les Dieux sont invisibles. Même e Saxe, un zoo avait plagié la Salle du Trône de Cnossos ! Les bals masqués de Pari 1913, les carnavals rhénans, l'Eschyle d'avant-garde des «Kunsttheather» regrettaient, sinon jusqu'au néolithique crétois, du moins jusqu'au fameux Prince à la coiffure de plumes et à cette «Parisienne» célèbre du Musée de Cnossos, avec s robe en sonnette tombant jusqu'aux chevilles, son nez mutin, ses cheveux noir bouclés et plus tordus que le labyrinthe de Dédale, fille de Pasiphaë et sœur d Phèdre. Cette «crétomanie» devait durer jusqu'en 1914.

Lorsque je mouillai, huit ans plus tard, dans la baie de la Suède, la Crète avait beau coup changé : plus de vieux barbus avec des culottes noires à plis, comme chez no anciens zouaves, plus de rondes populaires et de costumes folkloriques, plus d vestes doublées d'écarlate, ni de ces couvre-lits à dessins admirables et encor proches des Byzantins ; disparus les montagnards avec leurs coutelas d'argent e leur fusil de palikare ; évanouis, avec leur décor familier, les sofas des anti chambres, dits ottomanes et les confituriers en verre de Murano, à dessins d'or, qu l'on vous mettait près du lit, le soir, avec le «sherbet» à la pistache ! Tout cet Orien charmant gobinesque et edmondabouteux, avait été rejoindre, dans le magasin aux accessoires du Temps, les jupes-clochettes et les casques en crin de cheval de Crétois minoens. Au café, le moka ne venait plus d'Arabie, le vin raisiné était tari e le narghilé, ce clysopompe, ne présidait plus aux tabagies collectives, sur le bord d trottoir. Parachutistes et bombardiers avaient passé par là, par cette Crète où Dédale, pour Icare, installa un premier terrain d'atterrissage.»

PAUL MORAND, *LA REVUE DES VOYAGES*, N° 39, 1960-1961

Itinéraires en Crète

▲ Le port de La Canée ▼ Le petit port de Réthymnon

▼ Hiérapétra, située à l'endroit le plus étroit de l'île

▼ Haghios Nikolaos et son port pittoresque

▼ Bateaux de pêche colorés de l'est de l'île

▲ Très bel étalage de *koulouras* crétoises

▲▼ La rue du Marché à Héraklion, animée et haute en couleur

▲ Prêtre orthodoxe crétois ▼ Coiffeur du village de Kastéli

▼ Taverne à Héraklion, avec, en arrière-plan, la fontaine Bembo

▲ Le site de Falassarna, au sud-est de la presqu'île de Gramvoussa

▲ Tranquille paysage de la péninsule de Rodopos ▼ Les gorges d'Aradéna

Héraklion

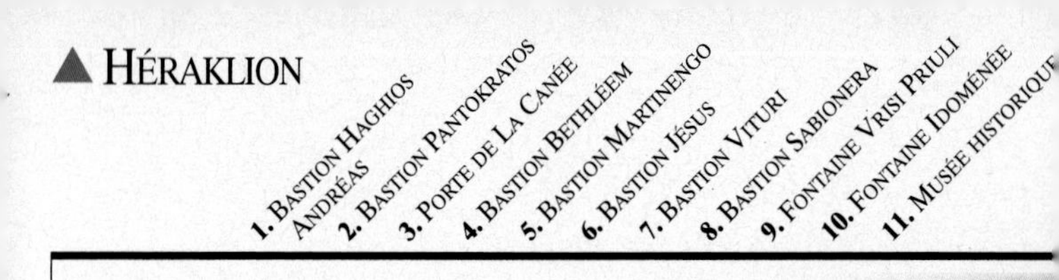

2 jours

Le siège de Candie
● *56.* La première attaque du sultan ottoman Ibrahim le Fou (1640-1648), lancée sur Candie au printemps 1648, inaugurait un siège qui allait durer vingt et un ans. En 1666, les troupes de Mehmet IV assiègent Candie, défendue par Francesco Morosini le Jeune, *proveditore generale*. Le 5 septembre 1669 Morosini capitule, laissant aux Ottomans le contrôle de la ville.

Histoire

Le géographe antique Strabo signale Heraclium comme étant le port de Knossos. Ce nom lui demeura jusqu'à la prise de la Crète par les Sarrasins, en 826 après J.-C., ● *48.* Ces derniers reconstruisirent les remparts byzantins et érigèrent une citadelle baptisée *Radd-al-Khandaq*, la «forteresse aux douves». Les voyageurs européens adoucirent la prononciation en Candia, ou Candie. L'Occident appela ainsi la Crète tout entière jusqu'au début du XXe siècle. Il ne reste aujourd'hui presque rien de l'Héraklion des époques antique, sarrasine ou byzantine, en dehors des fragments romains incorporés dans des constructions postérieures et des objets exposés dans les musées. À l'époque vénitienne, Candie connut une brillante renaissance culturelle : la plupart des grandes personnalités grecques des XVIe et XVIIe siècles fréquentèrent son école, Haghia Ekatérini, dont le plus célèbre d'entre eux, El Greco ● *52.* Conquise par les Ottomans en 1669, Candie fut rebaptisée *Mégalo Kastro*, «la grande forteresse», en raison de ses fortifications vénitiennes. Elle garda ce nom jusqu'en 1923, où la ville fut renommée Héraklion, en conformité avec la volonté du gouvernement d'helléniser les noms des cités.
En 1971, elle devint la capitale de la Crète ; c'est aujourd'hui la plus grande ville de l'île et la 5e de Grèce avec plus de 100 000 habitants.

Morosini, le défenseur de Candie, était issu d'une vieille famille patricienne de Venise. Il sera plus tard surnommé *il Peloponnesico* pour avoir reconquis la Morée et Athènes.

2. Haghios Minas
13. Haghia Ekatérina
14. Kiosque et fontaine Bembo
15. Marché
16. Platia Vénizélou
17. Fontaine Morosini
18. Parc El Greco
19. Haghios Markos
20. Loggia
21. Haghios Titos
22. Platia Elefthérias
23. Musée archéologique
24. Arsenaux vénitiens
25. Kastro Koulès

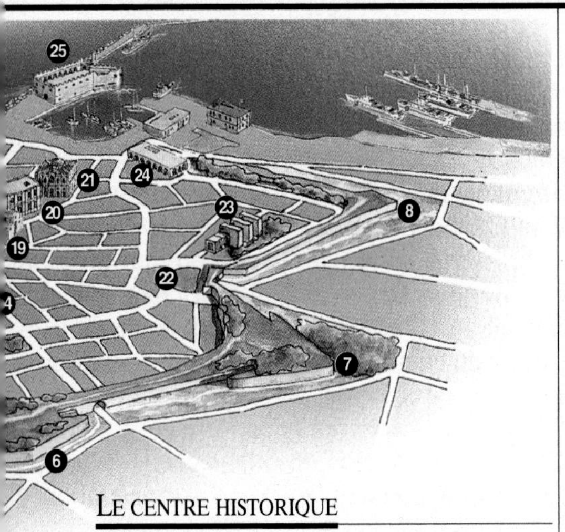

Le centre historique

Platia Vénizélou. La place Vénizélos est un point de encontre très animé avec ses cafés, restaurants, librairies et antiquaires. Son principal ornement est la FONTAINE VÉNITIENNE MOROSINI, commandée en 1628 par Francesco Morosini, gouverneur de Candie et oncle du fameux défenseur de la ville en 1669. Les magasins aux plafonds voûtés sont tout ce qui reste du palais du duc de Crète, le *Palazzo Ducale*, où siégeait le gouvernement vénitien.

Haghios Markos ● *103*. L'angle nord-est de la place est occupé par l'église San Marco, une impressionnante basilique s'ouvrant par un portail à cinq travées. Une première église, érigée en 1239, fut détruite par un tremblement de terre en 1303 ; reconstruite, elle subit à nouveau le même sort en 1508. L'église actuelle fut érigée peu de temps après. Transformée en mosquée durant l'occupation ottomane, elle connut encore bien des aléas, servant même de cinéma. Entre 1956 et 1961, la Société historique de Crète réalisa sa restauration dans le style vénitien de ses origines. Elle est depuis devenue un centre culturel et un lieu d'expositions, réunissant notamment des icônes et des copies de fresques byzantines.

Haghios Titos. D'origine byzantine, cette église est dédiée à saint Tite, patron et premier évêque de la Crète, dont elle conserve le chef dans une coupe d'or. Elle fut le siège de l'archevêché latin sous les Vénitiens, puis mosquée sous les Turcs. Depuis sa restauration, en 1872, les éléments ottomans qui y furent ajoutés lui donnent un aspect assez original.

L'église Haghios Titos
Située derrière la Loggia, elle est précédée d'une vaste cour dallée. La date de sa construction n'est pas vraiment fixée. Gravement endommagée par un incendie en 1544, puis par le tremblement de terre de 1856, elle fut plusieurs fois reconstruite. Convertie en mosquée Vezir Tzami sous l'occupation turque, elle se vit adjoindre un minaret, remplacé depuis par un beffroi.

La fontaine Morosini ● *108*
Les côtés de la vasque, surélevée et octolobée, sont sculptés de bas-reliefs représentant des divinités de la mer de la mythologie grecque : nymphes et tritons chevauchant des dauphins, et autres monstres marins. Au milieu se dresse un socle orné de quatre lions aux gueules ouvertes d'où coule l'eau. Ces lions supportent une vasque plus petite autrefois surmontée d'une imposante statue de Poséidon, que les Ottomans remplacèrent par un péristyle qui a également disparu depuis.

L'écrivain, poète et penseur crétois, Nikos Kazantzaki (il demandait lui-même à ce que son nom soit écrit sans «s» à la fin) est né à Héraklion le 18 février 1883. Après des études de droit à Athènes et de philosophie à Paris où il suit les cours de Bergson, Kazantzaki voyage à travers le monde : Europe, URSS, Moyen-Orient, Chine, Japon. Ses carnets de voyages sont considérés comme des chefs-d'œuvre dès leur première parution en grec. En 1919, il entre dans la vie politique crétoise nommé secrétaire général au ministère de l'Assistance publique par Vénizélos ; ministre sous le gouvernement de Sofoulis en 1945, il fonde l'Union socialiste ouvrière. Appelé comme conseiller à la littérature auprès de l'Unesco en 1947, il démissionne de ce poste en 1948 pour se consacrer à l'écriture et s'installe à Antibes. Il meurt le 26 octobre 1957 en Allemagne. Ses funérailles, à Héraklion, donnent lieu à une démonstration de ferveur populaire dans toute la Grèce qui honore la mémoire de ce grand patriote.

Nikos Kazantzaki est l'une des figures les plus marquantes du monde littéraire contemporain. Ses ouvrages, qui embrassent des genres variés (essais philosophiques, poésie, romans) sont traduits en toutes langues, notamment et surtout *Alexis Zorba*, *Le Christ recrucifié* et *La Dernière Tentation* qui sera mis à l'index. Il fut également le traducteur en langue grecque moderne de *La Divine Comédie* de Dante, *Faust* de Goethe et *Ainsi parlait Zarathoustra* de Nietzsche.

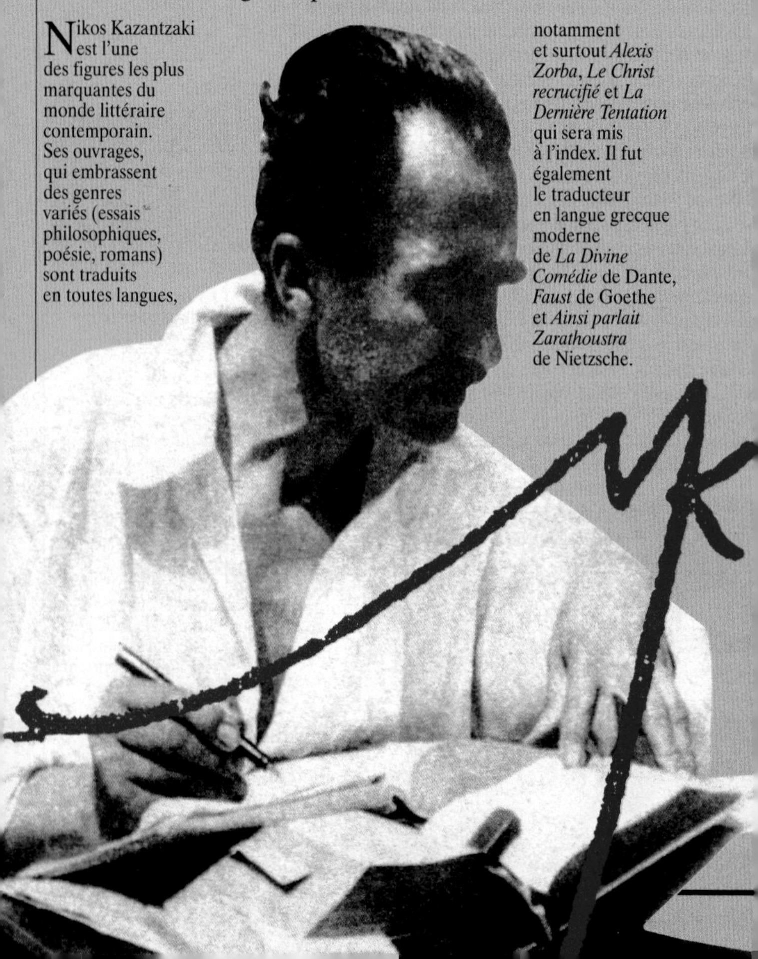

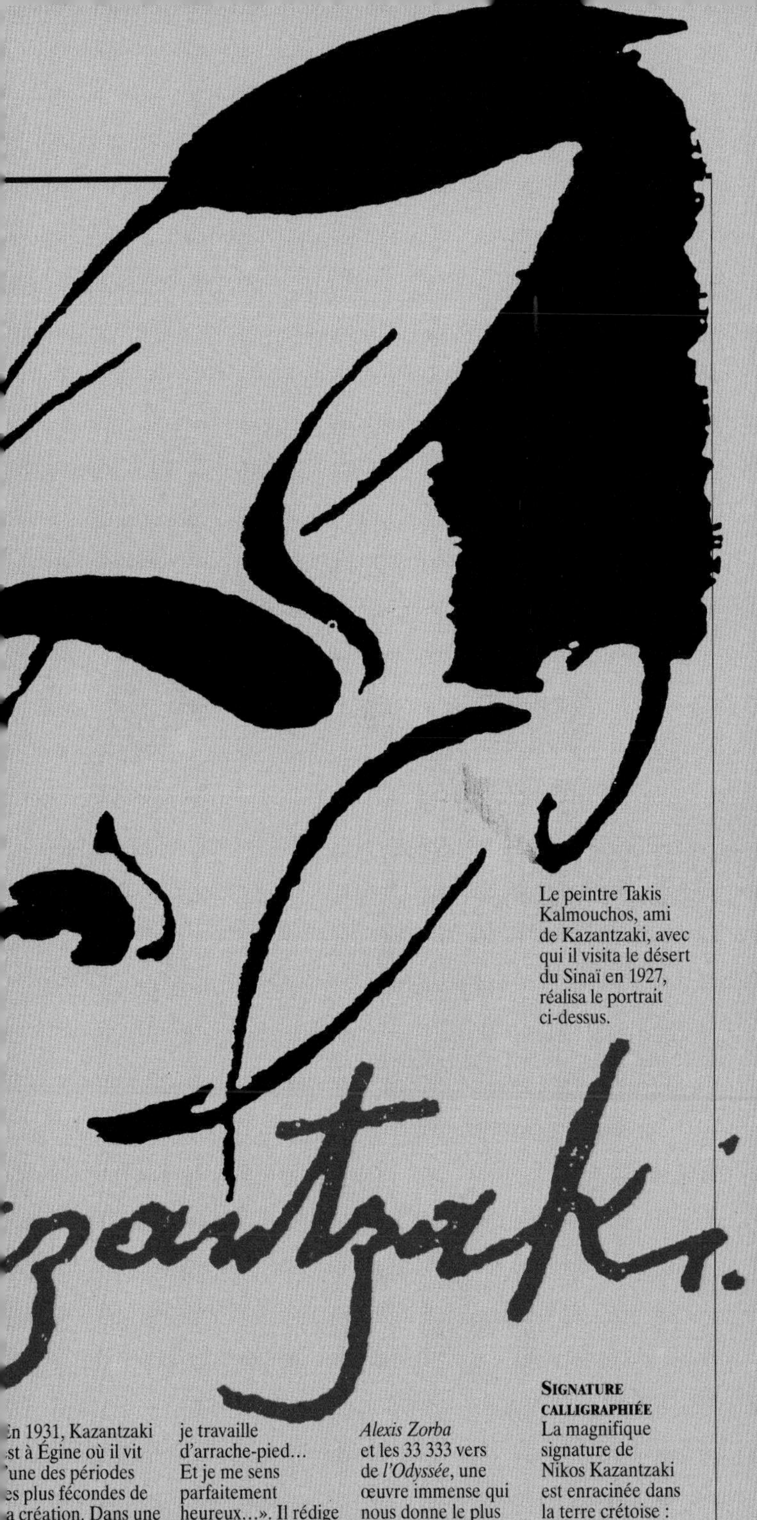

Le peintre Takis Kalmouchos, ami de Kazantzaki, avec qui il visita le désert du Sinaï en 1927, réalisa le portrait ci-dessus.

En 1931, Kazantzaki est à Égine où il vit l'une des périodes les plus fécondes de sa création. Dans une lettre à P. Prévélakis, il écrit «Les journées sont divines à présent que je reste seul, je travaille d'arrache-pied… Et je me sens parfaitement heureux…». Il rédige les fiches du dictionnaire français-grec Eleftheroudakis ● 68, écrit *Ascèse*, *Alexis Zorba* et les 33 333 vers de *l'Odyssée*, une œuvre immense qui nous donne le plus admirable exemple de la continuité de l'épopée homérique jusqu'à nos jours.

Signature calligraphiée
La magnifique signature de Nikos Kazantzaki est enracinée dans la terre crétoise : les initiales d'en-tête figurent le symbole de la double hache minoenne.

L'église Haghia Ekaterini, reconvertie en musée d'Art religieux, abrite une superbe collection d'icônes. Six peintures provenant du Moni Vrontisiou, monastère situé à 47 km au sud d'Héraklion sont parmi les pièces les plus remarquables. Elles furent exécutées par Mikaïl Damaskinos (v. 1530-v. 1591), qui fut peut-être le maître de D. Théotokopoulos, dit El Greco. Comme les autres grands peintres de la Renaissance crétoise, Georgios Klontzas ou Théophanis Bathas, Damaskinos maîtrisait à la fois la «manière grecque» héritée en droite ligne de la tradition des Paléologues, et la «manière italienne». Celle-ci intégrait les innovations techniques et thématiques des peintres toscans et vénitiens des XVe et XVIe siècles, tels que Veneziano, Pisanello, da Fabriano ou Titien, dont les œuvres étaient abondamment reproduites.

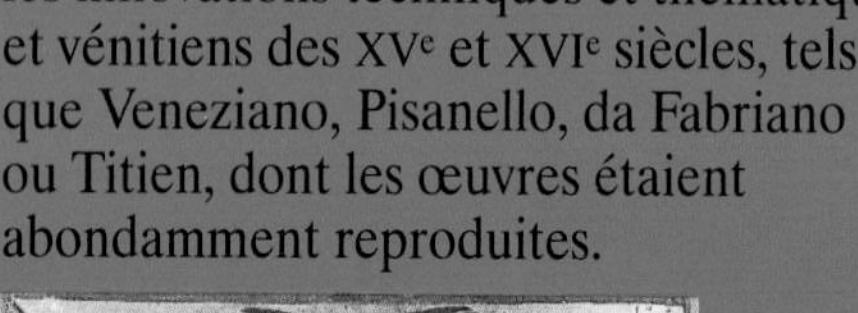

LA «CÈNE»
La manière italienne est ici omniprésente, bien que mêlée de quelques réminiscences d'art byzantin dont le peintre n'abandonnera jamais la conception antiréaliste. Le soin apporté à la représentation des objets est digne de celui d'une nature morte ; la composition s'appuie sur la profondeur de la perspective, avec les deux serviteurs au premier plan, les chiens sous la table, l'encadrement formé par l'architecture ...

L'«ADORATION DES MYRRHOPHORES»
La scène principale décrit la recontre du Christ et de Marie Madeleine dans le jardin de Gethsémani. Le traitement des montagnes, le style narratif des scènes séparées et de taille différente, ainsi que l'inscription de lettres rouges sur le fond or de l'auréole du Christ sont typiquement byzantins. De même, au premier plan, l'expression détachée du Christ (ci-contre à droite) ; en revanche, la Marie Madeleine agenouillée correspond aux canons de beauté de l'art maniériste italien du XVIe siècle.

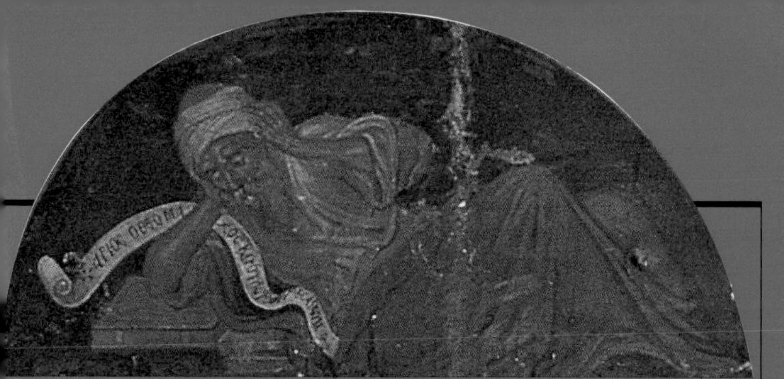

E «CONCILE DE NICÉE». Cette dernière icône onnue de Damaskinos, datant de 1591, évèle un retour aux procédés techniques t aux conceptions esthétiques traditionnels. 'ependant, le réalisme des traits des visages t des veines des mains des évêques démontre assimilation préalable des modèles italiens.

L'«ADORATION DES MAGES». Point culminant de l'influence de l'art renaissant, cette icône ne fait pas appel à l'image byzantine des Mages, mais à la nuit de Noël de l'iconographie italienne. De même, la perspective et le mouvement des chevaux. Seuls caractères byzantins : la représentation de la montagne et l'attitude détachée de Joseph.

LA «SAINTE MESSE». Le thème est représenté selon les *herménies* traditionnelles. Dieu le Père et le Fils sont entourés de séraphins, l'autel est recouvert d'une nappe brodée d'or ; au-dessus, le Saint-Esprit apparaît. sous la forme d'une colombe. Autour, les anges portent le corps du Christ. Cette icône fut créée entre 1579 et 1584.

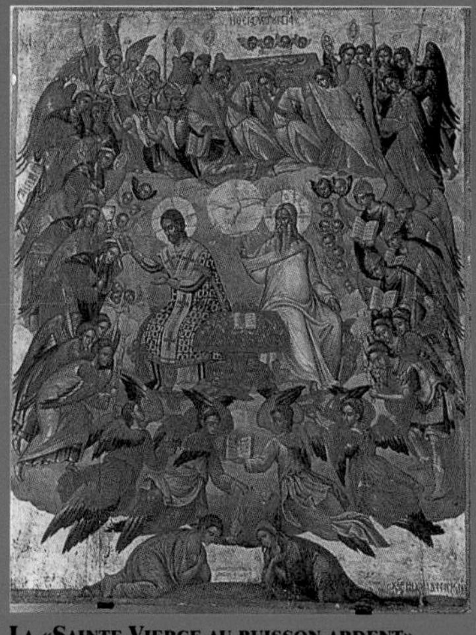

LA «SAINTE VIERGE AU BUISSON ARDENT» Si le thème appartient à la facture italienne, les traits de style byzantin sont ici nombreux : l'absence de naturalisme des montagnes, la présence de Moïse dans chaque épisode et, au premier plan, la double représentation de Moïse : le premier debout écoutant la voix des anges, le second agenouillé perdant sa sandale.

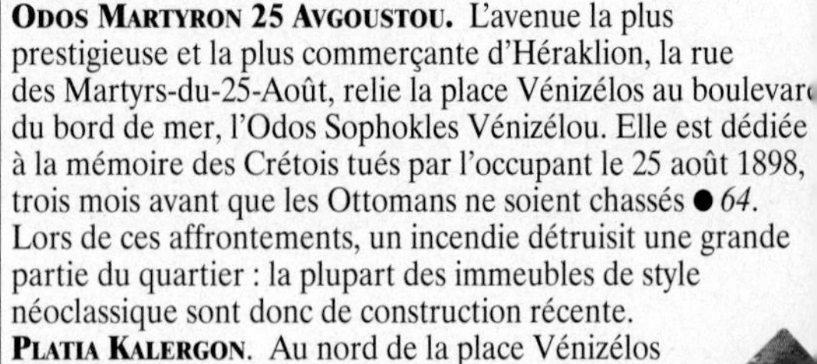

FAÇADE ET MÉTOPE DE LA LOGGIA
Cet élégant édifice à un étage fut gravement endommagé par les bombardements de la Seconde Guerre mondiale. Il fut reconstruit à l'identique sur le même emplacement. La Loggia accueille aujourd'hui des spectacles et des expositions.

KIOSQUE OTTOMAN
Sur la place Kornarou, s'élevait l'église Tou Sotiros transformée par les Ottomans en mosquée Validé ; aujourd'hui se dresse une sculpture en hommage à *L'Erotocritos* ● *123*. À côté de la fontaine Bembo, les Turcs construisirent la fontaine-kiosque ● *112* qui abrite à présent un *kafénio*.

ODOS MARTYRON 25 AVGOUSTOU. L'avenue la plus prestigieuse et la plus commerçante d'Héraklion, la rue des Martyrs-du-25-Août, relie la place Vénizélos au boulevard du bord de mer, l'Odos Sophokles Vénizélou. Elle est dédiée à la mémoire des Crétois tués par l'occupant le 25 août 1898, trois mois avant que les Ottomans ne soient chassés ● *64*. Lors de ces affrontements, un incendie détruisit une grande partie du quartier : la plupart des immeubles de style néoclassique sont donc de construction récente.

PLATIA KALERGON. Au nord de la place Vénizélos se trouve la place Kalergon, bordée au nord-ouest par le parc El Greco. À l'époque vénitienne, elle s'appelait *Piazza dei Signori* : elle était alors encadrée de palais où logeaient le gouverneur et les nobles du Conseil.

LE MARCHÉ. La Platia Vénizélou prolonge la Platia Nikiforos Fokas, le grand rond-point d'Héraklion. Au sud, l'Odos 1866 conduit vers le marché permanent, l'endroit le plus vivant et le plus coloré de la ville où sont exposés en plein air et sous abri des produits frais crétois. Il y règne une atmosphère orientale.

LA LOGGIA ● *109*. Descendant vers le port, on rencontre un magnifique bâtiment vénitien, la Loggia, construite en 1727 pour Francesco Morosini l'Aîné. L'architecte, vraisemblablement Francesco Basilicata, la conçut dans le style palladien, avec une colonnade dorique à l'étage inférieur et une autre d'ordre ionique à l'étage supérieur. La première est surmontée d'une frise sculptée décorée des emblèmes de Venise. Centre de la vie publique, ce palais réunissait la noblesse vénitienne.

L'hôtel de ville. Derrière la Loggia se trouve la Démarchie, installée dans une ancienne armurerie vénitienne datant du début du XVIIe siècle. Détruite lors d'un bombardement en 1941, l'arméria fut reconstruite pour abriter le *Dimarcheion*, l'hôtel de ville d'Héraklion. Dans le mur nord sont encastrés les fragments de la fontaine Sagredo, ainsi nommée d'après le nom du gouverneur vénitien qui en fit la commande en 1602.

La fontaine Bembo ● *109***.** L'Odos 1866 aboutit à la Platia Kornarou où se dresse une maison-fontaine ottomane transformée en café. Elle voisine avec la FONTAINE VÉNITIENNE BEMBO dont la façade consiste en une colonnade formée de deux piliers et de deux colonnes encadrant la statue d'un homme sans tête drapé dans une toge qui date de l'époque romaine. La statue est posée sur un socle orné de bas-reliefs à motif floral, d'où une vasque laisse couler l'eau dans un bassin, sans doute la partie inférieure d'un sarcophage. De part et d'autre sont fixés des écussons sculptés des armoiries de la famille Bembo.

Platia Haghia Ekatérini. La place Sainte-Catherine, qui comporte trois églises, est dominée par l'Haghios Minas, cathédrale d'Héraklion et siège du métropolite de Crète. Construite entre 1862 et 1895, l'impressionnante cathédrale est conçue dans un style pseudo-Renaissance et sur un plan en croix grecque. Son dôme, reposant sur un tambour au-dessus de la nef, est encadré par deux clochers. Cette cathédrale, qui peut accueillir 8 000 fidèles, est la plus grande de Grèce. À côté, la petite église Haghios Minas possède une très belle iconostase.

L'église Haghia Ekatérini ● *104*

L'église Sainte-Catherine date de la première période vénitienne (XVIe siècle). C'était à l'origine le *metochion*, c'est à dire le siège du monastère Sainte-Catherine-du-Mont-Sinaï. Après la chute de Constantinople, son collège fut l'un des plus renommés du monde grec : de grands artistes comme les écrivains V. Cornaros ● *123* et G. Hortatzis ou le peintre D. Théotokopoulos (El Greco) ● *52*, y firent leur études. De nos jours elle abrite le musée d'Art religieux et expose des fragments de fresques et des icônes provenant d'églises et de monastères de toute l'île : on peut notamment y admirer six icônes du célèbre peintre crétois Damaskinos ▲ *148*. Longeant le très agréable parc El Greco pour revenir à la place Nikiforos Fokas, on arrivera au Musée historique ▲ *152*.

La fontaine Bembo
Elle tient son nom du gouverneur Ioannis Bembo qui l'érigea en 1588 à partir de fragments antiques, sarcophage et statue acéphale, provenant des ruines romaines de Hiérapétra, situé sur la côte sud de la Crète ▲ *215*.

Haghia Ekatérini
Cette église construite en 1555 s'élève à l'angle nord-est de la place Sainte-Catherine. Pendant l'occupation turque, elle fut transformée comme tant d'autres en mosquée. Des expositions d'art religieux y sont aujourd'hui organisées.

Fontaine Vrisi Priuli
Une inscription précise qu'elle fut érigée par le *proveditore generale* Antonio Priuli en 1666. Sa façade est construite selon le modèle d'un temple grec classique. Héraklion, comme tous les autres villages ou villes de Crète, s'orne de magnifiques fontaines vénitiennes ou turques. À voir également : la belle fontaine vénitienne Idoménée, face au Musée historique, citée par Kazantzaki dans son roman *La Liberté ou la mort*.

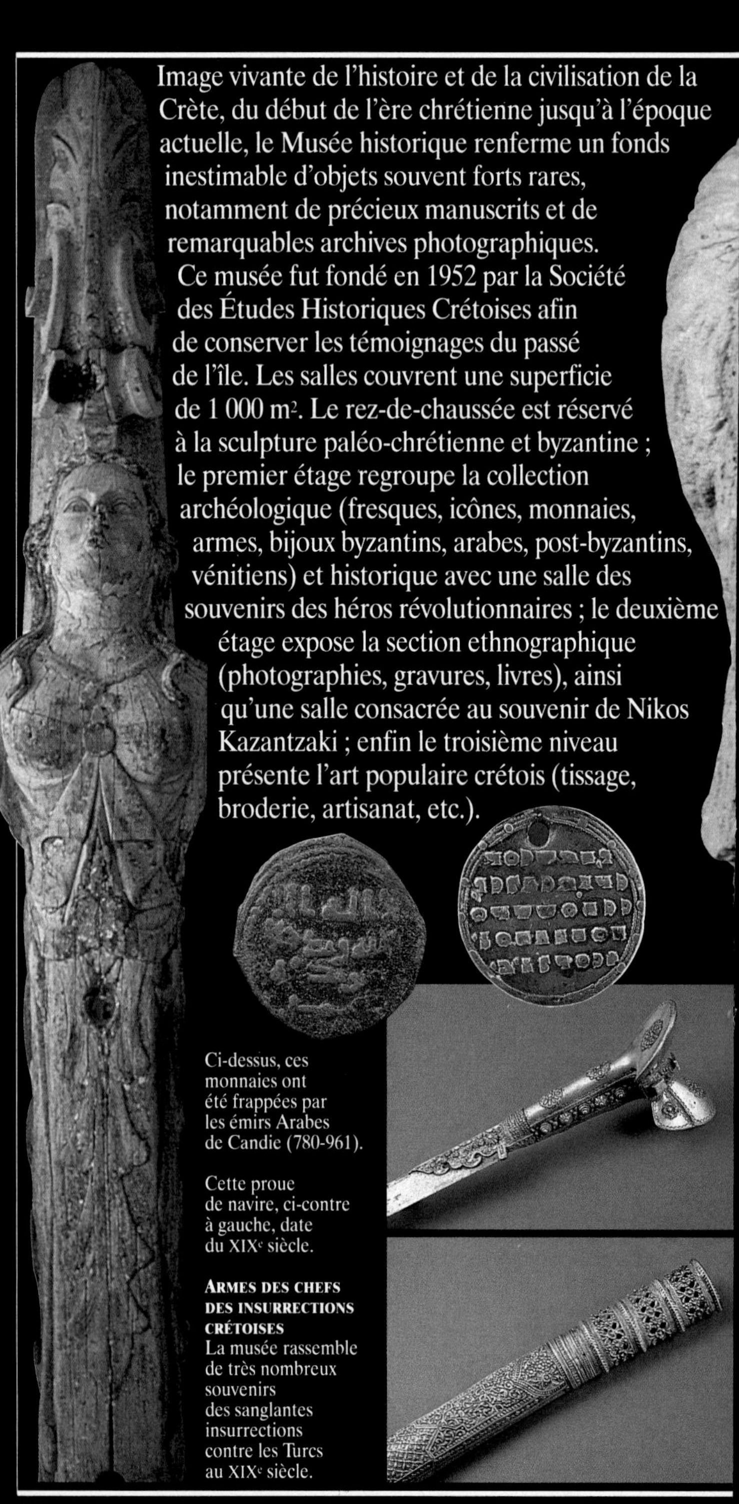

Image vivante de l'histoire et de la civilisation de la Crète, du début de l'ère chrétienne jusqu'à l'époque actuelle, le Musée historique renferme un fonds inestimable d'objets souvent forts rares, notamment de précieux manuscrits et de remarquables archives photographiques. Ce musée fut fondé en 1952 par la Société des Études Historiques Crétoises afin de conserver les témoignages du passé de l'île. Les salles couvrent une superficie de 1 000 m². Le rez-de-chaussée est réservé à la sculpture paléo-chrétienne et byzantine ; le premier étage regroupe la collection archéologique (fresques, icônes, monnaies, armes, bijoux byzantins, arabes, post-byzantins, vénitiens) et historique avec une salle des souvenirs des héros révolutionnaires ; le deuxième étage expose la section ethnographique (photographies, gravures, livres), ainsi qu'une salle consacrée au souvenir de Nikos Kazantzaki ; enfin le troisième niveau présente l'art populaire crétois (tissage, broderie, artisanat, etc.).

Ci-dessus, ces monnaies ont été frappées par les émirs Arabes de Candie (780-961).

Cette proue de navire, ci-contre à gauche, date du XIXe siècle.

ARMES DES CHEFS DES INSURRECTIONS CRÉTOISES
La musée rassemble de très nombreux souvenirs des sanglantes insurrections contre les Turcs au XIXe siècle.

Le Musée historique
Un bâtiment néoclassique de 1903, construit au 7 de la rue Kalokairinos par l'architecte Tsandirakis, demeure de Andréas et Maria Kalokairinos, les initiateurs du projet de musée, abrite les collections réparties selon un ordre chronologique et thématique. Une aile post-moderne a été récemment ajoutée pour répondre aux besoins nouveaux.

Tête de Christ
De style gothique, cette tête provient d'une église vénitienne de Candie et date du XIIIe siècle.

Portraits
Ces deux révolutionnaires crétois ont vaillamment et très activement lutté contre les Turcs lors des révoltes du XIXe siècle. Ci-contre, Hérakles N. Nouninides fut le chef de Malevysi et Téménos, région de Goniès et Vathipétro ▲ *197*. Emmanuel N Nouninides, ci-dessous, combattit dans la même contrée.

Bijoux
Ci-dessus et ci-contre, deux boucles d'oreille en or. La première date du VIIIe siècle ; la seconde, en forme de rosace, du XIVe - XVe siècle.

Le Musée archéologique d'Héraklion présente les trouvailles provenant de fouilles effectuées dans toute la Crète et illustrant la très ancienne histoire de l'île, de l'époque néolithique (5700 av. J.-C.) jusqu'à la période gréco-romaine (Ve siècle av. J.-C. IVe siècle ap. J.-C.). Mais ce sont surtout d'exceptionnels spécimens de la civilisation minoenne (2000-1400 av. J.-C.) qui font de ce musée un lieu unique au monde. Les trésors étaient abrités jusqu'en 1937 dans une seule salle. La construction d'un nouvel édifice fut rapidement jugée indispensable : l'architecte P. Karandinos s'en chargea. Les travaux commencèrent en 1951, à l'époque où Nicolas Platon était éphore des Antiquités, pour s'achever en 1964 sous l'administration de S. Alexiou. Le musée comprend vingt salles présentant les objets par unité chronologique et selon leur provenance.

LA CÉRAMIQUE CRÉTOISE DE LA PÉRIODE PRÉPALATIALE À L'ÉPOQUE ARCHAÏQUE

L'ÉPOQUE NÉOPALATIALE
Après le tremblement de terre de 1700 av J.-C. la Crète connaît une seconde période d'apogée. Un nouveau style de céramique apparaît. La forme des vases est plus élancée, le décor est naturaliste. L'ornementation se fait avec des couleurs claires sur un fond sombre, ou inversement. Deux styles dominent : le style végétal et le style marin.

Ci-dessus, le célèbre «vase aux lys blancs» provenant de Knossos ▲ *161*, date de 1600 av J.-C.

STYLE DE VASSILIKI
Ce style de la période prépalatiale (2600-2000 av. J.-C.) doit son nom à un site de Crète orientale. Mouchetée de manière caractéristique, la surface des vases est par endroits brune, rouge ou noire. Ce résultat est obtenu par cuisson inégale. Le procédé de fabrication, ignoré, laisse supposer des connaissances technologiques très avancées. Les formes sont audacieuses comme en témoigne cette «théière» à bec démesuré.

STYLE VÉGÉTAL
Caractéristique de ce style, cette superbe aiguière, du palais de Phaistos ▲ *178* est décorée de roseaux très denses qui couvrent toute sa surface (1530 av. J.-C.).

L'aiguière à libation ci-contre a été trouvée dans une tombe près d'Héraklion et date de la fin de la période palatiale (1400 av. J.-C.). Les excroissances épineuses imitent des spécimens métalliques. La stylisation des argonautes ou des fleurs de papyrus est remarquable.

: VASE DES MOISSONNEURS écouvert dans la villa Haghia Triada ▲ *182*, fameux rhyton 500 av. J.-C.) restitue, relief, une procession hommes revenant des ıvaux des champs et suivis chanteurs. L'un des oissonneurs trébuche, premier de la file retourne vers lui.

LE STYLE MARIN Quelques-uns des exemples les plus exceptionnels de ce style proviennent du palais de Zakros ▲ *212*. Ainsi l'admirable rhyton conique, ci-contre, décoré d'étoiles de mer, de coquillages, de tritons et de rochers ; il date de 1500 av. J.-C. La petite amphore ci-dessus est dotée de plusieurs anses disposées verticalement, sur le corps desquelles sont représentés de grands poulpes entourés de coquillages (1450 av. J.-C.).

L'ÉPOQUE ARCHAÏQUE. Cette grande jarre, dont le corps est parcouru de zones à décor plastique, linéaire ou iconographique, et décoré d'une série de spirales aboutissant à une tête de lion et à quatre sphinx en relief, constitue un important et rare exemple de poteries de cette époque (650-500 av. J.-C.).

△ Le Musée archéologique d'Héraklion

L'art minoen a su admirablement représenter le corps humain. Mais au contraire du monde égyptien ou grec, la figurine miniature semble avoir été une des caractéristiques de la statuaire minoenne. Cette affirmation souffre quelques rares exceptions comme les deux pieds d'argile de taille humaine trouvés dans le sanctuaire d'Anémospilia. Dès le début de l'époque néolithique les silhouettes qui, a priori peuvent sembler malhabiles, témoignent d'un sens de la proportion et des formes très harmonieux. Progressivement ces figurines, souvent cultuelles, deviennent plus élancées. Un des traits les plus extraordinaires et les plus discutés est l'invraisemblable finesse de la taille.

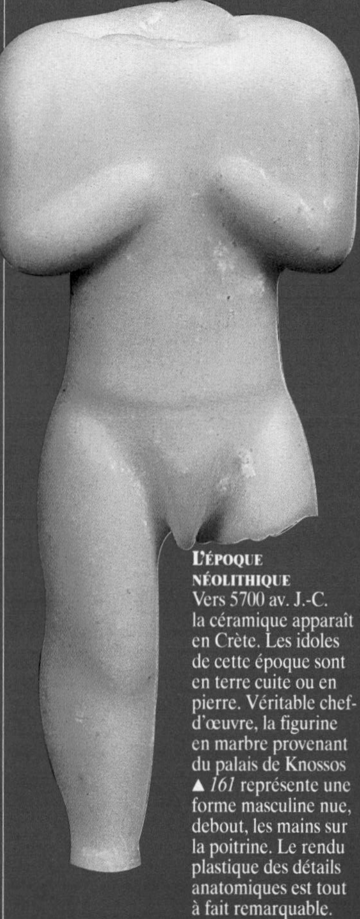

L'ÉPOQUE NÉOLITHIQUE
Vers 5700 av. J.-C. la céramique apparaît en Crète. Les idoles de cette époque sont en terre cuite ou en pierre. Véritable chef-d'œuvre, la figurine en marbre provenant du palais de Knossos ▲ *161* représente une forme masculine nue, debout, les mains sur la poitrine. Le rendu plastique des détails anatomiques est tout à fait remarquable.

L'ÉPOQUE DES ANCIENS PALAIS
À cette époque (2000-1700 av. J.-C.), la petite statuaire connaît un essor. Une série de figurines a été découverte au cours de fouilles effectuées dans des sanctuaires fondés sur des sommets de collines (sanctuaires de sommet). Les pèleri y apportaient des obj en terre cuite en guis d'offrande à la divinit ci-dessous à droite, idole du sanctuaire de Petsophas ▲ *211*. L'idole de femme assise, à gauche, coiff d'un couvre-chef sophistiqué provient sanctuaire de Kofin

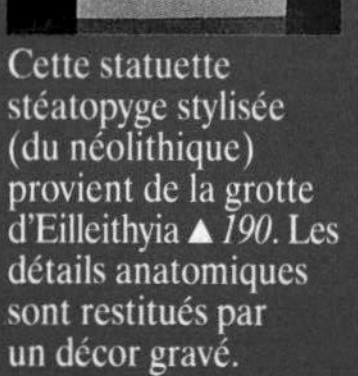

Cette statuette stéatopyge stylisée (du néolithique) provient de la grotte d'Eilleithyia ▲ *190*. Les détails anatomiques sont restitués par un décor gravé.

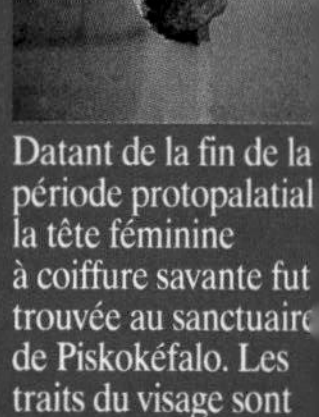

Datant de la fin de la période protopalatial la tête féminine à coiffure savante fut trouvée au sanctuair de Piskokéfalo. Les traits du visage sont rendus plastiquemen

Statuette en terre cuite de la période géométrique représentant un joueur de lyre.

La période néopalatiale
La «maquette» en terre cuite d'une tombe de Kamilari, près de Phaistos ▲ *178*, prouve la coutume d'accorder des honneurs funèbres aux défunts. La façade de la maison, ou du temple à deux colonnes, est ouverte ; à l'intérieur figurent quatre personnages assis face à des tables d'offrande.

La période géométrique 1100-900 av. J.-C.
De nouvelles composantes, grecques, doriennes, influencent la Crète. Les styles anciens et nouveaux fusionnent. Le fer apparaît. La technique de la métallurgie évolue et rend la forme humaine très vivante. Les lignes se brisent. Cette petite idole de bronze figurant un joueur de lyre assis est exemplaire.

Les fresques constituent l'une des formes les plus remarquables de l'art minoen. La plupart datent de la période néopalatiale (1700-1450 av. J.-C.). De l'âge protopalatial (2000-1700 av. J.-C.) n'ont subsisté que d'infimes fragments à motif décoratif. La peinture se faisait *al fresco*, complété par la technique du *fresco secco*. Les couleurs, variées, étaient minérales ou végétales.
Le répertoire thématique s'inspire de la vie, des cérémonies, des processions et surtout de la nature. Les fresques minoennes ont pour vocation d'être agréables à l'esprit et aux yeux, d'exprimer la joie de l'instant ou d'illustrer des événements quotidiens qui se métamorphosent ainsi en œuvres d'art exceptionnelles.

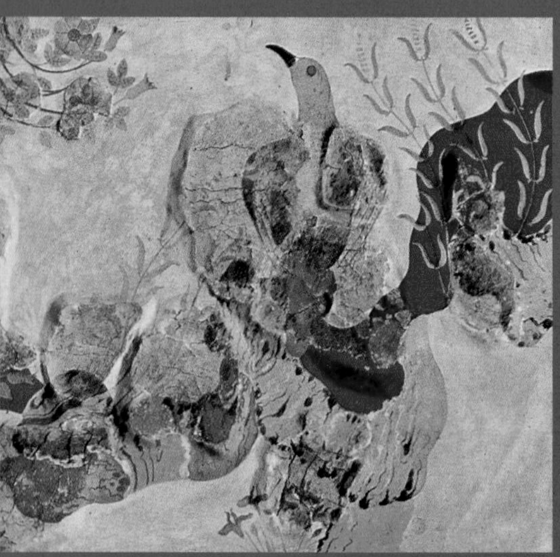

L'OISEAU BLEU
Fragment trouvé dans la maison des fresques de Knossos ▲ *174*, L'Oiseau bleu (vers 1500 av. J.-C.) est admirable. La nature y domine dans toute sa splendeur offrant l'image d'un monde pacifié. Peut-être représente-t-elle les jardins royaux du palais avec, au milieu des rochers, un oiseau exotique, des roses sauvages et des iris ?

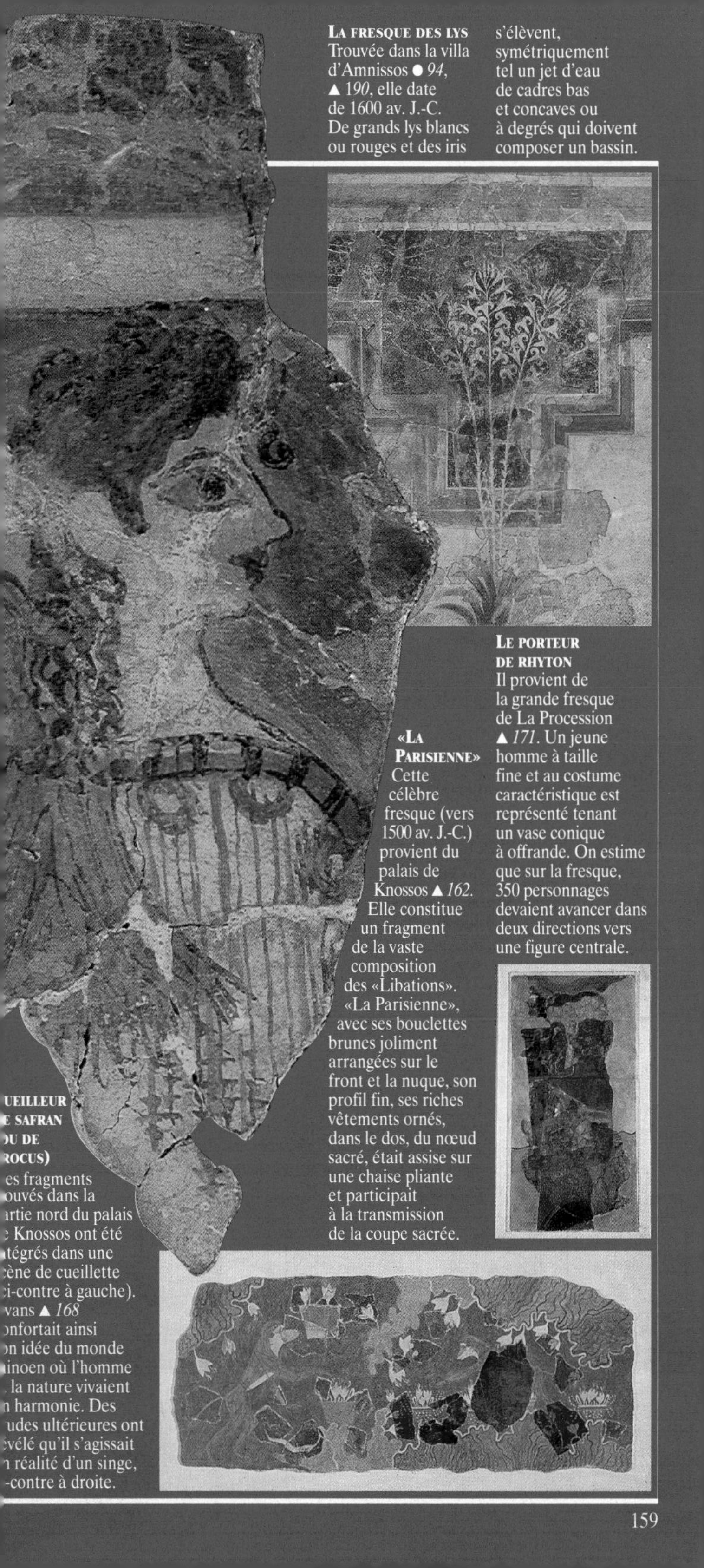

La fresque des lys
Trouvée dans la villa d'Amnissos ● *94*, ▲ *190*, elle date de 1600 av. J.-C. De grands lys blancs ou rouges et des iris s'élèvent, symétriquement tel un jet d'eau de cadres bas et concaves ou à degrés qui doivent composer un bassin.

Le porteur de rhyton
Il provient de la grande fresque de La Procession ▲ *171*. Un jeune homme à taille fine et au costume caractéristique est représenté tenant un vase conique à offrande. On estime que sur la fresque, 350 personnages devaient avancer dans deux directions vers une figure centrale.

«La Parisienne»
Cette célèbre fresque (vers 1500 av. J.-C.) provient du palais de Knossos ▲ *162*. Elle constitue un fragment de la vaste composition des «Libations». «La Parisienne», avec ses bouclettes brunes joliment arrangées sur le front et la nuque, son profil fin, ses riches vêtements ornés, dans le dos, du nœud sacré, était assise sur une chaise pliante et participait à la transmission de la coupe sacrée.

[C]ueilleur [d]e safran [(o]u de [c]rocus)
[L]es fragments [tr]ouvés dans la [p]artie nord du palais [d]e Knossos ont été [in]tégrés dans une [s]cène de cueillette [(c]i-contre à gauche). [E]vans ▲ *168* [c]onfortait ainsi [s]on idée du monde [m]inoen où l'homme [et] la nature vivaient [e]n harmonie. Des [ét]udes ultérieures ont [r]évélé qu'il s'agissait [e]n réalité d'un singe, [ci]-contre à droite.

LE PORT ET LE KASTRO KOULÈS

Le boulevard Sophokles Vénizélou conduit au port vénitien abrité par une immens jetée qui s'étend jusqu'à Kastro Koulès ● *106*. Ce fort fut construit dans les années 1523-1540 devant la menace que constituait la puissance de l'Empire ottoman, alors à son apogée sous le règne de Süleyman le Magnifique. Entièrement restauré au cours de ces dernières années, il accueille des représentations théâtrales ou musicales pendant les mois d'été. À l'est, le long du quai du vieux port, des arsenaux vénitiens ● *107* servent encore d'entrepôts, mais un seul a conservé son portail caractéristique.

LES REMPARTS

Ils s'étendent sur environ 5 km et comptent sept puissants bastions qui furent construits entre 1550 et 1560 sur des plans de Michele Sammicheli, ingénieur vénitien, bâtisseur de certaines des forteresses les plus importantes de la Méditerranée orientale ● *56*. L'enceinte comprenait, à l'origine, cinq portes dont deux sont encore visibles. Le premier bastion est celui d'Haghios Andréas, situ en bord de mer. Le deuxième est dédié au Pantokrator, le Tout-Puissant. Juste après apparaît la porte de La Canée ; sur la face intérieure, un magnifique portail voûté porte la date de 1565 sa belle façade en pierre de taille se prolonge vers le sud. On atteint ensuite le bastion de Bethléem, puis celui de Martinengo au sommet duquel on accède par un sentier partant du boulevard intérieur : c'est ici que repose l'illustre écrivain Nikos Kazantzaki ▲ *146*. Le bastion suivant est celui de Jésus, à côté de la porte du même nom construite en 1587. Son grand portail voûté conserve encore quelques-uns de ses bas-reliefs. L'avant-dernier bastion, Vituri, est bordé par un jardin public où se dressent les statues d'Elefthérios Vénizélos et de l'empereur Nicéphore Phokas, ainsi qu'un monument dédié aux morts de la bataille de Crète. L'enceinte se termine à l'orée du nouveau port, avec le bastion Sabionera

PLATIA ELEFTHÉRIAS. À mi-chemin des deux derniers bastions se trouve la place de la Liberté, la plus grande et la plus agréable de la capitale. Une pause dans un de ses nombreux cafés sera agréable avant la visite du musée archéologique tout proche ▲ *154*.

KASTRO KOULÈS
Situé sur un îlot rocheux, sans doute à l'emplacement d'un précédent fort byzantin, ce premier fort vénitien, achevé en 1303, fut détruit par un tremblement de terre au début du XVIe siècle. Reconstruit peu après, il fut laissé à l'abandon durant l'occupation ottomane. Endommagé lors de la Seconde Guerre mondiale, il a été depuis restauré.

LE PORT DE CANDIE
Photographié par Joubin lors de son voyage de 1891.

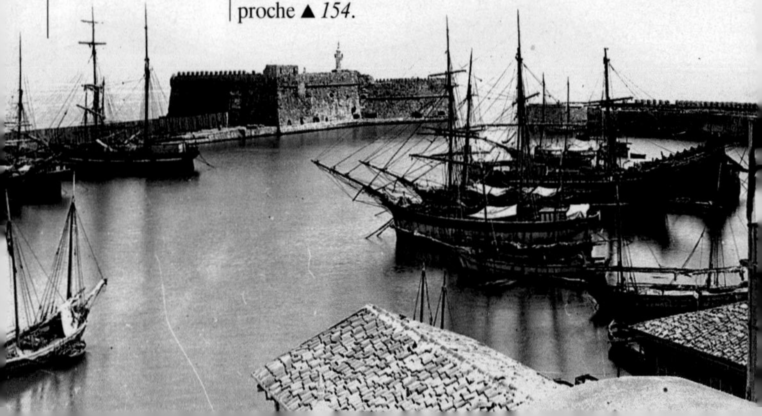

KNOSSOS

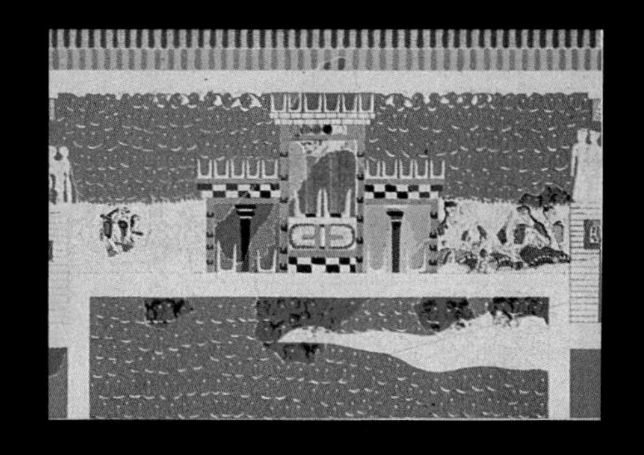

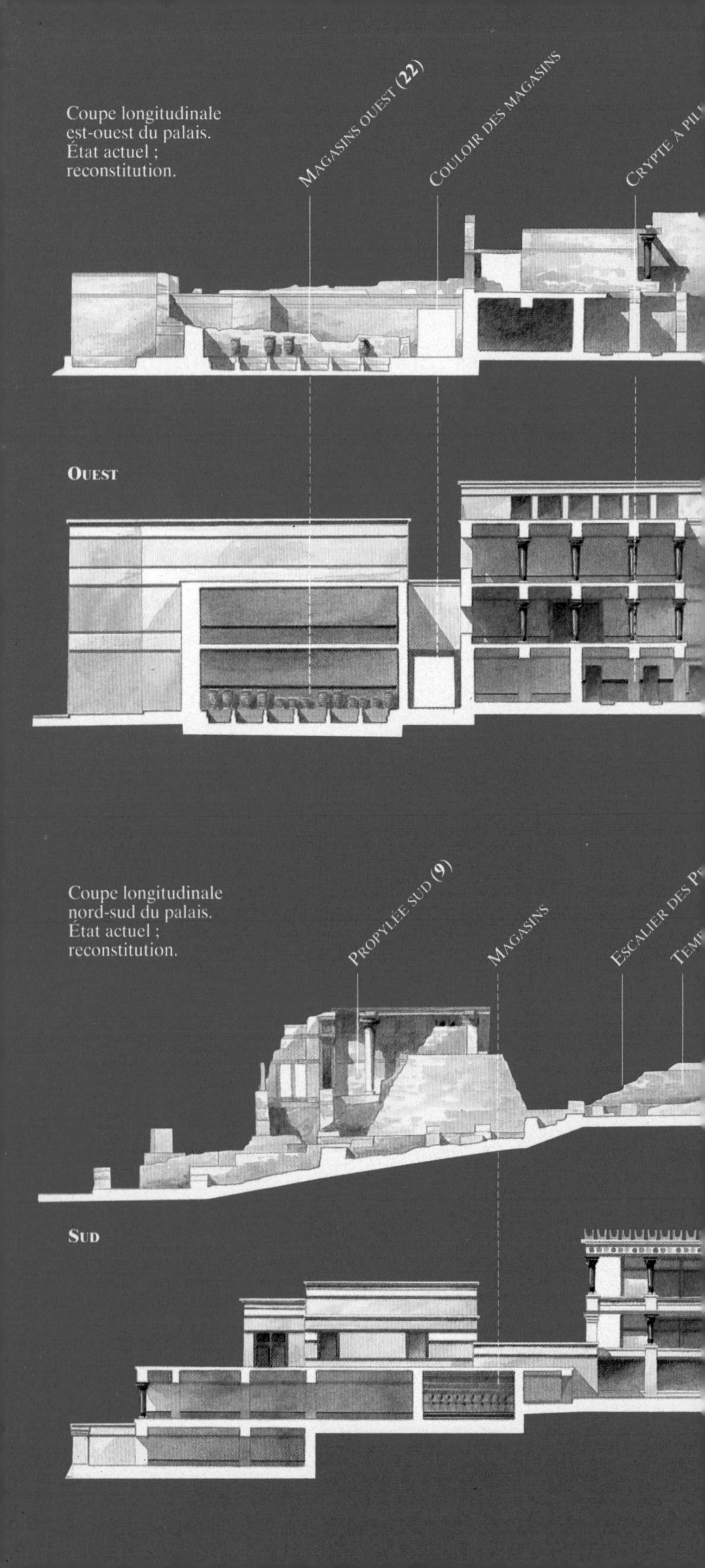

Coupe longitudinale est-ouest du palais. État actuel ; reconstitution.

Coupe longitudinale nord-sud du palais. État actuel ; reconstitution.

Dès 1900, sir Arthur Evans commence les fouilles sur le site de Knossos dont il avait acquis une portion du terrain. En 1906, la majeure partie du site est déjà exhumée. En collaboration avec Duncan Mackenzie, puis avec John Pendlebury, Evans consacrera sa vie et sa fortune à Knossos, jusqu'à sa mort en 1941. Il publiera ses découvertes dans l'ouvrage *Palace of Minos*. Son imagination et son esprit inventif susciteront de nombreuses controverses quant à sa reconstitution, mais il sera le premier à recréer et nous retranscrire le monde des Minoens. Evans écrit au sujet du palais «C'était mon idée, mon travail...»

CÉRAMIQUE
La céramique de Crète présente des caractéristiques très différentes de celle du continent. Evans en déduit donc l'existence d'une civilisation tout autre que celle des Mycéniens, qu'il va baptiser «minoenne», du nom du légendaire roi de Crète, Minos ; et répartir en trois périodes, MA, MM et MR
● *46*.

JEU. Échiquier royal en ivoire plaqué or avec des incrustations de cristal de roche (début du néopalatial). Le jeu tenait un rôle prépondérant dans la vie des Minoens, qui nous en ont transmis un grand nombre de représentations sur fresques, sceaux, etc.

Entrée nord (25)
Cour centrale (12)
Grand escalier (31)
Puits de lumière
Sanctuaire tripartite (16)
Escalier (17)
Salle du trône (19)
Prison,

Le palais de Knossos

Dans cet extraordinaire labyrinthe réparti autour de la cour centrale, les Minoens revivent dans toute leur ampleur grâce à l'œuvre passionnée et romantique de l'archéologue Arthur Evans.

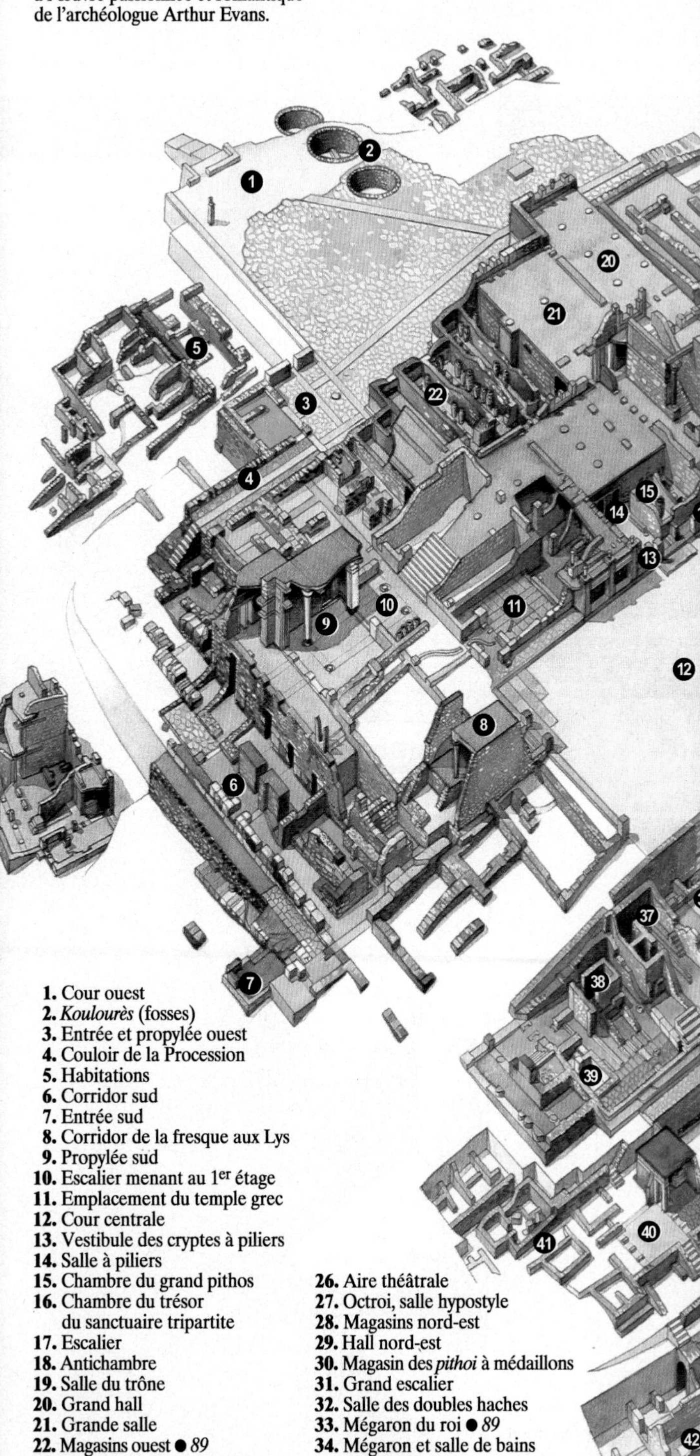

1. Cour ouest
2. *Koulourès* (fosses)
3. Entrée et propylée ouest
4. Couloir de la Procession
5. Habitations
6. Corridor sud
7. Entrée sud
8. Corridor de la fresque aux Lys
9. Propylée sud
10. Escalier menant au 1er étage
11. Emplacement du temple grec
12. Cour centrale
13. Vestibule des cryptes à piliers
14. Salle à piliers
15. Chambre du grand pithos
16. Chambre du trésor du sanctuaire tripartite
17. Escalier
18. Antichambre
19. Salle du trône
20. Grand hall
21. Grande salle
22. Magasins ouest ● *89*
23. Fresque du Cueilleur de safran
24. Bain lustral
25. Entrée nord-est
26. Aire théâtrale
27. Octroi, salle hypostyle
28. Magasins nord-est
29. Hall nord-est
30. Magasin des *pithoi* à médaillons
31. Grand escalier
32. Salle des doubles haches
33. Mégaron du roi ● *89*
34. Mégaron et salle de bains de la reine
35. Toilettes de la reine
36. Latrines

Aquarelle représentant l'entrée nord du palais de Knossos.

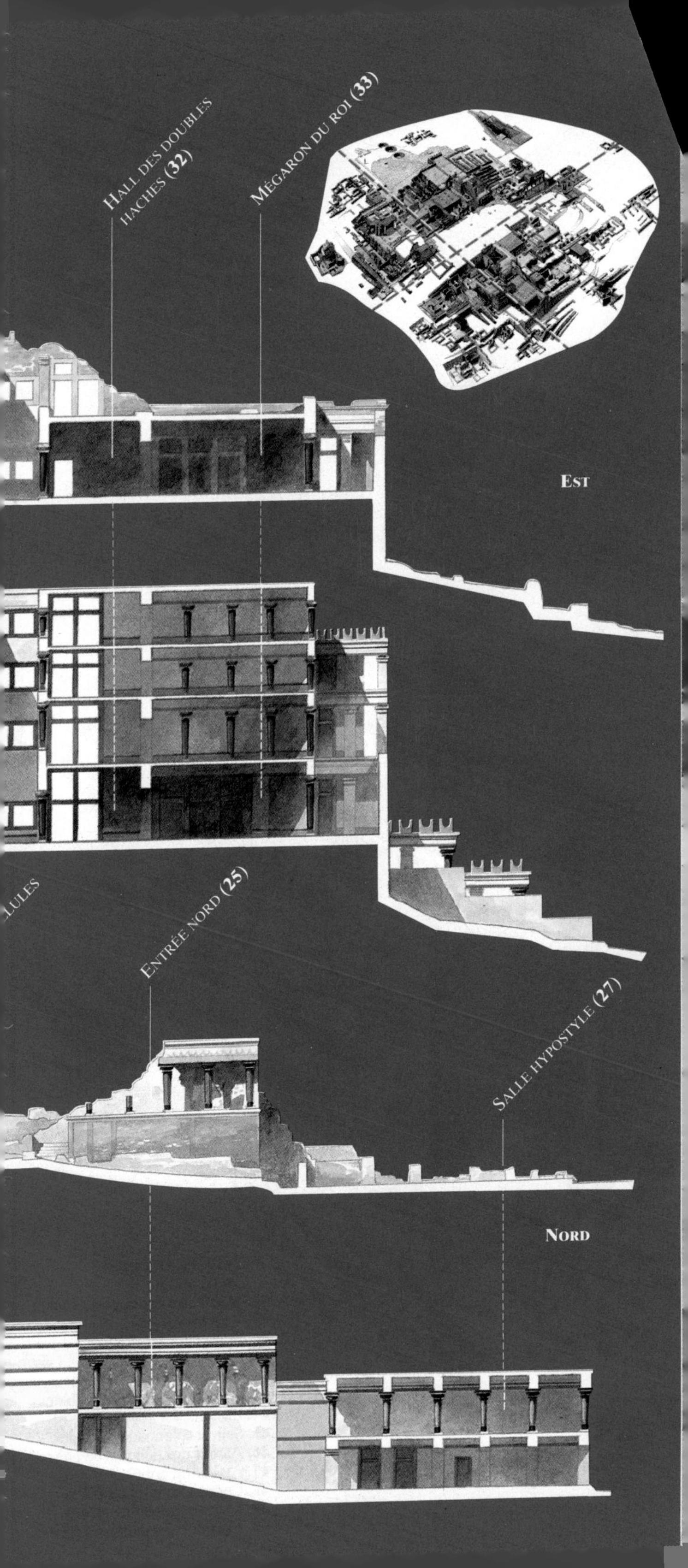
Hall des doubles haches (32)
Mégaron du roi (33)
Est
…llules
Entrée nord (25)
Salle hypostyle (27)
Nord

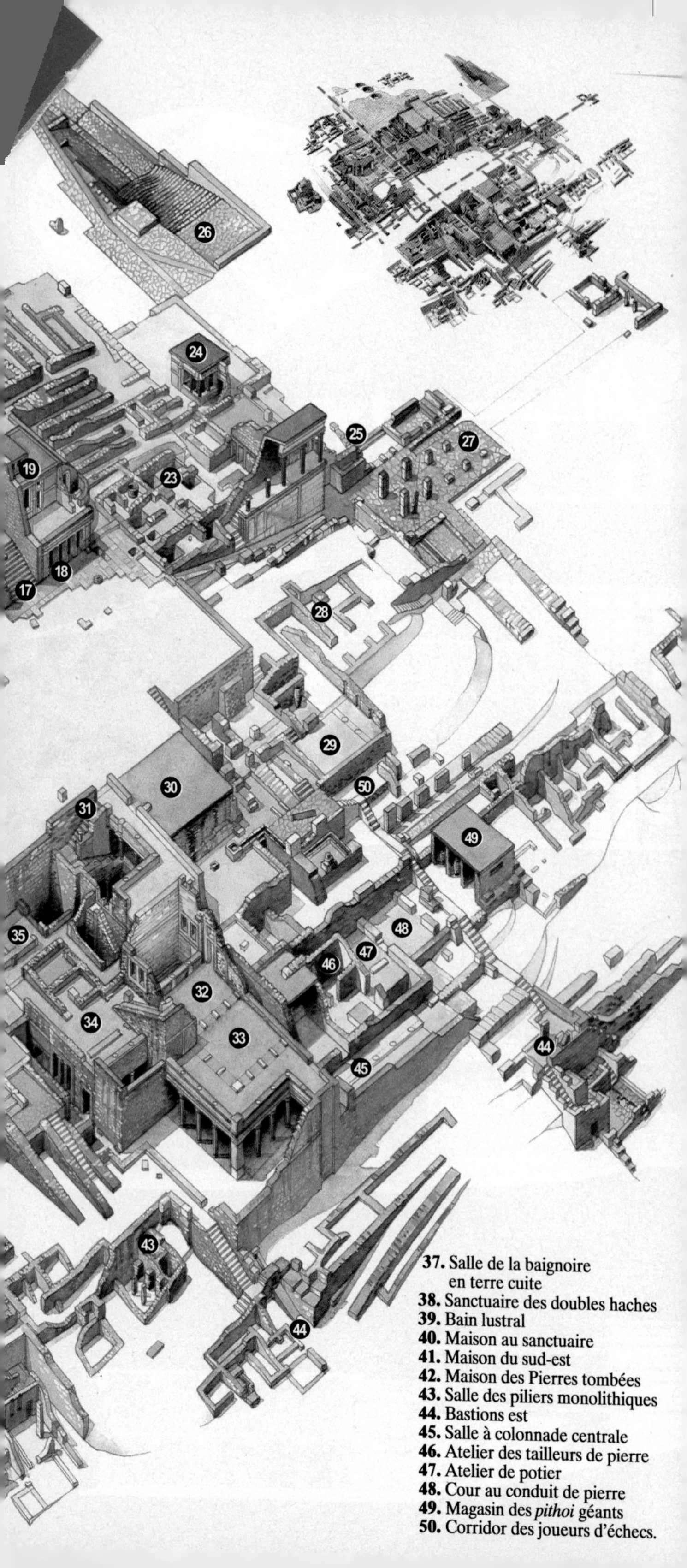

37. Salle de la baignoire en terre cuite
38. Sanctuaire des doubles haches
39. Bain lustral
40. Maison au sanctuaire
41. Maison du sud-est
42. Maison des Pierres tombées
43. Salle des piliers monolithiques
44. Bastions est
45. Salle à colonnade centrale
46. Atelier des tailleurs de pierre
47. Atelier de potier
48. Cour au conduit de pierre
49. Magasin des *pithoi* géants
50. Corridor des joueurs d'échecs.

Les fouilles. Evans met au jour l'aire théâtrale (**26**) en 1903. En novembre 1905, il reconstitue, avec une équipe de maçons, de charpentiers, de forgerons, le grand escalier (**31**) menacé d'effondrement. Il n'hésite pas à employer du béton, matériau nouveau dont il vante la résistance. Ces travaux donnent lieu à des polémiques.

Né en 1851 dans une famille aisée, Evans fait de nombreux voyages (Laponie, Yougoslavie, etc.) au cours desquels il collecte des informations archéologiques. Ayant suivi de près les aventures de Schliemann à Mycènes, il décide de rechercher l'écriture de cette civilisation. Des pierres gravées, trouvées à Athènes en 1889, le conduisent en Crète.

La Crète, terre de légendes, donnait l'image d'une île au trésor où s'accumulaient des richesses sacrées. La ville de Knossos, capitale de l'île selon Homère, était le centre florissant de la puissance minoenne, et, en son palais, régnait le roi Minos. L'abondant matériel découvert lors des fouilles confirmera cette image et permettra de décrire, ou de rêver, la civilisation minoenne, la vie quotidienne, sociale, le faste de la cour, la religion.

L'Acrobate
Cette figurine en ivoire représente un athlète sautant par-dessus un taureau qui, lui, n'a pas été conservé. Cette magnifique sculpture, décrite par J. Pendlebury comme «la plus exquise miniature de monde antique, l'Égypte incluse», date de 1500 av. J.-C.

Le Prince aux lys
Pour conforter sa vision, Evans n'a pas hésité à reconstituer les images qui lui manquaient. Ainsi Le Prince aux fleurs de lys (1500 av. J.-C.), tenant en laisse un griffon, est en fait composé de plusieurs fragments épars de fresques différentes. D'autres interprétations sont proposées, mais reste celle d'Evans, exposée au musée d'Héraklion ▲ *158* et reproduite à l'entrée sud du palais.

Les propylées sud (9)
Dans la partie restaurée de cette construction imposante a été placée une copie de la fresque de la Procession. Les grandes cornes sacrées ornaient une des fenêtres.

Les fresques
Les fresques minoennes sont le témoignage le plus ancien de peinture en Grèce. Les originaux de celles de Knossos sont exposés au musée d'Héraklion ▲ *158*.

Le palais est décoré de reproductions. Le puits de lumière de la salle du trône (**19**) est orné de copies de fresques provenant de diverses parties du palais (ci-dessus, à droite). Les Dames en bleu nous révèlent la beauté et l'élégance des femmes minoennes. Ces belles, parées avec soin (maquillage, coiffure, robe au corsage ouvert), assistent-elles à un spectacle ? Les Minoens semblent avoir eu la passion de l'exploit sportif à en croire, notamment, la pratique du périlleux saut acrobatique comme sur la fresque de la «Taurokathapsie».

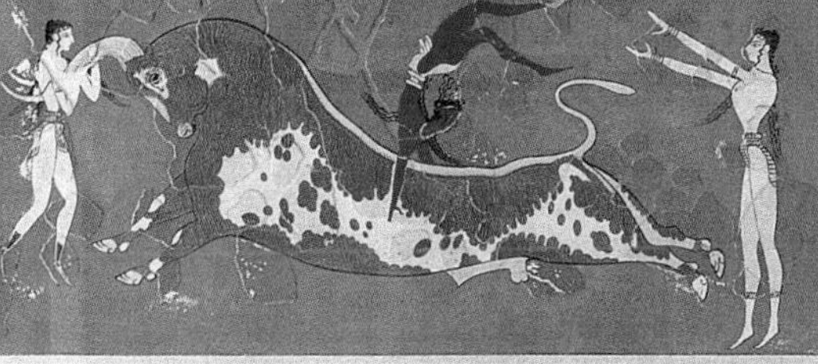

La procession
Cette fresque, hommage à Minos, orne les murs du couloir du même nom (**4**). Seul le Porteur de rhyton, exposé au musée ▲ *158*, nous est parvenu intact.

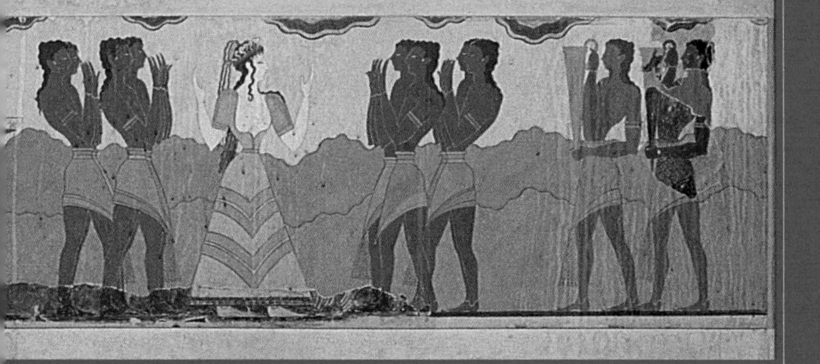

LES DÉESSES AUX SERPENTS Ces idoles en faïence (vers 1600 av. J.-C.) furent trouvées dans les salles du Trésor (**16**) en 1903. Toutes deux ont les seins nus mais ont une attitude différente et la première est plus grande (34 cm).

LA SALLE DU TRÔNE En 1900, Evans découvre la salle (**19**) décorée de griffons (monstres mythiques à corps de lion et tête d'aigle) et d'une banquette de gypse longeant les murs. Cette salle devait avoi une destination religieuse, avec le bair lustral pour ablutions et, au fond, un petit sanctuaire contenant double corne, double hache et statuette.

LE MÉGARON DE LA REINE (34). Formés d'un puits de lumière, d'une salle de bains et d'un cabinet de toilette, ces appartements ont enflammé l'imagination d'Evans. Son interprétation de l'installation hygiénique peut sembler un peu trop performante. La fresque aux Dauphins ● *40*, entre autres, orne cette salle. Ci-contre, reproduction en bois du trône.

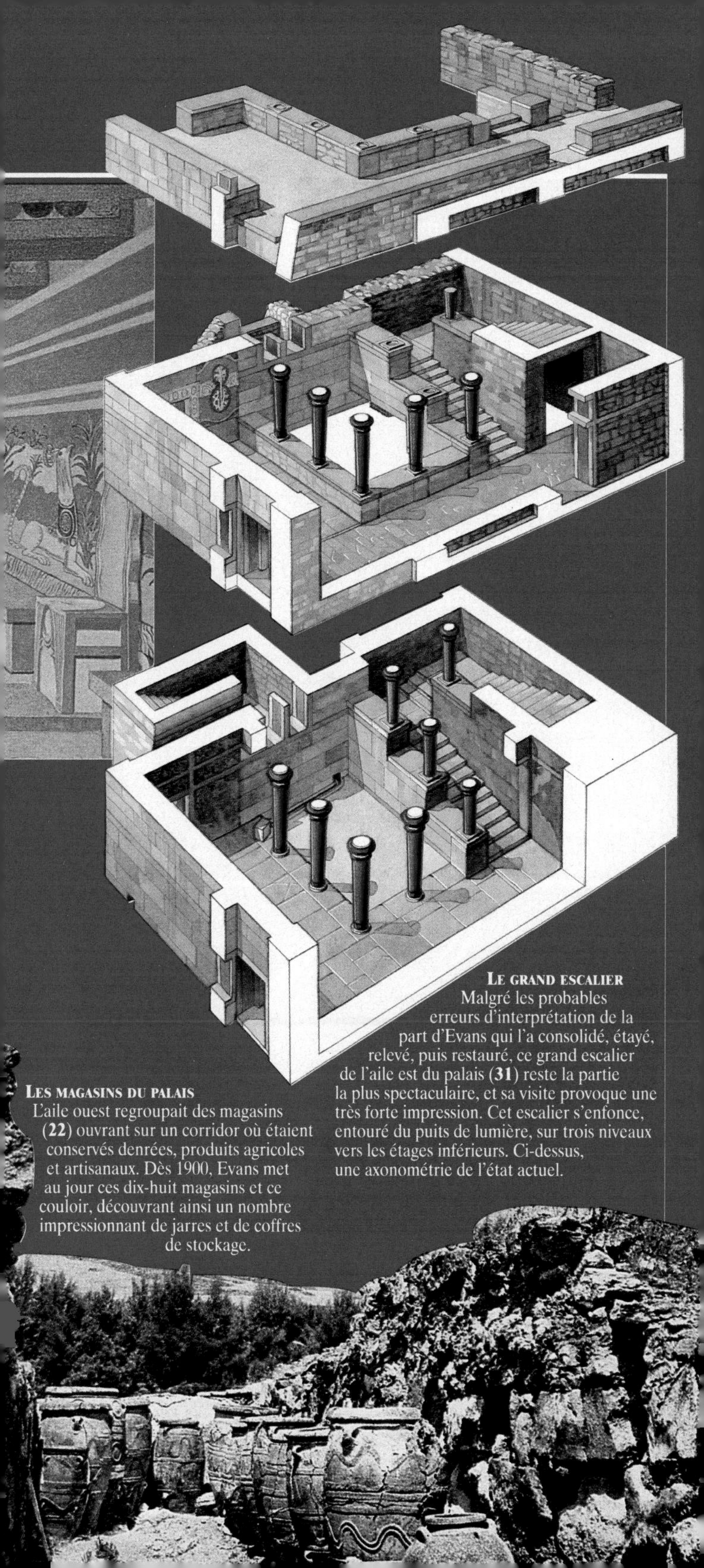

Le grand escalier
Malgré les probables erreurs d'interprétation de la part d'Evans qui l'a consolidé, étayé, relevé, puis restauré, ce grand escalier de l'aile est du palais (**31**) reste la partie la plus spectaculaire, et sa visite provoque une très forte impression. Cet escalier s'enfonce, entouré du puits de lumière, sur trois niveaux vers les étages inférieurs. Ci-dessus, une axonométrie de l'état actuel.

Les magasins du palais
L'aile ouest regroupait des magasins (**22**) ouvrant sur un corridor où étaient conservés denrées, produits agricoles et artisanaux. Dès 1900, Evans met au jour ces dix-huit magasins et ce couloir, découvrant ainsi un nombre impressionnant de jarres et de coffres de stockage.

Les environs du palais regroupent des monument intéressants, également fouillés et reconstitués par Evans. La Voie royale, qui part de l'aire théâtrale ; le Petit Palais, imposante demeure ; les villas minoennes ; le «caravansérail», ainsi nommé par Evans qui pensait que cet édifice, contenant des bassins d'eau courante, servait d'auberge ; la maison dite du Grand Prêtre, où a été découvert un autel de pierre encadré de socles destinés à soutenir des doubles haches ; la villa royale, qui semble avoir été construite sur trois étages au milieu de jardins.

LE RHYTON À TÊTE DE TAUREAU
Ces vases sacrés sont des accessoires du culte devenus symboles. Celui-ci, splendide, fut trouvé dans le Petit Palais. Il est en stéatite incrustée et date du MR I (1500- 1550 av. J.-C.) ▲ *152*.

LA VOIE ROYALE
Cette route pavée a été appelée la «plus ancienne route d'Europe». Elle est bordée de chaque côté de maisons privées, comme la maison des Fresques que décorait l'Oiseau bleu ▲ *158*.

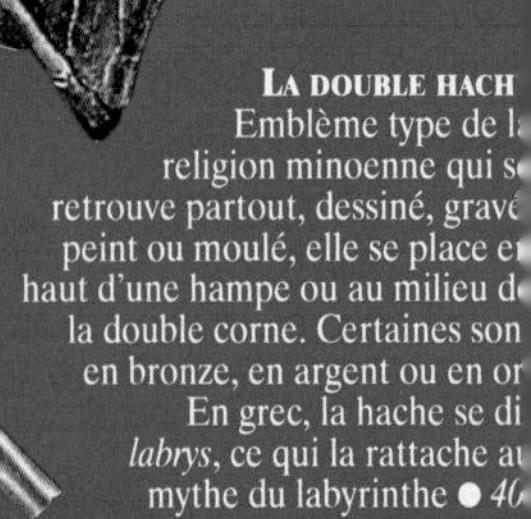

LA DOUBLE HACH
Emblème type de l religion minoenne qui s retrouve partout, dessiné, gravé peint ou moulé, elle se place e haut d'une hampe ou au milieu d la double corne. Certaines son en bronze, en argent ou en or En grec, la hache se di *labrys*, ce qui la rattache a mythe du labyrinthe ● *40*

LA FRESQUE AUX PERDRIX. L'homme minoen semble avoir vécu en communion avec la nature. Sa représentation des animaux donne une impression de réalité et de liberté. Ainsi ces lourdes perdrix qui animaient les murs du «caravansérail». Les teintes sont plates mais les tons très contrastés.

Au sud d'Héraklion

Fontaine d'Haghii Deka.

Après Héraklion la nationale rejoint, 19 km au sud, Vénérato, non loin du couvent Palianis dont les religieuses vivent de broderies et autres travaux d'aiguille qu'elles vendent aux visiteurs. Passé Vourvoulitis, on pénètre dans la riche plaine de la Messara. Puis, la nationale se divise en deux, conduisant à l'ouest au village d'Haghii Deka.

GORTYS ♥

Les ruines de l'antique Gortyne, que les Crétois appellent Gortys, se découvrent dans la campagne d'Haghii Deka au milieu d'une folle et romantique végétation.

HISTOIRE. Certains auteurs de l'Antiquité prétendent que Gortyne fut fondée par des habitants du Péloponnèse à la fin du IIIe ou au début du IIe millénaire av. J.-C. Au Ve siècle av. J.-C., les lois de la cité furent regroupées dans le «code de Gortyne» ; elles constituent le premier système législatif connu et le plus complet qui nous soit resté de la Grèce antique. À partir de 67 av. J.-C., Gortyne est choisie comme capitale de la province romaine de Crète et de Cyrénaïque et s'enrichit de nombreux édifices. Après l'arrivée de saint Paul en l'an 59 et la nomination de Tite comme évêque, elle devint le centre de propagation du christianisme. Gortyne demeura la ville la plus importante de Crète durant les premiers siècles de l'ère byzantine, mais, après avoir été pillée et détruite par les Sarrasins en 824, elle perdit définitivement son ancienne puissance. Le village d'Haghii Deka se développa alors peu à peu sur ses ruines. Les fouilles commencées en 1884, par les archéologues F. Halbherr et E. Fabricius, se poursuivent encore aujourd'hui.

LA CITÉ ROMAINE. Le chemin qui part de la chapelle d'Haghii Deka longe d'abord les ruines d'un amphithéâtre, puis celles d'un stade et atteint la *Megali Porta*, sans doute l'arche d'un vestibule de thermes du IIe siècle ap. J.-C. Légèrement au nord, on découvre les vestiges d'un nymphée, une fontaine monumentale qu'alimentait un aqueduc dont on peut encore

LE CODE DE GORTYNE
Probablement gravé à la fin du VIIe ou au début du VIe siècle av. J.-C., il constitue une précieuse source d'information sur la Crète antique. À l'origine, il devait être exposé dans le prytanée, édifice réservé aux débats publics. Il comporte 12 colonnes de 52 lignes chacune, soit un ensemble de 17 000 caractères en dorique archaïque, un dialecte grec ; il est rédigé selon le système boustrophédon, «comme la charrue à bœufs», qui se lit alternativement de gauche à droite, puis de droite à gauche, à la façon du paysan labourant son champ.

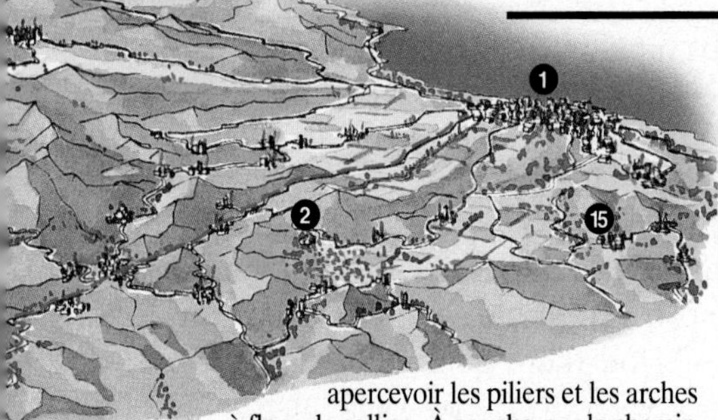

apercevoir les piliers et les arches à flanc de colline. À gauche, sur le chemin parallèle à la route, apparaissent les ruines d'un autre nymphée et celles d'un prétoire, résidence du gouverneur romain. Peu après, on longe les vestiges d'un temple de l'époque archaïque dédié à Apollon Pythien, il fut reconstruit aux époques hellénistique et romaine.

Un peu plus loin se trouvent un théâtre et un sanctuaire dédié à Isis et Sérapis, dont le culte fut introduit à l'époque romaine par des marchands égyptiens.

Haghios Titos. De l'autre côté de la route, près du pont, se situe la basilique Saint-Tite. Une première église fut sans doute construite à l'emplacement d'un martyrium dédié à saint Tite. La basilique actuelle, de plan cruciforme, édifiée sous le règne de Justinien (527-565), fut plusieurs fois restaurée. Sa partie orientale, une abside flanquée de deux chapelles carrées, est la mieux conservée. Le tracé de ses trois nefs se devine grâce aux bases encore visibles des colonnes qui les séparaient. L'édifice s'achevait à l'ouest sur un narthex par lequel entraient les fidèles ● *100*.

L'agora et l'odéon. Derrière la basilique se trouve l'agora, la place du marché antique, qui n'a pas encore été mise au jour. Sur ce site un temple était dédié à Asclépios, dieu de la guérison. Plus loin, on aperçoit l'odéon ● *96*.

L'acropole. De l'autre côté de la rivière demeurent quelques ruines du théâtre hellénistique. En haut de la colline, sur l'acropole de l'antique Gortyne, plus facilement accessible depuis le village d'Ambelouzos, on découvrit les fondations d'un temple du VIIe ou VIIIe siècle av. J.-C. Il ne reste presque rien de l'acropole, hormis des vestiges du mur d'enceinte.

Moni Kalivianis. 16 km à l'ouest de Gortys, s'élève Moni Kalivianis, dont le seul bâtiment ancien, une chapelle du XVIe siècle, est orné de ses fresques d'origine. À l'intersection suivante, prendre la route secondaire qui conduit à Phaistos.

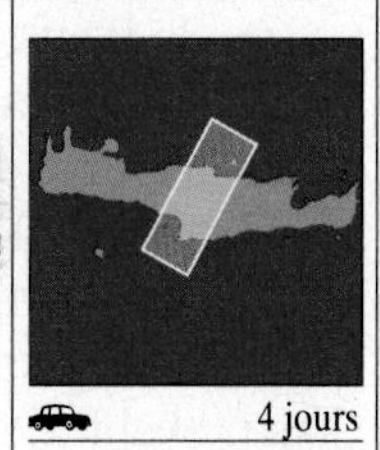

4 jours

Odéon de Gortyne
Construit sur l'emplacement d'un édifice plus ancien, ce bâtiment semi-circulaire date du Ier ou du IIe siècle

de notre ère. Il était autrefois consacré à la musique. La scène était ornée de niches abritant des statues, et l'orchestra dallée de plaques noires et blanches. Les sièges en marbre sont assez bien conservés. Les Romains y intégrèrent, en guise de décoration, la «reine des inscriptions» qui était gravée sur un des murs du bâtiment hellénistique d'origine. Le «code de Gortyne» est aujourd'hui conservé sous le portique couvert.

Icône de Moni Kalivianis.

Le site de Phaistos fut habité dès le IIIe millénaire av. J.-C. Un premier palais fut construit entre 2000 et 1900 av. J.-C. et détruit vers 1700 av. J.-C. Un nouveau palais fut érigé : plus grand que le précédent, il en incorpora certains éléments. Un séisme le détruisit vers 1450 av. J.-C. Le site fut occupé à la fin de l'âge du bronze, puis les Doriens y fondèrent une cité-État, probablement au VIIIe siècle av. J.-C. Celle-ci fut dévastée au IIe siècle av. J.-C., lors d'une guerre l'opposant à Gortyne.

LA COUR HAUTE

On pénètre sur le site par une cour supérieure (**1**) dallée, au nord-ouest. Les fondations des maisons de l'époque hellénistique sont visibles. Le long du mur ouest, on peut voir des tombes datant du début de l'ère chrétienne et les 17 trous des colonnes de bois supportant les arcades du passage. Les assises du mur de la cour forment des gradins (**2**) où les spectateurs assistaient aux cérémonies ou aux processions. Deux allées de processions se rejoignent au centre de la cour ouest (**3**). Les ouvrages circulaires, visibles au sud, sont des citernes et des silos (**4**), utilisés pour conserver le grain. L'entrée monumentale du nouveau palais, ou propylée, se compose d'un grand escalier (**5**), un propylon (**6**), un porche (**7**), un portique (**8**) et un puits de lumière (**9**). À gauche, un escalier (**10**) menait à l'étage et un corridor (**11**) à une salle à péristyle (**12**), centre de l'ancien palais. À droite, et au niveau inférieur, un bain lustral (**14**) et son vestibule (**13**). Plus loin, une antichambre (**15**) s'ouvre sur un couloir à pilier central (**16**), bordé par onze magasins (**17**) datant du nouveau palais. À l'intérieur, deux *pithoï* datant du Minoen moyen II (1850-1750 av. J.-C.). Un escalier (**18**) conduit à une antichambre (**19**) dallée de gypse qui débouche sur la salle à péristyle (**12**), une cour ouverte bordée d'un portique et d'une galerie orientée vers le mont Ida. Au centre, on voit les fondations d'une maison minoenne prépalatiale .

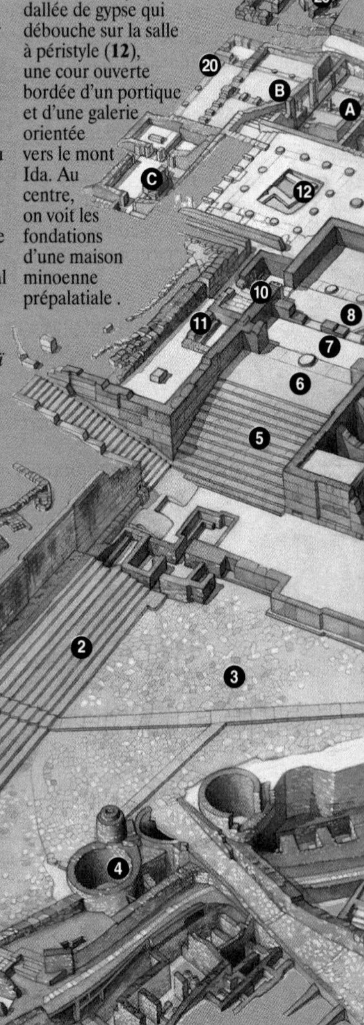

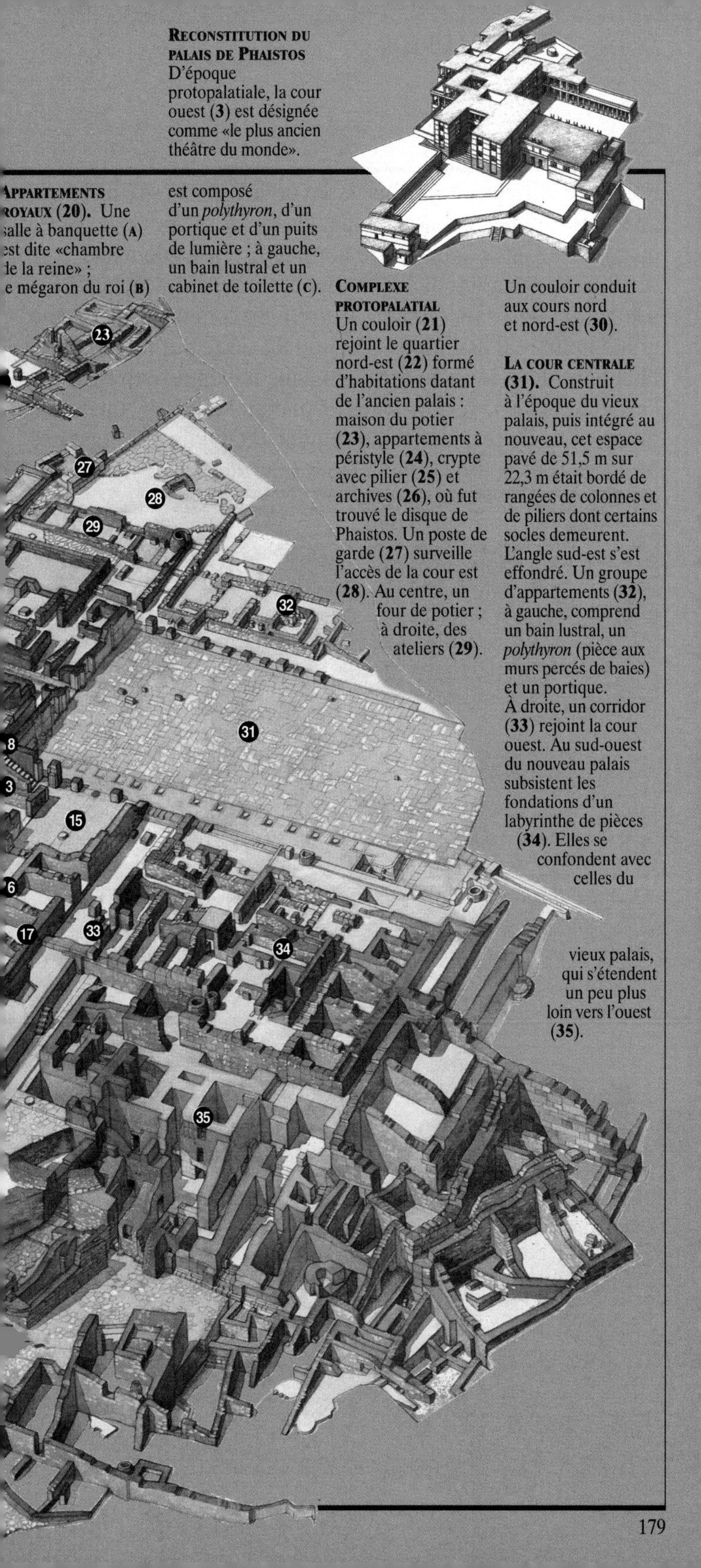

Reconstitution du palais de Phaistos D'époque protopalatiale, la cour ouest (**3**) est désignée comme «le plus ancien théâtre du monde».

Appartements royaux (20). Une salle à banquette (**A**) est dite «chambre de la reine» ; le mégaron du roi (**B**) est composé d'un *polythyron*, d'un portique et d'un puits de lumière ; à gauche, un bain lustral et un cabinet de toilette (**C**).

Complexe protopalatial Un couloir (**21**) rejoint le quartier nord-est (**22**) formé d'habitations datant de l'ancien palais : maison du potier (**23**), appartements à péristyle (**24**), crypte avec pilier (**25**) et archives (**26**), où fut trouvé le disque de Phaistos. Un poste de garde (**27**) surveille l'accès de la cour est (**28**). Au centre, un four de potier ; à droite, des ateliers (**29**). Un couloir conduit aux cours nord et nord-est (**30**).

La cour centrale (31). Construit à l'époque du vieux palais, puis intégré au nouveau, cet espace pavé de 51,5 m sur 22,3 m était bordé de rangées de colonnes et de piliers dont certains socles demeurent. L'angle sud-est s'est effondré. Un groupe d'appartements (**32**), à gauche, comprend un bain lustral, un *polythyron* (pièce aux murs percés de baies) et un portique. À droite, un corridor (**33**) rejoint la cour ouest. Au sud-ouest du nouveau palais subsistent les fondations d'un labyrinthe de pièces (**34**). Elles se confondent avec celles du vieux palais, qui s'étendent un peu plus loin vers l'ouest (**35**).

Puissante et riche cité, Phaistos fut érigée sur un site privilégié au sommet d'une colline dominant la fertile plaine de la Messara où coule le Géropotamos. De nombreux renseignements sur Phaistos remontent à l'Antiquité. Citant sa participation à la guerre de Troie, Homère la présente comme une «ville au grand nombre d'habitants». À la fin du siècle dernier, Federico Halbherr, de la Mission archéologique italienne, entreprit l'exploration de la région. Dans les années 1950-1966, un nouveau programme de recherche, qui se poursuit aujourd'hui encore, fut lancé sous la direction de Doro Levi de L'École italienne.

CRATÈRE À DÉCOR POLYCHROME ET FLEURS EN RELIEF
Ce superbe exemple de style de Kamarès, découvert à Phaistos, devait faire partie du service de vaisselle royal du premier palais. Il est exposé aujourd'hui au Musée archéologique d'Héraklion ▲ *154*, comme la jarre ci-contre et le disque gravé.

JARRE DE STYLE MARIN
Provenant également du palais de Phaistos, ce petit *pithoi*, décoré de poissons et de filets, est unique en son genre dans la production des ateliers de Kamarès.

Couloir dallé conduisant à la cour centrale. Dans cette cour aboutissaient tous les corridors du palais.

D'après la mythologie, Phaistos était gouvernée par l'un des trois fils de Zeus et d'Europe, Rhadamanthe, réputé pour la sagesse et la justice de son gouvernement. On lui attribue l'institution du code de lois qui fut en usage en Crète avant de devenir un modèle pour la Grèce.

Les deux faces du disque de Phaistos
En terre cuite, il est gravé d'une écriture hiéroglyphique ● *66*. Il offre des images nouvelles comme l'étrange et asiatique tête de guerrier au casque à cimier. Il se lit en spirale, du centre vers le bord. Chaque signe forme une syllabe, et chaque groupe de signes, isolé par des barres verticales, un mot. Si certains signes (outils, animaux) ont été identifiés, le texte n'a pas été déchiffré.

Les fouilles de la Mission italienne au début du siècle.

ESCALIER DE LA VILLA D'HAGHIA TRIADA
Les premières fouilles furent effectuées par la Mission italienne, au début du XXe siècle, juste après la découverte de Phaistos. Une route pavée reliait les deux sites.

HAGHIA TRIADA ♥

Le site d'Haghia Triada, baptisé d'après l'ancien village du même nom, se trouve environ 3 km à l'ouest de Phaistos, sur la rive gauche du Geropotamos. La villa d'Haghia Triada est un petit palais minoen qui devait servir, avec les bâtiments attenants, de résidence d'été pour le roi de Phaistos et sa suite.

HISTOIRE. Ce site fut occupé dès le néolithique mais il ne reste de cette époque et de celles du Minoen ancien et moyen que les vestiges de constructions très élémentaires. L'édifice, dont on peut voir aujourd'hui les ruines, a été construit à partir des années 1600 av. J.-C., à la même époque que le nouveau palais de Phaistos. La villa, située sur une colline, surplombe la plus belle et la plus luxuriante partie de la vallée de la Messara. De petites dimensions, son plan ne comporte ni cour centrale ni dépendances. La villa d'Haghia Triada fut détruite en 1450 av. J.-C., à peu près à la même époque que les nouveaux palais de Knossos et de Phaistos, et sans doute pour la même raison. Vers la fin de la période du Minoen récent III (1200-1100 av. J.-C.), un simple bâtiment rectangulaire, dont on peut voir les imposants murs, fut construit sur les ruines des magasins : le plus ancien des exemples connus de mégaron, caractéristique de la Grèce mycénienne du continent. La colonie mycénienne d'Haghia Triada semble s'être éteinte durant le Moyen Âge grec. Vers le VIIIe siècle av. J.-C., le site servit sans doute de sanctuaire dédié à Zeus Velkhanos, dieu du saule et principale divinité de Phaistos.

Les superbes objets découverts sur le site d'Haghia Triada, dont le célèbre sarcophage (ci-contre), le gobelet du Chef ● *46*, le rhyton aux Athlètes, en stéatite et conique datant de 1700-1600 av. J.-C. (ci-dessous), et le vase des Moissonneurs, sont exposés au musée d'Héraklion ▲ *154*.

LA VILLA D'HAGHIA TRIADA
Elle occupe la moitié sud du site archéologique, l'ensemble des pièces étant disposées selon un plan approximativement en L inversé. L'aile nord, qui forme le grand côté du L, a été très altérée par les reconstructions mycéniennes. On peut néanmoins y reconnaître une réserve comportant un pilier central et, plus loin, un appartement royal avec son puits de lumière et son *polythyron*. À l'extrémité est de cette aile, un escalier descend jusqu'à l'ancienne voie conduisant à Phaistos. Au bas de cet escalier, une petite aile devait abriter les logements des domestiques ainsi que des sanctuaires ; la construction située le plus au sud a été identifiée comme un temple datant du Minoen récent III. Une rampe, dite rampe de la Mer, avec des redans typiques de l'architecture minoenne, longe l'aile ouest et dessert les appartements royaux. Elle menait à un escalier conduisant à la terrasse du premier étage.

Les six portes de la rampe s'ouvraient sur le grand vestibule des appartements royaux qui étaient ornés de fresques, dont certaines se trouvent aujourd'hui au Musée archéologique d'Héraklion ▲ *154*. Au fond de ce vestibule, on peut voir les vestiges d'un puits de lumière, puis une salle aux murs bordés de banquettes ; la salle au nord servait sans doute d'archives royales, ainsi que l'attestent les sceaux d'argile et les registres, datant de l'époque de la destruction de la ville, qui y ont été retrouvés. La plupart des pièces qui subsistent au sud des appartements royaux étaient des magasins. L'espace entre les ailes est et ouest a été baptisé par les archéologues italiens la «cour des autels», en raison des objets votifs découverts, parmi lesquels des figurines d'hommes et de femmes, des représentations de chevaux et de bœufs et le modèle d'un bateau. Tous ces objets du Minoen récent sont exposés au Musée archéologique d'Héraklion. De cette cour, on aperçoit, au sud, l'église Haghios Géorgios ● *104*, datant du XIVe siècle, qui possède ses fresques d'origine.

LE SARCOPHAGE D'HAGHIA TRIADA
Il fut découvert dans l'un des caveaux carrés mis au jour au sud des tombeaux. Ses riches peintures datent du XVe siècle av. J.-C., époque où les Mycéniens dominaient la Crète minoenne.

LES TOMBEAUX. À environ 250 m au nord-est du site se trouvent les ruines de deux tombeaux à coupole, semblables aux tombes à tholos de Mycènes. Le premier, à l'est, date de la période prépalatiale, le second, de la période postpalatiale. Les archéologues italiens en exhumèrent environ cent cinquante squelettes, ainsi qu'un ensemble précieux d'offrandes funéraires visibles au musée d'Héraklion.

AGORA D'HAGHIA TRIADA
La partie nord du site est occupée par les vestiges d'un village de la fin de l'époque minoenne. À droite, on remarque un espace correspondant à une agora, place du marché durant le Minoen récent III, que borde un portique et une rangée de magasins.

VORI

Le site de Vori, à 5 km d'Haghia Triada, fut occupé de manière continue depuis le IIe millénaire av. J.-C. Autrefois chef-lieu du district de Pirgiotisa, le village actuel conserve plusieurs maisons élevées entre le XVIe et le XIXe siècle, ainsi que trois églises des XIIe, XVIe et XIXe siècles. À proximité, l'église de Moni Kardiotisas (XVe siècle) est également remarquable par son architecture et ses fresques. Vori possède plusieurs ateliers artisanaux de céramique, de tissage et d'ébénisterie, ainsi qu'un musée d'Ethnologie crétoise, au centre du vieux quartier.

Maison du XVIIIe siècle à Vori.

Ce musée ethnologique est une fondation récemment créée par l'Association culturelle de la Messara. Il est affilié à un centre de recherche responsable des études ethnologiques, de la collecte systématique des objets et des publications. L'exposition, conçue selon la méthode de présentation de G. H. Rivière, regroupe des objets de la culture populaire, principalement des XVIIIe et XIXe siècles. Elle a obtenu en 1992 une mention spéciale du Conseil de l'Europe, dans le cadre de l'attribution du Prix du meilleur musée européen.

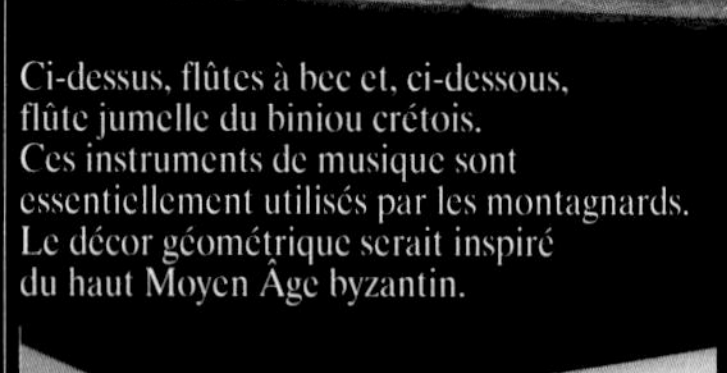

Ci-dessus, flûtes à bec et, ci-dessous, flûte jumelle du biniou crétois. Ces instruments de musique sont essentiellement utilisés par les montagnards. Le décor géométrique serait inspiré du haut Moyen Âge byzantin.

Gourde destinée au transport de l'eau-de-vie crétoise, la *tsikoudia*. Il s'agit d'une fiasque en matériau d'origine végétale, séchée au soleil, puis finement ciselée par les bergers qui en sont les utilisateurs.

Planche en cyprès utilisée sur l'aire de battage pour séparer le grain des épis. Dans les entailles profondes sont fichées des lames de silex triangulaires. Comparable au *tribulum* des Latins, cet outil d'origine néolithique se retrouve sur tout le pourtour méditerranéen.

Gobelets de bergers en bois ; très pratiques lors des longues randonnées en montagne.

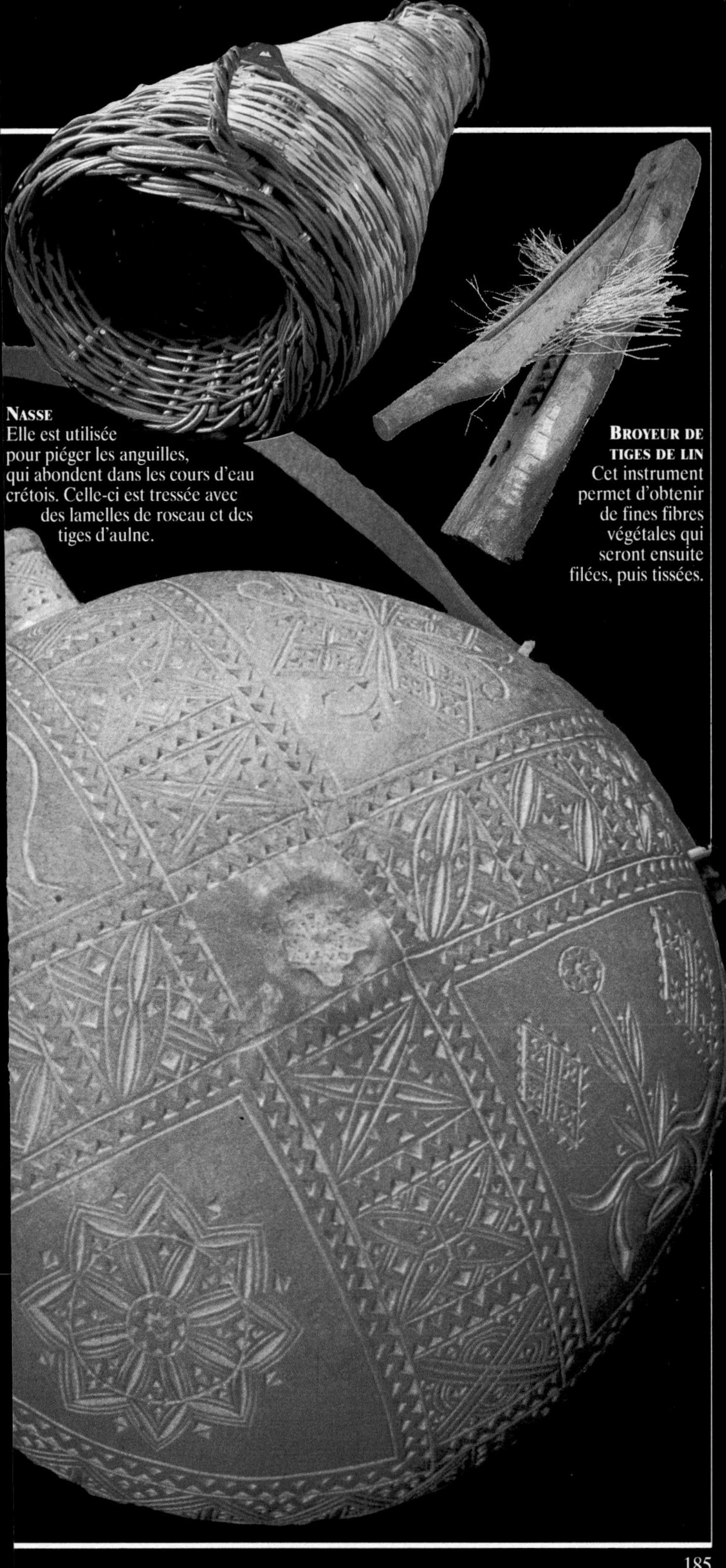

Nasse
Elle est utilisée pour piéger les anguilles, qui abondent dans les cours d'eau crétois. Celle-ci est tressée avec des lamelles de roseau et des tiges d'aulne.

Broyeur de tiges de lin
Cet instrument permet d'obtenir de fines fibres végétales qui seront ensuite filées, puis tissées.

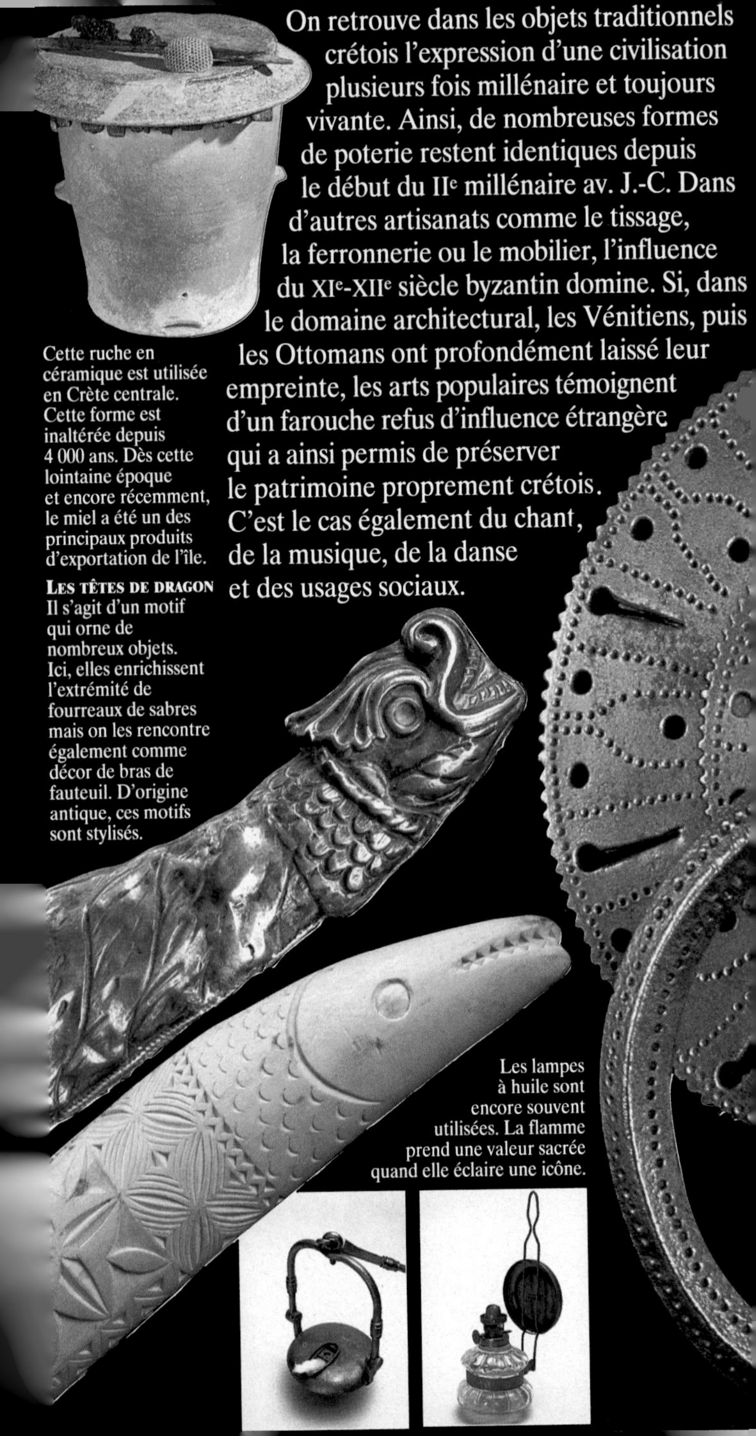

On retrouve dans les objets traditionnels crétois l'expression d'une civilisation plusieurs fois millénaire et toujours vivante. Ainsi, de nombreuses formes de poterie restent identiques depuis le début du IIe millénaire av. J.-C. Dans d'autres artisanats comme le tissage, la ferronnerie ou le mobilier, l'influence du XIe-XIIe siècle byzantin domine. Si, dans le domaine architectural, les Vénitiens, puis les Ottomans ont profondément laissé leur empreinte, les arts populaires témoignent d'un farouche refus d'influence étrangère qui a ainsi permis de préserver le patrimoine proprement crétois. C'est le cas également du chant, de la musique, de la danse et des usages sociaux.

Cette ruche en céramique est utilisée en Crète centrale. Cette forme est inaltérée depuis 4 000 ans. Dès cette lointaine époque et encore récemment, le miel a été un des principaux produits d'exportation de l'île.

Les têtes de dragon
Il s'agit d'un motif qui orne de nombreux objets. Ici, elles enrichissent l'extrémité de fourreaux de sabres mais on les rencontre également comme décor de bras de fauteuil. D'origine antique, ces motifs sont stylisés.

Les lampes à huile sont encore souvent utilisées. La flamme prend une valeur sacrée quand elle éclaire une icône.

Au revers de cette serrure, visible depuis l'intérieur de la maison, le ferronnier a ajouté un cœur sur la cheville centrale qui retient le ressort.

Cette poignée de porte en forme de poire est influencée par les formes vénitiennes ; un des rares modèles d'origine occidentale.

La binette crétoise
Outil agricole en usage depuis le Xe siècle qui reste technologiquement irremplaçable.

Hache
Ce morceau de fer est une hache à tout faire : massive et brutale, comme ses ancêtres du néolithique ou de l'âge du bronze.

Ci-dessus, une poignée de porte dont la forme est héritée de la tradition byzantine, voire peut-être même antique. Le décor est composé de motifs sans doute ésotériques dont on ne connaît plus la signification.

LEVIN
Pavement en mosaïque noir et blanc de la crypte du sanctuaire d'Asclépios.

MONI VALSAMONERO
De ce grand monastère ne subsiste que son église à trois nefs. La nef nord fut achevée en 1328 et la nef sud ajoutée en 1406-1407. Cette

église est décorée de fresques des XIVe et XVe siècles, certaines exécutées vers 1431 par le peintre crétois Constantin Ricos.

ICÔNE DE MONI VRONTISIOU
Il semble que le peintre Mikaïl Damaskinos ▲ *148* ait vécu quelques temps dans ce monastère : celui-ci possédait autrefois six icônes de cet artiste, toutes datées de la période 1579-1584. Elles sont aujourd'hui exposées au musée Haghia Ekatérini d'Héraklion. Ci-contre, détail de l'icône de la «Sainte Vierge au buisson ardent» ▲ *149*.

LA CÔTE SUD ET LA ROUTE DE KAMARÈS

MATALA. Situé à 10 km au sud-ouest de Phaistos, Matala offre une magnifique plage de sable que surplombent des falaises de grès, criblées de grottes taillées dans le rocher. Au nord-est de la baie sont encore visibles sous l'eau des vestiges de l'antique Matala, port minoen de Phaistos, puis de Gortyne.
MONI ODIGITRIAS. Sur une crête de la péninsule, une route conduit au monastère Odigitrias, en partie entouré de ses remparts, dont l'entrée principale porte la date de 1568 Il possédait cinq belles icônes, dont deux sont au musée Haghi Ekatérini d'Héraklion ▲ *145*. Les trois autres, visibles sur place, sont du père Angelos, un peintre crétois du XVe siècle.
LENTAS. Une route longe la baie de Kali Liménés jusqu'à Lentas. Ce village est situé près du site de Levin, où le sanctuaire d'Asclépios fut érigé au IIIe siècle av. J.-C. Les ruines sont dispersées autour d'une anse : à l'est, deux colonnes encadrent un autel ; au nord, un escalier de marbre, avec des arcades et un nymphée, conduit à une crypte. Sur le chemin du retour à Héraklion, un détour vers l'ouest, en direction de Kamarès, est conseillé.
MONI VRONTISIOU. Les peintures murales attestent son existence dès le XIVe siècle. À la fin de l'époque vénitienne, ce monastère était célèbre pour son école de peinture et l'érudition de ses moines. À l'entrée, on remarquera une splendide fontaine vénitienne où sont sculptés Adam et Ève Le katholikon est orné de fresques datan de la première moitié du XVe siècle.
MONI VALSAMONERO ♥. 5 km plus loin, une route mène à Moni Valsamonero. L'église possède, outre les fresques, deux belles icônes, l'une représentant le Christ et l'autre, œuvre du père Angelos, Haghios Fanourios.
KAMARÈS. Dans la grotte de Kamarès, située à 3 km après Vorizia, furent découvertes en 1896 de remarquables poteries polychromes, d'un style très particulier ▲ *154*, datant de 2 000 ans av. J.-C., offrandes des souverains de Phaistos à la déesse Eileithyia. L'excursion à la grotte dure de 4 à 5 heures et nécessite la présence d'un guide.

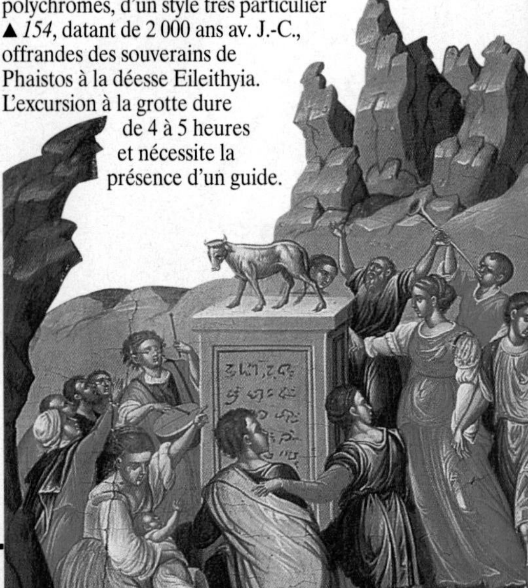

D'HÉRAKLION À HAGHIOS NIKOLAOS

1. HÉRAKLION
2. KNOSSOS
3. AMNISSOS
4. EILEITHYIA
5. NIROU CHANI
6. MALIA
7. LATSIDA
8. VOULOUS

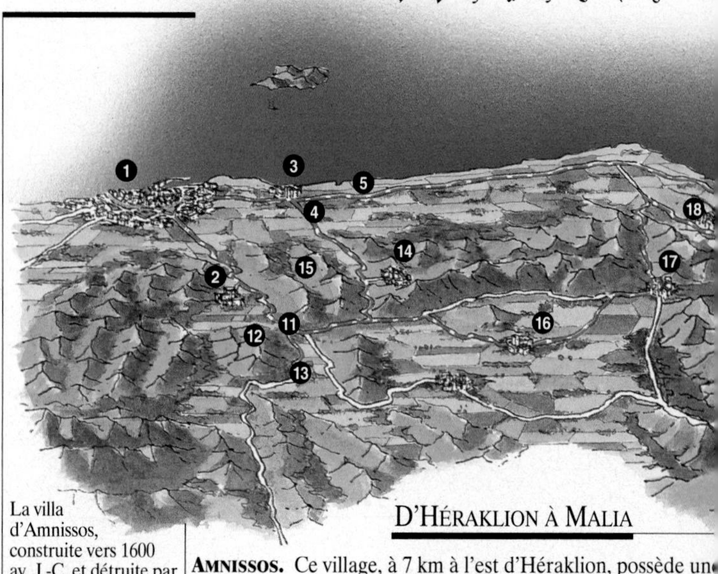

D'HÉRAKLION À MALIA

La villa d'Amnissos, construite vers 1600 av. J.-C. et détruite par un incendie en 1450 av. J.-C., est appelée la maison des Fleurs de lys en raison des fresques ▲ *158* qui ornaient autrefois ses murs et qui sont aujourd'hui exposées au musée d'Héraklion. Il en est de même pour les deux aigles en pierre, grandeur nature, qui encadraient l'autel du sanctuaire de Zeus.

Cette figurine néolithique représente Eileithyia, fille de Zeus et d'Héra et mère d'Éros. Les premiers objets furent découverts dans la grotte en 1884 lors des fouilles entreprises par J. Hatzidakis.

AMNISSOS. Ce village, à 7 km à l'est d'Héraklion, possède une belle plage et se trouve à proximité de deux sites archéologiques intéressants : une villa minoenne ● *94*, au pied de la colline et un sanctuaire archaïque au nord-ouest de celle-ci. Le site de la villa, en bord de mer, est clôturé mais de taille suffisamment restreinte pour qu'on puisse l'examiner de l'extérieur.

Le sanctuaire archaïque consiste en un grand autel circulaire en plein air. Construit au VIe siècle av. J.-C., il était dédié à Zeus Thenatas. Les énormes blocs, utilisés comme fondations proviennent d'une construction de la fin de l'âge du bronze.

LA GROTTE D'EILEITHYIA. Également appelée *Neraidaspilios*, la «caverne des Nymphes», elle est située de l'autre côté de la nationale. Elle est fermée au public, mais on peut en obtenir la clef auprès du gardien du site de Nirou Chani, à 5 km. L'entrée en pente conduit à une stalagmite en forme de butte qui peut évoquer le ventre d'une femme enceinte. Les objets votifs découverts (exposés au Musée archéologique d'Héraklion) indiquent que ce sanctuaire était consacré à Eileithyia, la déesse de l'enfantement, vénérée depuis 3000 av. J.-C. jusqu'aux premiers siècles du christianisme.

NIROU CHANI. Fermé au public, on peut néanmoins observer ce site de l'extérieur. L'archéologue Xanthoudidis y dégagea en 1918 une villa s'étendant sur plus de 700 m^2, sans doute du Minoen récent I (1550 av. J.-C.). Le seul rez-de-chaussée comprend une quarantaine de pièces. L'entrée principale se trouvait dans la cour est où furent découvertes des «cornes de consécration». La cour sud s'ouvrait au centre, semble-t-il, des pièces d'habitation.

À l'ouest, la salle des doubles haches, où l'on trouva plusieurs de ces armes sacrées, devait être le sanctuaire principal. Dans la salle du nord-ouest ont été découvertes des lampes en stéatite. La salle de banquet, au nord, était ornée de fresques. Dans la salle des trois autels, au nord-est, avaient lieu des immolations symboliques offertes aux divinités.

Skotino. Le nom du hameau de Skotino (4 km au sud de la nationale) signifie «obscur» ; il fait référence à une caverne utilisée comme sanctuaire religieux entre le Minoen moyen I et l'époque romaine. L'archéologue Davaras y découvrit des aiguilles en os et des statuettes en bronze de trois adorants, du Minoen récent I, maintenant au Musée archéologique d'Héraklion ▲ *156*. À l'entrée, se dressent une chapelle du XVIIe siècle et les ruines d'une chapelle plus ancienne.

Malia. La baie de Chersonissos offre une succession de belles plages de sable jusqu'à Malia, village dont l'origine remonte à l'époque vénitienne où il s'appelait «*Villa de Maglia*». Son église dédiée à la Panaghia est de la même période : deux de ses icônes portent la date de 1495.

Liménas Chersonisou occupe une partie du site de l'antique Chersonissos, port de Lyttos à l'époque minoenne, qui se maintint jusqu'au début de l'ère byzantine. Les vestiges des deux môles du port romain sont encore visibles.

Le site fut habité dès le néolithique. Un premier palais fut construit vers 1900 av. J.-C., à peu près à la même époque que ceux de Knossos et Phaistos. Comme eux, il fut détruit vers 1700 av. J.-C. Sur le même emplacement, un second palais fut édifié peu après et subsista jusqu'en 1450 av. J.-C. Il s'agit d'un édifice de plan relativement simple, bâti avec des matériaux locaux (calcaire, grès). Les vestiges visibles aujourd'hui appartiennent en majorité au palais d'époque néopalatiale. Une partie du site fut apparemment de nouveau occupée durant le Minoen récent III.

L'AILE SUD. La visite du palais commence par la cour ouest (**1**) traversée par un chemin, surélevé et pavé de dalles, qui devait servir d'allée de procession. Sur la droite, une série de magasins. Dans l'angle, deux rangées de quatre énormes silos à grains (**2**).

APPARTEMENTS ROYAUX (4). Un long corridor (**3**) conduit vers un labyrinthe de salles. Au centre, le mégaron (**5**) s'ouvrait sur trois côtés par des «polythyra» (murs percés de baies). À gauche, une salle à pilier central (**6**) dont la base subsiste. Un escalier descend vers un bassin lustral (**7**) ● *89* précédé d'une antichambre (**8**). Le mégaron de la reine (**9**) communiquait avec celui du roi dont le mur est s'ouvrait sur un puits de lumière (**10**).

L'AILE NORD. La cour du donjon (**11**) est appelée ainsi en raison de la construction en forme de tour (**12**) située en son angle est. Avant la cour nord (**14**), un bâtiment «oblique» (**13**), axé selon une direction toute différente, était peut-être un sanctuaire mycénien. La cour nord-est entourée à l'ouest, au nord et à l'est de magasins et d'ateliers (**15**) où étaient entreposés le grain et l'huile d'olive, conservés dans d'énormes pithoï. À gauche de la cour du donjon, un corridor longe une salle hypostyle (**16**) ● *88*. Précédée d'une antichambre à colonne centrale, elle possède une colonnade formée de deux rangées asymétriques de six piliers dont seules les bases sont visibles. La destination de cette pièce imposante n'est pas vraiment déterminée. C'étaient peut-être les cuisines du palais, la salle de banquet étant située juste au-dessus.

LA COUR CENTRALE
Devant cette salle, un portique (**17**) composé de colonnes, qui devait se prolonger à l'ouest, bordait au nord la cour centrale (**18**).

Reconstitution du palais de Malia
Cour centrale, puits de lumière, bain lustral, ensemble de magasins, etc. forment blocs, cubes et rectangles assemblés «asymétriquement».

L'aile est. Elle regroupe des magasins : six compartiments (**19**) dans lesquels on remarque un dispositif de rigoles pour récupérer les liquides renversés. Le côté est de la cour centrale était aussi occupé par une arcade de colonnes et de piliers alternés (**20**) ; portique et arcade supportaient sans doute une colonnade identique à l'étage supérieur. Des marques entre les colonnes et les piliers, évoquent l'existence d'une barrière destinée à protéger les spectateurs durant les jeux. La cour (**18**) mesure 48 m sur 23 m. Au centre géométrique est élevé un mystérieux autel creux (**21**) où étaient, peut-on supposer, immolés des animaux lors d'un rite sacramentel.

La loggia
Terrasse surélevée encadrée de deux colonnes, la «loggia», servait probablement de salle du trône (**22**). Derrière, un escalier descend vers le «Trésor» (**23**), salle à deux colonnes où fut retrouvée une hachette en forme de panthère. Au-delà du grand escalier menant à l'étage (**24**), à l'intérieur d'une crypte dallée (**25**), se dressent deux gros piliers gravés de doubles haches et d'autres symboles sacrés. Ceux-ci et les ossements d'animaux, permettent de penser que se déroulaient ici des rites accompagnés de sacrifices. Située à l'opposé de l'autel de la cour, une grande salle (**26**) avec un portique et un puits de lumière, était vraisemblablement un important lieu de culte. Les marches de l'escalier monumental (**27**), dont quatre sont conservées, devaient faire office de gradins. Légèrement surélevé par rapport à la cour, le célèbre *kernos*, ou pierre à cupules (**28**), est un objet unique. Grande pierre ronde de 90 cm de diamètre, munie d'une cavité centrale et entourée de 34 petites coupelles, destinées à recevoir le *panspermia*, offrandes à la déesse de la Fertilité constituées des premiers fruits des récoltes. D'autres salles situées sur le côté ouest de la cour composent le sanctuaire sud (**29**). À l'est de l'entrée sud-est se trouvent des ateliers (**30**).

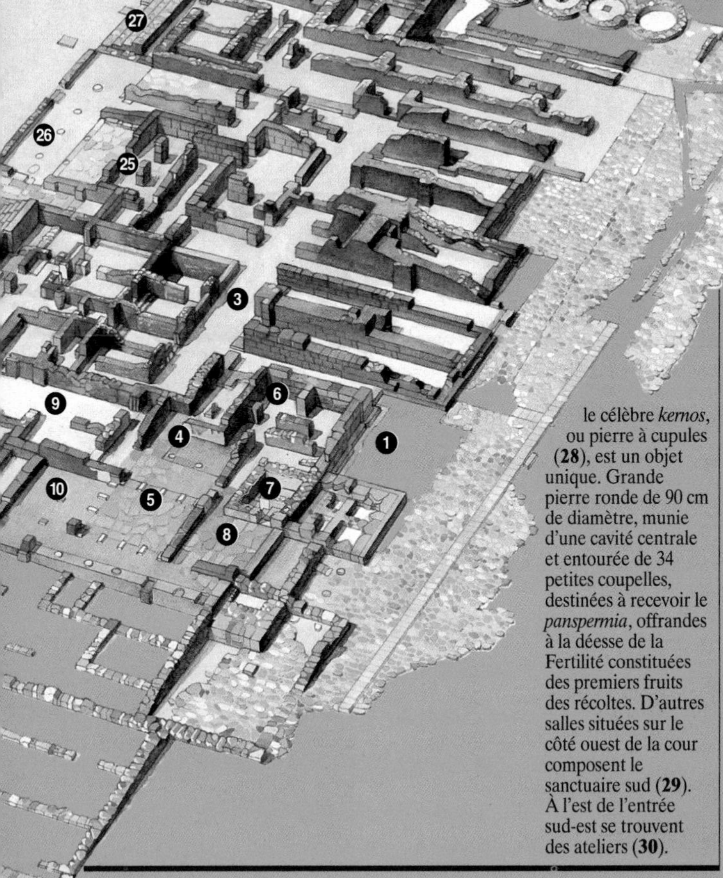

La mythologie associe le site de Malia à Sarpédon, souverain de la région, fils de Zeus et d'Europe et frère cadet de Minos. En 1915, l'archéologue Joseph Hatzidakis entreprend les fouilles alors que, sur le site, seules des traces de constructions dépassent d'une légère éminence qui domine la plaine. L'École Française d'Athènes prend le relais en 1922 et poursuit, depuis, l'exploration du palais de la ville minoenne qui s'étendait tout autour du palais et du cimetière au lieu-dit Chryssolakkos.

L'ÉPÉE ROYALE DE L'ACROBATE
La rondelle de la poignée (ci-dessus, à droite) revêtue d'une mince plaque d'or porte, estampée, la représentation d'un acrobate au corps si cambré que les pieds touchent la tête. Cette épée date de la fin de la période protopalatiale. Elle est aujourd'hui exposée au Musée archéologique d'Héraklion ▲ *154*.

SEUIL DE PORTE. Une caractéristique de l'architecture minoenne ● *90*.

LA COUR OUEST
Cette esplanade (**1**) est pavée de dalles et traversée par une voie «processionnelle», également dallée, légèrement surélevée et presque parallèle à la monumentale façade occidentale, ou principale, du palais qui s'élevait sur deux étages. Par cette vaste étendue irrégulière on atteint l'entrée du palais de Malia.

LE COULOIR DES MAGASINS OUEST
Ce long couloir (**3**), à ciel ouvert, a été ultérieurement scindé en deux parties par un mur. Il donne accès à un ensemble de neuf magasins, disposés parallèlement.

Symboles
La signification de ces «marques» gravées dans la pierre n'a pas encore été élucidée (signatures, symboles religieux, ou bien encore première écriture ?).

Les trouvailles des fouilles de Malia sont riches. Parmi celles-ci, il faut noter le célèbre pendentif aux abeilles ● *45*, le plus extraordinaire des bijoux minoens, et le triton ▲ *202*. Ci-dessus, quatre coupes en terre cuite de la période néopalatiale.

La hache royale en forme de panthère
Cet objet en schiste est daté de 1650 av. J.-C. Il est exposé au musée d'Héraklion. L'art minoen nous a livré de nombreuses images animées et aériennes. Les artistes savaient saisir l'impression du mouvement avec une exceptionnelle aptitude à «photographier» la nature, notamment les bêtes sauvages de leur environnement ou des bestiaires importés : lions, sangliers, taureaux, cerfs, crocodiles, antilopes ; et aussi animaux composites ou fantastiques.

LA TRIADE DE DRIROS
Connu sous le nom de triade de Driros, ce groupe de trois statuettes, datant du VIIe siècle av. J.-C., est supposé représenter Léto et ses deux enfants, Apollon et Artémis. Ce sont les plus anciennes sculptures en bronze martelé découvertes en Grèce (Musée archéologique d'Héraklion ▲ *154*).

LE DISTRICT DE MIRAMBELLO

Passé Malia, la route nationale se dirige vers l'intérieur des terres et traverse les gorges de Vrachasi. Quittant la voie rapide pour l'ancienne route d'Haghios Nikolaos, on atteint Vrachasi et la luxuriante vallée de Mirambello. Les villages de LATSIDA, VOULISMÉNI et NÉAPOLIS se suivent. Latsida possède deux vieilles chapelles datant de l'époque vénitienne, la Panaghia Kéragonitissa et Haghia Paraskévi, toutes deux ornées de fresques du XIVe ou du XVe siècle.

DRIROS. Le site de l'antique Driros est situé 3 km au nord-est de la route nationale au sommet de la colline d'Haghios Antonios dont les deux mamelons correspondent aux acropoles. La cité se développa sur un site occupé dès l'époque archaïque. Elle fut influente jusqu'en 220 av. J.-C., époque où un conflit politique divisa ses habitants et conduisit à sa destruction par ses ennemis. Le monument le plus ancien et le plus important qui subsiste est le temple d'Apollon Delphinien ou Delphinion ● *97*, du VIIe siècle av. J.-C. À l'intérieur de ce sanctuaire, de 7,5 m de long sur 5 m de large, sont toujours visibles, derrière un foyer central, une table d'offrandes, une estrade destinée aux objets votifs et un autel en pierre en forme de coffre où des cornes de chèvres ont été découvertes. L'Apollon Delphinien était adoré sous l'apparence d'un dauphin (en grec *delphini*), le dieu ayant pris cette forme pour guider les marins grecs partis fonder de nouvelles colonies. Les ruines d'un second temple, d'époque classique (490-323 av. J.-C.) furent intégrées à l'époque vénitienne dans l'église catholique d'Haghios Antonios. Driros est à 17 km d'Haghios Nikolaos.

LES BIJOUX D'ARCHANÈS
Sur la colline de Fourni a été mis au jour un ensemble de tombeaux datant de 2500 à 1250 av. J.-C. Plusieurs de ces tombes recélaient des bijoux en or, en pâte de verre ou en pierres semi-précieuses. La Crète n'était pas riche en or et rares sont les bijoux en or massif. L'élégance, l'harmonie du jeu des couleurs et la finesse font de ces pièces des chefs-d'œuvre. Ceux-ci sont en sardoine, une variété brune de calcédoine.

D'HÉRAKLION AU LASSITHI

ARCHANÈS ♥. La route de Knossos conduit, 15 km au sud d'Héraklion, à Archanès : son église Haghia Triada ● *101*, conserve des fresques du début du XIVe siècle, tandis que son église de la Panaghia possède des icônes byzantines. Un palais minoen, bien conservé, datant de 1600 av. J.-C., a été en partie mis au jour sur le site du village, sans doute une résidence d'été des rois de Phaistos. En demandant au gardien, on peut voir, au nord-ouest du champ de fouilles, les magnifiques pavements de deux chambres. À 2 km, sur la colline de Fourni, des vestiges d'une nécropole minoenne ont été découverts : des tombes à tholos des époques prépalatiale et protopalatiale, des édifices funéraires dont un de plan absidal qui contenait presque 200 sépultures, et, pour la première fois en Crète, une enceinte mycénienne avec six tombes à fosse.

E MONT JOUCHTAS. Un chemin de terre, entre Archanès t Vathipétro, rejoint le sommet du mont Jouchtas, distant e 3 km. Il est préférable, si l'on veut explorer les grottes, e se faire accompagner d'un guide. Mais on peut se contenter e la vue qui, du sommet, est absolument splendide. 4 km au sud 'Archanès, se trouve le site de VATHIPÉTRO où l'archéologue pyridon Marinatos découvrit les ruines d'une villa minoenne u VIe siècle av. J.-C. ● *94*. Sur le flanc nord du mont, ANÉMOSPILIA, les archéologues Sakellarakis découvrirent les uines d'un sanctuaire minoen à trois nefs ● *95* et mirent ainsi u jour les traces d'un drame sanglant. Sur un autel, un jeune quelette humain a été retrouvé avec une épée de bronze lantée sur la poitrine. La même pièce contenait deux autres quelettes. Les Minoens pratiquaient-ils le sacrifice humain ? 'interprétation de cette découverte reste sujette à polémique.

IONI AGARATHOU. Prenant la direction du monastère garathou, une route permet de faire un détour, au village e MIRTIA qui consacre un musée à Nikos Kazantzaki ▲ *146*. La plus ancienne référence au Moni Agarathou se trouve sur un document de 1520 conservé à la *Bodleian Library* d'Oxford. Ce monastère fut un grand centre d'étude durant le dernier siècle de la domination vénitienne. 5 km au sud, le village de TRAPSANO ● *76* est réputé pour ses potiers qui perpétuent des techniques ancestrales.

IONI GOUVERNIOTISSA ♥. Après Kastéli, puis la rivière angada, apparaît, 4 km à l'est, au milieu d'oliviers, e cyprès et de caroubiers, Moni Gouverniotissa, aujourd'hui bandonné. Fondé sous le règne de Nicéphore II Phokas 963-969), il conserve des fresques du XIVe siècle, certaines ndommagées à la fin de la Seconde Guerre mondiale. 'église possédait aussi des icônes des XVIe et XVIIe siècles, xposées au Musée historique d'Héraklion ▲ *152*.

VDOU. 5 km plus loin les quatre églises du village d'Avdou atent des XIVe et XVe siècles et sont décorées de peintures urales. Celles d'Haghios Constantinos ont été peintes en 1445 ar les frères Manuel et Ioannis Phokas, lesquels ont sans doute ussi réalisé les peintures d'Haghios Georgios. À proximité 'Avdou, se trouvent deux grottes, celle d'Haghia Fotini t celle de Fanéroméni dans laquelle Spyridon Iarinatos a découvert des objets d'époque archaïque.

IONI KÉRA KARDIOTISSA. Passé le village e Goniès, la route sinueuse monte en direction e la haute plaine de Lassithi. Entre les villages e Krasi et de Kéra, on atteint le monastère éra Kardiotissa, juché à 630 m d'altitude, sur versant boisé du mont Dicté, et jouissant d'une ue splendide. On ignore la date exacte de sa ondation mais son existence est avérée durant a deuxième période byzantine (961-1204). possède une copie de sa fameuse icône de a Kardiotissa (aujourd'hui à Rome), réalisée au VIe siècle. Un travail de restauration, commencé n 1970 sous la direction de Manolis Borboudakis, mis au jour d'importantes peintures murales de la enaissance byzantine dans le katholikon du monastère.

Les ateliers du village de Trapsano proposent de très beaux exemples de poteries crétoises.

MUSÉE KAZANTZAKI, MIRTIA ♥
Ce musée (ci-contre) est dédié à la mémoire de Nikos Kazantzaki et regroupe les éditions originales de ses livres, maquettes et costumes de ses pièces, ainsi que de nombreux objets personnels de l'artiste.

ICÔNE DE LA VIERGE DE MONI KÉRA KARDIOTISSA
Ce monastère est consacré à la Nativité de la Vierge.

PANAGHIA ORPHANIS
Cette icône de 1650 fait partie des trésors de Moni Agarathou, au même titre que les superbes lampes d'autel des XVIIe et XVIIIe siècles qui ornent son église.

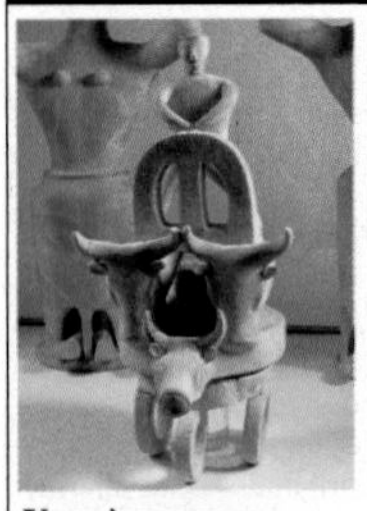

VASE À LIBATIONS DU MONT KARFI Cet étrange rhyton, en forme de char tiré par des bœufs dont seules les têtes sont représentées, date du XIe siècle av. J.-C. Son style géométrisant, avec les vêtements de forme cylindrique, est caractéristique de la fin de l'époque subminoenne.

Ci-dessous, entrée de la grotte de Zeus.

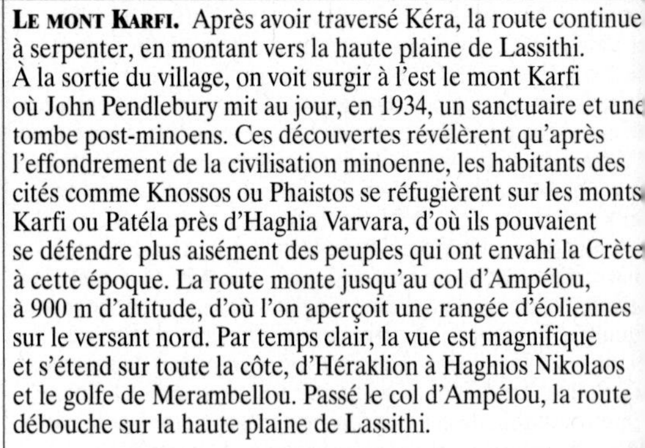

LES ÉOLIENNES Il y avait autrefois environ 10 000 éoliennes assurant l'approvisionnement en eau, mais beaucoup ont été remplacées par des pompes à moteurs. Néanmoins, il reste assez de vieux moulins aux ailes tournoyantes ● *110* pour conserver au Lassithi son surnom de «vallée des moulins à vent».

Statuette de Zeus, VIe siècle av. J.-C.

LE MONT KARFI. Après avoir traversé Kéra, la route continue à serpenter, en montant vers la haute plaine de Lassithi. À la sortie du village, on voit surgir à l'est le mont Karfi où John Pendlebury mit au jour, en 1934, un sanctuaire et une tombe post-minoens. Ces découvertes révélèrent qu'après l'effondrement de la civilisation minoenne, les habitants des cités comme Knossos ou Phaistos se réfugièrent sur les monts Karfi ou Patéla près d'Haghia Varvara, d'où ils pouvaient se défendre plus aisément des peuples qui ont envahi la Crète à cette époque. La route monte jusqu'au col d'Ampélou, à 900 m d'altitude, d'où l'on aperçoit une rangée d'éoliennes sur le versant nord. Par temps clair, la vue est magnifique et s'étend sur toute la côte, d'Héraklion à Haghios Nikolaos et le golfe de Merambellou. Passé le col d'Ampélou, la route débouche sur la haute plaine de Lassithi.

LA HAUTE PLAINE DE LASSITHI

Cette vaste étendue de faible relief, située à 850 m d'altitude, s'étend sur 12 km d'est en ouest et 6 km du nord au sud. La chaîne quasi continue des sommets qui l'entourent forme une barrière naturelle interrompue par neuf cols.

HISTOIRE. Les traces d'occupation les plus anciennes ont été découvertes dans la grotte de Trapéza : il semble que le site ait été occupé jusqu'au Minoen moyen I (1950-1850 av. J.-C.) où les habitations furent transformées en tombeaux et la grotte en sanctuaire. La plaine elle-même semble avoir été inhabitée jusque vers 1760-1550 av. J.-C., époque où les habitants troglodytes quittèrent les grottes pour s'y établir.

DE LAGOU À PSYCHRO. La route qui fait le tour de la haute plaine dessert 16 villages la grotte de Trapéza se trouve à l'est de Tzermiado ; à Marmakéto, un ensemble de bâtiments de ferme a été transformé en musée ethnologique ; un peu avant Messa Lassithi, un chemin monte au MONASTÈRE KROUSTALÉNIA qui occupe un superbe site.

LA GROTTE DE ZEUS. Le village de Psychro, situé au sud-ouest, est le point de départ des excursions vers la fameuse grotte qui, selon la mythologie, fut le lieu de naissance de Zeus ▲ *226*. Découverte par les habitants de la région, elle fut explorée par les archéologues Hatzidakis et Halbherr, puis par Arthur Evans, et, en 1899-1900, par D.G. Hogarth. Celui-ci y découvrit les traces d'une implantation humaine depuis le Minoen moyen jusqu'à l'époque archaïque. Des fouilles plus récentes ont établi qu'elle avait été à nouveau habitée durant la période gréco-romaine. On suppose aujourd'hui que cette grotte était à l'origine un sanctuaire voué à la déesse-mère minoenne, et que le culte à Zeus Diktéon n'y fut introduit qu'après l'arrivée des Mycéniens, à la fin de l'âge du bronze. On quitte la haute plaine au village de Messa Lassithi, où se présente la route pour Haghios Nikolaos.

Haghios Nikolaos et ses environs

1. HAGHIOS NIKOLAOS
2. GOLFE DE MERAMBELLOU
3. OLOUS
4. BAIE D'ELOUNDA
5. SPINALONGA
6. PANAGHIA KÉRA
7. KRITSA
8. LATO
9. GOURNIA
10. PACHIA ÄM

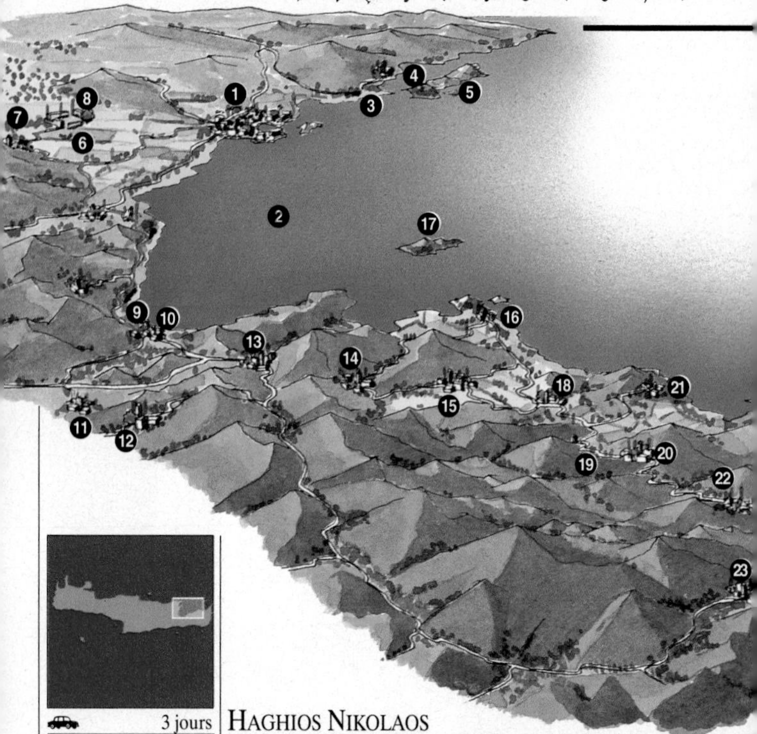

3 jours

HAGHIOS NIKOLAOS

Jolie petite ville située sur la côte occidentale du golfe de Merambellou, Haghios Nikolaos est la préfecture du département de Lassithi. Ses origines remontent à l'époque historique où elle était le port de Lato Etera. Elle prit son nom actuel durant la période byzantine : celui-ci fait référence à une chapelle dédiée à saint Nicolas, édifiée à cette époque au nord de la ville, sur la route d'Elounda. Le village de pêcheurs d'Haghios Nikolaos se développa notablement sous l'occupation vénitienne, où il prit le nom de *Porto di San Nicolo*, le port proprement dit étant appelé *Mandragio* ou *Mandraki*, en grec. Au sommet de la colline qu'avait occupée l'acropole dorienne dans l'Antiquité, les Vénitiens édifièrent un château, d'où ils dominaient la baie, le *Mirabello*, ou «Bellevue».

HAGHIOS NIKOLAOS
Ce n'est que dans les années 1960 que le petit port tranquille, qui attirait les touristes en nombre croissant, se transforma en une station balnéaire prolongée par les nombreuses plages qui bordent l'ouest du golfe de Merambellou. C'est aujourd'hui l'une des villes les plus développées au niveau des infrastructures touristiques. Le véritable centre pittoresque de la ville est constitué par les quais et le petit lac de Voulisméni avec ses chenaux qui ornent le port.

Le château de Mirabello. Le site de l'actuelle préfecture était occupé, à l'époque vénitienne, par le château de Mirabello, d'où le golfe et sa région ont tiré leur nom. L'édifice, sérieusement endommagé par un tremblement de terre en 1303, fut réduit à l'état de ruines lors de la guerre qui opposa les Vénitiens aux Ottomans, puis abandonné. Certaines parties du bâtiment subsistèrent jusqu'à la fin de l'occupation ottomane, mais il n'en reste plus aujourd'hui aucune trace.

Le lac de Voulisméni. Le cœur touristique d'Haghios Nikolaos est le lac de Voulisméni autour duquel se regroupent cafés, restaurants et magasins de souvenirs. Il est relié au port par un chenal, creusé en 1870, qu'enjambe un petit pont. C'est là, bien à l'abri, que se rangent les embarcations de petite taille. Le capitaine Spratt, qui visita Haghios Nikolaos cinq ans avant le percement du chenal, décrit le lac en ces termes : «À l'est de l'anse appelée «Mandragio» de San Nicolo, se trouve un étang circulaire d'eau saumâtre, d'environ 150 yards de diamètre, et distant d'à peine 20 yards de la mer. Cet étang a cependant une profondeur de 210 pieds au centre, profondeur qui n'est atteinte par la mer qu'à 2 ou 3 miles du port. D'après la tradition locale, cet étang serait insondable, et il communiquerait avec les régions inférieures des esprits égarés. Les côtés de cette cuvette doivent s'enfoncer sous l'eau à la verticale, comme dans un entonnoir. Rien cependant ne permet de penser qu'il s'agit d'une cheminée de volcan, ou même du résultat d'une action volcanique, aucune roche ignée n'ayant été découverte aux environs. Mais, comme on peut voir un petit ruisseau qui en sort et se dirige vers la mer, je pense que c'est plutôt l'ancien orifice d'une source importante ou d'une rivière souterraine qui, venant des montagnes, aurait trouvé ici un échappement».

Le port antique. Le promontoire, qui ferme au sud le port, occupe l'emplacement du port de l'antique cité de Lato, située à 5 km à l'ouest d'Haghios Nikolaos. Il n'en reste pratiquement rien, hormis quelques ruines.

Haghios Nikolaos occupe une situation très privilégiée dans l'une des plus belles baies de l'île. Des collines plantées d'olivier et d'amandiers entourent en demi-cercle la ville que beaucoup appellent aujourd'hui «le Saint-Tropez crétois». Mais lorsque le trop-plein d'animation se fait pesant, rien de plus aisé que de se s'éloigner le temps d'une excursion vers les sites naturels ou archéologiques environnants.

Le château de Mirabello
Il fut construit en 1206 par Enrico Pescatore, comte de Malte et aventurier génois qui régna sur la Crète six années durant avant d'être vaincu, en 1212, par les Vénitiens.

Crâne avec couronne de feuilles d'olivier en or (Ier siècle ap. J.-C.).

CONQUE DE TRITON
Une trentaine de coquillages de 30 cm de long ont été découverts à ce jour ; ils datent du XVIIIe au XVe siècle av. J.-C. Le triton de Malia (MR I), réalisé dans un schiste à chlorite, est d'une exceptionnelle beauté par le raffinement de son décor sculpté en relief.

LE MUSÉE ARCHÉOLOGIQUE ♥
Fondé en 1970, c'est le deuxième de Crète après celui d'Héraklion. Il se trouve sur l'Odos Konstantinou Paleologou, grande artère qui commence au-delà du chenal. Il présente dans sept salles des objets découverts récemment dans des sites archéologiques de Crète orientale, datant de l'époque néolithique jusqu'à la fin de la période gréco-romaine. Une huitième salle expose des objets illustrant le folklore et les arts populaires de la Crète orientale jusqu'à une époque récente.

ELOUNDA ET SPINALONGA

OLOUS. Longeant le golfe de Merambellou vers le nord, on voit apparaître l'île de Spinalonga. Autrefois presqu'île, elle a été séparée du rivage par le percement, à la fin du siècle dernier, du canal de Porou. Longue de 4 km environ, et parallèle à la côte, elle forme une sorte de baie étroite. Sur l'isthme se trouve le site d'Olous, l'antique port de Driros. Durant l'Antiquité, un affaissement général noya une grande partie du site, abaissant et réduisant la langue de terre jusqu'à ses dimensions actuelles. On peut encore apercevoir, quand la mer est calme, des vestiges du port sur les hauts-fonds, tandis que quelques ruines sont visibles sur l'isthme lui-même et autour. Les plus importantes se trouvent dans un champ situé à 100 m du rivage, où des archéologues ont dégagé une ancienne basilique byzantine, dont le pavement de mosaïque représente des scènes marines.
L'ÎLE DE SPINALONGA ♥. Une forteresse, érigée dans l'Antiquité sur l'îlot de Kalidona-Spinalonga, commandait l'entrée du port d'Olous. Elle existait encore en 1574,

Baie d'Elounda.

Forteresse de Spinalonga
C'était encore, en 1630, l'un des plus importants forts vénitiens de Crète, armé notamment de 35 canons de tailles diverses. Son nom vénitien vient de *spina*, épine et *longa*, longue.

lorsque des ingénieurs militaires vénitiens vinrent inspecter l'île, ainsi qu'en témoigne une maquette du Musée naval de Venise. L'actuelle forteresse fut achevée sous la direction du gouverneur général, Jacopo Foscarani, en 1579. L'île était si bien défendue que, lorsque les Ottomans achevèrent leur conquête de la Crète, en 1669, elle leur résista encore jusqu'en 1715. Autour de la forteresse se développa un village qui se maintint jusqu'en 1903, année où les autorités crétoises décidèrent d'installer une colonie de lépreux sur l'îlot. On peut voir ce village fantôme à l'intérieur des remparts de la forteresse.
Elounda. Une des plus fameuses plages de Crète s'étend en face de l'île, à Elounda, village de pêcheurs dont le succès touristique est grand. Près du *Minos Palace Hotel* se trouve une église byzantine dédiée à saint Nicolas dont on peut obtenir les clés à l'office du tourisme d'Haghios Nikolaos, qui doit son nom au saint. Elle date vraisemblablement du début de la seconde période byzantine, sans doute peu de temps après la reprise de la Crète aux Sarrasins par Nicéphore Phokas, en 961. En 1968, des travaux de restauration y ont révélé des fresques datant de la fin du Xe ou du début du XIe siècle, ainsi que d'autres peintures murales du XIVe siècle dont une représentation du Pantokrator, le Christ en gloire, dans la coupole.

Panaghia Kéra
À l'extérieur, les trois fenêtres des absides sont les éléments les plus ornés. Très étroites, elles laissent passer peu de lumière.

La Panaghia Kéra ♥

À une dizaine de kilomètres à l'ouest d'Haghios Nikolaos, sur la route de Kritsa, apparaît la belle église byzantine de la Panaghia Kéra ● *100*. Cette église à coupole, fondée au XIIIe siècle et comportant trois travées, est consacrée à l'Assomption de la Vierge. Elle est bâtie sur un plan presque cruciforme, avec trois absides semi-circulaires formant l'extrémité orientale de la nef centrale et de ses bas-côtés. L'édifice ne comportait à l'origine que la nef centrale, surmontée d'une coupole qui repose sur quatre piliers et un haut tambour cylindrique, caractéristique des dernières églises byzantines. Le bas-côté sud, dédié à sainte Anne, la mère de la Vierge, fut ajouté au début du XIVe siècle, tandis que le bas-côté nord, dédié à saint Antoine, fut achevé au milieu de ce même siècle. Les peintures murales, sans doute le fait d'artisans locaux, qui ornent l'église sont contemporaines des trois étapes de sa construction.

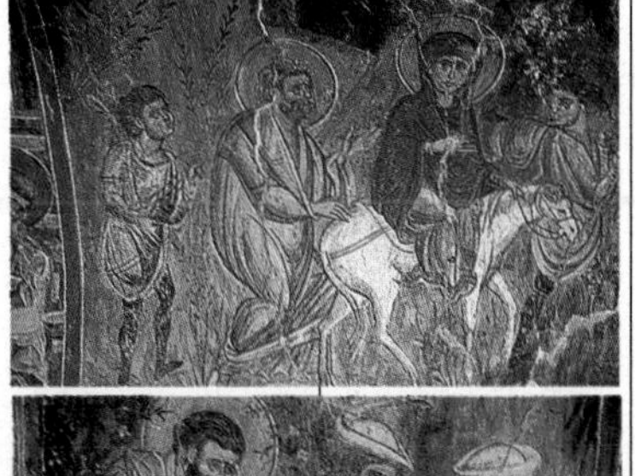

Les fresques de la Panaghia Kéra
La décoration illustre l'évolution de l'art de la fresque depuis le style archaïque des peintures de la nef primitive, à celui «renaissant» des fresques des nefs sud et nord. Des éléments paysagés, des objets du quotidien meublent de plus en plus les scènes, leur donnant réalisme et profondeur visuelle.

LES TISSAGES DE KRITSA
Le village de Kritsa est réputé pour ses tissages artisanaux que les villageois vendent sur le pas de leurs portes.

KRITSA ♥ ET SES ENVIRONS. Au sud-ouest de la Panaghia Kéra apparaît le joli village de Kritsa, perché à 300 m d'altitude, sur un des contreforts du mont Dicté (*Oros Dikti*), parmi les oliviers et les caroubiers. On peut y visiter quatre églises byzantines ornées de fresques du XIVe siècle, dont la chapelle Haghios Ioannis qui possède des fresques portant une inscription dédicatoire de 1370 ; tandis que celles d'Haghios Constantinos sont datées de 1354-1355. Plus loin sur la route de Kroustas, on arrive au fond de la vallée et à l'église Haghios Ioannis Theologos, Saint-Jean-l'Évangéliste, qui autrefois dépendait de Moni Toplou et fut édifiée dans la seconde époque byzantine. Les iconostases des nefs sont d'une grande beauté.

LATO ♥

À 2 km au nord de la Panaghia Kéra, un chemin de terre rejoint le site de l'antique Lato, distant de 4 km. Lato, dont la fondation remonte vraisemblablement à l'époque des invasions doriennes, devint la principale ville de la région durant la période archaïque (VIIe siècle av. J.-C.), et fut florissante aux époques classique et hellénistique. Son port, Lato Pros Kamara, occupait le promontoire sud de l'actuelle ville d'Haghios Nikolaos.

SITE DE LATO
Les ruines s'étendent sur les versants de la colline occupés par les deux acropoles d'où la vue est splendide. La partie la plus intéressante du site se trouve autour de l'agora considérée par R. E. Wycherley comme l'exemple type d'une agora de cité grecque archaïque ayant subi une forte influence minoenne. On peut voir, répartis autour de cette place de forme irrégulière, un prytanée, édifice public (IIIe siècle) ● *97*, une stoa, bâtiment à colonnades, un exèdre, niche monumentale, un sanctuaire non identifié, une pierre circulaire considérée comme une aire de battage, et de larges escaliers conduisant au théâtre où deux tronçons de colonnes sont toujours debout.

GOURNIA

Le site minoen de Gournia ● *92* est situé à 19 km d'Haghios Nikolaos. Les fouilles, commencées en 1901-1904 sous la direction de Harriet Boyd-Hawes, révélèrent que le site avait été occupé dès le début du IIe millénaire av. J.-C. La ville, prospère, apparemment grâce à l'agriculture, l'élevage et l'artisanat, dans les années 1600 av. J.-C., subsista jusqu'en 1450 av. J.-C., où il semble qu'elle ait été détruite par le même événement qui ruina Knossos et les autres centres. Ce village est situé sur les pentes d'une colline, des routes pavées rayonnaient à partir du sommet occupé par une place allongée devant une sorte de petit palais. On a supposé que Gournia avait pu être à nouveau colonisée dans les années 1300-1200 av. J.-C. Ce devait être alors un petit village dont les habitants occupèrent simplement les ruines de la cité minoenne. Gournia ne survécut pas à l'âge du bronze, elle sombra peu à peu dans l'oubli. Elle n'est mentionnée dans aucun texte antique, et l'on ignore son nom minoen. Le nom actuel provient des petits abreuvoirs en pierre, appelés *gournès*, que l'on a découverts devant la plupart de ses maisons.

La Crète orientale

De Pachia Amos à Sitia

La route nationale reliant Pachia Amos à Sitia débouche à proximité de nombreux sites archéologiques. Près de Kavousi, sur la colline Vronda, un village datant de 1200-875 av. J.-C. a été mis au jour. Sur les îles de Psira et de Mochlos, Richard Seager découvrit, en 1908, des vestiges de villages occupés durant les trois époques du Minoen. La route, qui, 6 km après Kavousi, offre une superbe vue sur le golfe de Merambellou, remonte ensuite, entre cyprès et lauriers-roses, jusqu'à Tourloti, un hameau d'origine vénitienne. Trois sites ont été découverts dans les environs : un village postminoen sur la colline Kastri, des tombeaux du Minoen récent III au nord-est de Mirsini, et des chambres funéraires d'époque postpalatiale, sur la colline Aspropilia. Les objets découverts sur ces sites enrichissent les collections des musées archéologiques d'Haghios Nikolaos ▲ *201* ou de Sitia. La route nationale conduit peu après aux villages jumeaux de Messa Mouliana et Exo Mouliana, nichés au fond d'une vallée dont le vignoble produit un vin réputé. Xanthoudidis découvrit, en 1903, près de Messa Mouliana d'intéressants objets funéraires des époques mycénienne et géométrique. L'église Haghia Triada de Messa Mouliana et la chapelle Haghios Georgios d'Exo Mouliana, toutes deux ornées de fresques d'époque vénitienne, méritent aussi un détour.

Psira et Mochlos
Ci-dessus, vase de style marin provenant de Psira (Musée archéologique d'Haghios Nikolaos). Ci-contre, rhyton en forme de taureau (Musée archéologique d'Héraklion) ▲ *152* provenant de l'îlot de Mochlos, ci-dessous.

Sitia
Les maisons aux couleurs vives sont étagées sur les flancs de la colline du Kastro.

Messa Mouliana
8. Exo Mouliana
9. Sitia
10. Haghia Fotia
11. Moni Toplou
12. Vai
13. Itanos
14. Palékastro
15. Kato Zakros
16. Zakros
17. Adravasti
18. Karidi
19. Sitanos
20. Katsidoni
21. Kalamafki
22. Psikokefalo
23. Lithinés
24. Hiérapétra
25. Myrtos
26. Koutsounari
27. Makrigialos
28. Moni Kapsa
29. Koufonissi

Chamézi. La route conduit ensuite à Chamézi, près duquel Xanthoudidis fit une étonnante découverte : les vestiges d'une construction du Minoen ancien I, de plan semi-ovale, constituée d'une douzaine de chambres de formes et de tailles différentes, agencées autour d'une petite cour centrale. Xanthoudidis supposa qu'il s'agissait de l'édifice fortifié d'une collectivité rurale.

Sitia ♥

La route nationale redescend ensuite vers la plaine du littoral et se termine aux portes de la jolie ville de Sitia, à l'extrémité de la baie du même nom. Capitale de son district, elle occupe le site de l'antique Itia, qui était le port de la cité de Pressos et dont les seuls vestiges sont des tombeaux datant des périodes du Minoen moyen et récent, quelques ruines d'un édifice romain et une basilique du début de la chrétienté. La cité et son port prospérèrent durant les périodes gréco-romaine, byzantine et vénitienne, époque à laquelle la ville et sa province prirent le nom de Sitia, d'où dérive celui de Lassithi. Réduite à l'état de ruines lors de la conquête ottomane, elle fut reconstruite en 1870 : ses maisons disposées en gradins au-dessus de la baie, et son quai, bordé de restaurants et de cafés, lui confèrent un charme typiquement méditerranéen. De la Sitia médiévale, il ne reste aujourd'hui que les ruines d'une forteresse byzantine, au-dessus du port.

Haghia Fothia. Poursuivant vers l'est, le long de la baie de Sitia, on atteint Haghia Fothia, où une grande nécropole fut découverte en 1971, contenant 250 tombes du Minoen ancien I et II (3000-2500 av. J.-C.) ● *93.* Quelques-uns des objets funéraires découverts sont aujourd'hui réunis au Musée archéologique d'Haghios Nikolaos. On se dirige ensuite vers le célèbre monastère de Toplou, situé à 13 km au nord-est d'Haghia Fothia.

Ruelle de Sitia

Le Musée archéologique de Sitia. Il réunit une collection d'objets provenant de sites de la Crète orientale, dont Zakros. Ci-dessous à gauche, divinité allaitant un enfant (dépôt dédalique de Sitia) et, à droite, tanagra hellénistique (Xerokampos).

Œuvre majeure du peintre crétois I. Kornaros (1745-1796), cette icône, appelée *Megas ei Kyrie*, «La Grandeur de Dieu», date de 1770. De grande taille, 133 cm sur 85 cm, elle contient plusieurs centaines de personnages répartis en 61 scènes, chacune numérotée et sous-titrée du verset de l'Épiphanie qu'elle représente. Cette icône postbyzantine s'inscrit dans la continuité d'une tradition amorcée au temps des Paléologues et s'enrichit de motifs apparus à la Renaissance. Une restauration récente vient de lui rendre tout l'éclat et toute la subtilité de ses couleurs.

LA TRAVERSÉE DU JOURDAIN AVEC L'ARCHE D'ALLIANCE
Les Hébreux avancent sur les eaux du Jourdain, conduits par Josué, en costume de général byzantin. Les prêtres portent l'arche d'alliance contenant les Tables de la Loi. Derrière la montagne, la ville de Jéricho.

LA CRÉATION DU MONDE
À gauche, la personnification de l'un des quatre éléments de la création : la lumière, symbolisée par le feu. Au centre, Dieu le Père prononce les mots de la Genèse : «Que les eaux qui sont au-dessous du ciel se rassemblent en un seul lieu.»

LA SAINTE TRINITÉ COURONNÉE
Un vieil homme assis représente le Père, le plus jeune est le Fils, la colombe symbolise le Saint-Esprit, et un globe, la Terre. La hiérarchie des anges les entoure : archanges, anges, séraphins, chérubins, etc.

JONAS SORTANT DU VENTRE DE LA BALEINE
Jonas, qui refuse d'obéir à la parole divine lui enjoignant de se rendre à Ninive, tombe à l'eau. Il est avalé par une baleine. Trois jours plus tard, Jonas est rejeté sur le rivage de Ninive représentée ici, à gauche.

«Œuvre de Ioannis Kornaros, âgé de vingt-cinq ans, grâce au très révérend Higoumène Parthénios, moine, surnommé Kaphouros, dans la cinquième année de sa fonction, 1770.»

Inscription

MONI TOPLOU
Sur la façade de l'église, on peut voir trois inscriptions. L'une fait partie de ce que l'on appelle l'*Arbitrage de Magnesia*, relatant qu'au IIe siècle av. J.-C., Itanos entra en conflit avec *Hiérapytna*, l'actuelle Hiérapétra, pour l'administration du temple de Zeus Dictéen.

MONI TOPLOU ♥

Il a conservé son ancien nom turc de *Toplu Monastir*, «monastère aux canons», rappelant qu'il était, à l'époque vénitienne, l'une des principales forteresses de la Crète orientale. Son vrai nom, Panaghia Akrotiriani, Notre-Dame-du-Cap, désigne clairement sa situation géographique.
On considère que la fondation de Moni Toplou remonte au XIVe siècle. Le seul bâtiment subsistant de cette époque est le KATHOLIKON, le reste a été reconstruit à la fin du XVIe siècle, époque où il fut fortifié de remparts de 10 m de haut ● *105*.
Le katholikon est un édifice à deux travées : celle du nord, qui correspond à la première église du XIVe siècle, est ornée de fresques représentant des scènes des Évangiles.

VAI. À 8 km au nord-est de Moni Toplou s'étend l'une des plus belles plages de toute la Crète, de sable fin, légèrement rose, et bordée d'une palmeraie. Ces palmiers, *Phœnix Theophrastii*, apparentés aux palmiers dattiers, furent décrits pour la première fois par Théophraste (370-288 av. J.-C.), le fondateur de la botanique, dont ils portent le nom.

Ci-dessus, monnaie d'Itanos ; ci-dessous, baie d'Itanos.

ITANOS. À 2 km au nord de Vai, on peut voir le site de l'antique Itanos, dont le nom grec, *Erimoupoli*, signifie la «ville déserte». Il est fort probable que sa fondation remonte au temps des Minoens sa situation, à la pointe nord-est de l'île, offrant à ceux-ci un lieu idéal où établir un port, et entretenir des relations avec l'Anatolie, le Moyen-Orient et l'Égypte.

PALÉKASTRO

De retour à Vai, on prend la direction de Palékastro, 8 km au sud-est.

LE SITE DE PALÉKASTRO. Situé à 2 km du village du même nom, au bord de la baie de Grantés, il a été exploré pour la première fois dans les années 1902-1904 par R. C. Bosanquet, de l'École britannique qui dégagea un grand village minoen et les ruines d'un sanctuaire datant de l'époque hellénistique identifié comme le célèbre temple de Zeus Dictéen.
La découverte la plus importante est une inscription contenant une partie d'un hymne à Zeus Dictéen, peut-être chanté pendant les danses des Curètes ● *35*. Cette inscription, exposée au musée d'Héraklion,

PALÉKASTRO
Ce superbe site est près de la mer.

st datée du IIIe siècle ap. J.-C., preuve que le culte de Zeus)ictéen était encore pratiqué au début de l'ère chrétienne.

ES COLLINES DE KASTRI ET DE PETSOPHAS. D'autres vestiges nt été dégagés à proximité : sur la colline de Kastri, les ruines 'une forteresse, construite au Minoen ancien I puis econstruite à la fin du Minoen récent III ; sur la colline de 'etsophas, un sanctuaire de montagne du Minoen moyen, qui ecélait de nombreuses statuettes votives, aujourd'hui exposées ux musées de Sitia, d'Haghios Nikolaos ou d'Héraklion ▲ *156*.

ZAKROS

\ 16 km au sud de Palékastro, on atteint le hameau d'Ano 'akros ; un chemin de traverse, au milieu de plantations 'oliviers et de bananiers, conduit, en bord de mer, sur e plus important site minoen de la Crète orientale.

ES DÉCOUVERTES ARCHÉOLOGIQUES. La cité minoenne orte le nom du village voisin. Les premières recherches rchéologiques y furent réalisées la fin du XIXe siècle par 'ederico Halbherr et Luciano Aariani. En 1901, l'archéologue nglais D. G. Hogarth dégagea ix maisons du Minoen récent, t fit d'importantes découvertes atant de l'ère mycénienne. In 1961, Nikolas Platon, le l'Institut archéologique grec, eprit les fouilles, qui se oursuivent encore aujourd'hui. .es travaux furent rapidement écompensés par la découverte d'un palais qui n'est surpassé n taille que par ceux de Knossos ▲ *162*, Phaistos ▲ *178* u Malia ▲ *192*. Le centre d'une grande cité et un port furent galement mis au jour. On suppose qu'un premier palais fut onstruit au début du IIe millénaire av. J.-C., dont certaines arties ont été dégagées en dessous du second palais, qui, ıi, date de 1600 av. J.-C. Ce dernier aurait été sérieusement ndommagé en 1500 av. J.-C., peut-être à la suite d'un remblement de terre, puis immédiatement reconstruit. l fut complètement détruit en 1450 av. J.-C.

KATO ZAKROS

Ce hameau est situé sur une plage bordée d'arbres et de tavernes. Au milieu d'un paysage typique, sauvage et rocailleux, Zakros est l'un des villages les plus pittoresques de Crète orientale. Son nom complet est Ano Zakros, «Zakros le haut», plus grand que le hameau de Kato Zakros, «Zakros le bas», situé à 8 km sur la côte. En descendant vers ce dernier, on aperçoit, sur la gauche, une gorge escarpée et aride, appelée la «vallée des morts» en raison des tombeaux minoens qui y furent découverts : ils apportent la preuve que la première colonie humaine de Zakros remonte au moins à la période prépalatiale (2600-2000 av. J.-C.).

Comme tous les palais minoens de Crète, celui de Zakros était un véritable labyrinthe de 6 500 m^2, avec 250 à 300 pièces réparties sur deux étages, et peut-être trois en certains endroits. Le plan général est organisé autour d'une grande cour centrale et comprend : appartements royaux, lieux de culte, magasins, etc. L'habitat urbain qui voisine le palais a été partiellement fouillé. La plupart des maisons, dépendances ou villas de hauts dignitaires, datent de l'époque néopalatiale.

L'entrée principale (**2**) du palais (fond orangé) se trouve au nord-est, dans le prolongement d'une rue pavée (**1**) qui, venant du port, traversait la cité. Passée l'entrée, on franchit la cour nord-est (**3**), d'où un couloir (**4**) conduit à l'angle nord-est de la cour centrale (**5**) qui, mesure 30m sur 12m et n'est pas exactement orientée nord-sud comme le sont les esplanades des autres palais. Un autel en pierre se dresse à l'angle nord-ouest.

L'aile est. Les appartements royaux se trouvaient à l'est de la cour centrale, le mégaron du roi (**6**) au milieu, et celui de la reine (**7**) au nord. Le bassin de lustration (salle de bains royale) (**8**) devait se situer un peu plus loin, derrière l'angle nord-est de la cour. À l'est du mégaron du roi, une citerne circulaire (**9**), unique dans l'architecture minoenne, de 7m de diamètre devait recueillir les eaux d'une source et peut-être servir de lieu de culte ? Au sud de celle-ci, une fontaine souterraine de forme carrée (**10**) reproduit sans doute la «fontaine bâtie avec art» de l'Odyssée ; une installation semblable (**11**) se trouve à l'angle sud-est de la cour. Le quartier sud (**12**) était occupé par des ateliers et, peut-être, une sorte de salon réservé à la famille royale.

L'aile ouest. Les plus grandes salles du palais se trouvent à l'ouest de la cour. À l'angle nord-ouest, on peut voir un vestibule (**13**) avec un escalier qui conduisait au premier étage. De l'autre côté d'un couloir latéral, se trouvait la salle grandiose dite «salle des cérémonies» (**14**) qui communique avec un puits de lumière ; l'angle sud-ouest est flanqué de deux murs à baies ; au nord-est s'élevaient des colonnes. Cette pièce donnait, après un *polythyron*, sur la salle des banquets (**15**).

C'est dans la salle des cérémonies que le roi devait présider les manifestations civiles ou rites religieux, ceux-ci étant suivis d'un festin dans la salle des banquets. L'ouest de ce grand ensemble était occupé par tout un groupe de petites pièces : le dépôt du sanctuaire (**16**) où étaient entreposés les divers objets de culte ; les archives (**17**) où ont été découvertes des tablettes en linéaire A ;

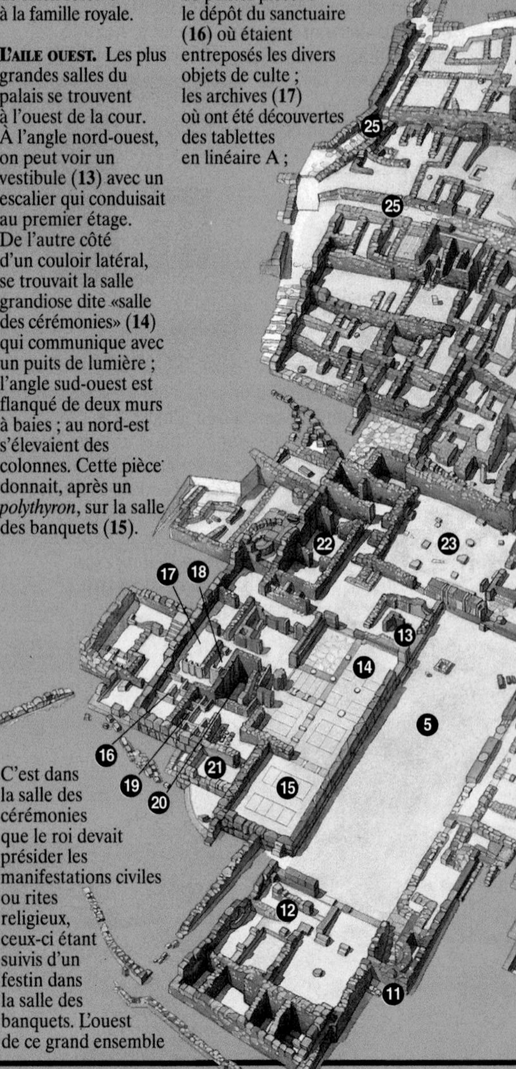

Les différents corps de bâtiments du palais s'ordonnent autout de l'étendue rectangulaire que forme la cour centrale avec son autel en pierre (ci-contre).

Les objets découverts constituent un précieux témoignage de la vie de la riche cité à son apogée. Ils sont exposées aux musées archéologiques de Sitia ou d'Héraklion ▲ *154*.

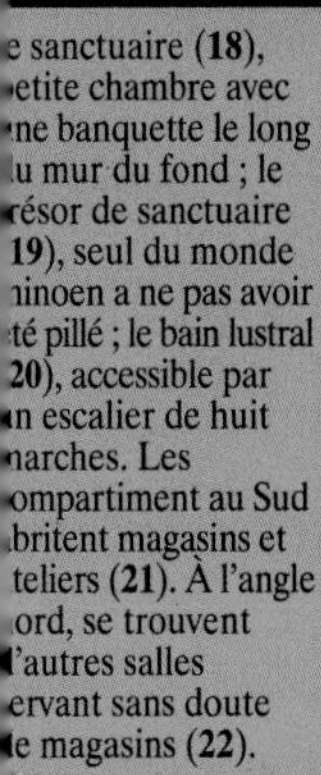

e sanctuaire (**18**), etite chambre avec ne banquette le long u mur du fond ; le résor de sanctuaire **19**), seul du monde ninoen a ne pas avoir té pillé ; le bain lustral **20**), accessible par n escalier de huit narches. Les ompartiment au Sud britent magasins et teliers (**21**). À l'angle ord, se trouvent 'autres salles ervant sans doute e magasins (**22**).

Une grande pièce (**23**), dont le plafond était soutenu au centre par six supports en bois, devait être la cuisine du palais et desservait une salle de banquet à l'étage. L'aile nord s'ouvrait par un beau portique dallé à deux colonnes de bois (**24**).

L'HABITAT URBAIN. Le plan regroupait de grands «îlots» de maisons entourés d'un réseau complexe de chaussées dallées et de ruelles étroites (**25**). Près de la «rue du port» (**1**) s'élèvent les vestiges d'un four à métaux ou à céramique (**26**).

OBJETS RITUELS Les objets en pierre retrouvés à Zakros sont particulièrement intéressants. Ainsi le superbe rhyton en cristal de roche ● *44* trouvé dans le trésor du sanctuaire, le papillon (page ci-contre), et, ci-dessus, la double hache et la magnifique amphore polychrome de forme audacieuse (1450 av. J.-C.) provenant du bassin lustral.

Reconstitution du palais de Zakros et des quartiers d'habitations de la ville.

Lion de Pressos
Pressos fut à l'époque postminoenne la principale ville des Étéocrétois. Elle occupait une position stratégique, au centre de la péninsule orientale, et possédait deux ports, Itia, au nord, sur le golfe de Merambellou, et Stiles, au sud, sur la mer de Libye. La principale ville dorienne de la Crète occidentale, Hiérapytna, était la grande rivale de Pressos à l'époque gréco-romaine. Cette rivalité s'acheva, en 145 av. J.-C., par la destruction de Pressos. Elle ne fut ensuite ni reconstruite, ni réoccupée. Ainsi disparurent les Étéocrétois, derniers représentants de la civilisation minoenne.

De Zakros à Hiérapétra

De retour au village d'Ano Zakros, remonter au nord jusqu'à Adravasti, poursuivre à l'ouest *via* Karidi, Sitanos, Katsidoni, Sandali, puis au sud Kalamafki avant de rejoindre une route plus importante. Le village de Néa Pressos est à 7 km au nord-ouest de cette intersection.

Pressos. Depuis le village, un chemin conduit au site de l'antique Pressos, où des premières fouilles furent effectuées en 1884. Federico Halbherr y découvrit de nombreuses statuettes d'idoles en terre cuite, ainsi que des inscriptions en boustrophédon ▲ *176* qui n'ont pas encore été déchiffrées : bien que ce soient des caractères, il ne s'agit pas d'une langue hellénique. Certains historiens pensent qu'il s'agit d'étéocrétois, une langue parlée par les peuples d'origine minoenne ayant survécu, dans les montagnes du sud-est de la Crète, durant les siècles qui ont suivi les invasions doriennes ● *46*. D'autres fouilles commencèrent en 1901, sous la direction de R. C. Bosanquet, de l'École britannique. Ces recherches révélèrent que toute cette région devait déjà être habitée durant l'époque néolithique. Les ruines de Pressos correspondent à une cité fondée peu après l'âge du bronze. Elles occupent trois collines dont la plus haute, une forteresse naturelle, devait constituer le cœur de la cité, tandis que sur l'une des deux autres, située à l'extérieur des remparts, se trouvait un sanctuaire de sommet. Les archéologues découvrirent également une nécropole qui semble avoir été utilisée depuis la période mycénienne jusqu'aux époques hellénistiques. L'archéologue grec Mavroidis trouva, dans l'une des tombes exhumées en 1935, les ossements d'un athlète de Pressos enterré avec tous ses trophées, dont une amphore datant des années 560-500 av. J.-C., vraisemblablement gagnée à Athènes, à l'occasion des jeux des Panathénées.

Lithinés. La route principale qui descend en direction de la mer de Libye conduit à Lithinés, un village dont l'origine remonterait à l'époque byzantine, bien que le premier document qui le mentionne soit un recensement vénitien de 1583. Sont toujours visibles son église Haghia Athanasios, portant une inscription de 1591, ainsi qu'une ancienne grotte-sanctuaire dédiée à la Vierge et datant du début de l'occupation vénitienne. Une demeure fortifiée à deux étages, ou *pyrgos*, occupait autrefois le centre de Lithinés.

HIÉRAPÉTRA ♥

À 12 km au sud de Lithinés, rejoindre la côte de la mer de Libye et parcourir encore 24 km vers l'ouest jusqu'à Hiérapétra. La ville moderne est disposée autour d'un promontoire, site de l'antique *Hiérapytna*. On suppose que le nom de Hiérapytna est d'origine dorique et que la ville fut fondée par des habitants du Péloponnèse, à l'époque postminoenne. Au début de son histoire, Hiérapytna était éclipsée par Pressos, alors la cité la plus puissante de la Crète orientale. Mais Hiérapytna vainquit et anéantit Pressos, établissant ainsi sa domination sur toute la péninsule orientale et une grande partie de la côte sud. Cette prééminence dura jusqu'en 67 av. J.-C., année où la cité fut conquise par Quintus Metellus ● *47*. Les Romains entreprirent de rebâtir la ville détruite lors des combats et de l'agrandir. Florissante durant toute la première période byzantine, elle fut à nouveau démolie en 824, par les Sarrasins, et vraisemblablement reconstruite pendant la seconde période byzantine. Après avoir retrouvé son importance à l'époque vénitienne, elle devint la capitale de sa région sous le nom de Hiérapétra. C'est aujourd'hui la quatrième ville de Crète et la plus grande de la côte sud. Elle est la capitale du district qui porte son nom. Cette ville est très méditerranéenne dans son aspect, avec ses maisons de couleurs blanche ou pastel, baignées de soleil, qui entourent l'ancienne forteresse vénitienne à l'entrée du port. De son passé ottoman, Hiérapétra a gardé le minaret d'une mosquée ainsi qu'une ancienne *çesme,* ou fontaine publique. Le musée possède une petite collection d'objets archéologiques, dont certains proviennent de Hiérapytna. De l'antique cité, il ne reste aujourd'hui plus rien, bien que plusieurs constructions romaines aient survécu jusqu'au XVIe siècle, parmi lesquelles les fortifications portuaires et des thermes.

LA FORTERESSE DE HIÉRAPÉTRA
Gardant l'entrée du port, elle fut construite en 1626 par Francesco Morosini, qui l'arma de 5 gros canons et de 180 pièces d'artillerie.

En 1647, son commandant Mouatsos se rendit aux Ottomans après un siège de courte durée. Les vainqueurs reconstruisirent la ville, qui devint la capitale de la Crète orientale jusqu'en 1870. Durant l'occupation ottomane, Hiérapétra resta une petite ville, le seul événement marquant étant la venue de Napoléon, en route pour sa campagne d'Égypte, en juin 1798. Ci-contre, la maison où il aurait passé la nuit.

PYRGOS
Le site fut exploré par l'anglais G. Cadogan, en 1970. Au sommet de la colline, les vestiges d'une magnifique résidence (1600 av. J.-C.) dominant la mer ont été mis au jour.

DÉESSE-MÈRE
L'une des salles, située à l'angle sud-ouest du site de Fourno Korifi, semble avoir été un sanctuaire dédié à la déesse-mère, ainsi que l'atteste la découverte d'une extraordinaire figurine en argile représentant une divinité féminine (MA II). Il s'agirait du plus ancien sanctuaire domestique découvert en Crète.

DE HIÉRAPÉTRA À APANO VIANOS

FOURNO KORIFI. On retrouve à Hiérapétra la route nationale qui se prolonge à l'ouest, le long du littoral. Près de Myrtos, distant de 15 km, se trouve le site de Fourno Korifi, où les archéologues anglais ont exhumé les vestiges d'un village datant du début de l'époque minoenne (2500-2200 av. J.-C.) ● *92*. Ses habitants vivaient des produits de l'agriculture, de la poterie et du tissage, comme en témoignent les poteries et les nombreux objets découverts (poids de métiers à tisser, outils, etc.), aujourd'hui exposés au musée d'Haghios Nikolaos ▲ *201*.

MYRTOS ET PYRGOS. D'intéressants vestiges archéologiques ont été découverts à Myrtos, notamment des bains romains, à l'entrée du village. La cité gréco-romaine de Myrtos traversa toutes les époques et survécut aux invasions jusqu'en 1943, où elle fut détruite par les Allemands. L'ensemble des habitants du village, considéré comme des résistants, fut exécuté. Un autre site archéologique se trouve à Pyrgos près de Myrtos, sur une colline à l'est de la rivière Kriopotamos. Pour l'instant, les principaux vestiges sont ceux d'une villa minoenne datant de 1600 av. J.-C., mais les fouilles ont établi que ce site fut occupé depuis au moins 2200 av. J.-C.

NÉA ARVI. La nationale remonte ensuite à l'intérieur des terres, en direction de Pefkos d'où une route secondaire redescend vers la côte. On arrive ainsi à Néa Arvi, un village balnéaire qui possède une belle plage. Arvi occupe l'emplacement de la cité gréco-romaine d'Arvis, d'où furent exhumés quelques tessons de poteries et vestiges architecturaux, ainsi qu'un remarquable sarcophage en marbre. L'église du village, dédiée à la Panaghia, date du début de l'ère vénitienne et aurait été construite sur le site d'un temple de Zeus Arbios. Selon certains historiens, le site du temple serait plutôt situé à l'emplacement de Moni Arvis, monastère élevé en 1880 sur le coteau qui surplombe les gorges, derrière le village.

APANO VIANOS. De retour sur la route nationale, continuer vers l'ouest jusqu'au village d'Apano Vianos, blotti à 550 m d'altitude au milieu des oliviers, des vignes et des caroubiers. Apano Vianos, qui était la plus grande commune de cette région sous la domination vénitienne, possède deux églises datant du début de cette époque, l'une dédiée à Haghia Pélagia et l'autre à Haghios Georgios. HAGHIA PÉLAGIA est ornée de remarquables fresques ; une inscription rappelle qu'elles furent exécutées à l'occasion de la restauration de l'église en 1360. HAGHIOS GEORGIOS possède également des fresques dont l'inscription dédicatoire atteste qu'elles furent réalisées en 1401 par le peintre Ioannis Mousouros.

D'HÉRAKLION À RÉTHYMNON

1. Héraklion 2. Gazi 3. Rogdia 4. Paléokastro 5. Moni Savathianon 6. Haghia Pélagia 7. Fodélé 8. Bali 9. Haghios Ioannis 10. Haghiou Pantéleimona 11. Panormos 12. Mont Stro

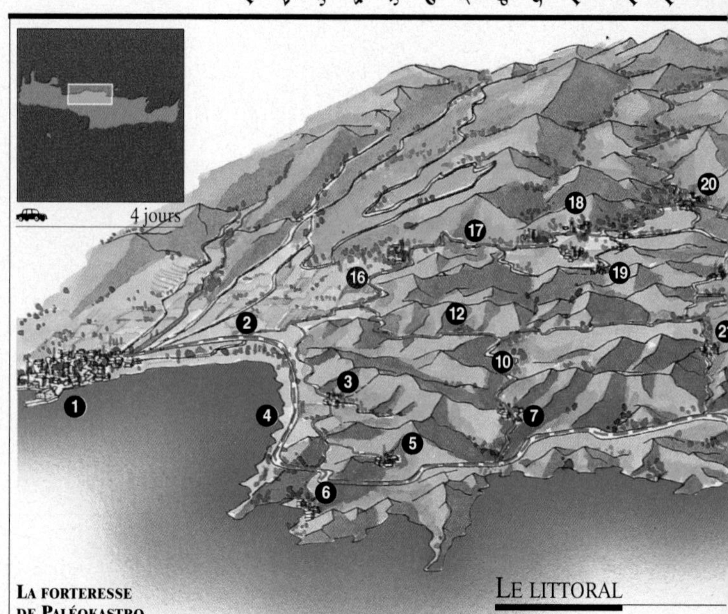

Le littoral

La forteresse de Paléokastro
Les Vénitiens la restaurèrent à la fin du XVIe siècle, alors qu'ils se préparaient à défendre l'île contre les Ottomans, mais l'abandonnèrent durant les derniers mois du siège de Candie, en 1669 ● *56.* Elle fut ensuite occupée par les Ottomans qui la quittèrent à leur tour quand elle perdit tout intérêt stratégique.

Haghios Grigorios O Dialogos, icône de Moni Savathianon.

Rogdia et Paléokastro. Quitter Héraklion par la nationale en direction de Gazi, village où a été découvert un sanctuaire datant du Minoen récent III. Peu après, une route secondaire conduit à Rogdia, un joli village, perché à 300 m d'altitude, d'où le panorama, sur le golfe d'Héraklion, est splendide. On pense qu'il fut fondé à l'époque vénitienne car, bien qu'il ne soit mentionné dans aucun recensement de cette période, son nom est inscrit sur la *Carta Basilicata* de 1618. Du village, la vue plonge sur Paléokastro, la forteresse en ruine qui se trouve plus bas en bord de mer. Construite en 1216, elle était l'une des quatorze forteresses érigées par Enrico Pescatore, comte de Malte, afin de contrôler la Crète ● *49.*

Moni Savathianon ♥. À la sortie de Rogdia, prendre à gauche la route conduisant au Moni Savathianon, monastère voué à la Nativité. Son katholikon à deux travées, lui, est dédié aux «quarante martyrs» et à Haghios Savvas. Au-dessus de l'entrée, un bas-relief orné de feuilles d'acanthe porte la date de 1635, qui semble être celle de la fondation du nouveau monastère. Un chemin qui traverse un pont daté de 1535 conduit, 200 m au sud, à une grotte-chapelle consacrée à Haghios Antonios, laquelle est citée dans un document datant de 1549 comme faisant partie du premier monastère. Converti en couvent à la fin des années 1940, il fut restauré par une dizaine de religieuses et devint l'institution florissante qu'il est aujourd'hui.

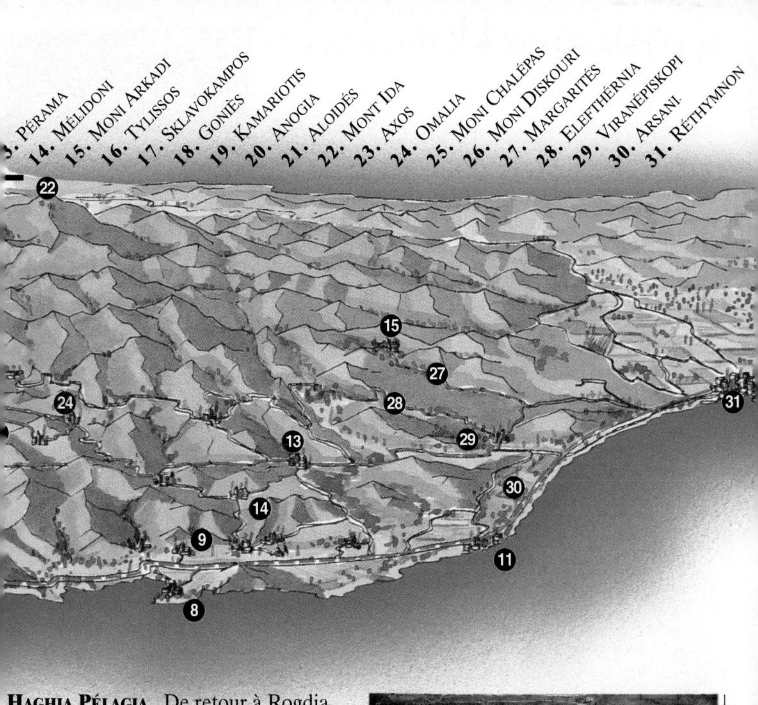

HAGHIA PÉLAGIA. De retour à Rogdia, se diriger au nord jusqu'à Haghia Pélagia, un village du littoral devenu depuis peu une station balnéaire en vogue. Des fouilles récentes y ont révélé l'existence d'une villa du Minoen récent I, ainsi que des ruines datant des époques classique et hellénistique, identifiées comme étant celles de la cité antique d'Apollonia, détruite par les Cydoniens en 171 av. J.-C.

FODÉLÉ ♥. Après environ 7 km sur la route nationale, emprunter la route secondaire qui mène à Fodélé. D'origine vénitienne, ce village semble avoir été construit près d'un site byzantin détruit par les Sarrasins. Le seul vestige de la communauté byzantine est la charmante église de la Panaghia ● *100*, à laquelle on accède par un sentier bordé d'orangers. On a longtemps cru que le peintre Doménikos Théotokopoulos (1541-1614), surnommé le Greco ● *52*, était natif de Fodélé ; cette hypothèse n'est plus guère admise aujourd'hui. La route conduit, 6 km au sud, à un autre monastère, Moni Haghiou Pantéleimona.

BALI. Poursuivre sur la nationale, pendant 22 km, pour arriver à Bali (Mpali), petite station balnéaire. Le village occupe, dans une jolie baie, l'emplacement du port de l'antique *Axos*, Astali.

L'ÉGLISE DE FODÉLÉ
Elle fut construite au début du XIIIe siècle à l'emplacement de la nef d'une basilique du VIIIe siècle, vraisemblablement détruite par les Sarrasins en même temps que le reste du village. On peut y voir des fragments de fresques, la plus ancienne remontant au début du XIIIe siècle, ainsi qu'une inscription de 1323 mentionnant un donateur.

MONI HAGHIOU PANTÉLEIMONA
Ci-contre, icône ornant le monastère. Ci-dessous, le pope Néophytos Pédiotis qui combattit en 1866 avec ses moines aux côtés des forces grecques commandées par le capitaine Korakas, obligeant l'armée ottomane, supérieure en nombre, à se rendre ● *64*.

MONI HAGHIOS IOANNIS. L'embranchement pour le Moni Haghios Ioannis, également nommé Moni Mpaliou, se trouve 1 km plus loin. Dédié à saint Jean Baptiste, il a été fondé au début du XVIIe siècle et sa basilique recèle des fresques de cette époque.

PANORMOS. On atteint ensuite le village de Panormos, qui occupe l'emplacement du port de l'antique cité du même nom. À l'époque vénitienne, elle fut rebaptisée *Rouméli Castelli*, nom qui désignait une forteresse aujourd'hui disparue. Le seul vestige de l'ancienne cité de Panormos est une basilique du début de l'ère chrétienne dédiée à Haghia Sophia, la Sagesse Divine, qui fut mise au jour en 1948 par Kalokyris et Platon. Ils reconstituèrent son plan à trois travées, formé d'un transept et d'une nef, avec un atrium à l'entrée. Panormos est à 23 km de Réthymnon, que rejoint la route nationale.

LA VALLÉE DU MILOPOTAMOS

Quitter Héraklion à l'ouest, en direction de Gazi. Passé ce village, poursuivre sur la route qui contourne le mont Stroumboulas, puis longer la rivière Milopotamos. On croise en chemin les ruines d'un ancien caravansérail turc, le KOUBÉDÉS, qui, à l'époque ottomane, servait d'hôtellerie aux voyageurs venant de Candie. Poursuivant à l'ouest, on rejoint bientôt la vallée du Milopotamos dominée, à gauche, par le mont Ida (Oros Idi) et, à droite, par le mont Kouloukonas. La route qui longe la rivière rejoint PÉRAMA, le plus grand village de cette région, distant de Mélidoni de 4 km.

LA GROTTE DE MÉLIDONI
La grotte est décorée de magnifiques colonnes de stalactites et stalagmites qui forment d'impressionnantes compositions.

«Mais Talos, l'homme d'airain, avec des blocs détachés d'une solide falaise, les empêchait d'attacher les amarres à la terre.»

Apollonios de Rhodes, *Les Argonautiques*

La grotte de Mélidoni. Cette grotte est située à 3 km à l'ouest du village du même nom. À la fin de septembre 1823, alors que la région était ravagée par l'armée ottomane commandée par Hüseyin Pacha, 370 personnes y trouvèrent refuge, essentiellement des femmes, des enfants et des vieillards, les hommes vaillants combattant, pour la plupart, l'occupant. Hüseyin Pacha fit le siège de la grotte durant plusieurs jours. Les assiégés, refusant de se rendre, firent un certain nombre de victimes dans les rangs ennemis. Finalement, le 3 octobre, l'entrée de la grotte fut obstruée avec des broussailles auxquelles les assaillants mirent le feu, asphyxiant ainsi les rebelles. Les ossements des martyrs sont aujourd'hui conservés dans un ossuaire situé dans une grande salle de la grotte, appelée la «salle des Héros». Une chapelle, consacrée à l'Annonciation, a également été érigée à l'entrée ; une cérémonie en l'honneur des martyrs y est célébrée chaque année, le jour anniversaire du massacre. Les recherches archéologiques ont révélé que la grotte de Mélidoni avait été habitée de façon intermittente depuis le néolithique. À l'époque classique, elle était le lieu d'un sanctuaire dédié à Hermès Talien. Il s'agit d'un culte régional dans lequel le dieu grec Hermès était associé à la figure mythique de Talos, le géant de bronze.

Talos, le géant
Le roi Minos l'aurait choisi afin de garder la Crète et sa chère Europe. Il protégeait l'île des envahisseurs et empêchait les habitants d'en sortir. Le géant de bronze faisait le tour de l'île trois fois par jour, lançant d'énormes blocs de pierre à tous les navires qui s'approchaient. Mais Talos avait un point faible : sa vie dépendait d'une cheville de bronze qui se trouvait dans l'artère de sa jambe. Médée drogua le géant et retira la cheville d'où l'*ichor*, le sang des dieux, se répandit : ainsi mourut Talos, ce qui permit aux Argonautes d'aborder en Crète.

Moni Arkadi ♥. De retour à Pérama, rejoindre par les petites routes, *via* Viranéspikopi, Loutra et Amnatos, Moni Arkadi, le plus célèbre monastère de Crète. En chemin, on aperçoit un pont ottoman de 1685. Si la tradition prétend que le Moni Arkadi fut fondé durant la seconde période byzantine, il n'y est fait aucune référence avant la fin du XVIe siècle : une inscription à la base du clocher mentionne le nom de l'un des premiers abbés, Klimis Chortatzis, ainsi que la date de 1587. Le Moni Arkadi fut l'un des grands centres culturels grecs durant la Renaissance crétoise. Ses moines avaient conservé de nombreux manuscrits anciens qui furent, pour une grande part, volés ou détruits. Le monastère fut mis à mal par les Ottomans à trois reprises, en 1645, en 1823 et, enfin, en 1866. Assiégés en 1866, réfugiés et moines préférèrent faire exploser leur réserve de munitions plutôt que de se rendre. Le monastère est aujourd'hui un sanctuaire national, l'héroïsme de ses martyrs étant célébré chaque 8 novembre.

Moni Arkadi ● *102*
L'église date de la Renaissance crétoise et son magnifique portail daté de 1587 est sans doute le plus bel exemple de ce style en Crète. Cet ensemble présente une très belle ordonnance de colonnes corinthiennes, de pilastres, d'arcs classiques et de fioritures baroques.

À l'automne de 1866, réfugiés, partisans et moines y sont assiégés par l'armée ottomane. Un premier assaut est repoussé mais un second abat l'entrée du monastère. Plutôt que de se rendre, les assiégés préfèrent se donner la mort tout en détruisant leurs dernières munitions auxquelles ils mettent le feu. L'explosion est entendue dans le monde entier, et nombreux sont ceux qui épousent alors la cause de l'indépendance crétoise, parmi lesquels des hommes politiques ou de grandes figures du siècle, comme Garibaldi ou Victor Hugo. Près de quatre-vingt-dix ans plus tard, Nikos Kazantzaki fera du drame de Moni Arkadi le sujet de son roman *La Liberté ou la mort*.

«L'air se remplissait de rugissements, les chrétiens rugissaient, les Turcs rugissaient [...]. C'étaient la Crète et la Turquie, et elles se battaient. Liberté ! criait l'une. Mort ! répondait l'autre.» Nikos Kazantzaki

Une armée turque de 16 000 hommes, commandée par Mustapha Pacha Girilitis, assiège le monastère, qui abrite 700 femmes et 287 hommes, parmi lesquels 25 volontaires venant de Grèce continentale et 45 moines. Le monastère n'est armé que de deux canons, deux pièces d'artillerie légère, ainsi que de nombreux mousquets. Les Ottomans lancent l'assaut le 7 novembre.

Le 8 novembre, les Ottomans parviennent à détruire l'entrée principale du monastère. L'higoumène Gabriel donne l'ordre à l'un des partisans, Constantin Giamboudhakis, de mettre le feu au magasin de munitions. L'explosion est telle que seule une poignée d'assiégés réussit à s'enfuir, tandis que 864 sont tués et les autres faits prisonniers. Les pertes ottomanes sont évaluées à 3 000 morts et 1 500 blessés.

L'higoumène Gabriel, supérieur de Moni Arkadi en 1866. Le musée du monastère rend également hommage au courage de ce prêtre héroïque, devenu l'un des personnages emblématiques de la résistance crétoise.

Ci-dessus, édifice vénitien fortifié dans le traditionnel bourg de Maroulas.

SITE DE TYLISSOS
Les fouilles commencées en 1902-1903 sous la direction de J. Hatzidhakis, et reprises par Nicolas Platon, ont mis au jour trois villas minoennes datant des années 1600-1450 av. J.-C., ainsi qu'un certain nombre d'objets aujourd'hui exposés au Musée archéologique d'Héraklion. Les trois villas furent édifiées à l'emplacement de constructions plus anciennes dont il ne reste que très peu de vestiges. Les villas se ressemblent quant à l'organisation de l'espace, composé de quatre pièces. Le rez-de-chaussée était occupé par les magasins et ateliers, l'étage par les pièces d'habitation. La villa A présente les murs à redans caractéristiques des constructions minoennes. La villa C a conservé une partie de son dallage de stuc rouge.

Ci-dessous, une des jolies portes ornant la ville de Tylissos.

Un des bâtiments de Moni Arkadi a été aménagé afin d'accueillir les nombreux touristes. Les quelque quarante moines offrent l'hospitalité et accueillent à leur table les visiteurs qui souhaitent passer la nuit au monastère. L'entrée dans son enceinte se fait par la porte ouest, qui fut reconstruite après sa destruction par l'artillerie ottomane. Au fond de la cour, on aperçoit la façade de l'église à deux nefs et deux absides. Un petit musée a été créé dans les salles situées au sud-est de la cour, consacré à l'histoire du monastère et au siège de 1866. L'ancien réfectoire, où sont encore visibles les traces des balles, ainsi que la cellule de l'higoumène Gabriel peuvent aussi se visiter. Mais le lieu le plus impressionnant est le magasin à poudre sans toit. Depuis le Moni Arkadi, on rejoindra le littoral *via* Adélé, puis Réthymnon, à l'ouest. Le village de Maroulas, au sud d'Adélé, possède un *pyrgos* vénitien : une de ces grandes maisons seigneuriales flanquées d'une tour, d'où les nobles vénitiens surveillaient leurs fiefs.

LE VERSANT NORD DU MONT IDA

Le troisième parcours commence 7 km à l'ouest d'Héraklion, où l'on emprunte la route secondaire qui grimpe vers les villages situés sur le versant nord du mont Ida.

TYLISSOS. À 6 km de Gazi, on arrive à Tylissos, dont l'origine est fort ancienne ainsi qu'en témoigne son nom préhellénique. En effet, ce village, qui est cité dans des registres dès 1271, se trouve sur l'emplacement des ruines d'une antique cité grecque, Tylissos, laquelle fut elle-même construite sur le site d'un village minoen apparu au début de l'âge du bronze.
SKLAVOKAMPOS. La route qui oblique ensuite vers l'ouest, serpentant sur les contreforts nord-ouest du mont Ida, conduit au site minoen connu sous le nom de Sklavokampos, la «vallée des Slaves», en raison sans doute d'un village de Slaves installé ici par Nicéphore Phokas ● *48*. Les vestiges minoens furent découverts lors de la construction d'une route, en 1930, et dégagés juste avant que n'éclate la Seconde Guerre mondiale.

Marinatos exhuma les ruines d'une grande villa, datant de 1500 av. J.-C., qui devait occuper le centre d'un important village détruit par un incendie au Minoen récent et jamais reconstruit.

KAMARIOTIS. 2 km après Sklavokampos, on arrive à Goniès, village de montagne construit en amphithéâtre, puis à Kamariotis. Ce dernier est le lieu de naissance d'Evménia Voria. Fille du curé du village, elle fut enlevée par les Ottomans en 1645, alors qu'elle n'avait que 3 ans. Emmenée à Istanbul, elle fut installée au harem du palais de Topkapi où elle porta le nom de Rabia Gülnus, la «rose de printemps». Elle devint la favorite du sultan Mehmet IV (1648-1687). Ses deux fils montèrent sur le trône sous les noms de Mustapha II (1695-1703) et Ahmet II (1703-1730).

ANOGIA ♥. À 10 km de là, Anogia est un grand village de montagne situé sur un col. Il a vraisemblablement été fondé au début du XIIIe siècle par des réfugiés de la ville voisine, Axos, qui avait été détruite par les Vénitiens. Durant la Seconde Guerre mondiale, Anogia, qui résistait à l'occupation allemande, fut incendié et détruit le 15 août 1944. Tous les hommes qui n'avaient pas fui dans les montagnes furent exécutés. Le seul bâtiment qui réchappa est l'église du village, dédiée à saint Jean Baptiste, laquelle a conservé des fresques datant du début de l'époque vénitienne.

ANOGIA
Complètement reconstruit après la Seconde Guerre mondiale, le village d'Anogia est à nouveau florissant. Étagé sur le flanc du mont Chaméni, à 800 m d'altitude, il possède une forte identité et reste fidèle à son héritage : on y parle encore un dialecte ancien, et c'est en toute simplicité que ses habitants revêtent les costumes traditionnels lors des concours de chansons, de danses et de lyre qui s'y déroulent aux alentours du 15 août. Anogia est également renommé pour son artisanat et, en particulier, pour ses tissages qui occupent encore la majorité de la population féminine, produisant jetés de lits, panneaux muraux, nappes, coussins et sacs brodés en coton ou en laine.

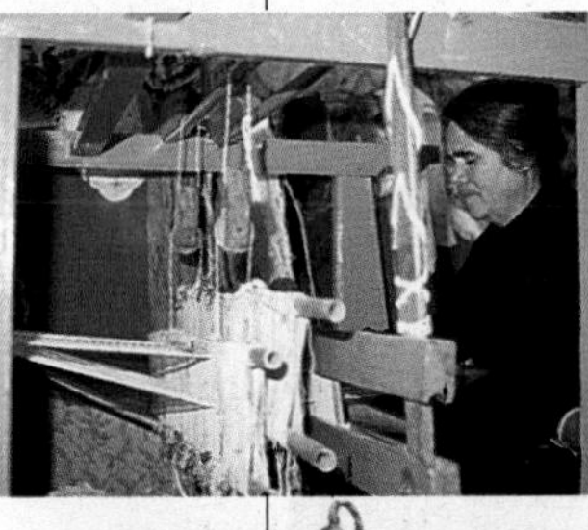

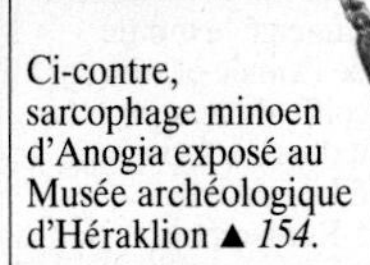

Ci-contre, sarcophage minoen d'Anogia exposé au Musée archéologique d'Héraklion ▲ *154*.

Tambour en bronze de la grotte du mont Ida
Il représente en relief Zeus encadré de deux Curètes ● *36*.

La grotte du mont Ida. Quittant Anogia par le sud, on monte jusqu'au plateau de Nida, situé à environ 1 400 m d'altitude et cerné par les sommets du mont Ida. À l'extrémité sud du plateau, tourner à gauche pour rejoindre le pavillon touristique, point de départ d'une visite à la célèbre *Idéon Antron*, antre de l'Ida, à une vingtaine de minutes de marche. L'entrée de la grotte, qui surplombe le côté ouest du plateau à 1 450 m d'altitude, fut découverte par un berger en 1884, avant d'être explorée, l'année suivante, par l'École italienne. De nouvelles recherches archéologiques ont commencé en 1982, sous la direction de Sakellarakis. Au-dessus de son entrée, qui mesure 9 m de haut et 27 m de large, on peut voir une inscription romaine qui la désigne comme un sanctuaire de Zeus Idéen. Sur le côté sud, un autel a été taillé dans le rocher, au-dessous duquel on peut voir les fondations d'une maison qui servait au gardien du sanctuaire à l'époque romaine. À l'intérieur, un passage labyrinthique conduit à la caverne principale, qui mesure 35 m sur 40 m, avec une hauteur maximale de 60 m. C'est dans cette cathédrale souterraine que devait se trouver l'ancien sanctuaire, tandis

Les Curètes couvrant les cris de Zeus enfant
L'*Idéon Antron* est considérée par certains comme le lieu de naissance de Zeus, identifié par d'autres à la *Diktéon Antron* ▲ *198*.

Vue du mont Ida
Le plus haut sommet est le Timios Stacros, ou Psiloritis, qui s'élève à 2 456 m. Psiloritis, qui signifie «le plus haut», désigne également l'ensemble du massif. Enneigé la moitié de l'année et souvent coiffé de nuages, il domine le paysage d'Héraklion à Réthymnon.

qu'une autre salle découverte récemment semble avoir été un sanctuaire secret dédié au culte de Zeus Idéen. Les fouilles de ces dernières années ont permis de dégager des tessons remontant à la fin du néolithique et des vestiges plus récents prouvant que la grotte servit de lieu de culte depuis le Minoen moyen jusqu'à l'époque romaine. Des ivoires de Syrie et plus généralement du Proche-Orient, datant du VIIIe siècle av. J.-C., ont été mis au jour. Mais les pièces les plus impressionnantes, manifestement d'influence orientale, sont des boucliers à relief ainsi qu'un tambour en bronze. Ces objets, exposés au Musée d'Héraklion ▲ *156*, devaient certainement être utilisés lors des cérémonies où était interprétée la danse des Curètes autour de la représentation de Rhéa accouchant de Zeus ● *37*.

Axos. À 10 km au nord-ouest d'Anogia, on arrive à Axos. Aux abords du village, on aperçoit une chapelle en ruine dédiée aux saints Elefthérios et Modéstos. Elle date de la seconde période byzantine mais a incorporé des éléments architecturaux plus anciens. Une autre église byzantine, en ruine, se trouve au centre du village. Les recherches

archéologiques ont établi que son site fut habité dès le Minoen récent III, vers 1400 av. J.-C. Au sommet de la colline subsistent les vestiges d'une cité qui se développa entre les époques archaïque et hellénistique. La plus importante pièce découverte à cet endroit est un splendide casque en bronze, aujourd'hui exposé au Musée archéologique d'Héraklion ▲ *156*. La cité semble avoir subsisté jusqu'au début de l'occupation vénitienne, Pashley ayant trouvé, au bas de l'acropole, une chapelle, consacrée à Haghios Ioannis et datée de la fin du XIVe ou du début du XVe siècle. Il remarqua dans le mur de l'église une plaque de marbre blanc avec une inscription en dorique ancien, provenant sans aucun doute de l'un des édifices de l'antique cité.

Moni Chalépas et Moni Diskouri. Deux anciens monastères se trouvent à proximité d'Axos, Moni Chalépas et Moni Diskouri, que l'on rejoint par la route qui part à droite du croisement situé près de la chapelle. Moni Diskouri est une dépendance de Moni Chalépas qui semble avoir été fondé au début du XVIe siècle. Il ne reste aujourd'hui pour veiller sur ces deux monastères qu'un seul moine, résidant à Moni Diskouri.

Plateau et bergers du mont Ida
En été, les bergers d'Anogia se rassemblent sur le plateau de Nida. Celui-ci est ponctué de parcs à moutons et de *koumos* ● *110*, petites maisons rondes et basses fabriquées avec des pierres brutes, qui servent d'habitations saisonnières ou de remises aux bergers.

Axos
Un sentier, derrière Haghia Eiréne, grimpe sur environ 400 m vers le site de l'antique Axos, construite en terrasses au sommet de la colline qui domine le village. On connaissait l'existence d'Axos par Hérodote mais on n'avait pu déterminer son emplacement jusqu'à ce qu'il soit découvert, en 1834, par Pashley.

Icône de Moni Diskouri
Elle représente saint Georges à cheval en uniforme de général byzantin. Saint Georges est le saint le plus populaire de Crète ● *80*.

MARGARITÉS
Ce séduisant village est réputé depuis longtemps pour ses poteries.

Village de Prinés.

MANUSCRIT ENLUMINÉ
Comme de nombreux monastères, Moni Arsani possède, parmi ses trésors, de vieux manuscrits. Œuvre des moines, ils sont parfois enluminés comme celui-ci, représentant saint Georges.

Rejoindre la rivière Milopotamos peu après le village de Garazo et, 13 km plus loin, prendre la direction de Margarités, puis de Prinés : une petite route mène à Elefthérna, village non loin duquel se trouve le site antique du même nom.

ELEFTHÉRNA. L'antique cité, découverte par Spratt en 1855, occupe un promontoire long et étroit, entre deux rivières. On ne peut l'atteindre qu'en passant par un goulet que gardait une énorme tour de défense. Fondée au IXe siècle av. J.-C., elle fut habitée jusqu'à la seconde période byzantine. C'est certainement sa situation de forteresse naturelle qui lui valut d'être une des cités-États doriennes les plus puissantes. Cependant, elle fut vaincue par Quintus Metellus en 67 av. J.-C. ● *47*. Sur le site et dans ses environs Spratt découvrit un certain nombre de vestiges antiques, parmi lesquels des fondations de maisons, deux églises de la première période byzantine, une statue mutilée, la plate-forme d'un temple et deux ponts. L'un d'eux, d'époque hellénistique, est encore debout. Plus récemment, on a découvert le buste érodé d'un kouros archaïque, représentation stylisée d'un jeune homme personnifiant Apollon, datant des années 630-620 av. J.-C., aujourd'hui exposé au Musée archéologique d'Héraklion ▲ *154*.

VIRANÉPISKOPI. Continuant vers le nord-ouest, on atteint Erfi, Viranépiskopi puis Arsani. L'église de Viranépiskopi, Haghia Eiréne, fut élevée sur les ruines d'une basilique du XIe siècle qui occupait l'emplacement d'un temple consacré à Brytomartis, l'ancienne déesse crétoise de la Fertilité, également connue sous le nom de Diktina.

MONI ARSANI. À peu de distance se trouve le monastère d'Arsani, sans doute fondé peu avant 1600. Le katholikon, dédié à Haghios Georgios, ne date que de 1888, ayant remplacé une première église détruite par les Ottomans. Arsani célèbre le 23 avril de chaque année la fête de saint Georges ● *80*.

Réthymnon

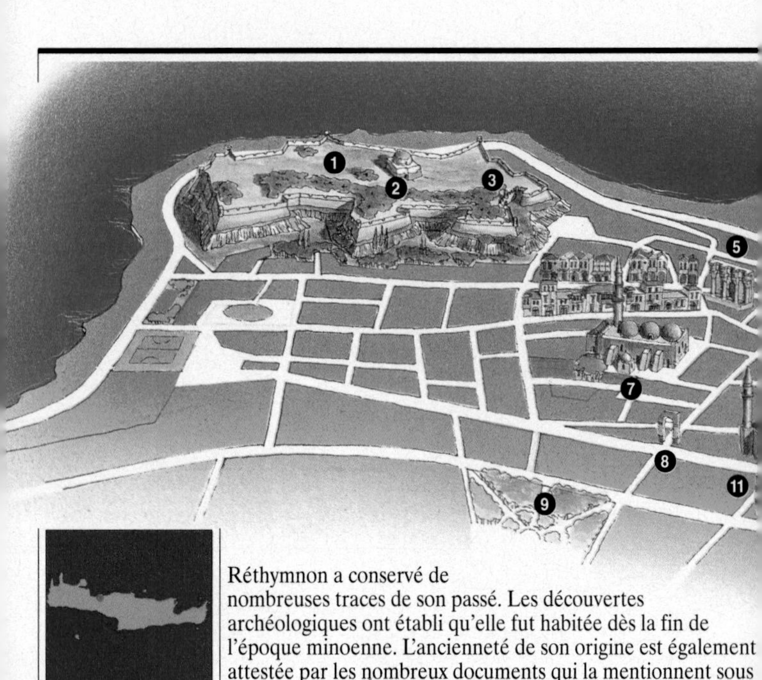

2 jours

Révolutionnaire crétois.

Réthymnon a conservé de nombreuses traces de son passé. Les découvertes archéologiques ont établi qu'elle fut habitée dès la fin de l'époque minoenne. L'ancienneté de son origine est également attestée par les nombreux documents qui la mentionnent sous les noms de *Réthymnos* ou *Réthimna*, dont les terminaisons sont caractéristiques des toponymes grecs préhellénistiques.

HISTOIRE

À l'époque romaine, Réthymnon n'était pas une ville importante et Strabon ne la cite pas dans sa description de la Crète. On sait peu de chose sur son histoire durant la période byzantine, sinon qu'elle fut détruite par les Sarrasins et reconstruite après la reconquête de la Crète par Nicéphore Phokas. Sous l'occupation vénitienne, elle prit de l'ampleur et devint la troisième ville de l'île, après Candie et La Canée. Ses habitants jouèrent un rôle déterminant dans les révoltes crétoises sous l'occupation vénitienne puis ottomane. Durant la Renaissance crétoise, la ville, qui comptait des savants, des écrivains et des artistes importants, fut surnommée la «nouvelle Athènes». L'une des grandes figures fut le poète Marinos Tzanés Bounialis, auteur de *La Guerre crétoise* ● *124*, qui décrit la conquête ottomane de la Crète de 1645 à 1669.

LE SIÈGE DE RÉTHYMNON. Ayant conquis La Canée, les armées ottomanes attaquèrent ensuite Réthymnon, à la fois par mer et sur terre où elles incendièrent tous les villages environnants ● *54*. Les troupes vénitiennes, composées de mercenaires dalmates et slaves, s'efforcèrent en vain de contenir l'offensive et durent se replier à l'intérieur de la forteresse où elles rejoignirent la garnison et les habitants de la ville, soit environ 8 500 personnes. La forteresse se rendit à la fin de novembre 1645, après un siège de 23 jours.

L'ÉVOLUTION DE LA POPULATION. Réthymnon conquise, une grande partie des troupes ottomanes s'installèrent dans la ville, rejointes plus tard par les Candiotes fuyant la capitale assiégée. Ce mélange ethnique, Crétois et réfugiés grecs

. Fortetza 2. Mosquée de la Forteresse 3. Musée archéologique 4. Port vénitien 5. Loggia 6. Fontaine Rimondi 7. Mosquée Nérantzés 8. Porta Guora 9. Parc 10. Mosquée 11. Église des Quatre-Martyrs 12. Mosquée Kara Mustapha

cohabitant avec les Ottomans, ne fut pas toujours pacifique : les habitants de Réthymnon et de sa région se révoltèrent fréquemment contre l'occupant, soulèvements qui étaient suivis de violentes représailles contre la population chrétienne ● *61*. Ces massacres incitèrent certains à s'enfuir, et d'autres, plus nombreux, à se convertir à l'islam ; le nombre des musulmans dépassa bientôt celui des chrétiens. La situation s'inversa à la fin de l'occupation en 1897, suivie en 1913 de l'*Enosis* avec la Grèce, et en 1923 du départ des derniers Turcs, échangés contre des réfugiés grecs. Après plus de sept siècles d'occupation étrangère, Réthymnon redevint une ville complètement grecque, comme l'écrit Pandélis Prévélakis, dans sa *Chronique d'une cité*, parue en 1938 : «Réthymnon est une petite ville située à peu près au milieu de la côte nord de la Crète. Elle est plus typiquement grecque que toute autre ville, et a su conserver, comme peu d'anciennes villes grecques, la couleur et l'esprit de toutes les époques de son passé...»

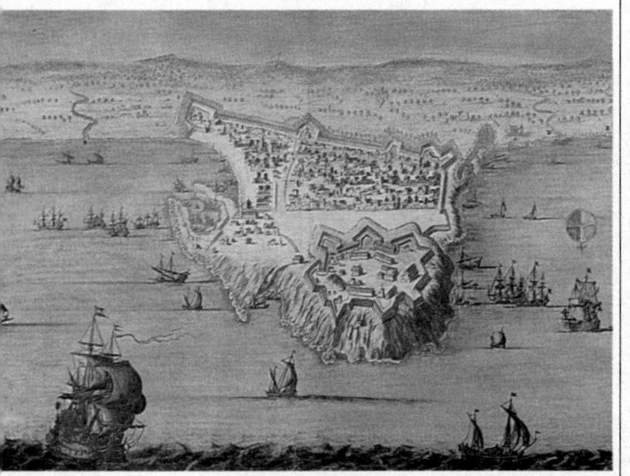

La prise de Réthymnon
La flotte ottomane bombarde la forteresse tandis que l'armée de terre s'efforçait de s'emparer du promontoire. Les assiégés, bien qu'affaiblis et ayant perdu de nombreux officiers, font des milliers de victimes dans les rangs ennemis. Cependant une épidémie de choléra s'étant déclarée, le gouverneur capitule. Pacha Hussein s'empare alors de la ville et du port. La garnison et quelque 1 500 habitants s'enfuient en bateau, pendant que le reste de la population est fait prisonnier, les jeunes femmes et les enfants étant envoyés à Istanbul pour y être vendus comme esclaves.

Le patrimoine architectural des époques vénitienne et turque est particulièrement bien conservé à Réthymnon. Édifices monumentaux – fortetza, remparts, porte d'enceinte, loggia ou fontaine Rimondi, ou *palazzo* – furent construits entre le XVe et le XVIIe siècle par des maîtres maçons locaux, formés au contact des architectes italiens, mais également par la lecture des traités de Sebastiano Serlio ou d'Andrea Palladio. Les Crétois intègrent le nouveau vocabulaire architectural à l'esthétique traditionnelle de l'île, créant un style renaissant qui lui est propre. Mosquées et maisons typiques avec leur kiosque en bois, encorbellement surplombant la rue, sont des réminiscences de l'occupation ottomane, spécialement au XIXe siècle.

La fusion des styles
Quand, entre le XVe et le XVIIe siècle, les nouvelles conceptions de la Renaissance s'imposent, des liens se sont tissés entre la haute société vénitienne et la noblesse crétoise. L'architecture Renaissance, et surtout sa version vénitienne, met à profit les méthodes de construction et les matériaux locaux.
Le *xostego*, balcon clos en bois, dérive de l'*iliako*s byzantin qui caractérise l'architecture balkanique dès le XVIIIe siècle. Leur construction fut encouragée et parfois même imposée par les autorités ottomanes. Le plus souvent, ces kiosques viennent s'intégrer à des maisons plus anciennes, de style vénitien.
Aujourd'hui subsiste un grand nombre de ces demeures urbaines, notamment dans les rues Thessalonikis, Vernardou, Soulion, Tsoudéron, Ethnikis Antistasséos et Arkadiou.

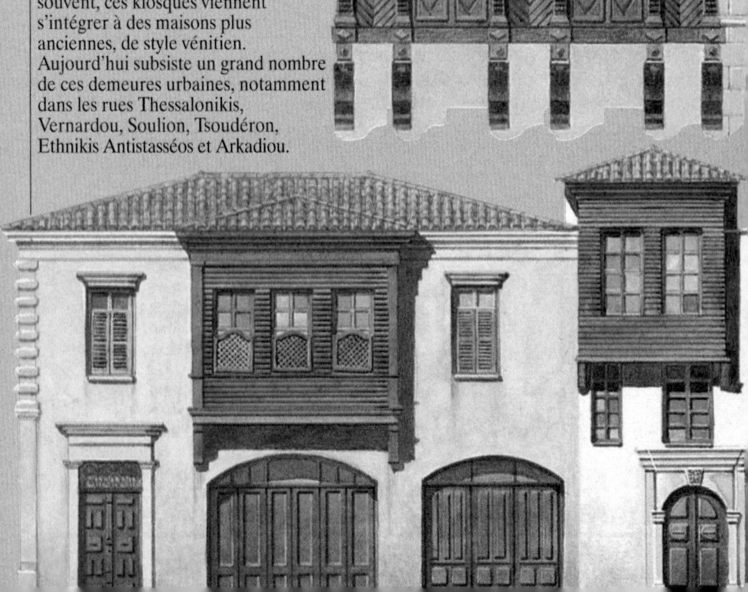

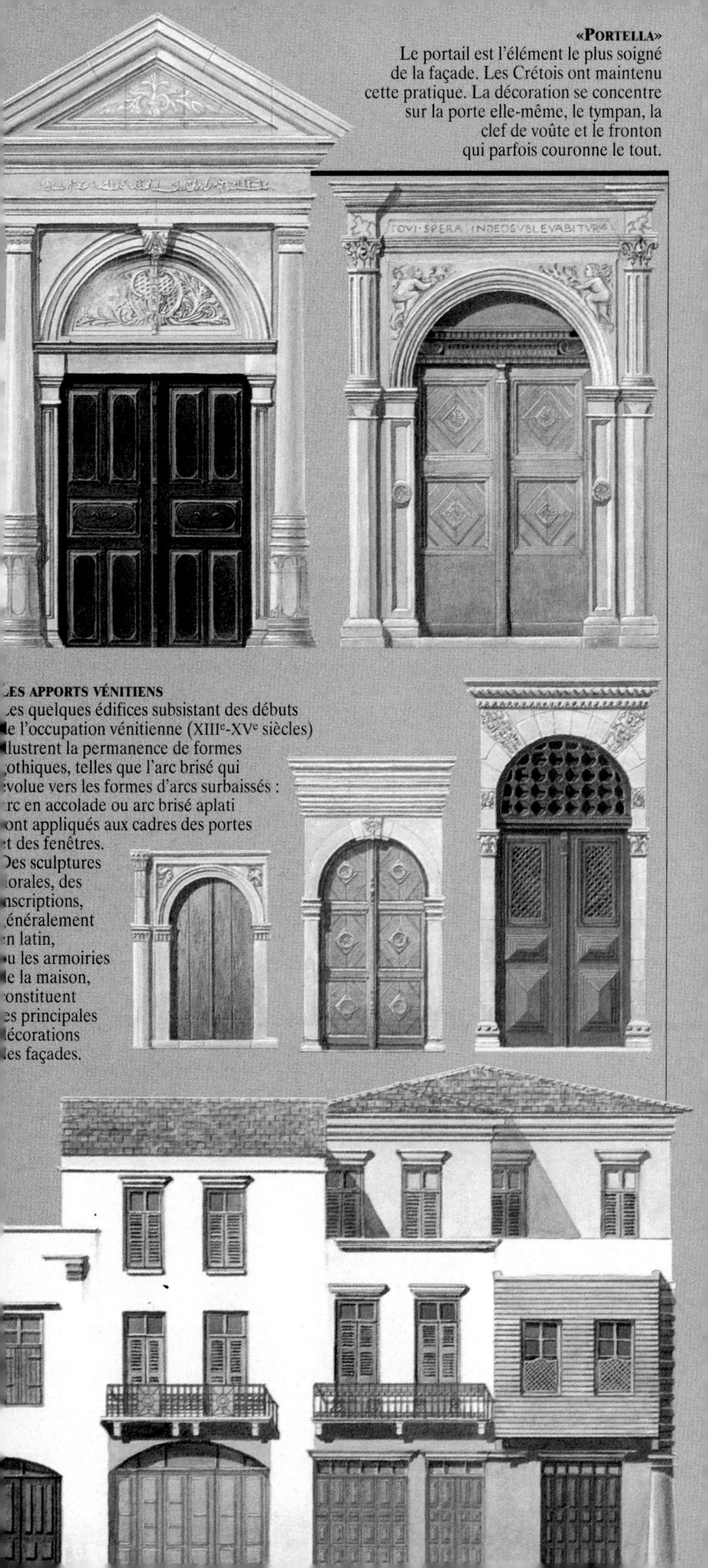

«Portella»
Le portail est l'élément le plus soigné de la façade. Les Crétois ont maintenu cette pratique. La décoration se concentre sur la porte elle-même, le tympan, la clef de voûte et le fronton qui parfois couronne le tout.

ES APPORTS VÉNITIENS
.es quelques édifices subsistant des débuts le l'occupation vénitienne (XIIIe-XVe siècles) llustrent la permanence de formes ;othiques, telles que l'arc brisé qui évolue vers les formes d'arcs surbaissés : arc en accolade ou arc brisé aplati ont appliqués aux cadres des portes et des fenêtres.
Des sculptures lorales, des nscriptions, énéralement en latin, u les armoiries le la maison, onstituent es principales lécorations les façades.

Plus sobre d'aspect que le palais vénitien, le *palazzo* crétois ne possède pas en façade, comme ce dernier, de nettes délimitations horizontales correspondant aux étages. Mais la plus grande différence consiste en la permanence d'une particularité architecturale crétoise adaptée aux conditions climatiques : le toit de l'étage supérieur est complètement plat, ou avec une très légère inclination pour permettre l'évacuation des eaux de pluie, et blanchi à la chaux.

LE TOIT-TERRASSE
Élément typiquement méditerranéen, il surv depuis l'Antiquité jusqu'à nos jours. En l'absence de système d'eau courante, il jouait le rôle de citerne privée en permettant de recueillir l'eau de pluie. L'apparition de toits de tuile est relativement récente. Ci-contre, à gauche, le mur en moellons maçonné de grès et de mortier est enduit d'un mélange de terre rouge argileuse, de sable et de chaux.

L'AMÉNAGEMENT INTÉRIEUR DES PALAIS
Le *katoï*, ou rez-de-chaussée, abritait des entrepôts, des ateliers et le logement des domestiques. Le premier étage, ou *mezzado,* était réservé aux activités professionnelles du seigneur. Enfin, les appartements privés occupaient le second étage, ou *anoï*, : ils comprenaient un *portego* (salle de réception et de repas), des *kamarés*, ou chambres à coucher, et des cuisines. Un des traits caractéristiques de ces édifices est l'existence d'une cour intérieure, parfois complétée d'une cour secondaire, comme au temps des Minoens.

Le décor réalisé ar un sculpteur, u *intagliatoros*, ersonnalise haque habitation. Cette «signature» 'applique tout pécialement u portail d'entrée ui gagne ainsi n solennité. Les ouleurs à dominante cre, bleu, rouge et ose relèvent, surtout ans les maisons éoclassiques, s éléments rchitecturaux t décoratifs. a porte est encadrée d'un chambranle à piliers, de colonnes qui comportent bases, fûts et chapiteaux. Une imposte reçoit la retombée de l'arc de la porte ou un tympan en plein cintre. Les écoinçons sont également souvent décorés de sculptures feuillagées ou figuratives. La clef de voûte de l'arc peut être rehaussée par une simple avancée ou par une décoration de feuillage sculpté. Les vantaux en bois de la porte concourent à l'effet esthétique par la variation de leur agencement géométrique.

LA FORTETZA
L'imposante forteresse, d'une circonférence de 1 300 mètres, épouse le relief de la colline. Elle offre une splendide vue sur la ville, le port et la campagne environnante.
Les remparts sont renforcés par quatre bastions.
La porte d'entrée, impressionnante, constitue la seule ouverture sur la ville.

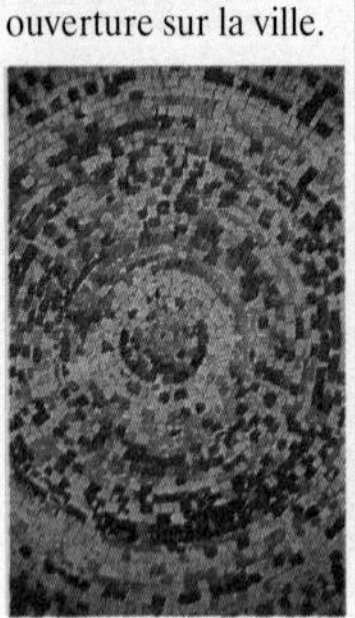

Le dôme de la mosquée de la forteresse.

LE MUSÉE ARCHÉOLOGIQUE
Ce musée regroupe des bijoux, des ustensiles et des statuettes votives du néolithique, des céramiques minoennes, des fragments architecturaux et des sarcophages romains et byzantins, ainsi qu'une petite collection égyptienne. Ci-contre, une statuette en bronze représentant Isis qui date de la XVIIIe dynastie (1700-1400 av. J.-C.).

LA FORTETZA ● *107*

Le principal édifice de l'ancienne Réthymnon est l'imposante forteresse vénitienne, qui occupe l'extrémité du promontoire situé au nord de la ville. L'avaient précédée à cet emplacement une antique cité grecque puis une citadelle byzantine, le Paléokastro, dont les vestiges furent ensevelis sous les fondations de l'actuelle forteresse, construite au XVIe siècle. Deux attaques successives de la flotte ottomane, menées par Barberousse en 1538, puis par Kilich Ali Pacha en 1562, ayant révélé la faiblesse du système défensif de la ville, le conseil vénitien décida de construire une nouvelle forteresse. Les plans d'origine, conçus par M. Sanmicheli ● *54*, furent adaptés et mis en œuvre par l'ingénieur militaire vénitien Sforza Pallavicini.
La construction commença le 15 septembre 1573 : les murs d'enceinte furent achevés durant l'été 1577, à l'exception de ceux du littoral qui ne furent terminés que l'année suivante ; six autres années furent nécessaires pour finir d'édifier les bâtiments situés à l'intérieur des remparts, parmi lesquels la résidence du gouverneur vénitien, les quartiers de la garnison, les bâtiments administratifs, les magasins de munitions, un hôpital, des logements pour accueillir les habitants de la ville en cas de siège et une chapelle catholique, SAINT-SPYRIDON.
LA MOSQUÉE DE LA FORTERESSE. Construite pour la garnison ottomane de Réthymnon, cette mosquée a été récemment restaurée. L'intérieur de sa coupole est recouvert d'une mosaïque, décoration rarement utilisée dans l'art ottoman ; son *mihrab*, niche indiquant la direction de La Mecque, est sculpté, dans sa partie supérieure, de motifs en stalactites. L'ancienne prison, située à l'entrée de la forteresse, abrite le Musée archéologique.

LE MUSÉE ARCHÉOLOGIQUE ♥

Ses collections regroupent des objets provenant de fouilles effectuées à Réthymnon et dans son département, ainsi que des bronzes romains repêchés dans une épave au large d'Haghia Galini ▲ *242*. Les pièces les plus intéressantes furent découvertes en 1947, derrière le lycée, au sud-est du parc municipal. Il s'agit de huit vases de différentes sortes, certains intacts, d'autres fragmentaires, provenant d'une tombe creusée dans le rocher

« LA SPLENDEUR DU SPECTACLE, LES SOUVENIRS QU'IL FAIT NAÎTRE SOUDAIN AU CŒUR DE CHACUN, EMPLISSENT LE PROMENEUR D'UNE SORTE D'IVRESSE. »

PANDÉLIS PRÉVÉLAKIS

et datant du Minoen récent III (1350-1250 av. J.-C.). Ces objets, les plus anciens que l'on ait trouvés à Réthymnon, permettent de penser que la ville fut fondée à la fin de l'âge du bronze.

AUTOUR DU PORT VÉNITIEN

LA LOGGIA. On quitte le port vénitien au sud-ouest, par la rue Néarchou, et l'on parvient ainsi au carrefour des rues Paléologou et Arkadiou, où se dresse la Loggia. Il s'agit d'une belle construction de style palladien, chacune des quatre façades étant percée de trois ouvertures cintrées, avec au centre une porte précédée d'un petit escalier de marbre. La Loggia, qui date vraisemblablement de la fin du XVIe ou du début du XVIIe siècle, était utilisée comme lieu de réunion par la noblesse vénitienne de Réthymnon. Sous l'occupation ottomane elle fut transformée en mosquée : la base d'un minaret est encore visible à l'arrière du bâtiment, ainsi que quelques pierres tombales surmontées de turbans dans le jardin attenant. La rue Arkadiou, longeant la plage, traverse le vieux quartier de Réthymnon, où se trouvent les plus beaux portails vénitiens ainsi que les maisons turques aux avancées de bois.

LA FONTAINE RIMONDI ● *109.* À l'ouest de la Loggia, au croisement des rues Paléologou et Thessalonikis, se trouve la dernière fontaine monumentale érigée par les Vénitiens à Réthymnon. Il s'agit de la fontaine Rimondi, une magnifique construction Renaissance : quatre colonnes à chapiteaux corinthiens encadrent trois têtes de lions d'où l'eau s'écoule. L'ouvrage date de 1629 et porte le nom d'Alvise Rimondi, qui était, à cet époque, le recteur vénitien de la ville. La fontaine était à l'origine protégée des intempéries par un édifice à coupole dont subsistent encore trois des quatre piliers ainsi qu'un fragment de dôme.

Le quartier qui s'étend à l'ouest et au sud-ouest du port vénitien est la partie la plus ancienne de la ville. Le port est très pittoresque avec ses maisons aux tons pastel ; les caïques multicolores des pêcheurs ; le vieux phare qui se dresse à l'extrémité du quai. Les restaurants du voisinage, fournis en poissons fraîchement pêchés, sont parmi les meilleurs de la ville.

FONTAINE RIMONDI
L'arche attenante abrite une boutique.

LE CENTRE

L'ANCIENNE MOSQUÉE NÉRANTZÉS. Au sud de la fontaine Rimondi et de la rue Pétykhaki, on découvre l'ancienne mosquée Nérantzés, dont l'élément le plus impressionnant est un minaret de haute taille ● *112.* C'était à l'origine l'église vénitienne de Santa Maria, mentionnée dès 1227, laquelle fut convertie en mosquée peu après la conquête de Réthymnon par les Ottomans. Rebaptisée Odéon, elle sert aujourd'hui de salle de concerts. L'élément le plus remarquable de son architecture est son portail cintré, situé à l'extrémité du bâtiment, près du minaret ; il est encadré par de hauts piédestaux supportant chacun une paire de demi-colonnes corinthiennes dont les chapiteaux sont surmontés d'une architrave ; chaque paire étant séparée par une imposte avec des niches arrondies sur deux niveaux.

LA MOSQUÉE NÉRANTZÉS
Du haut du minaret, auquel on accède par un escalier en spirale de 133 marches, la vue sur la ville est magnifique.

Le marché
La Porta Guora, également appelée *Mégali Porta*, la Grande Porte, s'ouvre sur le marché, toujours très vivant, avec ses étals de fromages, fruits et légumes, poissons et viandes, superbes couronnes de pain et miel... Les échoppes, petites et nombreuses, se pressent les unes contre les autres dans ce quartier, vendant des articles touristiques et des produits artisanaux : bijoux, broderies, cuirs, poteries et tissages. On y rencontre même quelques antiquaires. Dans les multiples tavernes et cafés, on peut se rafraîchir et regarder les Crétois jouer aux cartes ou au *tavli*, le jacquet crétois.

La mosquée rose de Kara Moustapha
Elle se dresse au coin de la rue Victoros Ougo. Sa fontaine et son minaret sont pratiquement en ruine.

L'Odos Ethnikis Antistasséos. Au sud de la rue Ethnikis Antistasséos, juste avant la place des Quatre-Martyrs, se dresse à gauche un autre minaret turc. La place et son église sont ainsi nommées d'après quatre farouches résistants au joug turc qui furent pendus à cet endroit. La rue passe ensuite sous l'arche d'une belle porte néoclassique. Il s'agit de la *Porta Guora*, la seule porte des anciens remparts vénitiens subsistant encore. Elle tient son nom de Giacomo Guoro, recteur de Réthymnon dans la seconde moitié du XVIe siècle.

Au sud de la vieille ville

Le parc municipal. Hormis le port vénitien et la plage, l'un des endroits les plus agréables de Réthymnon est le beau parc municipal, dont l'entrée se trouve à l'intersection des rues Ethnikis Antistasséos et Pavlou Koundouriotou. Ce parc occupe l'emplacement du vieux cimetière turc, dont il ne reste aujourd'hui presque rien. Chaque année, à la fin du mois de juillet, s'y tient la fête du Vin ◆*284*, qui donne lieu à des réjouissances accompagnées de danses et de musique folkloriques. Les fleurs y sont également célébrées aux mois de mars et d'avril. En effet, Réthymnon est réputée pour son horticulture en serre.

L'ancienne mosquée Kara Mustapha. À l'extrémité sud de la rue Arkadiou, que l'on peut rejoindre par la rue Gérakari, se trouve un autre monument important, l'ancienne mosquée Kara Mustapha ou Kara Moussa Pacha. Il s'agissait à l'origine d'une église franciscaine construite au début de l'occupation vénitienne. Elle fut convertie en mosquée immédiatement après la conquête ottomane, en 1645, par Kara Mustapha Pacha, grand vizir du sultan Ibrahim, et commandant des premières troupes qui envahirent la Crète.
Les origines vénitiennes de l'édifice sont évidentes quand on regarde la belle entrée néoclassique et les voûtes en ogive situées à l'intérieur. Le bâtiment est un cube surmonté de neuf coupoles, ajoutées à l'époque ottomane ainsi que le minaret. L'édifice est aujourd'hui utilisé par la Direction des antiquités byzantines de Réthymnon et on envisage de le transformer en musée.

AU SUD DE RÉTHYMNON

1. RÉTHYMNON
2. CHROMONASTIRI
3. APOSTOLI
4. THRONOS
5. MONI ASSOMATON
6. AMARI

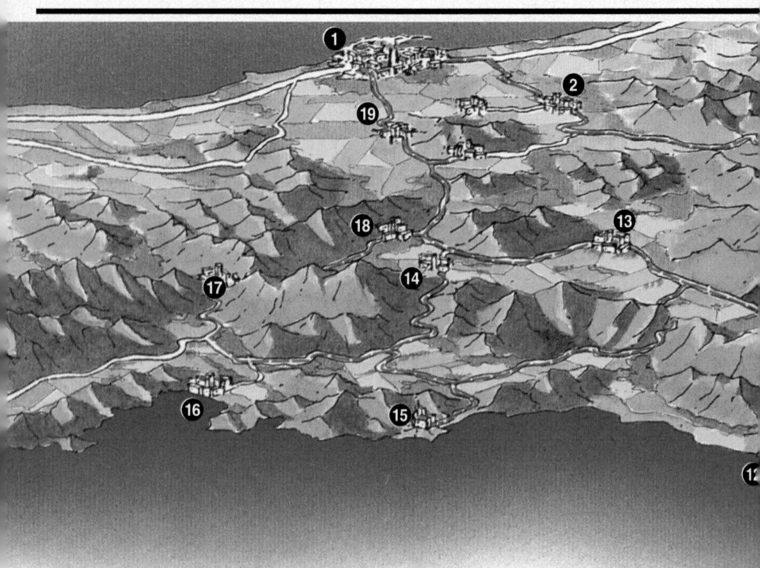

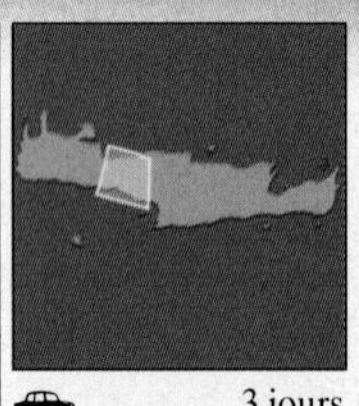

3 jours

VILLAGE DE THRONOS-SIVRYTOS
Ce charmant village occupe une partie du site de l'antique Sivrytos, autrefois la cité la plus puissante de cette partie de la Crète, qui s'étageait sur le versant de la colline.

Ci-contre, monument à Apostoli, village qui permet de découvrir une vue admirable sur le Psiloritis (Ida).

AUTOUR DU MONT VRISINAS

CHROMONASTIRI. Depuis Réthymnon, on emprunte la route qui, au sud, traverse la vallée du Sfakoriako. Chromonastiri est le premier village du versant nord du mont Vrisinas, qui culmine à 858 m. Son église, consacrée à Haghios Evtikhiosa, a vraisemblablement été construite durant la seconde période byzantine, peu après la reprise de la Crète aux Sarrasins, en 961 ● *48*. Elle est encore ornée de ses fresques d'origine, datant du XIe siècle, un des derniers exemples de peintures de cette époque subsistant en Crète.
PRASSIÈS. Poursuivant au sud, on atteint Prassiès, village pittoresque avec encore quelques maisons vénitiennes. Sa chapelle de la Panaghia, située dans le cimetière, recèle des vestiges de fresques datées du XIVe siècle. À 2 km une première route, à droite, longe le versant sud du mont Vrisinas et conduit au site de Falanna où Nicolas Platon exhuma, dans les années 1960, deux maisons de la période archaïque ; tandis que, à gauche, la route principale rejoint le district d'Amari.

LE DISTRICT D'AMARI ♥

Dans la belle vallée d'Amari, plus qu'ailleurs en Crète, est concentrée une grande quantité d'églises byzantines. La plupart des informations les concernant sont issues de l'inventaire établi au début du siècle par Giuseppe Gerola, *Monumenti Veneti nell'Isola di Creta*.
L'ANCIENNE SIVRYTOS. Apostoli, Géna, Thronos et Kalogérou occupent le nord-ouest de la vallée d'Amari et se trouvent

7. Vizari 8. Fourfouras 9. Platania 10. Apodoulou 11. Haghia Galini 12. Haghia Pavlos 13. Spili 14. Koxaré 15. Moni Prévéli 16. Plakia 17. Mirthios 18. Haghios Vassilios 19. Arméni

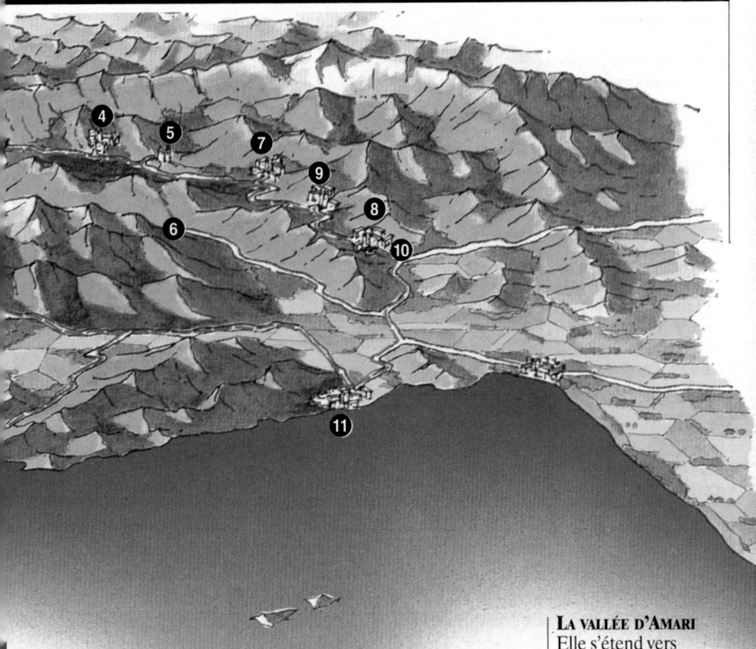

La vallée d'Amari
Elle s'étend vers le sud-est, limitée au nord-est par l'imposant massif du Psiloritis et au sud-ouest par le mont Kédros. C'est l'une des plus belles et des plus fertiles de Crète, un paradis niché entre les montagnes, avec de beaux villages, perchés sur les hauteurs plantées d'oliviers.

à l'intérieur des limites de l'antique Sivrytos, dont la cité était située au nord de Thronos : on peut encore y voir les vestiges des murs d'enceinte et d'une entrée monumentale. Ces quatre villages possèdent des églises du XIVe siècle décorées de fresques : Haghios Nikolaos à Apostoli, Haghios Onouphrios à Géna, Haghios Ioannis Théologou à Kalogérou et l'église de la Panaghia à Thronos.

Thronos. Son église de la Panaghia, dédiée à la Dormition, fut construite sur les fondations d'une basilique du début du christianisme dont le pavement en mosaïque date, suppose-t-on, du IVe siècle. Elle fut restaurée en 1491 et en 1558, comme l'indiquent deux inscriptions. Ses fresques sont de deux périodes distinctes, début du XIVe siècle et fin XIVe-début XVe siècle. Non loin du village de Kaloyiéros, l'église Saint-Jean-le-Théologien et ses fresques du XVe siècle sont également intéressantes.

Amari. À la hauteur de l'ancien monastère Assomaton, une route conduit à Monastiraki, proche du site de Kharakas où des archéologues ont dégagé un important village et un palais minoens. On arrive ensuite à Amari, qui fut la capitale de la région jusqu'à l'époque vénitienne, et le lieu de villégiature de la noblesse de l'île. La chapelle Haghia Anna, à l'extérieur d'Amari, contient encore ses fresques datées de 1225 qui sont parmi les plus anciennes de Crète.

PORT D'HAGHIA GALINI
Le village s'est depuis peu métamorphosé en station balnéaire. Les navires de plaisance sont en été plus nombreux que les embarcations des pêcheurs ; les hôtels et pensions se sont multipliés le long des rues en pente qui dévalent vers la mer de Libye. Des excursions en bateau sont proposées pour visiter les grottes marines ◆ *310*.

FONTAINE DE SPILI
Dans ce gros bourg, aujourd'hui siège d'un évêché, l'eau abonde. Spili donne l'impression d'avoir été construit autour de ses sources. L'une d'elles jaillit d'une belle fontaine vénitienne à vingt-cinq bouches d'eau dont dix-neuf sont des têtes de lion ● *109*.

VIZARI ET FOURFOURAS. De retour à Moni Assomaton, continuer au sud, jusqu'au village de Vizari à l'ouest duquel se trouvent les vestiges d'une cité romaine ainsi que les ruines d'une basilique byzantine de la fin du VIIe siècle. Cette cité fut détruite par les Sarrasins, comme en témoignent les pièces de monnaie arabes découvertes dans les décombres.
2 km plus loin, au centre du village de FOURFOURAS, établi à 340 m d'altitude, l'église de la Panaghia abrite des vestiges de fresques datant du XIVe ou du XVe siècle.
PLATANIA. Depuis Fourfouras une petite route remonte au nord et rejoint Platania. Trois grottes se trouvent à proximité du village, sur les contreforts du mont Timios Stavros : celle de Digénés, à 820 m d'altitude, celle de Kissospélios, à 1 000 m d'altitude, et celle de Pan, à 1 750 m d'altitude, qui était vénérée durant l'Antiquité comme l'antre du dieu du même nom ; les bergers de ces montagnes jouent encore d'une sorte de flûte de Pan. La route au sud de Fourfouras pénètre dans la basse vallée d'Amari et rejoint la côte sud, *via* le village d'APODOULOU dont l'église Haghios Georgios est ornée de fresques. Juste avant l'entrée de ce village, Davaras a découvert une tombe à tholos du Minoen récent.

LE DISTRICT D'HAGHIOS VASSILIOS

HAGHIA GALINI. Situé sur la côte de la mer de Libye, ce pittoresque village de pêcheurs, agrémenté d'une belle plage, est surpeuplé en été en raison de l'afflux des touristes. Il est préférable, si l'on désire trouver un endroit tranquille pour nager, d'explorer à pied les plages situées plus à l'ouest, car il n'existe aucune route menant à la côte entre Haghia Galini et Moni Prévéli. Haghia Galini, outre son attrayante plage, possède une charmante église, vraisemblablement d'époque vénitienne et consacrée à la Panaghia.
SPILI. La route principale remonte au nord puis à l'ouest, entre le mont Kédros (1 777 m), au nord, et les monts Vouvala (947 m) et Sidérotas (1 136 m), au sud. Elle conduit à Spili, un grand village où il fera bon de s'arrêter dans un des cafés qui bordent la grande rue. Baigné de fraîcheur

Quoique discret, on retrouve ici le lion de saint Marc, emblème de la Sérénissime République.

et de verdure, Spili possède un certain cachet avec ses vieilles maisons et ses quatre églises. Hormis sa célèbre fontaine, l'autre édifice vénitien de Spili est la chapelle de la Transfiguration.

Les gorges de Kortaliotiko. La route atteint à l'ouest Koxaré, puis descend, au sud, en direction de Moni Prévéli. On pénètre ainsi dans les impressionnantes gorges de Kortaliotiko où le Mégapotamos prend sa source, à côté de la chapelle d'Haghios Nikolaos. À la sortie des gorges, la route oblique vers l'ouest en direction du village d'Assomatoi, où, longeant le Mégapotamos, on tourne à gauche vers Moni Prévéli.

Moni Prévéli ♥. Après avoir traversé la rivière, sur un pont datant de l'époque vénitienne, et dépassé une tour abandonnée dépendant de l'ancien monastère, on se trouve subitement devant l'imposant Moni Prévéli. Les bâtiments se répartissent en deux groupes : le premier, le Kato (bas) Moni, aujourd'hui vide, surplombe la mer de Libye ; le second, le Piso (haut) Moni où vivent encore trois moines et un gardien, est situé au fond de la vallée du Mégapotamos. La date de la fondation du monastère est incertaine, mais une étude du professeur Tombakis, de l'université d'Athènes, permet de supposer qu'elle remonte à l'époque vénitienne. Détruit par les Ottomans en 1646, il fut reconstruit et reouvert quelques années avant 1700. En 1797, le patriarche œcuménique de Constantinople, Georges V, publia une bulle donnant à Moni Prévéli le statut de *stavropigiako* qui en faisait une dépendance directe du patriarcat et le protégeait des autorités ottomanes. Le monastère, qui possédait un grand domaine, devint ainsi extrêmement prospère. Durant l'occupation ottomane, les moines créèrent des écoles secrètes dans les villages de la région, afin

Moni Prévéli
Son architecture est nettement d'inspiration vénitienne. La fontaine à l'entrée de la cour porte la date de 1701, mais l'église fut reconstruite en 1836. Elle contient quelques icônes anciennes.

Impression
«À l'est de la baie de Plaka, se trouve la vallée encaissée de Prévéli, avec un monastère à son extrémité orientale et, à l'opposé, deux ravins [...]. Le monastère de Prévéli est ainsi situé dans l'une des vallées les plus reculées et les plus pittoresques de Crète : des rochers gris, aux formes tourmentées, surplombent en effet les pentes arrondies, les oliveraies, les champs et les vignes rassemblés ici avec tant de proximité que la première impression d'un étranger est d'y voir un paradis...».
Capitaine Spratt, 1865.

ICÔNE DE MONI PRÉVÉLI
Le monastère abrite un petit musée réunissant quelques objets précieux et des icônes des XVIIe et XVIIIe siècles. Une croix miraculeuse en or et en argent est conservée dans l'église.

NÉCROPOLE D'ARMÉNI
Les fouilles dégagèrent une tombe mycénienne et de nombreuses autres datant du Minoen récent ● *95*. Les objets funéraires (sarcophages, bijoux, vases) découverts dans ces sépultures sont aujourd'hui exposés au Musée archéologique de La Canée ▲ *279*. La nécropole d'Arméni est l'une des plus grandes de Crète, mais, à ce jour, aucune trace de la ville dont elle dépendait n'a été découverte. Cette cité devait pourtant être importante, étant donné la taille de ce cimetière.

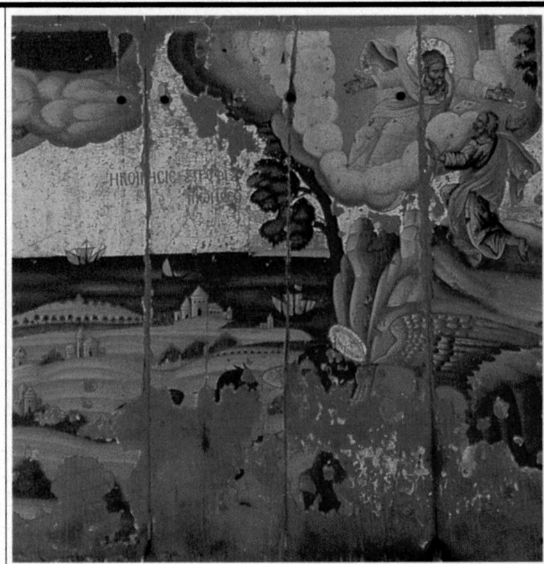

de propager la culture grecque orthodoxe et de former futurs moines et professeurs. Moni Prévéli devint un important centre de résistance et fut à nouveau détruit, puis reconstruit, la dernière fois peu après l'insurrection de 1866 ● *59*. Le monastère servit également de refuge aux soldats des troupes alliées qui participèrent à la bataille de Crète lors de la Seconde Guerre mondiale ● *65*. Une route mène de Moni Prévéli à la chapelle toute proche d'Haghia Photini qui est ornée de fresques datant de la fin du XIVe ou du début du XVe siècle. Une autre route conduit à la belle plage de Damnoni, bordée de palmiers, où l'on peut se restaurer dans une taverne avant de reprendre la route.

DE PLAKIA À RÉTHYMNON

PLAKIA ♥. Remontant légèrement au nord du monastère, jusqu'à Lefkogia, on se dirigera ensuite vers l'ouest et la baie de Plakia. Le petit village de Plakia est devenu l'une des principales stations balnéaires du littoral de la mer de Libye. De nombreux hôtels, ainsi qu'un village de vacances, occupent le pourtour de sa magnifique plage. La baie est limitée à chaque extrémité par un promontoire, les caps Kakomouri et Stavros. Revenant sur ses pas jusqu'à Mirthios, on pénètre dans les gorges de Kotsifou, au débouché desquelles se retrouve la route directe pour Réthymnon.

ARMÉNI. La halte la plus intéressante se présente à mi-chemin, avec Arméni, l'un des villages où Nicéphore Phokas ● *48* installa les Arméniens peu après sa reconquête de l'île en 961. Cet acte faisait partie d'un programme byzantin destiné à rétablir la culture chrétienne après l'occupation sarrasine. À 2 km environ du village, un panneau indique la direction d'un site antique, une nécropole minoenne découverte en 1969 par l'archéologue grec Tzédakis.

De Réthymnon à La Canée

▲ De Réthymnon à La Canée

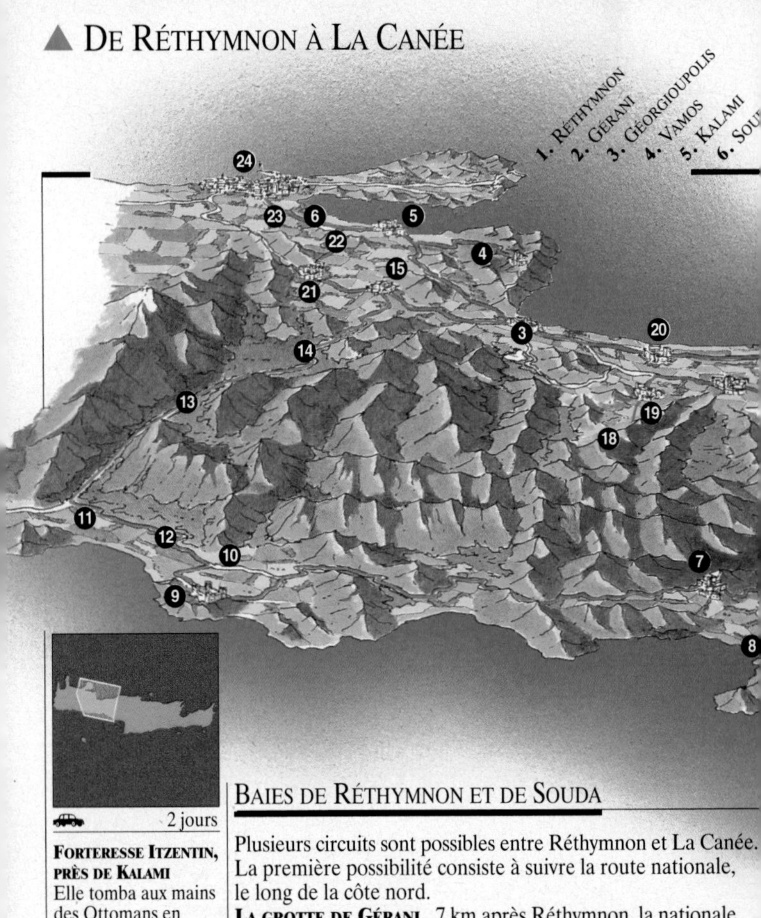

2 jours

Forteresse Itzentin, près de Kalami
Elle tomba aux mains des Ottomans en 1645, en même temps que La Canée. Elle a gardé depuis son appellation ottomane.

Baies de Réthymnon et de Souda

Plusieurs circuits sont possibles entre Réthymnon et La Canée. La première possibilité consiste à suivre la route nationale, le long de la côte nord.

La grotte de Gérani. 7 km après Réthymnon, la nationale traverse le pont de Gérani, sous lequel fut découvert, en 1967, une grotte-sanctuaire. Les objets mis au jour indiquent qu'elle fut utilisée dès la fin du néolithique, vraisemblablement comme lieu de culte dédié à la grande déesse mère. Des objets cultuels, ainsi que des outils de la même époque en os ou en obsidienne, sont aujourd'hui exposés au Musée archéologique d'Héraklion ▲ *154*.

La baie de Souda
Longue et étroite, elle est ponctuée de quelques îlots dont celui de Souda où s'élève une forteresse vénitienne. On y distingue également un arsenal.

La baie de Souda. La nationale longe le littoral jusqu'à Géorgioupolis, puis traverse la base de la péninsule triangulaire de Vamos, rejoignant la baie de Souda près de Kalami. On bénéficie alors d'une vue panoramique sur toute la baie, ainsi que sur les falaises de la grande péninsule d'Akrotiri ▲ *264* qui se trouve de l'autre côté. Au sud, on aperçoit le massif de Malaxa, qui prolonge les Montagnes Blanches (Lefka Ori) dont les sommets dominent l'horizon, au loin.

Forteresses vénitiennes ♥. Sur le promontoire de Kalami se dresse une ancienne forteresse vénitienne, encore appelée de son nom ottoman, Itzentin. Une autre forteresse occupe l'îlot de Souda. Elles furent toutes deux construites par les Vénitiens à la fin du XVIe siècle pour protéger l'entrée de la baie.

La forteresse de l'îlot de Souda résista aux Ottomans jusqu'en 1715 et fut l'une des trois dernières places fortes vénitiennes à tomber, avec celles de Spinalonga et de Gramvoussa, une île située à la pointe nord-ouest de la Crète ▲ *202*.

La nationale longe à nouveau la côte, jusqu'au port de Souda, situé presque au fond de la baie. Elle traverse ensuite la base de la péninsule d'Akrotiri, arrivant ainsi aux abords de La Canée.

Le Sfakia oriental

La seconde possibilité pour rejoindre La Canée depuis Réthymnon consiste à faire un large crochet par la côte sud que l'on rejoint à Sélia, un village de la baie de Plakia. 'oursuivre ensuite vers l'ouest, par une route qui serpente sur ne corniche entre les montagnes et la mer de Libye, traversant ne série de villages perchés.

'orteresse de Frangokastello ♥

.a première petite route rejoignant a mer est celle qui mène à 'rangokastello ● *106*, une forteresse ont le nom vénitien, *Franco 'astello*, signifie «le château franc». 'rangokastello, autrefois isolé sur un romontoire entouré par la mer, était un des sites les plus impressionnants u littoral méridional de Crète. ;onstruite par les Vénitiens en 1371, cette forteresse est a seule, avec celle de Hiérapétra, qui subsiste sur la côte sud ▲ *214*. De plan carré, son enceinte, ponctuée aux angles e quatre tours carrées, est très bien conservée. À l'intérieur ubsistent les ruines des différents édifices rajoutés par les)ttomans lors de leur occupation. La forteresse surplombe ne plage de sable rosé, très fréquentée en été : les eaux sont peu profondes et protégées par un banc de récifs. Des etites églises byzantines sont éparpillées le long de la côte.

Hadzimichalis et la forteresse de Frangokastello

Le 18 mai 1828, cette forteresse fut le théâtre d'une célèbre bataille durant laquelle 1 000 assiégés grecs, sous les ordres du général Hadzimichalis, furent massacrés par les 14 000 hommes de l'armée de Mustapha Pacha. On prétend que Hadzimichalis fut lui-même décapité par Mustapha Pacha. Après le départ de ces derniers, les rebelles furent enterrés par les villageois tandis

qu'une religieuse réunit les restes de Hadzimichalis et les inhuma dans la crypte de la chapelle Haghios-Charalambos.

En Crète comme en Grèce, les cafés sont une véritable institution, profondément ancrée dans les mœurs de la population masculine. Refuges des solitaires, lieux de rencontre de la *paréa*, «bande d'amis», petits fiefs d'une profession ou d'un parti, ils occupent une place privilégiée dans le cœur et dans l'emploi du temps quotidien des Crétois, villageois ou citadins. *Stékia*, *ouzéries*, *rakadika*, *mézédadika* ou *kapilia* sont autant de versions du café traditionnel dans ses diverses spécialisations qui ne sont pourtant pas exclusives et changent au gré de l'heure, du client, ou de la fortune du pot. Bar-tabac, bureau de poste, épicerie parfois, le *kafénio* constitue en quelque sorte le centre de gravité du village.

SCÈNES DE CAFÉS
Attablés en silence, souvent seuls, les vieux dégustent leur café. Une partie de *tavli* peut s'engager. Au gré des arrivées, les conversations s'amorcent. Certains déploient leur journal, d'autres jouent machinalement de leur *komboloï* à grains d'ambre. Parfois les chaises changent d'orientation. Des saluts sont échangés, une discussion est lancée. À la sortie des bureaux se tient parfois une session informelle du «petit parlement» : les notables dissertent entre *mézédes* et verres de *raki* ou d'*ouzo*.

LES TAVERNES
Ce sont des restaurants populaires – où, le plus souvent, la nappe sera en papier. L'espace est assez exigu mais comporte, la plupart du temps, une petite terrasse, sous la treille. On y mange essentiellement des plats du jour cuisinés, qui arrivent de la boulangerie la plus proche, dans de grands *tapsia* ronds, en fonte.

«J'ai bu du vin doux et du vin sec. Pur et intact comme une jeune vierge crétoise. Et avec le «raki» dont j'ai arrosé ma langue, j'ai senti revenir tout entières mes forces amoindries.»

I. Brillakis-Kavakopoulos

Entre Frangokastello et Komitadès, la route littorale est bordée de petits villages perchés sur les contreforts du mont Agathès : ci-contre, l'église de la Panaghia à Komitadès, dernier vestige du monastère de Thymiani où les Sfakiens tinrent des assemblées avant la guerre d'Indépendance grecque ; ci-dessous, l'église de Nomikiana.

PLATEAU D'ASKIFOU
Cette région fertile tire ses principaux revenus de la récolte des noix et de la culture de la pomme de terre ; au printemps, les champs se couvrent de fleurs jaunes.

L'ÉGLISE DE FRANGOKASTELLO. Située au nord-est de la forteresse, elle occupe le site d'une basilique paléochrétienne dont subsistent des fragments de pavements en mosaïque.
KOMITADÈS. La route du littoral traverse ensuite les villages de Kapsodasos et Patsianos. À proximité se trouve l'église byzantine du XIIIe siècle, Haghios Georgios, ornée de fresques signées par le peintre crétois Ioannis Pagoménos qui datent de 1313 et sont très bien conservées. Passé Nomikiana, Vouvas et Vrakas, on atteint le village de Komitadès, près duquel on peut voir la belle église de la Panaghia.
LES GORGES DE NIMBROS. Une route importante remonte vers le nord, passant par les spectaculaires gorges de Nimbros. Celles-ci s'étendent sur 6 ou 7 km, avec seulement 2 ou 3 m de large en certains endroits tandis que les deux versants, aux parois escarpées, s'élèvent à une hauteur de 300 m. Les veines colorées et les courbes des deux parois permettent d'imaginer comment elles furent disjointes lors d'un tremblement de terre à l'époque préhistorique.
LE PLATEAU D'ASKIFOU. À la sortie des gorges, on arrive à Imbros, puis près de PÉTRÈS, le village le plus méridional du splendide plateau d'Askifou, borné à l'est par les monts Agathès (1 511 m) et Tripali (1 494 m) et, à l'ouest, par le mont Kastro (2 218 m) qui appartient à la chaîne des Montagnes Blanches. Une petite route conduit à GONI où les ruines d'une forteresse ottomane couronnent une hauteur. Le bourg d'ASKIFOU, à 710 m d'altitude, sur la route principale, peut constituer une halte agréable : on pourra goûter, dans l'un des cafés ou tavernes, la spécialité locale, le chausson au fromage *mizithra*. À l'extrémité nord du plateau, on atteint le Lagos Katré, un ravin qui fut le théâtre de plusieurs batailles importantes lors des révoltes crétoises contre l'occupant, en 1770, 1821 et 1866 ● *61*. Après avoir traversé ce ravin, la route descend vers la grande plaine d'Apokoronas et rejoint Vryssès où l'on peut reprendre la nationale jusqu'à La Canée.

ÉGLISE D'ASKIFOU
Le village d'Askifou est le plus important du plateau du même nom.

LE DISTRICT D'APOKORONAS

Le troisième itinéraire possible de Réthymnon à La Canée explore l'intérieur des terres, de villages en monastères.

MONOPATI KASTÉLOS. Rejoindre d'abord, à 12 km au sud de Réthymnon, Kastélos où les ruines de l'une des quatorze forteresses érigées par l'aventurier génois Enrico Pescatore, en 1206, couronnent une colline rocailleuse.

MONI HAGHIOS PROFITIS ILIAS (ROUSTIKA). À 17 km à l'ouest, on atteint le village de Roustika et Moni Haghios Profitis Ilias, monastère du saint prophète Élie. La riche bibliothèque fut endommagée par les Ottomans lors des sacs de 1823 et 1866 ● *61* : un certain nombre de ses volumes originaux se trouvent aujourd'hui à la Bibliothèque nationale de Paris sous l'appellation «Livres du monastère de saint Élie Roustica».

MYRIOKÉFALA ET SON MONASTÈRE. À 19 km au sud-ouest apparaît Argyroupolis, construite sur le site de l'antique Lappa dont de rares vestiges sont visibles. Sur le même emplacement, une ville dorienne fut détruite en 67 av. J.-C. Le village de Myriokéfala, perché à 500 m d'altitude sur les contreforts orientaux des Montagnes Blanches, est situé à 7 km au sud. Son monastère dédié à la Vierge Marie est l'un des plus anciens de Crète. On attribue sa fondation à Haghios Ioannis O Xenos, saint Jean l'Étranger, moine crétois du Xe siècle, canonisé en 1632. L'église est le seul édifice du monastère à ne pas avoir été détruit pas les Ottomans en 1821. Le katholikon a conservé des fragments de fresques datant des XIe et XIIe siècles, un des rares exemples de peintures murales de cette période arrivés jusqu'à nous. L'objet le plus précieux du monastère est une icône byzantine, représentant la naissance de la Vierge, que l'on suppose peinte par saint Luc, le «médecin divin».

MONI HAGHIOS PROFITIS ILIAS
Il date de la période vénitienne, comme l'attestent les dates 1637 et 1641 inscrites sur son clocher et sur un linteau. Son église contient une magnifique iconostase en bois sculpté ornée d'icônes datant de la seconde période byzantine. Ce monastère, qui, avec son grand domaine agricole, était autrefois prospère, a vu sa nombreuse communauté se réduire aujourd'hui à une très petite quantité de moines. Cependant, le 20 juillet, sa kermesse annuelle est restée une fête très populaire qui attire tous les habitants des environs.

Ci-dessus, monument à Vryssès.
Ci-contre, «Notre-Dame de la Fontaine de Vie» de Moni Chryssopighis.

SITE D'APTÉRA
Le site a été l'objet de fouilles après la Seconde Guerre mondiale. Les archéologues y mirent au jour les vestiges de deux temples grecs, de puits et d'un petit théâtre romains, et de ruines byzantines. Les objets découverts sont aujourd'hui rassemblés au musée de La Canée ▲ *179*.

D'ÉPISKOPI À VRYSSÈS. On remontera ensuite au nord jusqu'à Épiskopi, avant de poursuivre vers l'ouest par les petites routes. Dans le district d'Apokoronas, Pashley a identifié Dramia comme le site de l'antique Hydramion (lieu-dit Idramia) dont quelques vestiges datant de la période hellénistique peuvent encore se visiter. Pour se délasser, on pourra faire une halte à GÉORGIOUPOLIS, ancien village de pêcheurs reconverti en station balnéaire, ou au lac de Kournas, un des deux lacs de Crète. Depuis Géorgioupolis, se diriger vers les Montagnes Blanches, suivant le cours de la rivière jusqu'au charmant village de Vryssès. À 4 km au sud-ouest, près du village de VAFÈS, on peut visiter la grotte de Kryonérida, qui abrite deux vieilles chapelles, dont l'une est ornée de fresques byzantines. À l'ouest de Vryssès, une petite route relie quatre villages, pittoresques, Nipos, Frès, Kyriakossélia et Pémonia, dont les églises byzantines ont conservé leurs fresques d'origine : celles de FRÈS sont particulièrement belles.

NÉO-CHORIO ET STYLOS ♥. Un dédale de petites routes conduit ensuite à Néo-Chorio, un village situé au milieu de vastes oliveraies qu'entourent des plantations d'orangers et de mandariniers. Le ravissant vieux village de STYLOS, au nord-ouest, est orné de fontaines qu'ombragent de majestueux platanes. Il compte deux églises byzantines, Monastira et Haghios Ioannis, cette dernière décorée de peintures de 1280. Non loin du village une tombe du Minoen récent III a été découverte.

APTÉRA ♥. Franchissant un affluent du Kiliaris, on rejoint Aptéra, l'une des principales cités entre le Ve siècle av. J.-C. et l'époque hellénistique. Elle était alors entourée d'un mur de près de 4 000 m de long dont des vestiges subsistent sur quelque 600 m. La position stratégique d'Aptéra, dominant la baie de Souda, en fit une ville importante durant l'époque romaine et la première période byzantine. Endommagée par un tremblement de terre en 700 ap. J.-C., elle fut en partie abandonnée et finalement détruite par les Sarrasins en 828.

MONI CHRYSSOPIGHIS. La nationale longeant la baie de Souda conduit à proximité de Moni Chryssopighis, «le monastère de la fontaine d'or» ; il est dédié à la Panaghia Zoodochos Pigi, «Notre-Dame de la Fontaine de Vie». Fondé au XVIe siècle, autour de la source sacrée dont il tire son nom, ce monastère fut abandonné au début du XXe siècle, puis transformé en couvent. Il reste assez bien conservé. Au sud du monastère, un habitat minoen avec une villa néopalatiale a été découvert.

La Canée

1. Platia E. Vénizélou
2. Marché couvert
3. Mosquée
4. Kastéli
5. Vestiges minoens
6. Ancien palais du Recteur
7. Arsenaux vénitiens
8. Loggia vénitienne
9. Chionés
10. Splanzia
11. Haghios Nikol

3 jours

Le siège de La Canée

En 1644 un navire convoyant un dignitaire de l'Empire ottoman est intercepté par les chevaliers de Malte et le butin revendu à La Canée. Ce fait de piraterie, banal pour l'époque, servira de prétexte au sultan qui en rend les Vénitiens responsables : depuis la perte de Chypre, la Crète est leur ultime possession faisant obstacle à l'expansion ottomane. L'invasion de l'île commence au début de l'été 1645, avec l'attaque de La Canée par une importante flotte placée sous les ordres de Youssouf Pacha. La ville est prise après 57 jours de siège.

Histoire

La Canée occupe l'emplacement de l'antique Kydonia, la plus puissante cité de la Crète occidentale. Les fouilles entreprises en 1965 dans le vieux quartier de Kastéli attestent que ce site fut habité dès la fin du néolithique et durant l'époque minoenne.

L'occupation vénitienne. Les Vénitiens s'y établirent à partir de 1252 et y fondèrent une nouvelle cité, La Canéa. La ville tomba aux mains des Génois de 1266 jusqu'en 1290. Après l'avoir reconquise, les Vénitiens la reconstruisirent et y érigèrent la basilique, le palais du gouverneur et les maisons que l'on peut encore voir dans le quartier de Kastéli.

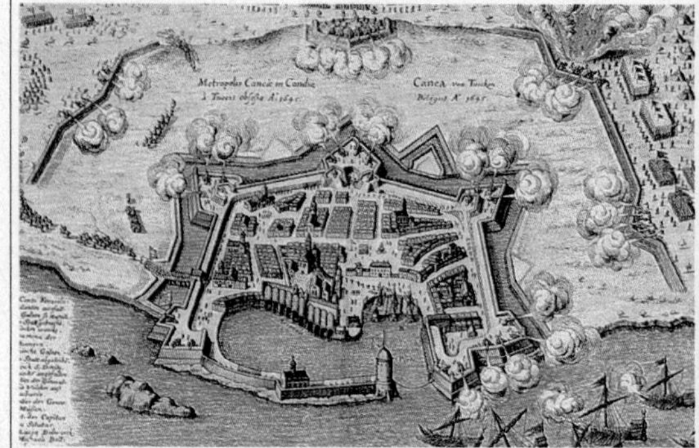

L'occupation ottomane. La ville fut prise par les Ottomans en 1645 et rebaptisée Khania. Elle devint en 1850 la capitale de l'île. Le capitaine Spratt, qui la visita en 1855, la décrit comme un fascinant mélange de populations, chrétiens grecs, musulmans turcs et juifs sépharades.

2. Haghii Anargyri
13. Parc
14. Musée historique
15. Evraiki
16. Cathédrale
17. Basilique San Francesco
18. Musée archéologique
19. Topanas
20. Palais vénitien
21. Bastion Shiavo
22. Musée de la Marine
23. Murailles vénitiennes
24. Tour Firka
25. Fortetza

Kastéli
La décoration des portes et fenêtres est caractéristique des maisons de style vénitien.
Ci-dessous, la mosquée des Janissaires, construite en 1645, est la plus ancienne mosquée de Crète.

L'indépendance. Avec l'indépendance retrouvée en 1898, La Canée garda son statut de capitale. À partir de 1913 et de l'*Enosis* avec la Grèce, elle devint capitale administrative, rôle dans lequel Héraklion la supplanta en 1971.

Le port vénitien ♥

Platia Elefthériou Vénizélou. Cette place pittoresque, plus connue sous le nom de Sandrivani, s'ouvre à l'extrémité sud-ouest de l'avant-port. La *paralia*, promenade du bord de mer, est bordée de cafés et de restaurants. Le port lui-même est protégé par une longue jetée qui se termine, à l'ouest, par un phare vénitien, restauré par les Égyptiens en 1830-1840. De l'autre côté de l'entrée du port se dresse une vieille tour, appelée Firka, qui signale le commencement des murailles.

Le port de La Canée au XVIIIe siècle
Les avancées à l'étage des maisons vénitiennes sont des ajouts ottomans.

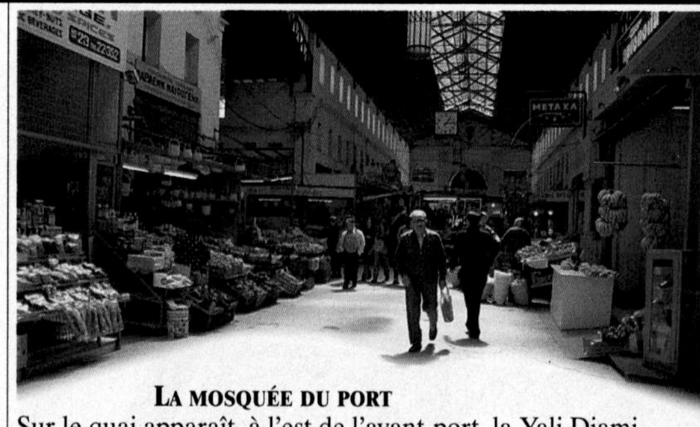

Le Marché couvert
Ce vaste édifice en forme de croix, surmonté d'une coupole, fut construit en 1911 sur le modèle du marché municipal de Marseille. Il est divisé en zones spécialisées, celles des bouchers et des poissonniers étant les plus animées. Entre les étals, des marchands ambulants vantent leurs articles. Çà et là apparaissent de petits restaurants qui participent à l'animation de ce marché vivant et pittoresque.

La mosquée du port
Sur le quai apparaît, à l'est de l'avant-port, la Yali Djami, littéralement la «mosquée du rivage», plus connue sous le nom de mosquée des Janissaires ● *112*, souvenir de l'occupation ottomane. *L'hôtel Plaza*, en face, a probablement servi d'école coranique à l'époque ottomane. La fontaine, encastrée dans sa façade, au-dessous de l'escalier qui conduit au petit hall du premier étage, a vraisemblablement été construite à l'époque vénitienne.

Le quartier Kastéli ♥

La rue Kanévarou, où s'élevaient, à l'époque vénitienne, les demeures de la noblesse, portait alors le nom de *Corso*. Cette artère permet de pénétrer dans le quartier Kastéli (la colline qui domine le port), l'ancienne citadelle qui, dans sa forme actuelle, date probablement de 1252, époque de la fondation de La Canéa par les Vénitiens. Ce derniers y construisirent une cathédrale et un palais. Autour, quelques vestiges de remparts sont encore visibles. Ils furent édifiés en 1537 par Sanmicheli ● *56* à la demande des Vénitiens, qui craignaient une invasion turque, laquelle eut effectivement lieu, et la citadelle tomba.

Les vestiges minoens. À mi-chemin de la rue Kanévarou, un important site minoen a été exhumé par une équipe d'archéologues grecs et suédois : peut-être un complexe palatial où ont été retrouvés des tablettes en linéaire A, des sceaux en argile, un bain lustral décoré de fresques. Détruit à la même époque que le palais de Knossos, au Minoen III, cet ensemble semble avoir été reconstruit et s'être développé durant les deux derniers siècles de l'âge du bronze, où il devint peut-être une importante cité mycénienne. Kydonia continua de jouer un rôle capital durant les époques romaine et byzantine.

Empreinte de sceau en argile, seconde moitié du XVe siècle av. J.-C.
Elle offre une représentation étonnante de la ville et de son dieu – ou de son prince – protecteur, debout au sommet de la montagne. Ce sceau fut découvert sur l'acropole de Kastéli, à La Canée.

«LE LIEU MAGNIFIQUE OÙ NOUS LOGIONS, SUR UN SITE SEMBLABLE À CELUI DE CAPOUE, NOUS RAPPELAIT L'ARCHITECTURE DE VENISE»

M. BENVEGNA, *VIAGGIO DI LEVANTE*, 1688

ODOS LITHINON. La plus belle rue du quartier Kastéli est l'Odos Lithinon, la première à gauche de l'Odos Kanévarou en venant de la place Sandrivani. Cette rue, bordée de splendides maisons, monte jusqu'à un cul-de-sac au sommet de la colline, où se dressent les anciennes Archives vénitiennes, un bâtiment datant, selon une inscription, de 1632.

ANCIEN PALAIS DU RECTEUR. En déambulant à travers le dédale de ruelles au nord-est du Kastéli, on découvrira les ruines d'un élégant palais : cet édifice, L'Arcade San Marco, servait de palais au recteur vénitien de La Canéa et de siège administratif de la Crète occidentale.

LES ARSENAUX VÉNITIENS. Un escalier descend sur le quai en galets qui conduit, à l'est, aux arsenaux vénitiens, datant du XVe siècle, où mouillaient les grandes galères. Le long du quai de l'arrière-port, s'alignent les bateaux de pêche et de plaisance, ainsi que de vieux caïques, autrefois utilisés pour le commerce maritime. Plus loin se trouve la Loggia vénitienne, en ruine. En continuant vers l'est jusqu'au rivage de la grande baie, on pourra voir le bastion sur la mer, auquel aboutissent les murailles. Le lion ailé de saint Marc y est représenté.

CHIONÉS ET SPLANZIA

Le quartier qui se trouve derrière les arsenaux s'appelle Chionés, et celui qui le prolonge au sud, Splanzia. À l'époque vénitienne, ils étaient habités par les ouvriers, essentiellement des Grecs. Ce sont encore aujourd'hui des quartiers populaires, animés durant la journée par les femmes et les enfants ; les hommes les rejoignent le soir, à l'heure où chacun s'assoit sur le seuil de sa maison ou aux terrasses des cafés. La meilleure façon de découvrit ces quartiers est de se laisser aller au hasard des petites ruelles.

LA PLATIA 1821. Le nom de cette place commémore l'année où commença la guerre d'Indépendance. Le platane, sur la place, est tristement célèbre pour avoir été utilisé par les Turcs pour pendre les Crétois insoumis.

LES ARSENAUX VÉNITIENS
Sur une carte, publiée en 1689 par Coronelli, on dénombre 13 ou 14 de ces arsenaux qui semblent avoir été au nombre de 23 à l'origine. 9 de ces grandes voûtes ont survécu, la plupart sont en assez bon état et toujours utilisées.

L'ÉGLISE HAGHIOS NIKOLAOS
Elle est flanquée de part et d'autre d'un campanile et d'un minaret, ajout des Ottomans.

«LA CANÉA», GRAVURE DE IOANNES PEETERS, XVIIIe SIÈCLE
On y remarque que le phare vénitien et la grande basilique San Francesco ont été surmontés de croissants, emblème de l'occupant ottoman.

Un ancien hammam turc, près de la cathédrale, est aujourd'hui occupé par un atelier de fonderie de bronze.

EX-VOTO
Il exprime clairement le sentiment des Crétois durant l'occupation allemande. Cet ex-voto est exposé au Musée historique, situé dans la rue Sphakianakis, qui retrace la résistance des Crétois face aux divers occupants.

À l'extrémité est de la place apparaît l'église Haghios Nikolaos Splanzias. Derrière l'église, une chapelle du XVIe siècle, Haghii Anargyri, est dédiée à saint Côsme et saint Damien. Une autre chapelle se dresse au nord-ouest, San Rocco, fondée en 1630. Le parc public, au bout de la rue Tzanakakis, est un legs d'un pacha turc. Il abrite un petit zoo où l'on peut observer des *kri-kri* ■ *34*.

LE QUARTIER EVRAIKI

Ce quartier fut, depuis l'époque vénitienne et jusqu'à la Seconde Guerre mondiale, celui de la communauté juive. Parmi les rares survivants des Juifs déportés par les Allemands, très peu revinrent s'installer à La Canée. À l'ouest du marché, la rue Halidon traverse les murailles, érigées par les Vénitiens au milieu du XVIe siècle. Au sud de cette artère, l'imposant bastion Shiavo fait face à la place de la cathédrale orthodoxe grecque de La Canée, Trimartyri, les «Trois-Martyrs», consacrée à l'Annonciation et construite en 1865. À proximité se dresse la cathédrale catholique de La Canée, un édifice plus modeste, dédié à l'Assomption. À l'extrémité nord de l'Odos Halidon s'élève l'imposante église vénitienne San Francesco, du XIVe siècle, la mieux conservée des églises latines. Très bien restaurée, elle abrite aujourd'hui le Musée archéologique.

POSÉIDON ET AMYMONÉ, DÉTAIL D'UNE MOSAÏQUE ROMAINE DU IIIe SIÈCLE AP. J.-C.
La Kydonia romaine était prospère et ses villas ornées de très beaux pavements en mosaïque : les œuvres exposées au Musée archéologique datent principalement des IIe et IIIe siècles ap. J.-C. Elles illustrent pour la plupart des épisodes mythologiques. L'une de ces demeures, abondamment décorée de scènes relatant les épisodes du cycle dionysiaque, a été de ce fait baptisée la «demeure de Dionysos».

Le Musée archéologique ♥

San Francesco est la plus grande des vingt-trois églises érigées par les Vénitiens. Elle possédait un campanile depuis longtemps disparu. Elle fut convertie en mosquée par Youssouf Pacha qui lui ajouta un minaret dont la base est toujours visible dans le jardin. Le musée, fondé en 1963, occupe la nef centrale de l'église, restaurée depuis, entre 1977 et 1981. Les collections regroupent des objets découverts dans le département de La Canée.

La collection minoenne. Les fouilles, menées par I. Tzedakis en 1965, mirent au jour de nombreux objets d'époque minoenne, aujourd'hui exposés dans ce musée : essentiellement des vases, des figurines et des sarcophages peints. D'autres sites minoens ont été découverts aux environs : en altitude, la grotte de Plativola, occupée dès la fin du néolithique, et celle de Maméloukou, près de Périvolia ; en plaine, le site de Nérokourou. La pièce la plus étonnante, car unique en son genre, est sans doute l'empreinte en argile d'un sceau du Minoen récent II qui représente une ville. La majorité des objets de la collection sont du Minoen récent III (1400-1100 av. J.-C.), époque à laquelle Kydonia constituait un important centre artisanal qui exportait sa production en Grèce continentale. L'ensemble des tablettes gravées d'écriture linéaire B date de cette période.

L'âge du fer. La période géométrique est illustrée ici par un certain nombre d'objets découverts dans des tombes. Ceux, bien plus nombreux, des périodes classique et hellénistique (IVe au IIe siècle av. J.-C.) sont le signe d'un regain de prospérité : les plus belles sculptures de cette époque proviennent du temple d'Asclépios, à Lissos, sur la côte sud, près de Syia. De l'époque romaine, on remarquera de superbes mosaïques qui ornaient des villas de Kydonia, et des verreries colorées provenant d'un atelier localisé à Tara ▲ *272*.

Le jardin. Y sont exposés des vestiges architecturaux des périodes gréco-romaine, vénitienne et ottomane. Au fond se trouve le *sadirvan* qui a donné son nom à la place Sandrivani. Une des pierres tombales de la cour est surmontée d'un turban sculpté, supporté aujourd'hui par un chapiteau corinthien. À l'arrière de la cour, on peut voir un portail vénitien monumental surmonté d'un écusson où est représenté un homme en buste portant un casque armorié, vraisemblablement un recteur de La Canea. Le portail donne sur ce qui était autrefois la *medrese* de la mosquée de Youssouf Pacha.

Tanagra, fin IVe siècle av. J.-C. On reconnaît dans l'élégance de cette figurine en terre cuite l'influence du sculpteur Praxitèle (milieu du IVe siècle av. J.-C.) qui renouvela l'art grec classique : un jeu subtil de lignes courbes anime cette séduisante figure féminine.

Dans le jardin du Musée archéologique se dresse une fontaine ottomane décagonale, soulignée par de fines colonnes et ornée d'une inscription calligraphique.

Jouet d'enfant en argile. Il date de la fin du VIIIe siècle av. J.-C. et provient d'une tombe de Gavalopmouri, près de Kissamos Kastéli.

Le musée de la Marine
À l'extrémité de l'Odos Angélou, se dresse la tour Firka dont le hall abrite le musée de la Marine qui propose un certain nombre de documents relatifs à l'histoire moderne de La Canée :

on peut ainsi voir une photographie représentant le prince Georges, alors haut-commissaire de l'île, à son arrivée en 1898. Sur une autre photographie, prise sur le port en 1913 au moment de l'*Enosis* avec la Grèce, les habitants fêtent la fin de plus de sept siècles d'occupation étrangère. Les collections présentent aussi de belles maquettes de navires, des blasons, etc. Durant l'été, des spectacles, représentations théâtrales, concerts et danses folkloriques, se déroulent au pied de la tour Firka.

Les maisons de La Canée
On y retrouve les influences des occupants vénitiens puis ottomans. Dans la maison de gauche, l'étage en bois est caractéristique de l'architecture ottomane ; à droite, les décors en pierre sculptée soulignant porte et fenêtre signent la maison de style vénitien.

Topanas ♥

À l'ouest de la place Sandrivani l'Odos Zambéliou, bordée de vieilles maisons vénitiennes, traverse le quartier d'Evraiki pour aboutir à celui de Topanas. L'Odos Kondilaki, sur la gauche, conduit à un splendide palais vénitien récemment restauré et aujourd'hui occupé par un luxueux restaurant. Cette rue comme les suivantes aboutissent au bastion Shiavo. À l'extrémité de l'Odos Skoufon subsiste une belle porte vénitienne. Il s'agit de la *Porta Retimiota* (porte de Réthymnon) des Vénitiens, rebaptisée *Kale Kapi* (porte de la Forteresse) par les Ottomans. Elle était autrefois surmontée d'un bas-relief représentant le lion de saint Marc, aujourd'hui exposé au Musée archéologique.

Les murailles. Le quartier de Topanas commence approximativement à l'intersection de l'Odos Skoufon et de l'Odos Zambéliou. Un peu plus loin se présente l'Odos Théotokopoulou, ruelle pittoresque qui longe les fortifications vénitiennes ; ele est reliée par plusieurs escaliers à la *paralia*. Topanas, qui était le quartier musulman de La Canée, tient son nom du *tophane*, la fonderie de canons, qui se trouvait à gauche contre les murailles. On atteint ainsi l'extrémité du promontoire et le quai où se dresse la tour Firka. C'est ici que se trouve la partie la mieux conservée des murailles de Sanmicheli. Les 5 km d'enceinte sont bordés, à l'extérieur, de douves de 50 m de large et 10 m de profondeur. La grande redoute, qui domine, était appelée par les Vénitiens *San Demetrio* (1546-1549). Les murailles qui en partent pour rejoindre le bastion Shiavo sont pratiquement intactes ainsi que les douves où des habitants cultivent des jardins potagers.

La tour Firka. Revenant sur ses pas on emprunte, à droite, l'Odos Angélou. C'est l'une des rues les plus pittoresques de La Canée, dont la plupart des maisons datent de la période vénitienne. Le bâtiment le plus intéressant est la grande tour qui fait partie des premières constructions vénitiennes. Détruite lors de la Seconde Guerre mondiale, elle a été depuis magnifiquement restaurée. Cette tour est liée à la libération de la Crète : en 1913 y fut hissé, pour la première fois, le drapeau grec par le roi Constantin, en présence de Vénizélos ● *64*.

LES ENVIRONS DE LA CANÉE

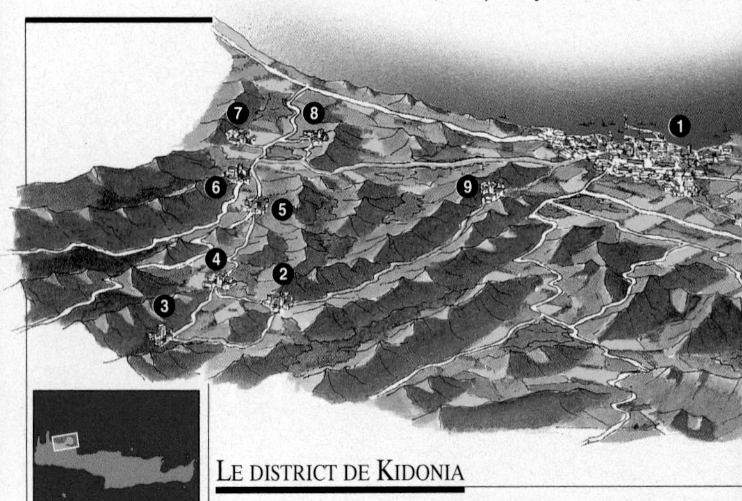

🚗 2 jours

THÉRISSO ♥
Elefthérios Vénizélos ● *62* vécut longtemps dans ce village, où était née sa mère. Sa maison a été transformée en musée. Il y réunit, en 1905, la première assemblée de nationalistes crétois, laquelle marqua le début du processus qui devait conduire à l'*Enosis*, huit ans plus tard. Thérisso est également un bon point de départ pour l'ascension des sommets des Montagnes Blanches.

LE DISTRICT DE KIDONIA

Les sommets majestueux des Montagnes Blanches (Lefka Ori) dominent la Crète occidentale. À l'ouest du massif de Malaxa qui surplombe la baie de Souda s'étend la grande plaine côtière de La Canée, entre les Montagnes Blanches et la mer. C'est l'une des régions les plus fertiles de la Crète, avec des oliveraies, des orangeraies, des vignobles et de nombreuses fermes. Quittant La Canée au sud, prendre la direction de Thérisso, distant de 15 km. On traverse ainsi la plaine côtière et l'une des plus belles gorges de Crète, la THÉRISSINO FARAGI, parvenant au pied du versant nord des Montagnes Blanches. À proximité de Thérisso se trouve la GROTTE DE SARAKINA, où furent découvertes des poteries attestant l'occupation du site dès le néolithique. Comme de nombreuses autres grottes, celle-ci servit, à plusieurs reprises, de refuge aux habitants des environs, en périodes de guerre ou d'occupation.

LES MONTAGNES BLANCHES. Au sud de Thérisso se dresse la vingtaine de sommets des Lefka Ori dont le MONT PACHNÉS, à 2 452 m, est le plus élevé. Comme celles du mont Ida, situé à l'est, les crêtes des Montagnes Blanches sont couvertes de neige plus de la moitié de l'année. La cime du mont Pachnés reste elle-même enneigée jusqu'à la fin du mois de juin, et, de La Canée, on peut voir à l'aube les premières lueurs dorer son sommet.

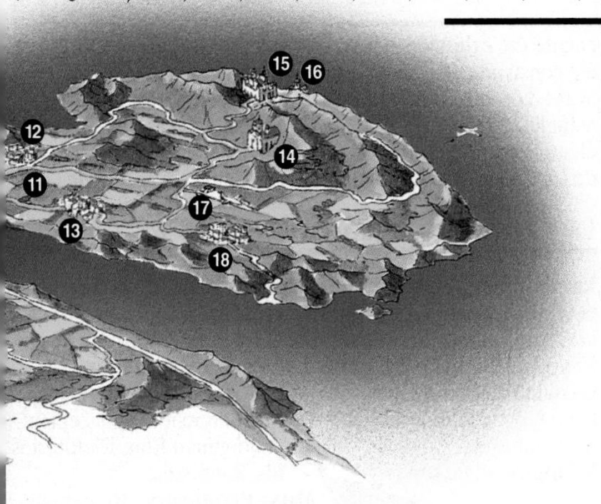

Meskla
À l'entrée du village, une petite route monte vers La Metamorphosis Sotirou, consacrée à la Transfiguration du Christ, qui fut construite au début du XIVe siècle. Le narthex est un peu plus tardif. Sa nef est ornée de fresques bien conservées qui datent de 1302. Une inscription mentionne les peintres Théodoros Daniel et son neveu Mikaïl Vénéris. Les peintures du narthex sont de 1403.

Meskla. Passé Thérisso, la petite route fait une boucle par le village de Zourva, le plus haut du versant nord des Montagnes Blanches, puis atteint le cœur de la région de Riza et Meskla. Ce village possède deux églises. La Koimis tis Panaghia, consacrée à l'Assomption de la Vierge, qui voisine avec une gigantesque chapelle moderne, date sans doute de la seconde période byzantine. Elle fut construite sur les fondations d'une basilique du Ve ou du VIe siècle dont subsistent quelques vestiges d'un pavement en mosaïque.
Les Portokalochoria. Depuis Meskla, on peut revenir vers La Canée par une route remontant au nord-ouest. Elle conduit d'abord à Fournés et Alikianos qui forment, avec Skinés, ce que l'on appelle les Portokalochoria, les «villages des oranges». Leurs immenses orangeraies sont surnommées le «jardin de l'Éden».
Alikianos. Le village d'Alikianos fut le théâtre d'une insurrection crétoise menée par le chef sfakiote Georgios Kandanoleou, au début du XVIe siècle. Kandanoleou forma un gouvernement indépendant des régions de Sfakia ● *59* et de Riza, établissant sa capitale à Meskla. Il fut massacré avec sa famille par le gouverneur vénitien et un seigneur d'Alikianos, Francesco Molini. Dans le village, la charmante église byzantine Haghios Georgios (XIIIe siècle) est ornée de fresques de Pavlos Provatas datant de 1430. Sur la route de Koufos, un étroit sentier mène à l'église d'Haghios Ioannis dont l'architecture en croix grecque est très belle.

Haghia. La route de La Canée traverse ensuite le village d'Haghia. En tournant à gauche au premier carrefour, on atteint les ruines de l'église de la Panaghia. Elle fut l'église épiscopale de l'archevêque grec orthodoxe de Kidonia, depuis la seconde période byzantine jusqu'à l'époque vénitienne. Une première église, qui n'a pas

Fournés
Ci-dessus, l'église de Fournés ; ci-contre, la cueillette des oranges. Fournés regroupe à lui seul 120 000 orangers, et Skinés, 90 000 ; une grande fête des Oranges est célébrée chaque année aux Portokalochoria, durant la semaine de Pâque ● *82*.
Les oranges et les mandarines constituent les principales cultures des plaines.

MONASTÈRE D'HAGHIA TRIADA
Au pied du Tzobomylos, le monastère se fond dans un écrin de verdure composé d'oliviers, de vignes et de cyprès.

RÉSISTANTS CRÉTOIS BRANDISSANT LE DRAPEAU GREC SUR AKROTIRI EN 1897
Au-dessus de la plage du hameau de Stavros, près du cap Tripiti, se trouve la grotte de Léra, du nom d'un chef de l'insurrection crétoise qui s'en servit comme base secrète lors de la guerre d'Indépendance.

encore été exhumée, a vraisemblablement été construite au début de la première période byzantine avant d'être détruite lors de l'invasion des Sarrasins. L'église actuelle, qui date du Xe ou du XIe siècle, intègre de nombreux éléments de l'église précédente. Haghia n'est qu'à 9 km de La Canée que l'on peut rejoindre par la route directe.

LA PÉNINSULE D'AKROTIRI

La péninsule d'Akrotiri commence aux portes de la Canée et se rejoint par la route qui se présente à la sortie est de la ville. 6 km plus loin, apparaissent les indications pour la *Tafi Venizélon*, la tombe d'Elefthérios Vénizélos, située sur la colline de Profitis Ilias. Sur la terrasse dominant la mer, deux grandes croix indiquent l'emplacement des tombes de l'homme d'État, Elefthérios Vénizélos, et de son fils, Sophoklis.

MONI PRODOMON. Reprenant la direction opposée, on atteint Korakiés, où l'on peut s'arrêter dans l'une des tavernes et profiter de la vue magnifique sur toute la baie de Souda. Juste à côté se trouve le COUVENT D'HAGHIOS IOANNIS PRODOMOS dont la fondation remonte peut-être à l'époque vénitienne : les broderies fabriquées par ses religieuses sont réputées.

BAIE DE KALATHAS. Une route secondaire conduit au nord, *via* Kounoupidiana, sur la côte ouest. Elle débouche sur la baie de Kalathas, ourlée par une superbe plage.

MONI HAGHIA TRIADA ♥. Il faut rebrousser chemin jusqu'à Kounoupidiana et emprunter les petites routes en direction du nord-est pour atteindre le Moni Haghia Triada, monastère de la Sainte-Trinité, ● *105* également connu sous l'appellation de Moni Tzankarolo, du nom de ses fondateurs. La plus ancienne description d'Haghia Triada, due à un certain Savary qui visita le monastère en 1670, évoque la vie monastique telle

«L'ALLÉE QUI CONDUIT AU MONASTÈRE D'HAGHIA TRIADA EST EMBELLIE PAR DE GRANDS CYPRÈS ; [...] AU CENTRE, UNE PETITE ÉGLISE DONT LE PORCHE ET LES CÔTÉS SONT BORDÉS D'ORANGERS.»

SAVARY

MONI GOUVERNETO
Le monastère occupe un charmant site au nord de la péninsule d'Akrotiri. Au centre des bâtiments monastiques, forteresse avec des tours aux quatre angles, se dresse la belle église Panaghia Theotokos, Notre-Dame-Mère-de-Dieu, voûtée en berceau et ornée d'élégants motifs Renaissance ● *102.*

MONI HAGHIA TRIADA
Le monastère fut fondé en 1630 par Lavrentios et Ieremias Tzankarelo, deux frères d'une famille noble vénitienne convertis à l'Église orthodoxe grecque. Au XIXe siècle, il abritait une école de théologie. Son église est un bel édifice cruciforme avec deux chapelles de Zoodochos Pigi et Saint-Jean-le-Théologien. Le clocher date de 1864.

qu'elle peut encore exister en Crète : «Le monastère possède tout le matériel d'une ferme, avec des pressoirs pour l'huile d'olive et le vin et tous les outils indispensables au travail agricole. Les prêtres consacrent leur temps aux prières et à la célébration de la liturgie, tandis que les frères se chargent des travaux des champs. Le monastère ressemble à une petite république avec un gouvernement riche et des citoyens dévoués à leur travail, conduisant leur vie avec application, sérénité et joie.» Haghia Triada est le plus important monastère de l'Akrotiri. Il conserve une chapelle Renaissance datée de 1632 dont le portail et le campanile portent les marques de l'influence vénitienne.

MONI GOUVERNETO ♥. Un peu plus loin se présente le Moni Gouverneto, monastère Notre-Dame-des-Anges. Véritable place forte, vu de l'extérieur, ce monastère, construit au XVIe siècle, est fortement marqué d'influence vénitienne. Il possède deux églises, l'une dédiée à la Panaghia Theotokos, l'autre à Haghios Ioannis Xenos, saint Jean l'Étranger, connu aussi sous le nom d'*Hermitis*, l'Ermite. Ce saint, encore trés vénéré, passa la plus grande partie de sa vie en Crète occidentale. Il se retira dans la grotte de Katholiko, où il mourut au début du XIe siècle. Plusieurs icônes, datées du XVe siècle, de la petite église du monastère lui sont dédiées. Un sentier, présentant par endroits des marches creusées dans le roc, mène au Moni Katholiko et à plusieurs grottes-sanctuaires, à l'extrémité de la péninsule. Après une marche d'une dizaine de minutes, on atteint un sanctuaire connu depuis l'Antiquité sous le nom de *grotte de l'Ours*. À l'entrée se trouve une petite chapelle dédiée à la Panaghia Arkoudiotisa, Notre-Dame-de-l'Ours. À l'intérieur se dresse une stalagmite, objet, dans l'Antiquité, d'un culte dédié à Artémis. La déesse, qui était vénérée comme la protectrice des animaux, est toujours représentée avec un ours à ses côtés.

STERNÉS
À droite de l'entrée de ce village apparaît la silhouette fantomatique d'une villa vénitienne en ruine, avec ses escaliers se dressant dans le vide du ciel.

MONI KATHOLIKO ♥. Continuant sur le sentier en direction du rivage, on voit apparaître au bout de 20 min de marche le toit de Moni Katholiko, construit au XIIe siècle. Un escalier d'environ 130 marches taillées dans le rocher descend vers une première grotte puis vers une seconde, plus grande, celle où Haghios Ioannis Xenos aurait vécu ses dernières années, avant d'y être enterré par les moines de son ordre. À l'intérieur se trouve une petite chapelle creusée dans le roc et consacrée au saint, dont la fête est célébrée le 7 octobre. Abandonné au XVIIe siècle, ce monastère dégage toujours une atmosphère extraordinaire.

LES GROTTES. Celles de l'extrémité nord de la péninsule d'Akrotiri ont probablement servi de refuge aux hommes du néolithique. L'archéologue allemand Jantzen découvrit dans la grotte de Koumarospilia des crânes humains datant au moins de 3400 av. J.-C. Dorothea M. A. Bates, qui vécut à La Canée avant la Première Guerre mondiale, découvrit dans chacune des grottes des objets anciens et des ossements humains.

LE SUD DE LA PÉNINSULE. De retour à Haghia Triada, on se dirige au sud, tout d'abord jusqu'à PAXINOS, qui possède un monastère vénitien du XVe siècle. Plus loin, à proximité de l'aéroport, on atteint STERNÉS. Le village possède deux églises, l'une dédiée aux Haghii Pantes, «Tous-les-Saints», et l'autre à l'Annonciation. Près de cette dernière, une villa minoenne a récemment été mise au jour, ainsi que des maisons et des catacombes qui semblent dater du début de l'ère chrétienne. Passé Sternés, la route débouche sur une plage faisant face à la forteresse vénitienne de l'île de Souda. On peut revenir à La Canée en suivant la route qui longe l'ouest de la baie jusqu'au port de Souda ▲ *246*. C'est ici, dans un site superbe au fond de la baie, que se trouve le cimetière militaire du Commonwealth.

Monastère de Paxinos.

MONI KATHOLIKO
Les ruines du monastère sont encore visibles de part et d'autre d'un ravin qu'enjambe un vieux pont de pierre, sans doute contemporain de la construction de Moni Katholiko.

Les gorges de Samaria

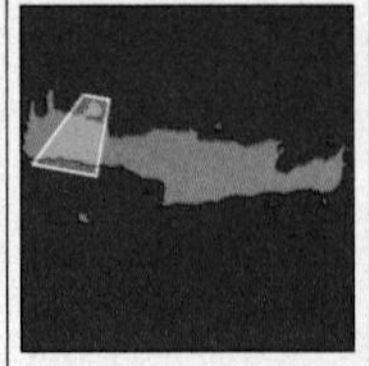

1 journée

DE LA CANÉE AU PLATEAU D'OMALOS

Un service d'autocars assure, de 6 h à 13 h, la liaison entre La Canée et Omalos, à 37 km au sud, à l'orée du Parc national des gorges de Samaria. Pour avoir suffisamment de temps à consacrer à la randonnée qui permet de traverser les célèbres gorges, il est conseillé de partir le plus tôt possible.

LA PLAINE DE LA CANÉE. L'autocar emprunte la grande route qui traverse la plaine de La Canée, en direction du sud-ouest. Après l'embranchement pour Alikianos ▲ *263*, celle-ci oblique vers le sud-est jusqu'à Fournés ▲ *263*, puis plein sud jusqu'à Lakki, gravissant les premiers contreforts des Montagnes Blanches (Lefka Ori). Avec l'altitude, les chataîgners et les platanes font leur première apparition, ainsi que les terrasses clairsemées d'oliviers.

LA PLAINE DE LA CANÉE
Fertile, elle regroupe des oliveraies, des vignobles, des cultures maraîchères et des serres où sont cultivés tomates, concombres, pastèques et, récemment, des bananes. Dans les Portokolachoria ▲ *263* se concentrent les orangeraies et les plantations de citronniers.

LAKKI. À 25 km de La Canée, on traverse Lakki, serein et splendide. C'est le dernier village avant le plateau d'Omalos, perché à 500 m d'altitude. Il aurait été fondé à l'époque vénitienne par des résistants sfakiotes et a joué un grand rôle dans toutes les révolutions crétoises. Au-dessus des toits de tuile des maisons se dresse sa ravissante église. La route en épingle à cheveux se faufile ensuite entre les rochers jusqu'à Omalos.

Dans l'Antiquité, les arbres de Samaria servaient à fabriquer les colonnes des palais et les mâts des navires, exportés jusqu'en Égypte.

LE PARC NATIONAL DE SAMARIA

Créé en 1962, il englobe le plateau d'Omalos et la gorge de Samaria, la gorge la plus grande d'Europe, qui s'étend sur à peu près 16 km de long et que l'on parcourt en 5 ou 7 heures à pied. Près de 450 espèces de plantes s'y développent ■ *32* ; en altitude, on peut y apercevoir quelques rares spécimens de chèvres sauvages dites *kri-kri*, des blaireaux, des belettes, des fouines ou des martes, et dans le ciel, des oiseaux de proie.

1. La Canée 2. Alikianos 3. Lakki 4. Omalos 5. Montagnes Blanches 6. Haghios Nikolaos 7. Samaria 8. Gorges de Samaria 9. Haghia Rouméli 10. Chora Sfakion 11. Paléochora 12. Souyia 13. Anopoli 14. Loutro

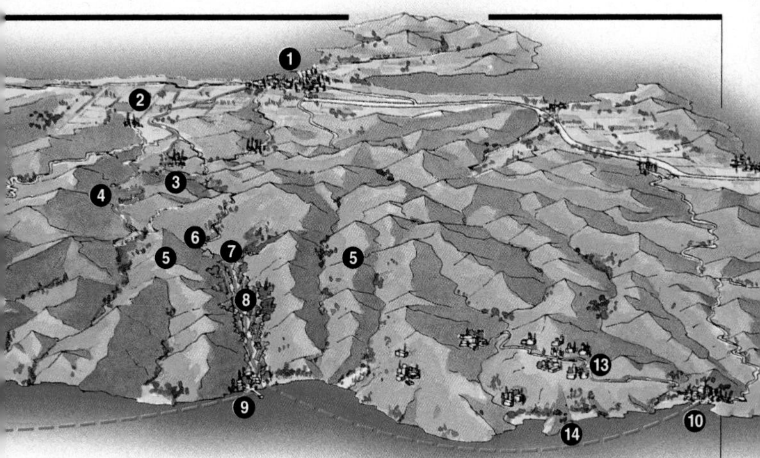

Le plateau d'Omalos. Franchissant le dernier col, on découvre tout à coup, à 1 080 m d'altitude, l'étendue du plateau d'Omalos, de 25 km^2. Il est cerné par des pics bruns et par des montagnes dont les sommets culminent à près de 2 500 m. En hiver, le plateau d'Omalos est couvert de neige qui, lors de la fonte du printemps, crée un petit lac saisonnier et peu profond. Des ruisseaux s'en échappent, s'écoulant vers une énorme grotte, la *katavothron*, que l'on aperçoit au débouché du col. La flore sauvage du plateau est d'une grande variété, superbement fleurie au printemps ; par endroit paissent des troupeaux de moutons.

Omalos. La route s'achève au petit village d'Omalos, le seul du plateau, où se trouve un office du tourisme avec un restaurant et quelques chambres pour ceux qui voudraient passer la nuit ici, puisqu'il est interdit de camper dans le parc national.

Xiloskalo. La descente vers les gorges de Samaria commence à Xiloskalo (1 227 m d'altitude), village que l'on rejoint à pied depuis Omalos. On y embrasse un superbe paysage : les Montagnes Blanches s'étirant vers l'est, et le mont Gigilos (2 005 m d'altitude), dont la cime dénudée se dresse au sud, alors que ses flancs glissent vers des vallées encaissées, boisées de pins et de platanes. Hormis le circuit officiel, souvent très fréquenté, il est possible d'emprunter des parcours parallèles non fléchés. Ces sentiers, plus tranquilles, ont l'avantage d'être plus proches de la faune sauvage. Xiloskalo signifie «les marches de bois» : le premier sentier permettant de descendre dans les gorges fut, en effet, réalisé avec des rondins par les montagnards de la région. La date de cette construction est inconnue, mais on sait que ce nom était déjà en usage en 1834, lorsque Pashley remonta les gorges d'Haghia Rouméli jusqu'au village de Samaria. Le chemin de Xiloskalo est aujourd'hui mieux aménagé, avec des grandes marches et une rampe du côté du précipice, à l'endroit le plus escarpé ; en chemin, des sources permettent de se désaltérer. À mesure qu'il descend plus profondément, le layon se rétrécit progressivement jusqu'à devenir un étroit sentier muletier.

Le dictame
Cette plante ■ *32* ne pousse naturellement que sur les pentes les plus escarpées des montagnes. Très appréciée pour son parfum et utilisée en tisanes, elle est aujourd'hui cultivée près d'Héraklion.

Passé le village de Lakki, le paysage type de la Phrygana ■ *32* domine : ce maquis aride à la végétation rare est par endroits couvert de tapis de thym où apparaissent parfois des ruches de couleurs pastel.

Les gorges de Samaria

Le chemin, sur les deux premiers kilomètres, est ombragé de pins : c'est le passage le plus escarpé et le plus vertigineux de ce parcours puisque sur cette courte distance on descend près de 1 000 m. On arrive ainsi aux gorges supérieures et aux sources de Neroutsiko puis de Riza Sytkiad, où il est possible de se rafraîchir.

Haghios Nikolaos. Un peu plus loin, au milieu d'une clairière, une petite église blanche au toit d'ardoise est dédiée à saint Nicolas. La clairière est bordée de pins et de magnifiques cyprès, dont on prétend qu'ils sont les plus grands de Crète, et peut-être les descendants de ceux qui furent utilisés pour les piliers du grand palais de Knossos.

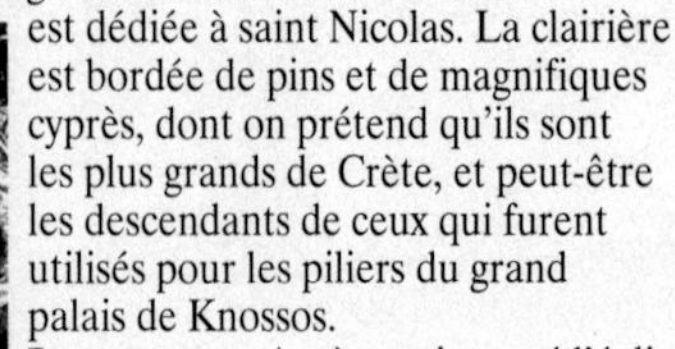

Le torrent. Après avoir passé l'église Haghios Nikolaos, le sentier est moins abrupt, bien que les parois se resserrent graduellement à mesure que l'on approche du fond de la gorge. On entend bientôt le bruit du torrent que le chemin, des pierres plates recouvertes d'eau vive, traverse. L'eau saute de bassins en bassins, fleuris de lauriers-roses, prenant des reflets verts et turquoise du fait de la roche et de la verdure environnante.

Les gorges
Le chemin disparaît par endroits, obligeant à traverser le lit du torrent en sautant de pierre en pierre, et réapparaît à peine sur l'autre rive. Les gorges se resserrent jusqu'aux *sideroportes*, les «portes d'acier» où le passage atteint à peine 3 m de large, tandis que les parois s'élèvent à plus de 500 m de hauteur.

Samaria. Après avoir traversé un paysage plus aride, où la végétation se regroupe en petits îlots écrasés par le soleil, on atteint un pont de bois et le village de Samaria qui se situe à la moitié de ce parcours. Le village est aujourd'hui désert, ses habitants ayant été relogés à la création du parc national. Il possède deux églises, la chapelle du Christos, à l'ouest des gorges, et celle d'Ossia Maria, à l'est. Cette dernière est la plus ancienne et la plus intéressante des deux.

Construite en 1379, elle a conservé certaines de ses fresques d'origine,

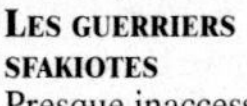

datant de la Renaissance byzantine. Cette chapelle, appelée Santa Maria par les Vénitiens, donna son nom au village et aux gorges. Elle contenait autrefois une belle icône, peinte en 1740 par un artiste sfakien, qui est conservée depuis 1962 dans un monastère du mont Athos.

Les sideroportes, portes d'acier

Après le village de Samaria, le chemin emprunte un couloir sinueux qu'encadrent des masses rocheuses hautes de 300 m à 400 m. On s'enfonce plus profondément dans les gorges, traversant à maintes reprises le torrent et ses oasis de verdure. En chemin, à gauche, on voit un petit sanctuaire construit par les montagnards sfakiens à l'époque ottomane. Puis on découvre l'entrée des *sideroportes*, parois de roches saillantes et éclatées, aux reflets rouille et brunâtres, striées de lignes gris anthracite, traces probablement du ruissellement des eaux. Chacune de ces trois «portes» est plus étroite et plus haute que la précédente, la dernière ne faisant que 3 m de large au niveau du torrent, tandis que les parois, s'élevant à plus de 500 m, se courbent au sommet pour former une arche presque complète. Franchissant celle-ci, on n'aperçoit plus qu'un rai de ciel bleu, la lumière glissant sur les parois de l'abîme avec des reflets crépusculaires. À la sortie des *sideroportes*, les gorges s'ouvrent sur une paisible vallée ombragée par une oliveraie qu'entourent des cyprès, des pins, des chênes verts et quelques platanes. Après avoir marché plusieurs heures sur un sentier rocailleux, après avoir franchi à maintes reprises le torrent à gué, on peut maintenant reprendre une marche aisée en descendant la vallée jusqu'à la côte.

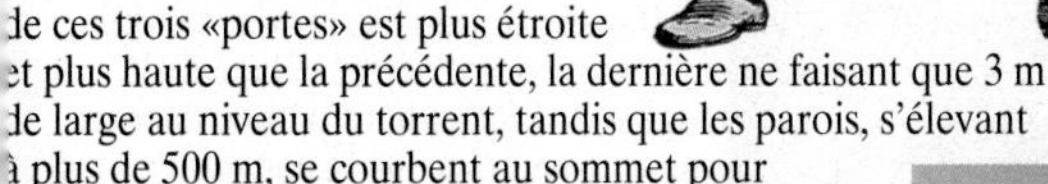

Les guerriers sfakiotes

Presque inaccessible, de par sa situation géographique, la province de Sfakia est toujours restée relativement indépendante sous les diverses occupations, vénitienne, puis ottomane. Elle constitua un fort noyau de résistance du fait également du courage de ses habitants organisés en clans, de tout temps puissamment armés. Aujourd'hui encore, un rapt ou un vol de bétail peut déclencher une *vendetta*.

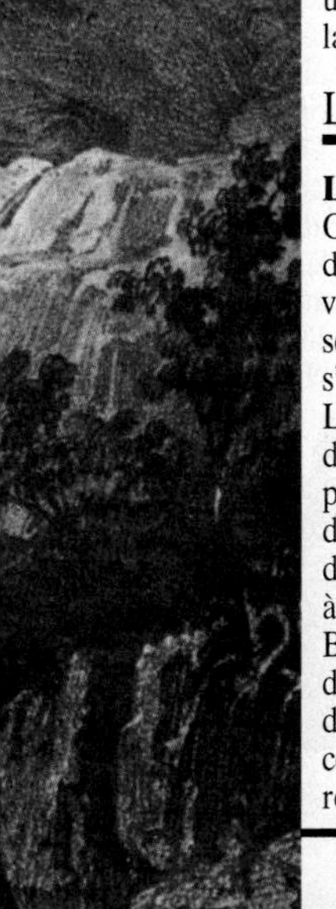

La sortie des gorges

L'ancien village d'Haghia Rouméli

On quitte le Parc national de Samaria à la hauteur de l'ancien village d'Haghia Rouméli que ses habitants ont quitté en 1962 pour s'installer 2,5 km plus bas, sur la côte. L'église du village, Haghios Georgios, date de l'époque vénitienne. Un peu plus loin sont visibles les ruines d'un fort ottoman et les vestiges d'une autre église vénitienne dédiée à la Madone d'Haghia Rouméli. Bien qu'elle date du XVIe siècle, des fragments d'un pavement de mosaïque indiquent qu'elle fut construite sur le site d'un temple romain. Spratt fut le premier à parler

Loutro

La marche d'Haghia Rouméli jusqu'à Loutro est très agréable et dure 5 heures. Le trajet peut également se faire en bateau. Le village de Loutro occupe le site de l'antique *Finix*, port de la florissante cité d'Anopoli qui tirait ses richesses de son commerce maritime. Il ne reste pratiquement rien de ce glorieux passé. La belle chapelle Sotiros Christou conserve des fresques des XIVe et XVe siècles. Une promenade à l'ouest du village permet de découvrir quelques ruines des périodes romaine, byzantine et vénitienne.

CHORA SFAKION
C'est entre Loutro et Chora Sfakion que les falaises plongeant dans la mer sont les plus spectaculaires.

de cet édifice, suggérant que l'église avait été construite à l'emplacement d'un temple d'Apollon lié à la cité antique de Tara. Des recherches archéologiques ont depuis révélé que Tara fut fondée vers le Ve siècle av. J.-C. et survécut jusqu'au Ve siècle de l'ère chrétienne. Au début de la période hellénistique, qui débuta aux environ de 300 av. J.-C., Tara fit partie de la demi-douzaine de cités de la côte sud de la Crète occidentale qui formèrent la ligue des *Oreioi*, rejointe plus tard par Gortyne et la Cyrénaïque. À cette époque, Tara était déjà connue pour son temple d'Artémis, à laquelle avait été assimilée la déesse crétoise de la Chasse, Britomartis. Ce temple devait être ainsi l'un des lieux de culte les plus importants des Kidoniens, les ancêtres des Sfakiens.

LE NOUVEAU VILLAGE D'HAGHIA ROUMÉLI. Ce nouveau village est bordé par une plage de galets blancs où la baignade est agréable. Il offre également quelques tavernes où l'on peut se restaurer, en attendant le bateau pour Chora Sfakion (à 11 milles marins) ou Paléochora (à 15 milles marins), d'où l'on pourra reprendre un autocar pour La Canée.

CHORA SFAKION ET ANOPOLI. Depuis Chora Sfakion, pittoresque petit port qui possède une belle église de la Transfiguration, une route conduit à Anopoli, le principal village de la région de Sfakia, haut perché dans les montagnes ; on peut également s'y rendre par un chemin de terre au départ de Loutro. Non loin, des vestiges de la cité minoenne d'Anopoli, identifiée par Spratt, sont encore visibles. Foyer de résistance, ce village fut incendié par les Vénitiens en 1365, puis par les Turcs en 1867.

L'ÎLE DE GAVDOS. Elle est reliée à Paléochora (33 milles marins) ▲ *280* ou à Chora Sfakion (22 milles marins) par un petit caïque environ deux fois par semaine. Cette île boisée de pins et de cèdres offre un mouillage à Karabe, où deux tavernes font face à un petit môle. Entre autres beautés naturelles, ses plages magnifiques et son cap Tripiti, au sud, qui surplombe trois arches naturelles. Gavdos fut pendant longtemps un repaire de pirates. À l'époque byzantine, elle ne comptait pas moins de 8 000 âmes. Aujourd'hui, ses quarante habitants cultivent l'olivier et élèvent des chèvres à la chair réputée.

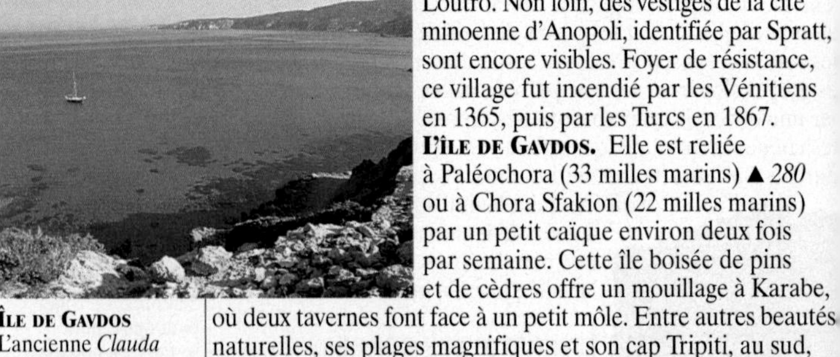

ÎLE DE GAVDOS
L'ancienne *Clauda* de l'Antiquité, où la nymphe Calypso aurait séduit Ulysse, serait l'actuelle Gavdos, au sud-ouest de la Crète. Partout, l'eau cristalline invite à la plongée libre.

L'ancien village d'Haghia Rouméli.

La Crète occidentale

1. HAGHIA MARINA
2. HAGHII THÉODORI
3. PLATANIAS
4. MALÉMÉ
5. KOLIMPARI
6. MONI GONIAS
7. RODOPOS

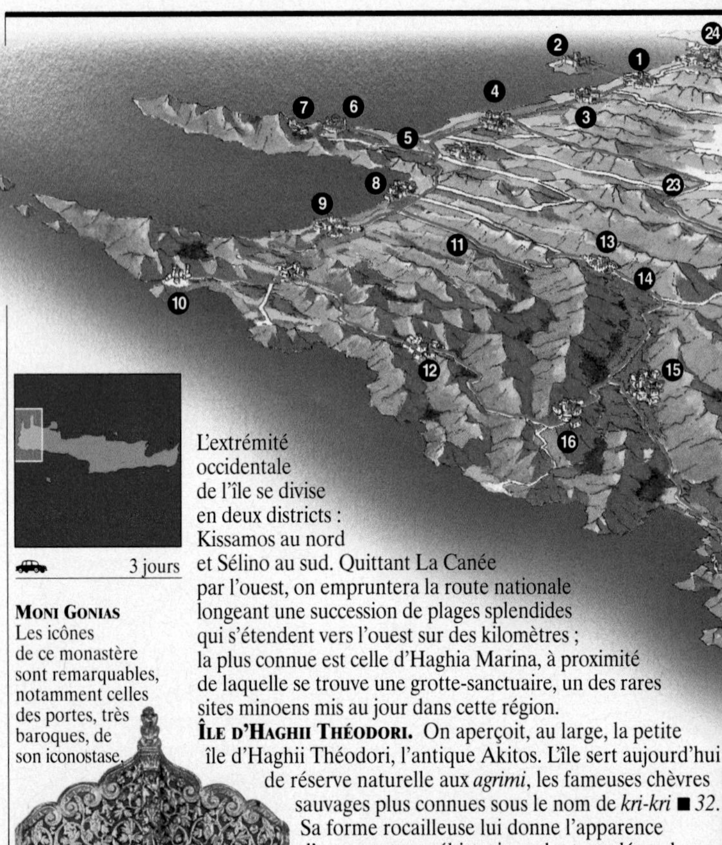

3 jours

MONI GONIAS
Les icônes de ce monastère sont remarquables, notamment celles des portes, très baroques, de son iconostase.

L'extrémité occidentale de l'île se divise en deux districts : Kissamos au nord et Sélino au sud. Quittant La Canée par l'ouest, on empruntera la route nationale longeant une succession de plages splendides qui s'étendent vers l'ouest sur des kilomètres ; la plus connue est celle d'Haghia Marina, à proximité de laquelle se trouve une grotte-sanctuaire, un des rares sites minoens mis au jour dans cette région.

ÎLE D'HAGHII THÉODORI. On aperçoit, au large, la petite île d'Haghii Théodori, l'antique Akitos. L'île sert aujourd'hui de réserve naturelle aux *agrimi*, les fameuses chèvres sauvages plus connues sous le nom de *kri-kri* ■ *32*. Sa forme rocailleuse lui donne l'apparence d'un monstre préhistorique dont une légende prétend qu'il fut pétrifié par les dieux alors qu'il s'apprêtait à dévorer la Crète. Des archéologues y ont découvert une grotte qui servit sans doute de sanctuaire dès 2000 av. J.-C. ; elle serait donc légèrement plus ancienne que celle d'Haghia Marina.

LE CIMETIÈRE ALLEMAND. La nationale passe à proximité de PLATANIAS, puis franchit la rivière du même nom, lequel provient des immenses platanes qui embellissent cette partie de la plaine. Juste avant l'aérodrome militaire de Malémé, une route, à gauche, conduit au cimetière militaire allemand où sont enterrés 4 465 soldats de la Wehrmacht, c'est-à-dire environ les deux tiers de ceux qui moururent lors de la bataille de Crète ● *65*, pertes énormes en comparaison des 2 000 soldats tués du Commonwealth. Près de ce cimetière, Davaras découvrit en 1966 une grande tombe minoenne de forme carrée contenant des objets funéraires, dont un sceau gravé en agate représentant une *agrimi*. 6 km plus loin, on atteint

Ci-contre, sceau minoen représentant une brebis (Musée archéologique d'Héraklion).

Kolimpari et la base de la péninsule de Rodopos, où des archéologues allemands ont mis au jour les ruines d'un sanctuaire du IIe siècle ap. J.-C. dédié à Diktina.

Moni Gonias

À l'angle de la péninsule apparaît Moni Gonias, le «monastère de l'Angle», fondé en 1618. L'église d'origine fut détruite par les Turcs. Les bâtiments actuels datent de 1662 mais ils furent restaurés en 1798, puis remaniés en 1878-1884. Il possède quelques belles peintures murales et de superbes icônes des XVIIe et XVIIIe siècles. Les plus remarquables sont une *Annonciation* datant de 1618, sur la porte du sanctuaire de l'iconostase (ci-contre, à gauche), et deux icônes du célèbre peintre crétois Constantinos Paléokapas : une *Mise en croix* (1630) et un *Saint Nicolas* (1637). Ces deux dernières œuvres sont conservées dans le petit musée qui expose également des vêtements ecclésiastiques et des documents historiques. À l'extérieur du beau portail ouest, on peut voir une fontaine portant cette inscription dédicatoire : «Ô source coulant avec grâce, donne-moi ton eau, car l'eau est bonne et nécessaire à chacun. Érigée aux frais de l'ancien métropolite de Crète, Kyrios Kallinikos, le 10 août 1708.» Un chemin monte de la fontaine jusqu'à la vieille église du monastère, située à l'ouest sur une colline. Elle date du XIIIe siècle et a conservé quelques fragments de ses fresques d'origine.

Buste d'Hadrien
Des bateaux proposent, au départ de Kolimpari, des excursions sur la presqu'île de Rodopos. Dans la baie de Meniés se trouvent les ruines du temple dédié à Diktina, déesse préhellénique, identifiée plus tard à Artémis. Plusieurs statues d'époque gréco-romaine qui l'ornaient sont exposées au Musée archéologique de La Canée.

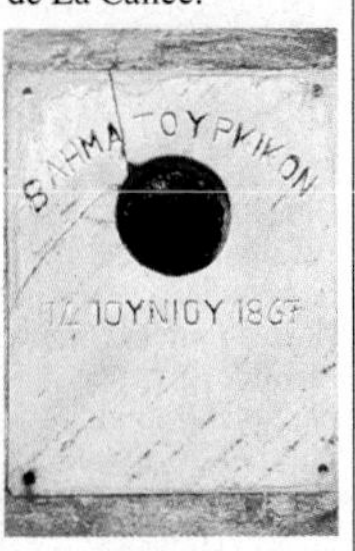

Moni Gonias
Ce monastère, bien que fortifié, ne put résister à l'assaut des 50 000 Ottomans qui, le 13 juin 1645, ont constitué la première vague d'envahisseurs de la Crète. Parmi les moines qui s'étaient enfuis, certains revinrent en 1651, et entreprirent de restaurer Moni Gonias. Il fut à nouveau attaqué par les Ottomans en 1841 et bombardé par un navire de guerre en 1867 : un boulet de canon est toujours visible dans les remparts du côté de la mer.

La Villa Trévisane près de Kastéli-Kissamos.

KASTÉLI-KISSAMOS. Revenant à l'embranchement de Kolimpari, on poursuit par la route nationale vers l'ouest. Après avoir passé un col, on voit s'étendre toute la plaine de Kastéli et le golfe de Kissamos (Kolpos Kissamou), borné à l'est par la péninsule de Rodopos et à l'ouest par celle de Gramvoussa. Au bout de la route, au sud-est, on distingue les ruines helléniques de la ville antique de Falassarna. 7 km avant Kastéli, un panneau indique la direction de Travasiana, ainsi nommée d'après la Villa Trévisane, un édifice d'époque vénitienne. Kastéli-Kissamos occupe l'emplacement de l'antique Kissamos qui était le port de la cité de Polyrrhénia. Un certain nombre de vestiges, découverts par John Pendlebury, permettent d'affirmer qu'il fut habité dès 800 av. J.-C., et ce jusqu'à l'époque gréco-romaine. Kissamos devint une cité indépendante au IIIe siècle et fut le siège d'un évêché durant la première période byzantine. Détruite par les Sarrasins, la ville fut reconstruite par les Vénitiens qui la fortifièrent au XVIe siècle. À ce fort, elle doit son nom de Kastéli. De récentes fouilles ont permis de dégager plusieurs vestiges de l'antique cité, dont une partie du théâtre, des thermes romains, une villa du IIIe siècle ornée de très beaux pavements en mosaïque, et un aqueduc.

Scène bachique sur un bas-relief découvert sur le site de l'antique Polyrrhénia.

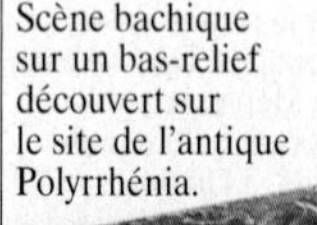

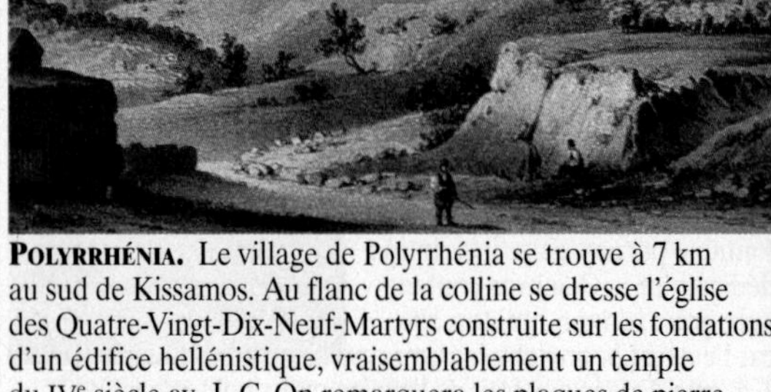

POLYRRHÉNIA. Le village de Polyrrhénia se trouve à 7 km au sud de Kissamos. Au flanc de la colline se dresse l'église des Quatre-Vingt-Dix-Neuf-Martyrs construite sur les fondations d'un édifice hellénistique, vraisemblablement un temple du IVe siècle av. J.-C. On remarquera les plaques de pierre portant des inscriptions antiques réutilisées dans cet édifice. Les principaux vestiges de la Polyrrhénia antique sont les murs d'enceinte ponctués de tours semi-circulaires. Sans doute contemporains du temple hellénistique, ils ont été réparés à l'époque romaine et reconstruits par les Byzantins, puis les Vénitiens.

POLYRRHÉNIA
Au sommet de la colline s'élevait une acropole fortifiée, occupée par les Byzantins, puis par les Vénitiens. Les habitations étaient creusées dans le roc et s'étageaient sur les flancs de la colline. D'après les tessons découverts sur le site, il semble que l'antique Polyrrhénia, dont le nom signifie «nombreux troupeaux», ait été fondée pendant la période archaïque. La cité survécut à l'époque gréco-romaine. Détruite par les Sarrasins, elle fut reconstruite peu après la reconquête de l'île par Nicéphore Phokas ● *48* et devint une importante place forte vénitienne.

LES ENNÉACHORIA

Poursuivant au sud en direction de Topolia, on gravit les pentes du mont Koutroulis, culminant à 1 071 m. Plusieurs petits villages de montagne ont des églises byzantines ornées de fresques :

Ci-contre, la belle Villa Rotonda située dans le village de Kalathénés, entre Polyrrhénia et Topolia.

Haghios Pantéleimon à Aikirgianis et à Tsourouniana, Haghios Georgios qui date de 1330 ; plus à l'est, aux alentours de Voulgaro, ce sont les églises Haghios Nikolaos à Mouri, Haghios Georgios à Makronas et Haghia Varvara à Latziana. Le pittoresque village de TOPOLIA possède quant à lui une église ornée de fresques datant du début de l'époque vénitienne, Haghia Paraskévi. La route pénètre ensuite dans une gorge impressionnante, longue de 1 500 m, et débouche à Koutsomatados. On traverse alors une série de jolies communes appelées les Ennéachoria, «neuf villages». Cette appellation regroupe en fait quinze hameaux, tous admirablement situés. Les Ennéachoria occupent probablement l'emplacement de la cité-État antique d'Inachorium, dont le nom a subsisté sous une forme altérée. ÉLOS, perché à 560 m d'altitude, au milieu d'une belle forêt de châtaigniers, est l'un des plus charmants de ces villages. Il possède deux églises byzantines ornées de fresques. Viennent ensuite Périvolia, Kéfali et Vathi, dont l'église Haghios Georgios, située sur la place du village, est ornée de fresques de 1284. Au sud, un chemin conduit vers la gauche à une église dédiée à l'archange saint Michel ● *101*, laquelle possède des fresques datant du XIVe siècle. Les Ennéachoria se poursuivent à l'ouest avec Papadiana, Amigdalokéfali et son église, consacrée à la Transfiguration du Christ et ornée de fresques de 1320, puis Kéramoti, dont on aperçoit, au fond d'une vallée, les toits de tuiles rouges.

La grotte Sainte-Sophie, près des gorges de Koutsomatados, fut habitée dès la période néolithique.

Église du village de Vlatos, entre Koutsomatados et les Ennéachoria.

MONI CHRYSSOSKALITISSA
Ce monastère est construit telle une citadelle isolée sur un promontoire rocheux abrupt surplombant la mer au-dessus de laquelle il s'élève à 35 m de hauteur. De tout temps, il fut un havre pour les naufragés qui s'échouaient sur la pointe d'Élafonissi, au sud du promontoire. Quelques moines y vivent encore aujourd'hui.

MONI CHRYSSOSKALITISSA

Depuis Vathi, une route de terre conduit à la baie de Stomio, près de laquelle surgit Moni Chryssoskalitissa, le monastère Notre-Dame-des-Marches-d'Or. D'après la légende, l'escalier qui y conduit comporterait une marche en or que seuls les bienheureux pourraient reconnaître, grâce à l'intercession de la Vierge. On connaît mal l'origine de Moni Chryssoskalitissa. La découverte récente de tessons datant des dernières périodes du Minoen permet cependant de supposer l'existence d'un village à cet endroit durant l'âge du bronze. Ce promontoire a d'autre part vraisemblablement attiré des ermites pendant la période byzantine, et les moines de Moni Gonias ont peut-être construit ici un premier monastère au début de l'époque vénitienne. Celui-ci servit certainement de refuge à tous ceux qui tentèrent d'échapper à l'oppression des Vénitiens puis des Ottomans.

Les vignes occupent près de 900 000 hectares du sol crétois : un tiers des vignobles produit des vins rouges et blancs ; deux tiers produisent les raisins de table et ceux qui seront séchés, connus sous le nom de raisins de Smyrne, ou sultanines. La culture de la vigne en Crète remonte à l'époque minoenne, alors que la Grèce continentale et l'Europe l'ignorait encore. Elle était notamment pratiquée dans la région de Knossos où un pressoir en terre cuite vieux de plus de 4 000 ans a été découvert. La Crète est donc, semble-t-il, le berceau du vin, précieuse boisson, de tout temps offerte aux dieux.

Les vignobles crétois s'étendent à flanc de coteaux, voisinant avec les champs d'oliviers.

La récolte du raisin commence aux environs du 16 août, après la fête de la Panaghia.

LES VINS. Au XVIe siècle, le vin constitue la principale denrée exportée par la Crète vénitienne : les vins les plus réputés sont alors le moscatelli parfumé et la célèbre malvoisie, douce et forte à la fois. Aujourd'hui, les vignobles crétois présentent une grande variété de cépages. Les quatre grands vins rouges de l'île sont l'archanès, le péza, le dafnès et le sitia.

«IL Y AVAIT LÀ, COMME EN TANT D'AUTRES PAYS MÉDITERRANÉENS, UN GÉNIE DU VIN À CONJURER OU À APAISER.»

PAUL FAURE

Dans certains cantons, le vin est coupé avec du genièvre ou de l'anis. Le retsina, blanc ou rosé, est parfumé à la résine de pin.

DIONYSOS
C'est le dieu grec du vin et de l'ivresse, fils de Zeus et de la nymphe Sémélé. Les fêtes du vin ou du raisin sont célébrées notamment à Épano, Kastéli-Kissamos et Pérama ◆ *283*.

LES RAISINS SECS
Les raisins jaunes sultanines, très sucrés et sans pépins, sont surtout cultivés en Crète centrale et orientale. Ils sont récoltés à la mi-août, alors que leur teneur en sucre dépasse 25 %.

Les raisins sont d'abord passés dans un bain de carbonate de potassium perçant la peau des fruits qui ainsi perdent leur jus. Ils sont ensuite disposés sur des claies exposées au vent et au soleil. En fin de cycle, ils seront conditionnés dans l'usine automatisée de la K.S.O.S. installée dans la capitale : passés au tamis et mis en sacs, ils seront commercialisés dans toute la communauté européenne.

Ci-dessus, les plages d'Élafonissi.

BAIE D'ÉLAFONISSI. Un chemin de terre quitte le monastère en direction du sud et se termine 5 km plus loin au fond de la baie d'Élafonissi. C'est le site de l'une des plus belles plages de l'île, une grande courbe de sable légèrement rosé, bordée de tamaris, avec un lagon fermé par des récifs de coraux.

PALÉOCHORA. Revenant à Vlatos, on prend la direction de Paléochora. Le vieux Paléochora est situé sur un promontoire dominé par les ruines d'une forteresse vénitienne, tandis que le nouveau village s'est développé sur le côté est de l'isthme. Une grande plage bordée de tamaris s'étire vers l'ouest, le long de la petite baie de Sélinou Kastéli. Celle-ci tient son nom d'une forteresse, érigée en 1282 par le gouverneur vénitien Marinou Gradénigo pour surveiller les deux golfes. Récemment restauré, l'édifice peut se visiter.

PALÉOCHORA
Grâce à ses grandes et belles plages, le nouveau village de Paléochora est devenu un très agréable lieu de villégiature.

KANTANOS. La province de Sélino est célèbre pour ses nombreuses églises datant de l'époque byzantine et du début de l'occupation vénitienne. Particulièrement nombreuses entre Paléochora et Kantanos, la capitale du district de Sélino, elles ont souvent conservé leurs fresques d'origine, dont certaines sont dues au grand peintre crétois Ioannis Pagoménos. Kantanos, à 17 km au nord de Paléochora, fut le siège de l'évêché de l'église orthodoxe grecque à l'époque byzantine, puis celui de l'évêché catholique romain pendant la période vénitienne qui donna à cette province ses richesses artistiques et architecturales. Parmi les églises les plus intéressantes des environs, citons, du sud au nord, celle de la Nativité à Kadros, Haghios Issidoros près de Kakodiki, Haghios Georgios à Pléméniana. Le bourg d'ANISSARAKI, à l'est de Kantanos, ne compte pas moins de quatre églises des XIVe et XVe siècles, toutes ornées de fresques : Haghia Anna, Haghios Georgios, Panaghia et Haghia Paraskévi. D'Anissaraki, la route rejoint, vers le sud, SOUYIA, petit village localisé comme l'antique Syia où sont visibles quelques vestiges romains. L'église moderne fut construite sur les fondations d'une basilique paléochrétienne dont le pavement de mosaïque, représentant des cerfs et des paons, est remarquable. À l'ouest de Souyia, plongés dans la verdure, gisent les vestiges du temple d'Asclépios et d'un bâtiment d'époque romaine de l'antique Lissos. Depuis Kantanos, on rejoint par la route principale Voukoliés, puis La Canée.

VOUKOLIÈS
Ci-dessus, l'église Haghios Konstantinos, de Voukoliés. Ce village est le centre agricole de cette contrée fertile, plantée d'oliviers et de vignes. La région produit des céréales, du vin et des châtaignes. Un marché s'y tient tous les samedis.

Ci-dessous, l'autocar à destination de Paléochora.

Carnet de voyage

Membre de la Communauté européenne depuis 1981, la Grèce ne présente pas de contraintes particulières pour les ressortissants de très nombreux pays. Les sites et les plages de Crète en font une destination très recherchée en haute saison, il est donc préférable de réserver à l'avance le billet d'avion ainsi que la chambre d'hôtel.

FORMALITÉS

Pour un séjour de courte durée, une carte d'identité ou un passeport périmé depuis moins de cinq ans sont suffisants. Au-delà de trois mois, un visa vous sera nécessaire.

DOUANES

Les règlements en vigueur sont ceux de la Communauté européenne. Vous pouvez rapporter des objets pour une valeur maximale de 2 400 F par personne, cette somme étant indivisible : une valeur supérieure ne peut être répartie entre plusieurs personnes.

DEVISES

En Crète, l'importation de devises étrangères est illimitée, mais vous ne pouvez importer plus de 100 000 Dr ni exporter plus de 25 000 Dr par personne.

SANTÉ

Une ordonnance en bonne et due forme est nécessaire pour pénétrer sur le territoire avec certains médicaments. Vous pouvez vous procurer auprès de votre caisse de Sécurité sociale un formulaire permettant le remboursement de frais de santé à l'étranger.

ANIMAUX

Vos animaux de compagnie peuvent vous suivre, pourvus d'un certificat de santé récent (6 mois pour les chats, 1 an pour les chiens), stipulant qu'ils ont été vaccinés contre la rage. Néanmoins, si vous comptez résider à l'hôtel, renseignez-vous pour savoir s'ils sont admis.

VÉHICULES

N'oubliez pas, si vous voyagez avec votre propre véhicule, de vous munir de votre carte grise et de votre carte d'assurance, ainsi que de votre permis de conduire, français ou européen, nécessaire également pour louer un véhicule sur place.

Renseignements

Office national hellénique du tourisme
3, avenue de l'Opéra
75001 Paris
Tél. (1) 42 60 65 75
et (1) 42 96 49 55
Fax (1) 42 60 10 28

Quelques voyagistes

Nouvelles Frontières
87, boulevard de Grenelle
75015 Paris
Tél. (1) 41 41 58 58

Héliades
48, rue de Dunkerque
75009 Paris
Tél. (1) 48 79 70 93

Jet Tours
22, quai de la Messagerie,
75001 Paris
Tél. (1) 49 60 00 00

Clio-Voyages culturels
10, rue de la Procession
75015 Paris
Tél. (1) 47 34 36 63

Croisières Épirotiki
5, boulevard des Capucines
75002 Paris
Tél. (1) 42 66 97 25

Principales compagnies aériennes

Air France
119, avenue des Champs-Élysées
75008 Paris
Tél. (1) 44 08 24 24
ou (1) 45 35 61 61
Minitel 3615 code AF
10, quai J.-Courmont
69002 Lyon
Tél. 78 92 48 10
14, La Canebière
13001 Marseille
Tél. 91 37 38 38

KLM - Royal Dutch Company
36, avenue de l'Opéra
75002 Paris
Tél. (1) 44 56 18 18

United Airlines
34, avenue de l'Opéra
75002 Paris
Tél. (1) 47 42 25 14

Alitalia
69, bd Haussmann
75008 Paris
Tél. (1) 44 94 44 00

Olympic Airways
3, rue Auber
75009 Paris
Tél. (1) 47 42 87 99

Ambassades et consulats grecs

En France :
Ambassade de Grèce
17, rue A. Vacquerie
75116 Paris
Tél. (1) 47 23 72 28

En Belgique :
Ambassade de Grèce
430, avenue Louise
1050 Bruxelles
Tél. 648 17 30
Consulat de Grèce
Vlasmarkt 28,
2000 Antwerp
Tél. 234 13 50
ou 234 13 23.

En Suisse :
Ambassade de Grèce
Jungfraustrasse 3
3005 Bern
Tél. 31 441 637
ou 31 440 016

Au Québec :
Consulat de Grèce
1170, place du Frère-André
Montréal-Québec
H3B 3C6
Tél. 1 (514) 875 87 81

Consulat français en Crète

20, rue Kritovoulidou
Héraklion
Tél. 28 24 71
Fax. 28 50 90

Budget global pour un séjour type de huit jours/sept nuits

◆ Couple seul, en charter et hébergement moyenne gamme :
Avion 4 000 F
+ Hôtel 2 900 F
+ Restaurant 1 800 F
= 8 700 F

◆ Couple et deux enfants, utilisant les services d'un voyagiste :
Forfait avion-hôtel-pension complète
= 14 600 F

◆ Couple seul, en vol régulier et hébergement haut de gamme :
Avion 6 500 F
+ Hôtel 7 000 F
+ Restaurant 4 000 F
= 17 500 F

Budget avion

Aller-retour, vol régulier :
3 750 à 6 500 F
Aller-retour, vol charter :
1 500 à 2 300 F

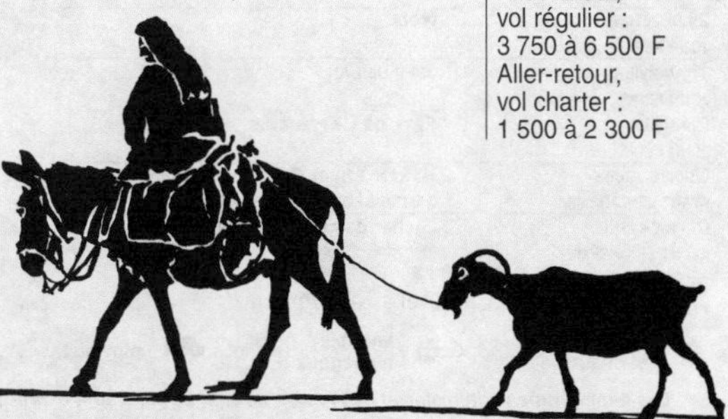

CALENDRIER DES SAISONS

PRINTEMPS — Mars à mai

Pâque reste la grande fête orthodoxe, célébrée en Crète comme dans le reste du monde grec avec le plus de faste.

PREMIER LUNDI DE MARS	**CARÊME,** JOUR FÉRIÉ
25 MARS FÊTE DE L'INDÉPENDANCE	**FÊTE NATIONALE** JOUR FÉRIÉ
LUNDI DE PÂQUE	JOUR FÉRIÉ
VENDREDI ET SAMEDI SAINTS JOURS FÉRIÉS	**PROCESSIONS** de l'Epitaphion, occasion d'entendre les plus beaux cantiques byzantins
23 AVRIL FÊTE DE LA SAINT-GEORGES	À Asi-Gonia, rassemblement de tous les bergers des environs avec distribution de lait de brebis
1ER MAI	**FÊTE DU TRAVAIL,** JOUR FÉRIÉ

❤ Illumination aux cierges des églises, le Samedi saint à minuit

MARS 9 °-18 °

AVRIL 11 °-22 °

MAI 15 °-26 °

ÉTÉ — Juin à août

L'été est la saison des festivals d'Héraklion et de Réthymnon. Mais la Crète reste avant tout une île attachée aux traditions religieuses, ainsi les fêtes des différents saints sont prétexte à de nombreuses manifestations.

JUILLET À AOÛT	**FESTIVAL D'HÉRAKLION** concert, théâtre,opéra...
JUILLET À AOÛT	**FESTIVAL DE RÉTHYMNON** dans 27 villes et villages
FIN JUILLET	**FÊTES DE DIONYSOS** **FÊTE DU VIN** dans le parc municipal
26 JUILLET	**FÊTE DE SAINTE-PARASKÉVI** procession aux chandelles jusqu'à la grotte de Skotino, musique et danses folkloriques
15 août JOUR FÉRIÉ	**FÊTE DE LA VIERGE** bals, feux d'artifices

❤ Descendre dans la grotte de Skotino

JUIN 19 °-30 °

JUILLET 21 °-32 °

AOÛT 21 °-32 °

AUTOMNE — Septembre à novembre

C'est à partir de cette période hors saison que les fêtes retrouvent leur caractère traditionnel dans les villages reculés. La coutume veut que l'hospitalité soit offerte aux visiteurs venus participer aux festivités.

SEPTEMBRE-OCTOBRE	**DISTILLATION DU *RAKI*** festivités sur les places publiques des villages, principalement dans la région de Sitia
7 OCTOBRE	**FÊTE DE JEAN-L'ÉVANGÉLISTE** à Akrotiri, au monastère de Gouvernéto
7-9 NOVEMBRE	**COMMÉMORATION** au monastère d'Arkadi
11 NOVEMBRE	**FÊTE D'HAGHIOS MINAS** à Héraklion

❤ Écouter la *lyra* sur une place d'un village

SEPTEMBRE 19 °-28 °

OCTOBRE 16 °-24 °

NOVEMBRE 13 °-20 °

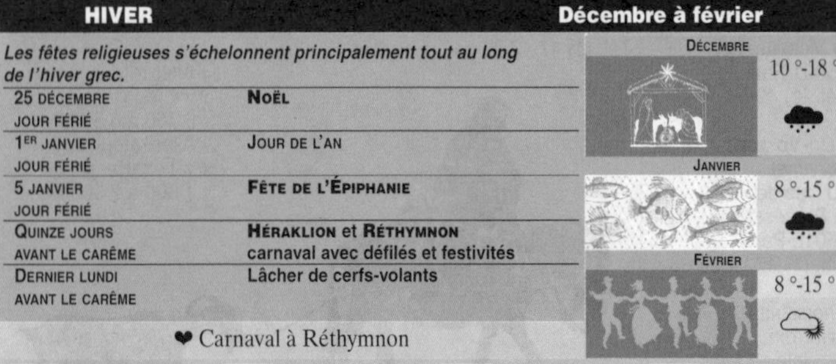

HIVER — Décembre à février

Les fêtes religieuses s'échelonnent principalement tout au long de l'hiver grec.

25 DÉCEMBRE JOUR FÉRIÉ	**NOËL**
1ER JANVIER JOUR FÉRIÉ	JOUR DE L'AN
5 JANVIER JOUR FÉRIÉ	**FÊTE DE L'ÉPIPHANIE**
QUINZE JOURS AVANT LE CARÊME	**HÉRAKLION** et **RÉTHYMNON** carnaval avec défilés et festivités
DERNIER LUNDI AVANT LE CARÊME	Lâcher de cerfs-volants

❤ Carnaval à Réthymnon

DÉCEMBRE 10 °-18 °

JANVIER 8 °-15 °

FÉVRIER 8 °-15 °

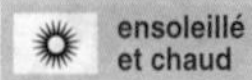
ensoleillé et chaud

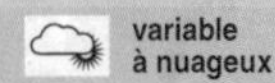
variable à nuageux

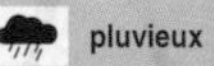
pluvieux

froid, neige possible

Les températures minimales et maximales de chaque mois sont exprimées en degrés Celsius.

Jours fériés

1er janvier : Nouvel an
6 janvier : Épiphanie
25 mars : fête de l'Annonciation, fête nationale en souvenir de l'insurrection contre les Turcs en 1821
Vendredi saint : fermeture de certains magasins et bureaux
Samedi de Pâques : fermeture des bureaux
Dimanche et lundi de Pâque : pâque orthodoxe
1er mai : fête du Travail
15 août : Assomption de la Vierge
28 octobre : jour de l'*Ochi*, commémoration du rejet par la Grèce de l'ultimatum de Mussolini en 1940
25 et 26 décembre : Noël, Saint-Stéphane

Météo de mai à octobre

	Mai	Juin	Juil	Août	Sept	Oct
Température diurne	20°	24°	26°	26°	23°	20°
Température nocturne	16°	20°	23°	23°	19°	15°
Nombre d'heures de soleil par jour	10 h	12 h	12 h	11 h	10 h	7 h
Nombre de jours de pluie	4 j	2 j	0 j	1 j	2 j	7 j
Température diurne de la mer	19°	23°	24°	25°	24°	23°
Température nocturne de la mer	12°	16°	17°	18°	15°	13°

Coup de cœur
Le meilleur moment pour visiter la Crète

L'île bénéficie d'un léger vent qui rend la température plus supportable qu'en Grèce. Le printemps et l'automne restent cependant les meilleures périodes pour visiter les sites et éviter la foule estivale. La mer est assez chaude pour se baigner et la végétation est particulièrement verdoyante et colorée.

Cartes

La signalisation routière est souvent défectueuse, en particulier dans l'arrière-pays où il est préférable de se munir d'une bonne carte, vendues dans les kiosques, ou «périptères», ainsi qu'en librairie : Hannibal pratique (1/275 000), Efstathiadis (1/200 000), Nelles (1/200 000) ou Harms (1/80 000) sont les meilleures.

Qu'emporter

Le léger vent fait oublier les rayons du soleil, la crème solaire est donc nécessaire, surtout les premiers jours.
Il faut faire attention aux problèmes intestinaux que peut engendrer l'huile d'olive. La meilleure solution est de s'adapter, avant le séjour, à la cuisine crétoise.
Les pharmaciens de l'île sont cependant habitués à ces petits problèmes de santé et savent les résoudre facilement.
Les médicaments sont bon marché, il n'est donc pas nécessaire de se charger de réserves inconsidérées.
Comme en Grèce, pellicules et flashs se trouvent dans les grandes villes à un prix plus élevé. Alors, faites une provision avant de partir.

Conseils vestimentaires

En été : des vêtements légers, un chapeau, des lunettes de soleil. Mais n'oubliez pas un gilet car les soirées peuvent être fraîches.
En demi-saison : un coupe-vent et un pull pour le soir et les jours de meltem.
Les tenues formelles ne sont pas une obligation. Si vous êtes invités chez des Crétois, des vêtements décontractés suffiront.
Pour la visite des sites archéologiques : des chaussures plates et confortables.
Pour la visite des églises : les femmes ne doivent pas être bras nus ; afin de ne pas être pris au dépourvu, avoir toujours avec soi une chemise, un gilet ou un châle.

Conseils de lecture

L'Été grec (1976) de Jacques Lacarrière, un chapitre passionnant consacré à la découverte de la Crète.
Alexis Zorba (1946), *Lettre au Greco* (1961), de Nikos Kazantzaki, principal écrivain crétois.
Le Crétois (1957) de Pandélis Prévélakis, une quête de liberté.
Les Îles grecques de Lawrence Durrell.
Le Colosse de Maroussi (1941) de Henry Miller, récit de son voyage avec Lawrence Durrell.

DISTANCES ENTRE ATHÈNES ET LES GRANDES VILLES EUROPÉENNES

Paris	2 930 km
Londres	3 067 km
Berlin	2 940 km
Rome	1 251 km
Madrid	3 802 km

D'Athènes à la Crète, environ 400 km, compter 12 h de traversée.

RÉDUCTIONS SUR LES TRANSPORTS

◆ Air France propose quatre tarifs en classe touriste : Vacances, Super Vacances, Jeunes et Temps Libre.
◆ La SNCF propose des réductions de 20% à 50% sur le trajet en France avec la carte Carissimo et de 30% avec la carte Vermeil. Les moins de 26 ans peuvent acheter un billet BIGE à tarif réduit sur certains trains.

EN AVION

En dehors des vols charters saisonniers, de Pâques au 15 octobre environ, assurés par diverses agences de voyages telles que Nouvelles Frontières ou Jumbo Charter, il n'existe pas de liaison aérienne directe entre la France et la Crète. L'unique solution consiste à passer par Athènes et, de là, à gagner la Crète par avion ou par bateau.

AIR FRANCE
A/R 2 200 F à 3 250 F
Au départ de Paris, vol quotidien à destination d'Athènes.
Départ de Roissy-Charles-de-Gaulle.
Au départ de Lyon, Marseille et Nice, deux vols hebdomadaires à destination d'Athènes.
RENSEIGNEMENTS AIR FRANCE :
44 08 24 24
RÉSERVATIONS-VENTES :
44 08 22 22
Consulter les offres promotionnelles sur le Minitel :
3615 code AF

OLYMPIC AIRWAYS
A/R 2 150 F à 2 500F
Au départ de Paris, départ d'Orly-Sud, et à destination d'Athènes, un vol quotidien. Au départ d'Athènes pour Héraklion, plusieurs vols quotidiens.
A/R 625 F à 810 F

NOUVELLES FRONTIÈRES
87, bd de Grenelle
75015 Paris
Tél. 41 41 58 58

FORUM VOYAGES
140, rue du Fbg-Saint-Honoré
75008 Paris
Tél. 42 89 07 07

VACANCES HÉLIADES
50, av. Ledru-Rollin
75012 Paris
Tél. 43 44 28 15

AIR SUD DÉCOUVERTES
105, rue Monge
75005 Paris
Tél. 43 37 85 90

EN TRAIN

Au départ de la gare de Lyon, deux trains de nuit relient Athènes *via* Lausanne, Milan, Venise et Belgrade : Le *Simplon Express* (dép. 18 h 50) et Le *Galiléo* (dép. 23 h 49). Deux autres trains, Le *Palatino* et de juin à septembre, Le *Parthénon,* relient Paris à Brindisi (26 h), d'où l'on prend le ferry pour Patras (18 h), puis le train ou l'autocar pour Athènes (4 h).

EN VOITURE ET FERRY

Il faut compter de 4 à 5 jours de route, *via* l'Allemagne, l'Autriche et la Hongrie pour atteindre Athènes.
Un service de ferries assure de manière quotidienne la liaison entre les principales villes de la côte nord de la Crète et Le Pirée, port d'Athènes.
La traversée est gratuite pour les enfants de moins de 4 ans et demi-tarif pour les enfants de 4 à 10 ans.
AS 100 F à 125 F, véhicule de 250 F à 350 F.
LE PIRÉE-HÉRAKLION
Départ chaque jour, vers 19 h.
LE PIRÉE-RÉTHYMNON
Départ chaque jour vers 19 h.
LE PIRÉE-LA CANÉE
Départ chaque jour vers 20 h.

LE PRIX DU VOYAGE

Trajet depuis Paris	Durée	Prix moyen
Vol régulier (changement à Athènes)	4 h	3 000 F A/R
Vol charter (direct)	4 h	2 000 F A/R
Voyage en train jusqu'à Athènes (plus traversée en ferry)	62 h	2 650 F A/R
Voyage en voiture et ferry (sur la base de deux personnes)	120 h	3 620 F A/R

AIR FRANCE

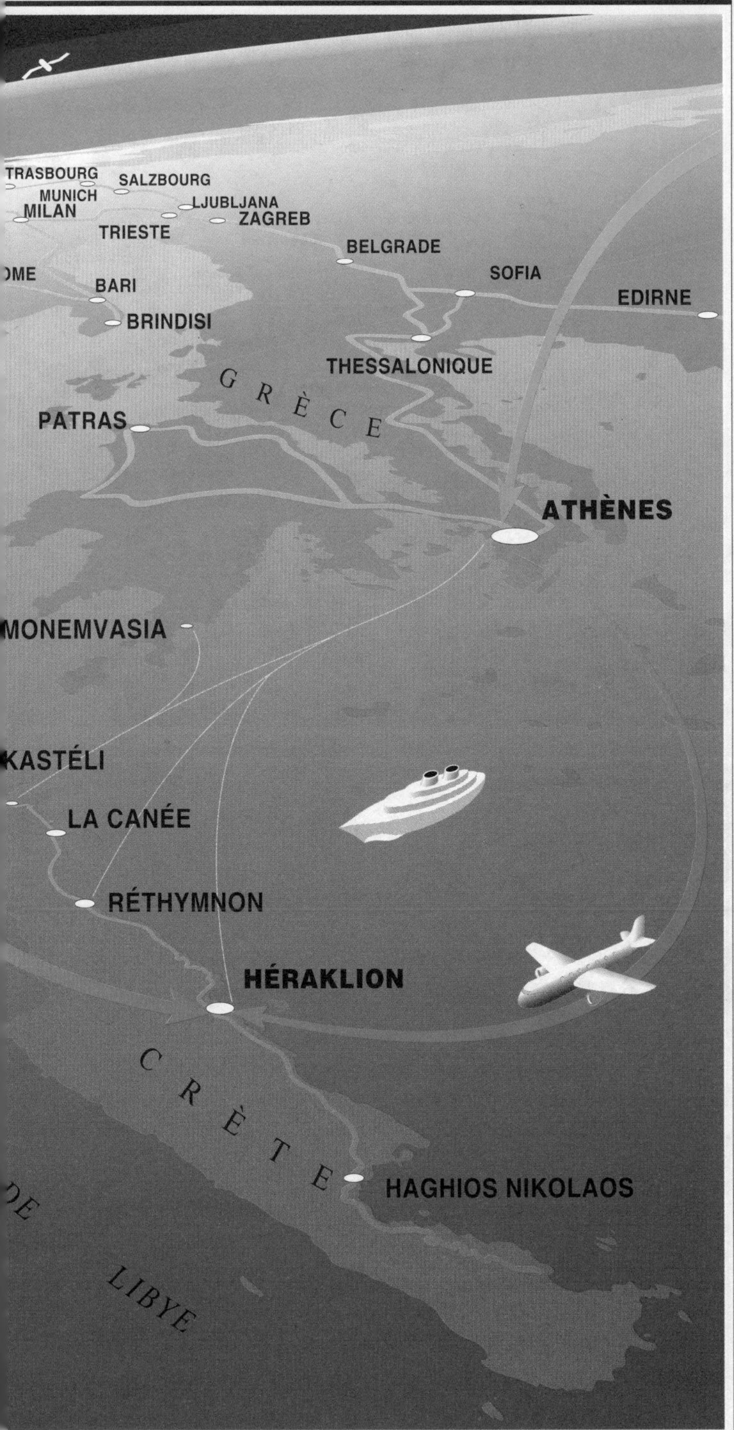
TRASBOURG
SALZBOURG
MUNICH
MILAN
LJUBLJANA
ZAGREB
TRIESTE
BELGRADE
OME
BARI
SOFIA
EDIRNE
BRINDISI
THESSALONIQUE
GRÈCE
PATRAS
ATHÈNES
MONEMVASIA
KASTÉLI
LA CANÉE
RÉTHYMNON
HÉRAKLION
CRÈTE
HAGHIOS NIKOLAOS
DE
LIBYE

HÉRAKLION
MER DE CRÈTE
FORTERESSE KOULÈS
PORT VÉNITIEN
CAPITAINERIE
MAKARIOU
MUSÉE HISTORIQUE
HAGHIOS DÉMÉTRIOS
ARSENAL VÉNITIEN
GAZI
VIRONOS
ÉPIMÉNIDOU
ARSENAL VÉNITIEN
PLACE KOUNDOURIOTON
HORTATSON
MINOTAVROU
25 AVGOUSTOU
IDOMÉNÉOS
DOUKOS BEAUFORT
PARC LE GRECO
MALIKOUTI
SKAFION
HANDAKOS
OTE
PLACE E. VÉNIZÉLOS
ÉGLISE AGHIOS TITOS
KAZANTZAKIS
LOGGIA VÉNITIENNE
HÔTEL DE VILLE
MÉRAMBÉLOU
FONTAINE MOROSINI
ÉGLISE ST-MARC
HATZIDAKI
MUSÉE ARCHÉOLOGIQUE
IDIS
ODHOS 1821
DÉDALOU
KALOKÉRINOU
ÉGLISE SAINTE CATHERINE
POLICE TOURISTIQUE
DIKÉOSSYNIS
PLACE ELEFTHÉRIAS
IKAROU
M. GIANARI
CATHÉDRALE AGHIOS MINAS
MINA
1866 MARCHÉ
EVANS
POSTE
PLACE DASKALOYANNIS
KARTÉROU
DIMOKRATIAS
MONIS KARDIOTISSIS
THESSALONIKIS
GIANIKOU
FONTAINE BEMBO
AVEROF OTHONOS
TRIS KAMARÈS
VIKÉLA
PLACE KORNAROU
TRIEISTOU
ANOPOLÉOS

HAGHIOS NIKOLAOS
MUSÉE ARCHÉOLOGIQUE
PRINGIPOS
KORITSAS
MILATOU
KOUNDOUROU
ETHNIKIS ANTISTASSÉOS
PALÉOLOGOU
DAKI
THÉOTOKOPOULOU
PÉRIKLÉOUS
THERMOPYLON
GÉORGIOU
THÉRISSOU
MUSÉE D'ART POPULAIRE
KAZANTZAKIS
NIKOLAOU PLASTIRA
SOLOMOU
KONDYLAKI
POLICE TOURISTIQUE
TITOU
LAC VOULISMÉNI
OMIROU
28 OKTOVRIOU
LASTHÉNI
SAROLIDI
AKTI THÉMISTOKLI
DIMOKRATIAS
PLASTIRA POLYTEKHNIOU
POSTE
KOUNDOUROU
25 MARTIOU
SFAKIANAKI M.
PASSIFAÏS
MILOU
ARIADNIS
EVANS
LOUKARÉOS
OTE
AKTI PANGALOU
PLACE VÉNIZÉLOU
MOUDATSOU
KASTEL MIRAMBELOU
TSÉLÉPI
KYRILOU
EL. VÉNIZÉLOU
CATHÉDRALE ORTHODOXE
SFAKIONAKI N.
KONTOGIANI
HÔTEL DE VILLE
PRÉFECTURE
TAVLA
KOZIRI L.
AKTI ATLANDIDAS

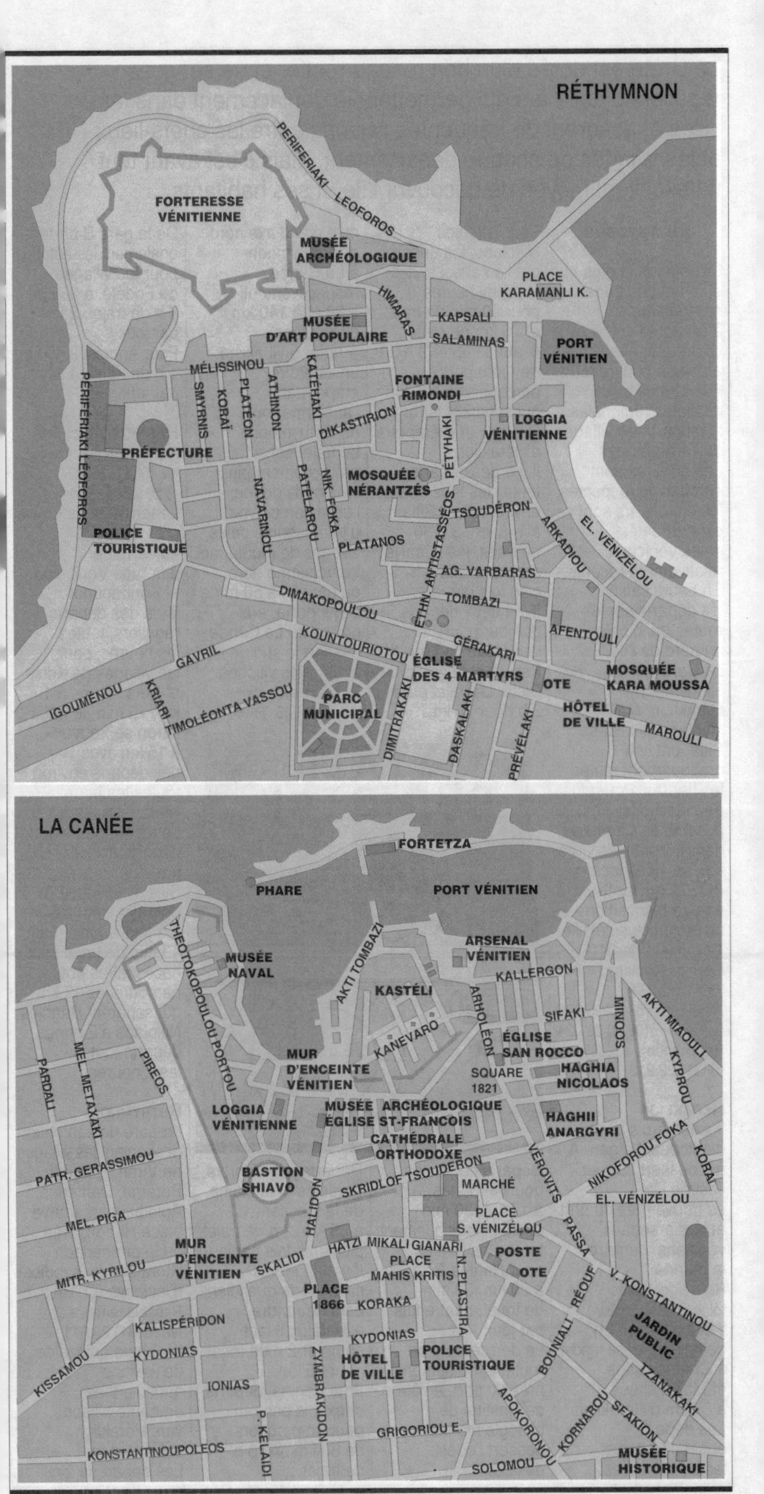
RÉTHYMNON
FORTERESSE VÉNITIENNE
PERIFERIAKI LEOFOROS
MUSÉE ARCHÉOLOGIQUE
PLACE KARAMANLI K.
HMARAS
KAPSALI
SALAMINAS
MUSÉE D'ART POPULAIRE
PORT VÉNITIEN
MÉLISSINOU
KATÉHAKI
FONTAINE RIMONDI
PÉRIFÉRIAKI LÉOFOROS
SMYRNIS
KORAÏ
PLATÉON
ATHINON
DIKASTIRION
PETYHAKI
LOGGIA VÉNITIENNE
PRÉFECTURE
MOSQUÉE NÉRANTZÈS
NAVARINOU
PATÉLAROU
NIK. FOKA
TSOUDÉRON
POLICE TOURISTIQUE
PLATANOS
ARKADIOU
EL. VÉNIZÉLOU
AG. VARBARAS
ETHN. ANTISTASSÉOS
DIMAKOPOULOU
TOMBAZI
AFENTOULI
KOUNTOURIOTOU
GÉRAKARI
ÉGLISE DES 4 MARTYRS
GAVRIL
MOSQUÉE KARA MOUSSA
OTE
IGOUMÉNOU
KRIARI
TIMOLÉONTA VASSOU
PARC MUNICIPAL
DIMITRAKAKI
DASKALAKI
HÔTEL DE VILLE
PRÉVÉLAKI
MAROULI
LA CANÉE
FORTETZA
PHARE
PORT VÉNITIEN
THEOTOKOPOULOU PORTOU
MUSÉE NAVAL
ARSENAL VÉNITIEN
AKTI TOMBAZI
KALLERGON
KASTÉLI
ARHOLÉON
SIFAKI
MINOOS
AKTI MIAOULI
KANEVARO
ÉGLISE SAN ROCCO
MEL. METAXAKI
PIREOS
MUR D'ENCEINTE VÉNITIEN
SQUARE 1821
HAGHIA NICOLAOS
PARDALI
KYPROU
LOGGIA VÉNITIENNE
MUSÉE ARCHÉOLOGIQUE ÉGLISE ST-FRANCOIS
HAGHII ANARGYRI
CATHÉDRALE ORTHODOXE
NIKOFOROU FOKA
KORAI
PATR. GERASSIMOU
BASTION SHIAVO
SKRIDLOF TSOUDERON
MARCHÉ
VÉROVITS
EL. VÉNIZÉLOU
HALIDON
PLACE S. VÉNIZÉLOU
MEL. PIGA
PASSA
MUR D'ENCEINTE VÉNITIEN
HATZI MIKALI GIANARI
POSTE
MITR. KYRILOU
SKALIDI
PLACE MAHIS KRITIS
OTE
V. KONSTANTINOU
PLACE 1866
KORAKA
N. PLASTIRA
RÉOUF
JARDIN PUBLIC
KALISPÉRIDON
KYDONIAS
KYDONIAS
HÔTEL DE VILLE
POLICE TOURISTIQUE
BOUNIALI
KISSAMOU
IONIAS
ZYMBRAKIDON
TZANAKAKI
APOKORONOU
SFAKION
KORNAROU
GRIGORIOU E.
P. KELAIDI
KONSTANTINOUPOLEOS
SOLOMOU
MUSÉE HISTORIQUE

La Crète est dotée d'un bon réseau routier et de services réguliers d'autocars qui permettent le déplacement dans les villes et assurent de fréquentes liaisons entre les chefs-lieux et les villages de chaque département. Mais c'est avant tout un excellent moyen de découvrir l'île et ses habitants.

EN AUTOBUS

La solution la plus économique consiste naturellement à prendre l'autobus. Un réseau assez bien organisé couvre toute l'île et relie aux capitales régionales la plupart des villages de l'arrière-pays. Les horaires sont en principe respectés, les chauffeurs sont expérimentés et les véhicules relativement récents. En haute saison, les départs sur les routes principales du nord de l'île, La Canée, Réthymnon, Héraklion, Malia, Haghios Nikolaos, Sitia, ont lieu pratiquement toutes les heures. Pour plus de précisions, il est possible de s'adresser, dans les grandes villes aux services locaux (KTEL) qui mettront à votre disposition un prospectus détaillé.
Téléphones des KTEL :
Haghios Nikolaos : (0841) 22 234
Héraklion : (081) 283 925
La Canée : (0821) 23 024
Réthymnon : (0831) 22 212

HÉRAKLION

Il existe trois gares d'autobus. La gare A, qui dessert surtout l'est de l'île, se trouve près du port et des arsenaux vénitiens, derrière la marina.
Renseignements : tél. (081) 24 50 20
Il faut compter 1 h de trajet pour se rendre à Chersonissos et Malia, situés à 37 km d'Héraklion. Les départs ont lieu toutes les demi-heures. Pour Haghios Nikolaos, les départs ont lieu aussi toutes les demi-heures pour 90 min de trajet et 70 km de route. Il faut compter 2 h 30 de route pour parcourir les 105 km qui séparent Istron, Gournia et Hiérapétra d'Héraklion. Il y a des départs toutes les trois heures environ. Pour Sitia, à 145 km, 3 h 30 de trajet, les départs sont au minimum cinq fois par jour. Il y a deux départs par jour pour le plateau de Lassithi, Psykro et la grotte de Dicté. Le trajet dure 2 h pour 70 km.

Départs également pour Archanés, à 17 km, 30 min de trajet, pratiquement toutes les heures ; pour Haghia Pélagia, à 30 km, 30 min de trajet, quatre fois par jour. La deuxième gare routière, également près du port, à côté de l'Institut de biologie marine, dessert l'ouest de la Crète et le grand axe nord de Réthymnon à La Canée, respectivement à 89 et à 140 km d'Héraklion. À noter qu'il existe un itinéraire empruntant l'ancienne route de Réthymnon. Le trajet est naturellement plus long mais donne l'occasion de voir d'intéressants petits villages de montagne. La troisième gare, ou gare B, à 50 m de Hanioporta, aux portes de La Canée, dessert le sud de l'île et certains villages.
Renseignements : tél : (081) 25 59 65
Départs pour Gortys, Phaistos et la plaine de la Messara, à 65 km, 2 h de trajet, plusieurs fois par jour. Il y a au moins six départs quotidiens pour se rendre à Matala ; il faut compter 2 h de trajet pour 75 km. Pour Lentas, départs deux fois par jour pour un parcours de 80 km soit 3 h de trajet.
De la gare B partent également les autobus pour les villages de Fodélé, à 35 km, 1 h de trajet, 2 fois par jour. Pour Anogia, à 40 km, 1 h de trajet, 4 fois par jour.

HAGHIOS NIKOLAOS

Renseignements : tél. (0841) 22 234 et 28 284
Le terminus se trouve près du lac, au carrefour des rues Vénizélou et Koundourioti. Il y a des départs réguliers, toutes les heures, pour les villages de Kritsa et Kéra, situés à 10 km, 15 min de trajet. Istron se trouve à 15 km avec des départs environ toutes les heures. Hiérapétra est à 1 h de trajet pour 35 km, départs dix fois par jour. Sitia, à 75 km, 1 h 30 de trajet, sept fois par jour au minimum. 40 min de trajet sont nécessaires pour parcourir les 17 km qui séparent Haghios Nikolaos d'Élounda, départs toutes les 2 heures.

RÉTHYMNON

La gare des autobus desservant les villages de Viran Épiskopi, Pérama, Dafnédés, Apladiana se trouve place Hiroon, près de la promenade littorale et du syndicat d'initiative (OTE).
Renseignements : tél. (0831) 29 644
Il y a une quinzaine de liaisons quotidiennes en haute saison vers Héraklion et La Canée. Les départ se font

ΠΛΑΤΕΙΑ
ΑΓ. ΑΙΚΑΤΕΡΙΝΗΣ
ΙΣΤΟΡΙΚΗ ΜΟΝΗ ΤΟΥ ΣΙΝΑ

ΛΕΩΦΟΡΟΣ
ΝΙΚ. ΠΛΑΣΤΗΡΑ
ΗΡΩΪΚΟΣ ΣΤΡΑΤΗΓΟΣ Κ ΠΟΛΙΤΙΚΟΣ

de la station rue Moatsou et Dimokratias. De là partent également les autobus allant aux villages d'Arméni, de Spili, d'Haghia Galini, de Plakias, de Rodakino, et de Gonia. Le réseau interurbain dessert également les faubourgs, Atsipopoulo, Périvolia Adélé ainsi que les grands hôtels. Tous ces bus passent par l'avenue Koundourioti.

La Canée
Le terminus des KTEL se trouve 7, rue Kydonias.
Renseignements : tél. (0821) 23 052 et 23 306
En plus de la liaison avec les autres villes du Nord-Est, déjà citée, le réseau d'autocars dessert les villages de Kalathas-Stavros, 3 fois par jour ; Kastelli Kissamos, toutes les heures, et Kastelli Kissamos - Falassarna, deux fois par jour.
Il y deux départs quotidiens pour Chora Sfakion et deux départs, tôt le matin, pour les Gorges de Samaria.

En taxi

Les taxis en attente devant les aéroports effectuent en principe des trajets longues distances. Il existe un tarif officiel affiché à l'intérieur de chaque aéroport. Cela dit, il est préférable de s'entendre au préalable avec le chauffeur sur le prix de la course. La conduite étant généralement assez sportive, sans doute n'est-il pas indispensable, au cas où vous seriez pressé, de le faire savoir explicitement.
À Héraklion, les principales stations du centre-ville se trouvent en face de la Loggia, devant l'hôtel Astorie et place Cornarou.

Renseignements utiles

Les stations-service sont ouvertes de 7 h à 19 h du lundi au vendredi et de 7 h à 15 h le samedi.
Les stations ouvertes la nuit : 19 h à 24 h.
Le dimanche, les heures d'ouverture sont de 7 h à 19 h.

En véhicule de location

On n'a que l'embarras du choix.
À Héraklion, les agences sont regroupées rue du 25-Août, entre le port et la place des Lions.
À La Canée, près du port vénitien.
Les grandes agences disposent aussi d'un comptoir dans les aéroports.
On peut préférer aux grands noms des officines plus discrètes où il reste possible de négocier avantageusement le prix de la location.
Une vérification des deux-roues est fortement recommandée, en particulier dans les stations balnéaires.
Un permis B est exigé pour les motos de plus de 50 cm^3. Pour celles qui dépassent les 250 cm^3, un permis A est obligatoire.
En ville, la prudence est de mise : les priorités sont rarement respectées, les feux souvent «brûlés» et les arrêts brusques monnaie courante.
À Héraklion, il existe quelques zones bleues dans le centre, place de la Liberté et boulevard Plastiras, exigeant l'usage d'une carte de stationnement que l'on peut se procurer au kiosque le plus proche.
La vitesse est en principe limitée, en agglomération à 50 km/h, à 80 km/h hors agglomération et à 100 km/h sur les grands axes.
Les automobilistes en difficulté peuvent recourir au service de l'ELPA (Automobile Club de Grèce).
Héraklion :
au carrefour de l'avenue Knossou et de la rue Papandréou,
tél. (081) 28 94 40
La Canée :
au carrefour des rues Apokoronou et Skoula,
tél. (0821) 260 59

Les relations sociales ne sont pas soumises en Crète à un protocole très pointilleux, ce qui limite le nombre des éventuelles bévues qu'un étranger pourrait commettre. La langue présente évidemment un certain nombre de difficultés et de pièges. Même si vous parlez couramment le grec, n'essayez pas – aucun séminaire ne saurait vous l'apprendre – de vous faire passer pour un Crétois.
Les insulaires ont pour vous démasquer une sorte de sixième sens.

COMMENT SE COMPORTER EN CRÈTE

Pour découvrir l'hospitalité crétoise, il vous suffit d'entamer une discussion.
Mais attention, en consultant votre lexique, n'oubliez pas de vérifier l'accent tonique car, selon sa place, un mot peut complètement changer de sens.
Croyant parler de tapis, vous aurez dit «lamentable» ; pensant avoir demandé le chemin de la mosquée, vous vous verrez envoyer chez le vitrier le plus proche.
Mais dans les régions touristiques, l'anglais est généralement parlé très correctement.
Le français est malheureusement en perte de vitesse, sauf dans la bonne société des grandes villes.
Certains gestes sont à proscrire : paume largement ouverte, doigts écartés et bras décollés du corps : c'est la *moutza*, geste de malédiction, assez répandu d'ailleurs dans le monde méditerranéen.
Ne soyez pas choqué et ne vous méprenez pas si un villageois crache légèrement par terre tout en vous parlant : il vous aura sans doute complimenté sur votre santé ou sur la beauté de vos enfants, mais aura jugé plus prudent, à tout hasard, de conjurer le sort, ou *l'hybris*. Qui sait ?
Évitez de froisser des susceptibilités nationales en commandant un café «turc». Demandez plutôt un *hellinikoss*.
Dans les boutiques de souvenirs des grandes villes, il n'est pas indispensable de marchander.
À la rigueur, faites mine d'aller voir en face.

Invités chez des Crétois ? Tout varie évidemment selon l'âge, le statut social de vos hôtes, leurs contacts avec l'étranger. Fonctionnez au «feeling».
Les principales villes de Crète ont beau être au bord de la mer, elles n'en sont pas pour autant des stations balnéaires : en visite, la chose va de soi, évitez le short et les sandales.
Les relations peuvent être très informelles, mais en matière d'habillement, un certain décorum est de mise, en particulier chez les femmes.
La conception du temps est assez différente : «Venez dans l'après-midi» signifie après six heures. Si l'on peut sans problème téléphoner jusqu'à dix heures du soir, il vaut mieux s'abstenir d'appeler, surtout en été, durant la sieste, soit entre 15 h et 17 h.
Les repas se prennent en général plus tard qu'en France : déjeuner vers 14 h, dîner à 21 h.
Les Crétois mettant un point d'honneur à faire bonne chère et à bien traiter leurs invités, n'ayez crainte de paraître une bonne fourchette. Les alibis «régime» sont difficilement acceptés.
Du reste, un proverbe local dit «ma graisse, ma beauté».
Généreux, hospitaliers, dotés de ce *philotimo* intraduisible, sens de ce qu'ils vous doivent et, surtout, de ce qu'ils se doivent à eux-mêmes, les Crétois vous ouvriront volontier leur maison, leur cave et pourquoi pas leur cœur.
Si vous envisagez un itinéraire «églises et monastères», évitez le port du short.
Le pantalon pour les femmes est également à proscrire.
Prévoyez au besoin une tunique longue.
Un détail : le signe de croix orthodoxe se fait de droite à gauche.
Au cas où vous songeriez à faire de l'auto-stop, choisissez une tenue sinon monacale, du moins assez stricte. Malgré le développement du tourisme ces vingt dernières années, les étrangères suscitent toujours un certain nombre

Dans les villages, les hommes aiment se retrouver dans les cafés.

de fantasmes qu'un rien suffirait à attiser. Si vous voyagez seul(e), n'oubliez pas que certains hôtels, et non des moindres, encouragent leur personnel à une extrême disponibilité. Une cordialité excessive de votre part pourrait passer pour une invite. Le *kamaki*, harponnage quasi professionnel, constitue un sport ou une industrie partout en Grèce. Il pourrait vous en coûter un tracteur. Cela s'est déjà vu !

Les épiceries crétoises sont pittoresques.

SE LOGER

Les prix moyens selon les catégories sont fixés par le gouvernement. Mais les qualités varient énormément à l'intérieur d'une même catégorie. Attention, il est préférable de réserver les chambres d'hôtel pendant la haute saison.

HÔTELS DE LUXE
Chambres ou suites, spacieuses, climatisées, avec salles de bains. Offrent des prestations luxueuses, telle piscine, plage privée, saunas, tennis, bar, restaurant, taverne…

HÔTELS DE CATÉGORIE A
Chambres très confortables, climatisées avec salles de bains. Possèdent le plus souvent une piscine, un restaurant, un bar voire une plage privée et une discothèque.

HÔTELS DE CATÉGORIE B
Chambres climatisées ou non, équipées de salles de bains ou de salles d'eau avec douche. Possèdent souvent une taverne ou un restaurant.

HÔTELS DE CATÉGORIE C
Chambres de confort moyen ou modeste. Équipées de salles d'eau et WC privés.

CAMPINGS
Quatorze campings sont agréés en Crète. Vous pouvez obtenir les adresses à l'ONTH (Office national hellénique du tourisme). Le camping sauvage est interdit.

LOGEMENT CHEZ L'HABITANT
Très répandu dans les petites localités et les villages, aussi bien dans les montagnes qu'en bord de mer. Se renseigner auprès des bureaux locaux de la Police touristique.

AUTRES
Il existe également des possibilités de locations meublées, appartements, bungalows et villages de vacances.

SE NOURRIR

viande : *kréass*
boulettes : *keftédhakia*
côtelette d'agneau : *païdhakia*
côte de porc : *yhirini britzola*
côte de veau : *mia moskharissia*
filet : *éna bonn filé*
poisson : *psari*
espadon : *xifiass*
calamars : *kalamaria*
poulpe : *khtapodi*
rouget : *barbouni*
frites : *tighanitess patatess*
riz : *pilafi*
pain : *psomi*
fromage : *tyri*
salade verte : *marouli*
salade mixte : *khoriatiki salata*
bière : *bira*
café : *kafess*
café turc : *hellinikoss*
Nescafé : *énass ness*
sucré : *glykoss*
sans sucre : *skétoss*
normal : *métrioss*
au lait : *mé ghala*
(bien) cuit : *kala psiménoss*
eau : *néro*
eau minérale : *emmfyaloméno*
vin : *krassi*
blanc : *asspro*
rouge : *kokkino*
bière : *bira*

SPÉCIALITÉS
barbounia : mulet rouge servi entier
moussakas : aubergines, viande hachée, pommes de terre et sauce Béchamel
pastitsio : macaroni, viande hachée et sauce Béchamel
souvlaki : brochettes de viandes avec des épices et des tomates ou dans du pain *pitta*
keftédhés : boulettes de viandes épicées
taramosalata : purée d'œufs de poissons mélangée à de la crème d'huile d'olive et à des épices
tzatziki : salade de concombre, yogourt et ail
manouri : fromage au lait de brebis
madarés : ragoût de viande avec du fromage et des pommes de terre
spanakopités : chaussons aux épinards
tyropités : chaussons au fromage.

Taverne Vassilis à Héraklion.

LE PRIX D'UN APPEL TÉLÉPHONIQUE (EN DRACHMES PAR MIN)

HÉRAKLION	Forfait 3 premières minutes	Au-delà, prix à la minute
FRANCE ET BELGIQUE	454,89 Dr	151,63 Dr
SUISSE	357,54 Dr	119,18 Dr
QUÉBEC	1065,54 Dr	355,18 Dr

LE PRIX D'UN TÉLÉGRAMME (EN DRACHMES)

	Forfait de base	Plus, prix par mot
FRANCE, BELGIQUE ET SUISSE	1210,68 Dr	48,38 Dr
QUÉBEC	1210,68 Dr	90,86 Dr

RENSEIGNEMENTS TOURISTIQUES

OFFICES DE TOURISME SUR PLACE
Haghios Nikolaos :
20, Akti I. Koundourou
tél. (0841) 223 57
La Canée :
6, Akti Tombazi
tél. (0821) 433 00
Héraklion :
1, rue Xanthoudidou
tél. (081) 22 82 03
Réthymnon :
Av. El. Vénizélou
tél. (0831) 291 48
et 241 43
Sitia :
Place Iroon
Polytekhniou
tél. (0843) 249 55

CHANGE

Il est possible de changer les devises et les chèques de voyage dans les banques, dans les bureaux de poste ainsi que dans de nombreuses agences de voyages qui ont l'avantage d'être ouvertes le week-end mais qui pratiquent des commissions plus élevées.
Le franc français équivaut à environ 40 drachmes.
Le meilleur taux de change reste néanmoins celui des banques.
Seule la Kredit Bank dispose de distributeur de billets acceptant la carte Visa dans les villes importantes ou très touristiques.

BANQUES

Les banques crétoises ne sont ouvertes que de 8 h à 14 h, du lundi au jeudi et de 8 h à 13 h 30 le vendredi.
En haute saison et dans toutes les capitales provinciales, une banque est ouverte pour le change entre 17 h et 19 h ainsi que le samedi.

MONNAIE

L'unité monétaire grecque est la drachme (Dr), divisée en 100 lepta, qui ne sont plus utilisés.
Il existe des pièces de 5 Dr, 10 Dr, 20 Dr, mais pour une même valeur, elles peuvent être de tailles différentes, d'où de fréquentes erreurs. Les billets en circulation sont de 50 Dr, 100 Dr, 500 Dr, 1 000Dr et 5 000 Dr.

QUELQUES NUMÉROS UTILES

SECOURS ET ASSISTANCE
Urgences :100
Ambulances : 166
Pompiers : 199

INFORMATIONS PRATIQUES
Police touristique : 171
Assistance routière : 104
Autocars : 142

VIVRE À L'HEURE CRÉTOISE

HEURE CRÉTOISE
GMT + 2 heures, soit 1 h de plus qu'en France.
Le passage aux heures d'hiver et d'été se fait aux mêmes dates qu'en France.

OUVERTURE DES MAGASINS
Les magasins ouvrent tôt le matin, 8 h jusqu'à 13 h 30 et de 17 h à 20 h pendant les jours ouvrables mais de nombreux kiosques et magasins touristiques sont ouverts sept jours sur sept, en continu entre 8 h et 22 h.

HEURES DE SIESTE
Aux heures les plus chaudes de la journée, entre 15 h et 17 h, beaucoup de magasins ferment.

CARTE BANCAIRE

Les paiements par Carte Bleue Visa Internationale sont acceptés dans la plupart des hôtels et des restaurants de catégorie supérieure, ainsi que dans certains magasins. Il est possible d'effectuer également grâce à elle des retraits aux guichets de la Banque commerciale de Grèce et de la Banque ionienne.

Postes

Les postes ouvrent du lundi au vendredi de 8 h à 19 h ou de 8 h à 14 h suivant les localités. Les boîtes aux lettres sont jaunes et généralement bien cachées. Les timbres peuvent s'acheter dans les magasins de cartes postales et dans les postes ou leurs roulottes jaunes situées sur les places principales et dans les jardins publics. Il est possible de recevoir son courrier en poste restante au bureau central de chaque ville. Les Eurochèques peuvent être changés dans les bureaux de poste.

Téléphone et télégramme (O.T.E.)

Pour envoyer un télégramme ou téléphoner, il faut passer par l'O.T.E. qui possède des bureaux dans la plupart des grandes villes. Les heures d'ouverture sont généralement de 8 h 30 à 23 h 00.

Bizarrement, il est plus facile d'être en communication avec l'étranger de certains kiosques et tavernes à des tarifs à peine plus élevés que ceux de l'O.T.E.

Indicatifs téléphoniques des villes

La Canée : 0821
Chersonissos/ Malia : 0897
Haghia Galini : 0832
Haghios Nikolaos : 0841
Héraklion : 081
Mirés/Messara : 0892
Paléochora : 0823
Pyrgos : 0893
Réthymnon : 0831
Sitia : 0843
Depuis la France composer le 19 30 et l'indicatif de la ville sans le 0.
Pour téléphoner en France, composer le 00 33, précédé du 1 pour Paris.

Journaux

On trouvera facilement tous les grands quotidiens et magazines français, le lendemain de leur parution dans les grandes villes et sites touristiques, à un prix néanmoins majoré.

Le prix des choses

Café ou thé : 80 à 200 Dr

1 petit déjeuner : 600 à 1000 Dr

Un litre d'essence : 200 à 240 Dr

Un repas dans une taverne : 2500 à 5000 Dr

1 verre de vin ou une bière : 200 à 400 Dr

1 carte postale timbrée : 90 Dr

1 entrée dans un musée : 400 Dr

1 chambre double : 8000 à 12000 Dr

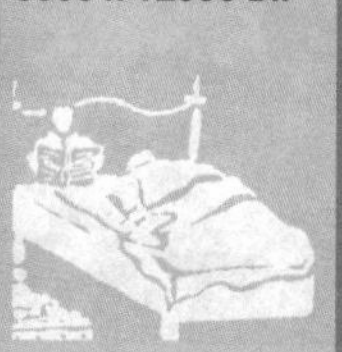

Rhyton en forme de taureau, Musée archéologique, Héraklion

Malia

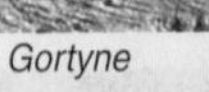

Gortyne

Fontaine Verisi-Idoménée, Héraklion

Entrée nord du palais de Knossos

Zakros

Fontaine Morosini, Héraklion

Monastère d'Haghia Triada

Fresque du monastère de Toplou

Statue hellénique, Musée archéologique, Haghios Nikolaos

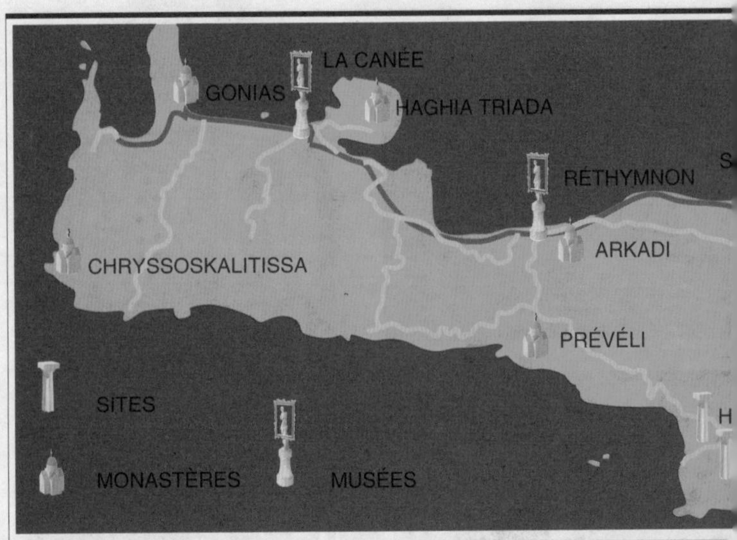

• **ARKADI** monastère	À l'est de Réthymnon	Ouvert 8 h-13 h et 17 h-19 h tous les jours dim. et fêtes 10 h-17 h
• **LA CANÉE** Musée archéologique	21, rue Halidon Tél. (0821) 24 418	Ouvert 8 h-19 h, dim. et fêtes 8 h-18 h fermé mar.
Musée historique	20, rue Sfakianaki Tél. (0821) 226 06	Ouvert 8 h-13 h fermé sam.,dim. et fêtes
Musée de la Marine	Akti Koundouriotou Tél. (0821) 264 37	Ouvert 10 h -19 h, sam. 19 h-21 h fermé le lundi
• **CHRYSSOSKALITISSA** monastère	À 75 km de La Canée	Ouvert 9 h-13 h et 16 h-19 h tous les jours
• **GONIAS** monastère	Presqu'île de Rhodopos	Ouvert 9 h-13 h et 16 h-19 h tous les jours
• **GORTYNE** site	À 46 km d'Héraklion	Ouvert 8 h 45-15 h tous les jours
• **GOURNIÈS** site	À 19 km d'Haghios Nikolaos	Ouvert 8 h 45-15 h, fermé dim. et fêtes
• **HAGHIA TRIADA** site	À 3 km de Phaistos	Ouvert 8 h 45-15 h, tous les jours dim. et fêtes 9 h 30-14 h 30
Monastère	Presqu'île d'Akrotiri	Ouvert 9 h-14 h et 17 h-19 h tous les jours
• **HAGHIOS NIKOLAOS** Musée archéologique	74, rue K. Paléologou Tél. (0841) 224 62	Ouvert 8 h 45-15 h Dim. et fêtes 9 h 30-14 h 30 fermé le mardi
• **HÉRAKLION** Musée archéologique	2, rue Xanthoudidou Tél. (081) 22 60 92	Ouvert 8 h-19 h Dim. et fêtes 8 h-18 h fermé le lundi
Musée historique et ethnographique	Rue Kalokerinou Tél. (081) 28 32 19	Ouvert 9 h 30-13 h, 15 h-17 h fermé dim. et fêtes
Musée Nikos Kazantzaki	À Mirtia à 20 km d'Héraklion	Ouvert Ier mars-31 oct., lun., mar. sam., dim. 16 h-18 h mer., ven. 9 h-13 h, fermé le jeudi Dim., fêtes 9 h 30-14 h 30
Fort vénitien	Dans le port	Ouvert tous les jours 8 h 45-15 h
• **HIÉRAPÉTRA** Musée archéologique Kostoula	Rue Adrianou	Ouvert 8 h 45-15 h Dim. et fêtes 9 h 30-14 h 30 fermé le mardi

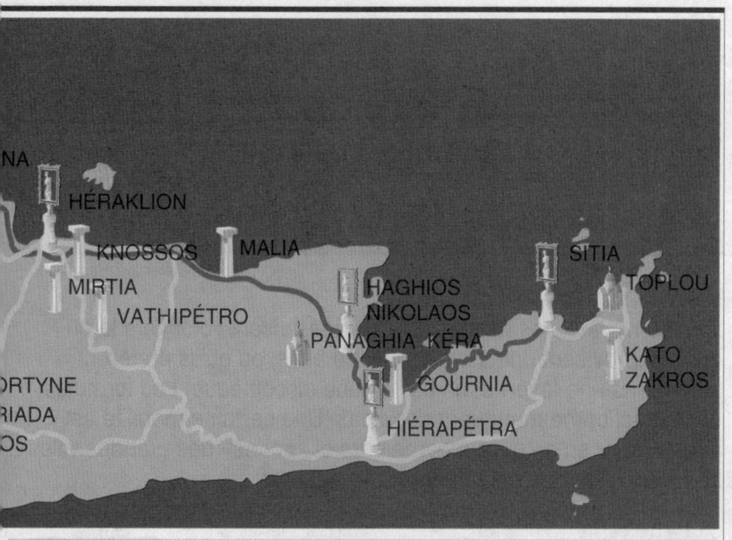

• KATO ZAKROS site	À l'extrême est de l'île	Ouvert 9 h-19 h, tous les jours dim. et fêtes 10 h-17 h
• KNOSSOS site	Près d'Héraklion	Ouvert 8 h-19 h, tous les jours dim. et fêtes 8 h-19 h
MALIA site	À 34 km d'Héraklion	Ouvert 8 h 45-15 h, tous les jours dim. et fêtes 9 h-14 h30
• PANAGHIA KÉRA	Près de Kritsa	Ouvert 8 h 45-15 h, tous les jours dim. et fêtes 9 h-14 h
• PHAISTOS site	À 60 km d'Héraklion	Ouvert 8 h-19 h, tous les jours dim. et fêtes 8 h30-18 h
• PRÉVÉLI monastère	À 37 km de Réthymnon	Ouvert 8 h-13 h et 17 h-19 h tous les jours
• RÉTHYMNON Musée archéologique	220, rue Arkadiou Tél. (0831) 240 68	Ouvert 8 h-15 h, dim. et fêtes 8 h-12 h, fermé le lun.
Musée historique et d'Art populaire	28, rue Messolonghiou	Ouvert 9 h-13 h et 19 h-21 h Fermé le lun. et dim.
Forteresse vénitienne		ouvert hors saison 9 h-17 h, en saison 8 h-20 h
Galerie L. Kanakakis	Rue Himaras Tél. (0831) 218 47	Ouvert 10 h-14 h et 17 h-20 h fermé le lun.
• SAVATHIANA monastère	Près de Rodgia	Ouvert 8 h-12 h et 16 h-19 h tous les jours
• SITIA Musée archéologique	Rue E. Vénizélos Tél. (0843) 239 17	Ouvert 9 h -15 h, dim. et fêtes 9 h 30-14 h 30, fermé le mardi
Musée folklorique	Rue Arkadiou Tél. (297) 323 98	Ouvert 9 h 30-15 h 30, fermé le dimanche
• TOPLOU monastère	À 28 km de Sitia	Ouvert 8 h-16 h et 16 h 30-19 h 30 tous les jours
• TYLISSOS site	À 14 km d'Héraklion	Ouvert 9 h-15 h, tous les jours dim. et fêtes 9 h-14 h
• VATHIPÉTRO et FOURNI site	À 19 km d'Héraklion	Ouvert lun., ven. et sam. de 9 h jusqu'au soir

Bar Tria-Tétarta à Héraklion

Très conviviaux, les Crétois de tous âges vivent volontiers la nuit : qu'ils improvisent une *venghéra* entre amis, ou qu'ils préfèrent sortir dans une taverne, un bar ou une discothèque. Les formules de distraction ne manquent donc pas. Une certaine mobilité est à remarquer en ce qui concerne bars et «boîtes» des grandes villes : beaucoup n'auront fait danser qu'un seul été.

On a le choix entre le *kendro* crétois traditionnel, orchestre avec *lyra*, *laouto* et parfois violon, surtout fréquenté par les villageois ; les cafés-bars et les discothèques où coexistent jazz, musique grecque continentale et anglo-saxonne, selon l'heure et l'humeur..., et quelques boîtes où de petits orchestres, généralement de jeunes, préfèrent un répertoire authentique de *rembétika*, chansons des ports et des réfugiés d'Asie Mineure, des marginaux et des réprouvés dont les premières musiques datent de 1800.

HÉRAKLION

BARS - DISCOTHÈQUES

Derrière la place des Lions, dans les ruelles qui descendent vers le port, on trouve une multitude de petits bars sympathiques, souvent situés dans des bâtisses anciennes restaurées.

GUERNICA
2, rue Andréou Kritis
tél. (081) 28 29 88

CAFÉ JASMIN
6, rue Haghiostéfaniton
tél. (081) 28 16 14

AVGO
15, rue Koraï
tél. (081) 22 35 80
Dans le centre-ville, près de l'hôtel Astoria.

IDAION ANDRON
Dans la rue Koraï
tél. (081) 24 20 41

NOTOS
Place Sarandaporou
tél. (081) 22 67 87

DISCOTHÈQUES

VENETO
9, rue Epiménidou
tél. (081) 22 09 18

FLOU ET DIESSI
Place Daskaloyannis
tél. (081) 34 18 55

NAOS
9, rue Haghiostéfaniton

RAFFINARIA
tél. (081) 22 17 70
Située dans une galerie vénitienne, à l'angle de l'avenue Ikarou, au pied des murs.

PIANO-BARS ET RESTAURANTS

TRIA-TÉTARTA
Rue Théotokopoulou
Piano-bar, sur le port, dans un bâtiment néoclassique.

DORÉ
Place de la Liberté
tél. (081) 22 52 12
Un piano-restaurant avec terrasse.

CABARET

TROMBONI
Boulevard Makariou

TAVERNE AVEC PROGRAMME DE *REMBÉTIKA*

PALAZZO YTTAR
Rue Epiménidou
tél. (081) 22 60 61

TA PÉRIX
À Cartéros, après l'aéroport
tél. (081) 24 56 19

TAVERNE AVEC PROGRAMME DE MUSIQUE CRÉTOISE

ARIADNI
92, av. Knossou, sur la route de Knossos
tél. (081) 23 19 94

AVYSSINOS
À Spilia, après Knossos
tél. (081) 23 33 55

AROLITHOS
Sur la route d'Anogia
tél. (081) 82 10 50

LA CANÉE

CAFÉS - BARS ET DISCOTHÈQUES

ANAYÉNISSI
Sur le vieux port
tél. (0821) 72 768
au pied de la muraille vénitienne.

ANEKDOTO
À l'angle des rues Skoufôn et Zambéliou

CAFÉ KRITI
22, rue Kallergôn

Près des arsenaux vénitiens, musique traditionnelle.

FAGOTTO
16, rue Anghélou
tél. (0821) 57 487
Derrière le Musée de la Marine. Musique classique jusqu'à 21 h, puis jazz et blues.

PRAXIS
3, rue Skoufôn
Fermé le dimanche. Bar rétro avec une agréable petite cour intérieure.

STREET
Port vénitien
Musique rock.

TA 2 LUX
8, rue Sarpidon
Près du port vénitien.

UTOPIA
À Platanias
Bar avec jardin.

«OUZÉRIE»

VASSILIKO
Akti Enosséos

SKALA
16, rue Sarpidonos

Trompe-l'œil du Bistro à La Canée

Enseigne de la discothèque I Skala à La Canée

Rue parallèle à Akti Enosséos.

HAMMAM
Sur le port vénitien, près de Firkos
Musique orientale.

RÉTHYMNON

BARS - DISCOTHÈQUES

1600
16, rue Radamanthou
Dans l'ancienne ville, ex-pressoir à huile. Musique de danse : européenne en début de soirée, grecque plus tard dans la nuit.

FIGARO
21, rue Vernardou
Tél. (0831) 29 431
Dans l'ancienne ville, derrière la mosquée Nérantzés, décor rétro. Musique grecque de qualité.

ODOD ONIRON
8, rue Photaki
Tél. (0831) 50 448
Dans l'ancienne ville, non loin de la Loggia. Musique européenne puis grecque de qualité. Décor sympathique, clientèle jeune, étudiants.

AFTER EIGHT
83, rue Vénizélou
Tél. (0831) 21 227
Musique grecque, clientèle d'étudiants.

TAXIMI
27, rue Néarkhou
Programme de *rembétika* après 23 h.

CARRIBEAN
Dans le faubourg de Platanos
Ouvert de 12 h à 4 h du matin. Musique : latino-américaine, jazz. Clientèle locale, étudiants.

Les petits bars n'ont pas tous un numéro de téléphone. Cela ne pose pas de problème car ils sont tous dans les mêmes quartiers.

CINÉMA D'ÉTÉ

Oasis de fraîcheur, embaumant le jasmin et la «belle de nuit», évoqués avec tendresse et nostalgie par le chanteur–compositeur Yannis Kélaïdonis, les cinémas d'été ont longtemps constitué une sorte d'institution, pour disparaître peu à peu ces dernières années. Profitez de ceux qui restent. Tous les films sont projetés en V O.

HÉRAKLION
(de mai à octobre) :
- Galaxy, 96, rue Akadimias
- Pallas, 4, rue Arkhimidous
- Romantika, 26, rue Leftheraiou.

LA CANÉE
Dans les jardins du parc municipal.

RÉTHYMNON
Astéria, rue Mélissinou.

FESTIVALS D'ÉTÉ

Les manifestations culturelles – concerts et spectacles divers – sont particulièrement nombreuses durant la saison touristique, les municipalités des grandes villes mettant leur point d'honneur à organiser chaque été leur propre festival.

HÉRAKLION

Tous les ans, la municipalité organise concerts, représentations théâtrales, chorales, spectacles de ballet, soirées grecques ou crétoises, musique, chansons et danses folkloriques, récitals... Y participent de grands artistes grecs et étrangers. Ces diverses manifestations ont lieu en plein air, au théâtre de verdure Kazantzaki – kipothéatro – près de la Nouvelle Porte et des jardins de l'Oasis. Les renseignements concernant les programmes sont à demander au bureau des relations publiques de la mairie. Tél. (081) 22 71 02, 22 12 37, 22 72 02 et 24 29 77. Pour acheter des billets, s'adresser aux kiosques de la place des Lions, de la place Cornarou et au kipothéatro Kazantzaki.

LA CANÉE

Festival organisé chaque été par la municipalité. Les manifestations, concerts de musique classique ou contemporaine, pièces de théâtre..., se déroulent dans les arsenaux du vieux port vénitien, au théâtre du Fossé oriental et à celui du parc de la Paix.

RÉTHYMNON

La ville de Réthymnon organise pendant l'été, à la Fortetza, une série de concerts et un festival consacré au théâtre du Moyen Âge et de la Renaissance. En juillet, une fête du Vin se déroule dans les jardins municipaux.

Découvrir les nombreux paysages crétois peut se faire de différentes manières, randonnée pédestre, excursion en bateau, promenade à cheval… Mais la Crète est avant tout une île qui offre de nombreux sports nautiques allant de la planche à voile au Pédalo, présents sur les plages ou dans les différents hôtels.

RANDONNÉES PÉDESTRES, TREKKING

Les clubs alpins d'Héraklion et de La Canée organisent régulièrement des excursions, de durée et de difficulté variables. À Héraklion, l'agence Wild Nature organise différents circuits combinant trekking, parcours en Jeep ou à vélo dans des endroits splendides et encore mal connus, avec guide francophone et assistant cuisinier (min. 8 participants).
Renseignements :
GEORGES TSALIKAKIS
20-22, rue Malikouti
tél. (081) 71 202
22 52 52 et 24 19 19
Depuis Paris, il est possible de se renseigner à l'agence de voyages Terre d'Aventure, qui dispose d'une antenne à Héraklion.
Adresse :
16, rue Saint-Victor
75005 Paris.

CLUB GREC DE MONTAGNE (O.S.E.)

HÉRAKLION
74, av. Dikaiossynis
tél. (081) 227 609
LA CANÉE
3, rue Mikhélidaki
tél. (0821) 24 647
RÉTHYMNON
143, rue Arkadias
tél. (0831) 22 411

SKI

Le relief crétois offre la possibilité de pratiquer le ski alpin sur des pistes désertes desservies par seulement deux remonte-pentes. Pour de plus amples informations, se renseigner au club grec de montagne (O.S.E.).

QUELQUES EXCURSIONS PÉDESTRES

ARMÉNI
D'Héraklion, il est possible de se rendre à Arméni à pied, à condition d'être bon marcheur, environ 4 h aller-retour. Partir du boulevard Koundouriatou, grand axe qui traverse la ville, devant les jardins municipaux. Prendre la direction de La Canée. À la sortie de la ville, tourner à gauche vers Gallou. La route asphaltée monte en longeant un ravin verdoyant. Après le village, que l'on atteint après environ 45 min de marche, prennez à droite vers le monastère Saints-Pierre-et-Paul. Vous y découvrirez une belle vue vers la mer. À partir de là, la route se transforme en chemin de terre. Il faut 30 min pour atteindre le village de Somatas, et ensuite 15 min pour la nécropole d'Arméni. Après la visite, continuer le chemin de terre juste en face, pour gagner le pied du mont Vrisinas, d'où vous admirerez une vue magnifique sur Réthymnon. Continuer en descendant vers le hameau Risvani-Métokhi (10 min) pour atteindre un peu plus loin les ruines de la maison d'Irfan Bey. Un quart d'heure plus tard, vous pouvez remarquer une église en pierre poreuse construite par l'un des derniers tailleurs de pierre crétois. À partir de là s'étendent des vergers et des vignobles au milieu desquels se dresse la colline d'Evliyias, plantée de pins. Une aire de jeux pour les enfants, des tables et des sièges de bois y sont installés pour les pique-niques. Arrêtez-vous enfin près de l'église Saint-Jean pour jouir d'une belle vue sur Réthymnon, que vous pourrez rejoindre en moins de 20 min.

LES GORGES DE PRASSANO :
Au départ de Réthymnon, les gorges, praticables seulement en été, de juin à octobre, représentent une marche de 5 à 6 h. Il est prudent de s'équiper en eau potable. Traverser la ville en prenant la direction de l'est, vers Héraklion. Dans le faubourg de Périvolia, tourner à droite vers Amari. Après le village de Prassiès ▲ *240* et l'embranchement de Mirthios, Selli, etc., arrêtez-vous au premier tournant

Petit port de plaisance à Gramvoussa

Sommets enneigés à Alikampo

de la route.
Si cette randonnée vous paraît trop longue, il est possible de prendre le bus d'Amari, et, de là, vous pouvez continuer à pied. Descendez vers la vallée du Platanias par un chemin de terre et suivez l'un des sentiers qui mènent au lit de la rivière. Après environ 300 m de marche à l'ombre des platanes, vous arrivez à son confluent avec la rivière principale. En moins de 30 min, vous rencontrerez les premières «portes» des gorges en longeant toujours le lit du fleuve. Les gorges atteignent parfois une hauteur de 150 m. La végétation y est abondante : platanes, lauriers, caroubiers, roses, oliviers et châtaigniers. Après les troisièmes portes, les parois sont moins hautes. Il est possible de suivre le sentier, à gauche du torrent, pour rencontrer bientôt un pont à trois arches. Continuez par le chemin de terre. Après avoir retrouvé l'ancienne route Réthymnon-Héraklion, vous pouvez prendre le bus pour regagner la ville ou, après un bain de mer mérité, rentrer à pied par la plage (5 km).

EXCURSIONS EN BATEAU

SUR LA CÔTE NORD

D'Héraklion, on peut gagner l'île voisine de Dia, parc naturel et réserve de chamois. Départ de la Marina, tous les matins à 10 h, retour à 6 h. D'Élounda, il est possible de louer une barque pour visiter l'îlot fortifié de Spinalonga ▲ 202.

SUR LA CÔTE SUD

De Makry-Yalos, il est possible de faire une intéressante excursion à l'ancienne Lefki. De Hiérapétra, départs quotidiens pour Gaïdouronissi avec ses petits bois de cèdres dans les dunes et ses plages superbes.

HÉRAKLION :
Agence Magic Day in Dia, rue Idoménéos.

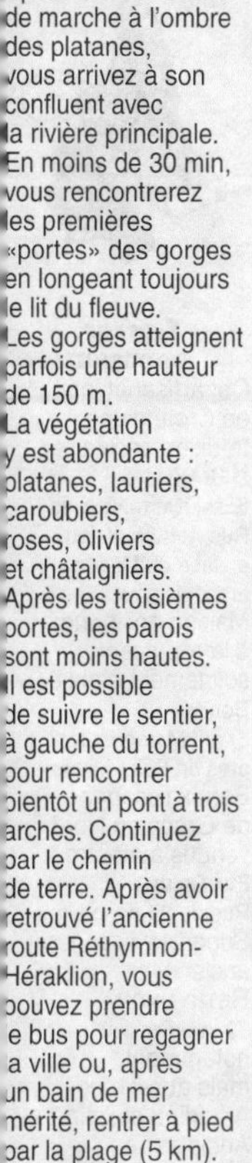

PLONGÉE SOUS-MARINE

La plongée avec équipement est formellement interdite et passible d'amendes importantes. Les Crétois désirent préserver leur patrimoine archéologique se situant le long des côtes et vont jusqu'à interdire de photographier les objets immergés pouvant présenter un intérêt archéologique.

TENNIS

La plupart des grands hôtels possèdent leurs terrains de tennis. Il est également possible de jouer et de prendre des leçons dans les différents clubs des principales villes.

LA CANÉE
Rue Dimokratias
tél. (0821) 240 10
ou 21 293

HÉRAKLION
Rue Doukos Beaufort
tél. (081) 226 152
(après 14 h)

ÉQUITATION

Le club équestre installé sur la plage d'Amnissos-Kartéros vous propose de découvrir la campagne crétoise à cheval ou de prendre des leçons de perfectionnement.

CLUB KARTÉROS
tél. (081) 282 005

Épicerie crétoise à Héraklion

Cordonnier à Réthymnon

Boutique de cuir et de peau près de la fontaine Rimondi, à Réthymnon

Les principaux produits de l'artisanat crétois, bijoux, cuir, céramique et tissages, ainsi que les spécialités alimentaires peuvent se trouver soit dans les petits villages soit dans les magasins des grandes villes.

Alimentation

Huile, raisins secs, miel, plantes aromatiques et médicinales, la Crète est depuis l'antiquité le paradis des botanistes et des herboristes.

Héraklion
Le marché de la rue 1866 vous plongera dans une atmosphère de bazar oriental. Au 17, rue Kosmon, perpendiculaire à la rue 1866, se trouve un excellent magasin de produits locaux.

La Canée
Déguster une *bougatsa*, chausson au fromage, chez **Iordanis**, 18, rue Plastiras, en face du marché municipal ou au 4, rue Sifaka, au port vénitien. Essayez aussi, rue Potier, des *loukoumadhés*, savoureuse spécialité locale fourrée au miel.

Réthymnon
Les produits locaux se trouvent rue Ethn. Andistassis et place Pétykhaki. Procurez-vous des plantes médicinales au 58, rue Souliou, dans une charmante échoppe surnommée par les crétois la «polyclinique».

Bijouteries

L'orfèvrerie relève en Crète d'une tradition millénaire. Beaux bijoux d'or et d'argent, parfois ornés de pierres semi-précieuses.

Héraklion
Une des maisons les plus cotées reste **Fanourakis**, à l'angle de la rue du 25 Avgoustou et de l'avenue Kalokairinou. Mais la ville abonde en boutiques sérieuses, le plus souvent situées rue 1821, avenue Kalokairinou et avenue Dikaiossynis. Ainsi :
- **To Fidi :** 71, rue 1821
- **Io :** 5, rue Daidalou
- **Tzédakis :** 18, avenue Kalokairinou
- **Ariane :** 21, avenue Dikaiossynis.

Vous trouverez aussi des bijoux anciens au 11, rue Daidalou.

La Canée
La plupart des bijouteries se trouvent rue Khalidon et dans le quartier vénitien.

Réthymnon
De beaux bijoux de facture plus ou moins traditionnelle chez **Papadourakis**, 70, Akti. Koundourioti, et dans les boutiques de la rue Souliou.

Cuir, maroquinerie

Cet artisanat traditionnel en Asie Mineure s'est développé également en Crète. Les chaussures, comme partout en Grèce, ont un excellent rapport qualité-prix. On peut même se procurer, dans des échoppes spécialisées, de superbes bottes de cuir, les traditionnelles *stivania*, autrefois complément indispensable du costume national.

Héraklion
Notamment dans les rues Koraï, Daidalou, Argyraki et sur l'avenue Kalokairinou.

Réthymnon
On peut commander des bottes crétoise sur mesure au 63, rue Souliou. Les principales maroquineries se trouvent au 198, rue Arkadiou, place Pétykhaki et aux 1 et 17, rue Souliou.

La Canée
Incontournables pour trouver de très beaux articles de cuir, les rues Skrydlof et Khalidon.

Céramique, poterie

Faute de pouvoir visiter les villages de Trapsano ▲ *197* ou de Margaritès ▲ *288*, héritiers d'une tradition vieille de plus de 5 000 ans, on peut trouver une partie de leur production dans les boutiques des grandes villes.

Héraklion
Barco : 7, rue Koraïs
Belles céramiques, et, en général, artisanat de grande qualité.
Voltone
25, rue Idoméneos, près du Musée archéologique

Tissage, broderie

Cet artisanat jouit en Crète d'une tradition séculaire.

Héraklion
Eléni Kastrinoyanni
Rue Xanthoudidou, en face du Musée archéologique
Maison ancienne, à la réputation solidement établie.
Bouras
2, rue Maroghéorghi, près de Saint-Minas
Beaux tissages de Grèce du Nord, vendus au mètre.
Eva Grimm
Rue du 25 Avgoustou
Superbes tissages anciens.

Réthymnon
30, rue Souliou, notamment, mais aussi rues Arkadiou et Ethnikis Andistassis.

Séjours à la carte

La forteresse Koulés, à Héraklion

La Loggia de Réthymnon

Les vestiges de l'occupation vénitienne, du XIIIe au XVIIe siècle, se trouvent surtout concentrés dans trois villes de Crète : Héraklion, La Canée et Réthymnon. Des monuments de moindre importance, ruines de forteresses ou de tours de guet, villas ou petites demeures patriciennes, subsistent cependant, disséminés dans toute l'île, dans quelques villages souvent isolés, loin des itinéraires traditionnels. Que le visiteur intéressé ne se fie pourtant pas à la liste des monuments vénitiens établie entre 1905 et 1932 par Giuseppe Gerola : l'urbanisation sauvage, l'indifférence ou l'ignorance ont achevé ces dernières années ce à quoi avaient échoué trois siècles d'une histoire mouvementée.

HÉRAKLION (1)

Si les quartiers vénitiens de l'ancienne Candia ont depuis longtemps disparu, la ville actuelle conserve cependant quelques-uns des plus beaux monuments de l'île : la muraille aux 7 bastions, édifiée par l'ingénieur Micheli Sanmicheli ; la forteresse Koulés Rocca al Mare, protégeant le port : construite au XIIe siècle, détruite par des séismes, elle fut rebâtie entre 1523 et 1540 ; l'église Saint-Titus, siège de l'archevêché latin, qui fut plusieurs fois reconstruite ; la Loggia palladienne (1626-1628), rue du 25 Avgoustou, récemment restaurée : autrefois cercle et tripot des aristocrates vénitiens, elle abrite aujourd'hui l'hôtel de ville ; la fontaine Sagredo ; la petite église à deux nefs de Saint-Marc datant du XIIIe siècle, aujourd'hui salle d'exposition ornée de reproductions de fresques des XIIIe et XIVe siècles ; la fontaine Morosini, édifiée en 1626, place des Lions, dont la vasque est soutenue par des lions provenant d'un monument du XIVe siècle ; la fontaine Bembo, de 1588, place Cornarou, à l'extrémité de la pittoresque rue du Marché (la statue antique, acéphale, qui la décore provient de Hiérapétra) ; le monastère de la Madonna Akriotirina, monasterio greco, derrière la Halle, dans le quartier d'Haghia-Triada ; Sainte-Catherine-du-Sinaï, petite église rose jouxtant la cathédrale Saint-Minas (transformée en musée, elle abrite une remarquable collection d'icônes de l'École Crétoise).

LES ENVIRONS D'HÉRAKLION

À Kanli Kastéli, à 20 km au sud-ouest d'Héraklion ; se trouvent des vestiges de la citadelle de La Rocca **(2)**, édifiée sur les ruines de la forteresse, bâtie au Xe siècle par Nicéphore Phokas après la reconquête de l'île sur les Arabes. À Rogdia ▲ *218*, à 15 km à l'est d'Héraklion, la tour Modino **(3)** offre une splendide vue sur la baie d'Héraklion.

EN ALLANT VERS L'EST

La citadelle **(4)**, sur l'îlot de Spinalonga ▲ *202*, fut construite en 1579 sur l'ordre du provéditeur Jacopo Foscarini pour protéger la baie d'Elounda des incursions turques ou piratesques. Elle ne tomba aux mains des Turcs qu'en 1715. L'amiral Spratt, qui la visita au XXe siècle, la compara à un petit Gibraltar. De 1903 jusqu'aux années 1950, elle servit de léproserie. La belle forteresse

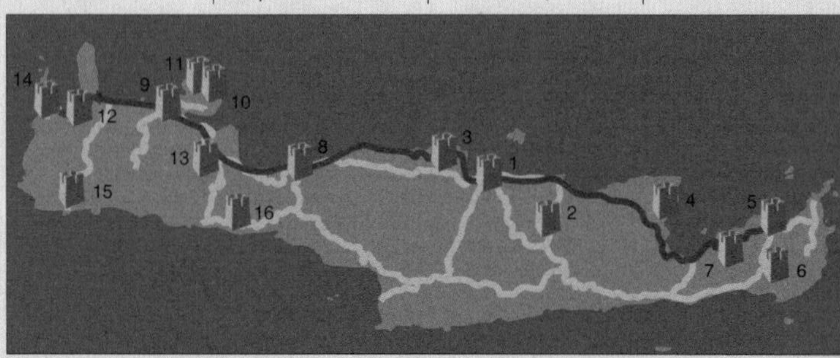

Les arsenaux de La Canée

Frangokastello au sud de La Canée

de Casarma **(5)**, à Sitia ▲ *207*, a été édifiée par Errico Pescatore au début du XIIIe siècle, puis agrandie par les Vénitiens. Elle abrite aujourd'hui un théâtre d'été où se déroule le festival annuel des Cornaria. Sur l'axe nord-sud reliant Sitia à Hiérapétra, entre Papayannadès et Arméni, le village abandonné d'Étia **(6)**, ancien fief des Di Mezzo, mérite un détour. On peut, de là, gagner le village médiéval de Voïla, à 1 km d'Handras. Après Makry-Yalos, sur la côte sud, une promenade dans l'arrière-pays conduit, non loin des villages de Stavrokhori et de Krya, aux ruines de la forteresse de Monforte **(7)**, construite au XIIIe-XIVe siècle. Vue impressionnante sur les collines sauvages des alentours.

RÉTHYMNON (8)
Sans doute la ville la plus intéressante pour les amateurs d'architecture vénitienne. Restaurée avec soin depuis une vingtaine d'années, l'ancienne cité offre également, dans un périmètre restreint, une multitude de petits *palazzi* charmants, notamment rues Arkadiou, Vernadou, N. Phocas Arabatzoglou et Klidi. Parmi les monuments à voir, les remparts vénitiens et la citadelle Fortetza ▲ *236*, construits en 1574, sur la colline de Paléokastro, au nord-ouest de la ville ; la fontaine Rimondi, édifiée en 1629, place Pétykhaki ; les églises San Francesco et Notre-Dame-des-Anges et enfin la Loggia, monument de style palladien, rue Arkadiou.

LA CANÉE (9)
Dominé par son phare, le petit port vénitien pouvait abriter autrefois jusqu'à 40 galères. Les témoignages de la période vénitienne sont nombreux. Ils parsèment la ville, des arsenaux aux anciens quartiers de Topanas et d'Ovraïki avec leurs belles demeures aristocratiques aux porches ornés d'inscriptions latines, aux frontons armoriés, aux cours intérieures pavées. Derrière le petit port, un lacis de ruelles sinueuses, parfois unies par des arches : Zambéliou, Skoufon, Théotokopoulou et Gamba, sont parmi les plus intéressantes. De superbes passages voûtés se découvrent rues Moskhôn et Veneri. Les fortifications et les fragments du mur d'enceinte sont des ouvrages du début du XIIe siècle. La Loggia, au 43, rue Khalidon, autrefois cercle des nobles vénitiens, révèle sa façade ornée d'armoiries et d'une inscription latine. La basilique San Francesco, qui abrite le Musée archéologique, était autrefois le monastère des Minori Osservanti.

Sur les collines de Kastéli subsistent des vestiges des anciennes Archives vénitiennes, rue Lithinon, et l'église San Marco, rue Haghiou Marcou, possède de belles arches romanes. Place 1821, dans le quartier de Splanzia, la petite église San Rocco fut édifiée au XVIIe siècle.

LES ALENTOURS DE LA CANÉE
Au nord de la presqu'île d'Akrotiri, les monastères des Giancaroli, de Gouvernéto **(10)** et de Katholiko **(11)** ▲ *266* sont à 20 min de marche, en descendant vers la mer. La promenade, tout à fait captivante, permet de visiter au passage les deux grottes, d'Arkoudospilia et de Katholiko, puis de voir, au flanc de la colline, de très anciens ermitages creusés dans le roc. À Drapanias, dans la province de Kissamos, subsistent la Villa Clussia et la Villa Trevisan **(12)** datant de 1500. Brosnéro **(13)**, à 37 km de La Canée, dans la province d'Apokoronou, conserve les vestiges de la tour d'Alidaki. L'îlot de Gramvoussa, accessible en caïque de Kastéli Kissamos, abrite toujours une imposante forteresse vénitienne **(14)** de 1579.

SUD DE LA CANÉE
Dans l'agréable village de Paléochora Sélinou, surplombant la mer de Libye, à 75 km au sud de La Canée, se trouvent encore les vestiges de la citadelle de Marino Gradonico **(15)** édifiée en 1279, détruite en 1539 par le corsaire Barberousse et reconstruite en 1595 par B. Dolfin. Frangokastello **(16)**, situé à une dizaine de km de Chora Sfakion ▲ *272*, érigé en 1373, fut un haut lieu des luttes révolutionnaires crétoises contre les occupants étrangers.

Église Sainte-Catherine à Héraklion

Le monastère de Gouvernéto

La multiplicité des vestiges archéologiques crétois, tant minoens qu'archaïques, grecs ou romains, fait parfois oublier que l'île entière compte un nombre impressionnant de monastères, d'églises et de chapelles d'un art tout à fait remarquable et généralement bâtis dans des sites superbes.

HÉRAKLION ET SES ENVIRONS

L'église Sainte-Catherine **(1)** ▲ *148*, qui sert de musée, renferme de splendides icônes de Damaskinos, principal représentant de l'École Crétoise.

Il existe plusieurs monastères importants à proximité d'Héraklion. Beaucoup datent de la période de l'occupation vénitienne, où Candie était le centre administratif, spirituel et intellectuel de l'île. La plupart durent être bâtis sur l'emplacement d'une fondation bien plus ancienne. Devant la montée du danger turc, les monastères essaimèrent au pied du mont Ida.

COUVENT DE PALIANIS

À Vénérato **(2)**, l'existence de ce couvent est attestée dès 668 ap. J.-C. Il aurait été bâti sur les vestiges d'une basilique paléochrétienne. Une forme de culte assez rare y survit encore aujourd'hui : un arbre, «la Sainte Myrte», y est en effet vénéré. Au village voisin d'Avghéniki, un cyprès sacré se trouve dans l'enceinte du monastère de Stavroménos **(3)**.

MONASTÈRE DE KYRIA ELÉOUSSA (4)

Ce monastère, aujourd'hui en ruine, de Kroussonas-Kitharida, est également l'un des plus anciens de Crète, datant du XIe siècle.

ÉGLISE DU CHRIST-SAUVEUR (5)

Lieu de culte depuis l'Antiquité, cette église à quatre nefs bâtie sur le mont Youchtas, à l'emplacement d'un temple dédié à Zeus Sauveur, avait déjà été visitée en 1415 par le voyageur florentin C. Buondelmonti. La continuité du culte sur la montagne sacrée, proche des palais de Knossos et d'Archanés, est attestée depuis l'époque minoenne. En plus du sanctuaire de Psili Korfi et des grottes cultuelles, il y a, non loin de là, à Anémospilia ▲ *197*, le temple minoen «du sacrifice humain» qui offre une splendide vue sur toute la baie d'Héraklion.

LE MONASTÈRE AGARATHOU (6)

Le monastère historique fut un centre spirituel brillant, pépinière de patriarches et d'humanistes dont les portraits sont accrochés dans la salle d'accueil. Type caractéristique de monastère crétois fortifié, il est bâti sur une colline.

LA BASILIQUE DE SAINT-TITUS (7)

Construite au Ve siècle à Gortyne ▲ *177*, cette basilique à trois nefs est l'un des monuments les plus importants de la Crète chrétienne. Au sud, les monts Astéroussia, qui dominent la plaine de la Messara et la mer de Libye, abritent un grand nombre de monastères, d'ermitages, de chapelles décorées de fresques, parfois creusées dans le rocher. Loin des villes et des villages, cette région sauvage, déjà sacrée à l'époque minoenne, a été l'un des creusets du christianisme crétois. Les monastères d'Odigitrias **(8)** ▲ *188* et de Koudouma Haghiofarango **(9)** en sont les témoignages. Sur les contreforts du mont Ida, les deux monastères de Vrontissou **(10)** et de Valsamonéro **(11)** existaient déjà

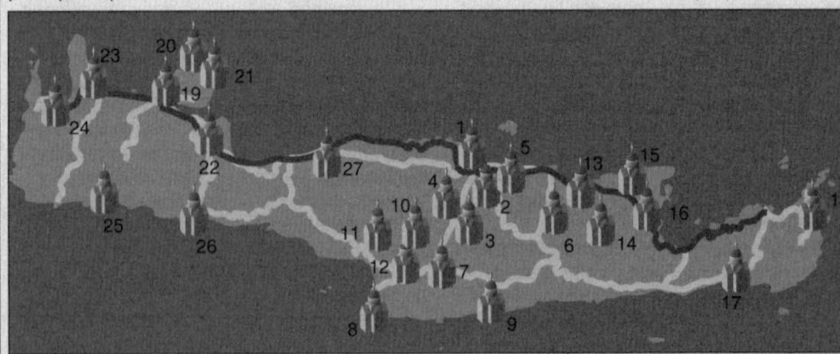

Le monastère d'Odighitria

Chapelle de Toplou

Monastère d'Arkadi

avant l'arrivée des Vénitiens en Crète. Centres spirituels et intellectuels florissants, ateliers de copie réputés, ils jouèrent un rôle important durant la Renaissance crétoise. À Vrontissou se trouvaient jusqu'en 1800 plusieurs icônes du maître Mikaïl Damaskinos, aujourd'hui exposées à Sainte-Catherine d'Héraklion.
La superbe chapelle de Saint-Fanourios **(12)**, à Voriza, possède une très belle iconostase ainsi que des fresques. Le 27 août, à l'occasion de la fête du saint, on organise une procession, une bénédiction des pains, et l'église est fleurie de rameaux.

Lassithi

Au village d'Avdou **(13)** ▲ *197*, à 40 km d'Héraklion, sur la route du plateau de Lassithi, l'église Haghios Andonios est décorée de fresques du XIVe siècle. Les églises Haghios Georgios et Haghios Constandinos ont été édifiées au XVe siècle.
Le monastère de Kéra Kardiotissa **(14)** ▲ *197*, avant le village de Krasi, à quelques kilomètres du plateau de Lassithi, possède une belle chapelle ornée d'une très belle iconostase. La visite de l'église de Saint-Antoine **(15)** à Fourni est à combiner avec une excursion sur l'austère colline de Driros, où subsistent les ruines d'une importante cité archaïque. À l'entrée du village de Kritsa ▲ *204* se trouve l'église à trois nefs de la Vierge-de-Kéra **(16)**, ornée de splendides fresques du XIVe siècle.
Le monastère de Kapsa **(17)**, adossé à une falaise, au bord de la mer de Libye, à quelques kilomètres de Makry-Yalos, est magnifique mais l'accueil des marchands dans le temple est assez déplaisant. Après Sitia, sur la route de Vai, se dresse dans un paysage sévère, quasi désertique, le monastère fortifié de Toplou **(18)** ▲ *207*, autrefois l'un des plus puissants de Crète.

La Canée (19) et ses environs

Dans la ville même, la petite église Haghi Anarghyri est décorée de belles fresques byzantines. Dans le quartier de Halépa, l'église de Sainte-Madeleine est de style byzantin russe.

Gouverneto (20)
Dans la péninsule de l'Akrotiri, ce riche monastère ▲ *265* fortifié fut édifié au début de la vénétocratie sur l'emplacement d'une ancienne fondation consacrée à Notre-Dame des Anges. Une fête s'y déroule les 7 oct. et 21 nov. Situé lui aussi dans l'Akrotiri, l'imposant «monastère des cyprès», Haghia Triada ▲ *264* mérite une visite.

Le monastère de Saint-Jean-l'Étranger (21)
Non loin, vers le nord, dans un ravin, avec son église creusée dans le roc. Ce serait là l'emplacement du premier monastère orthodoxe jamais fondé en Crète, au VIe ou au VIIe siècle. Une impressionnante grotte, près du monastère, était un lieu de culte. À Arméni-Kalyvés se trouve l'église du prophète Élie **(22)**. Une grande fête y a lieu le 20 juillet.

Le monastère de Gonias Odighitria (22)
Dans la province de Kissamos, ce monastère ▲ *275* bâti au début du XVIIe siècle se situe dans la magnifique baie de Kolimpari, à 25 km de la Canée. La collection d'icônes provient de l'École Crétoise. À Épiskopi, à 31 km de La Canée, au sud de Kolymbari, l'église de Saint-Michel-Archange **(24)**, de forme circulaire, a d'intéressants pavements en mosaïque et de belles fresques, qui sont des œuvres d'artistes byzantins du XIIe siècle.

L'église de Saint-Georges (25)
À Komitadés, dans la province de Sfakia, cette église possède des fresques de I. Pagoménos. À voir également, Panaghia I Thymiani **(26)**, qui fut un haut lieu de la révolution de 1821. À Souyia **(27)** ▲ *280*, l'église moderne abrite de magnifiques mosaïques provenant d'une basilique paléochrétienne au bord de la mer.

Région de Réthymnon

Le monastère d'Arkadi **(28)** ▲ *275* est le symbole des luttes crétoises pour l'indépendance. Assiégés par l'armée turque, en 1866, révolutionnaires et moines mirent le feu à la poudrière du monastère plutôt que de se rendre.

Loutro

Koufonissi

Avec près de 260 km de côtes et un nombre important d'îlots, la Crète offre une multitude de plages. Sable blond ou gris, galets, roches rouges ou blanches, eau limpide… De nombreux grands hôtels ont leurs propres plages, mais il existe aussi des plages municipales avec la possibilité de pratiquer de nombreux sports nautiques, canoë, planche à voile, ski nautique.
Certaines petites îles sont idéales pour la pratique de la pêche.

Les plus belles plages de la grande île

Parcourue, en particulier en été, de courants assez forts, la mer crétoise peut être dangereuse, notamment près de Réthymnon, et entre Stalida et Malia. Il est donc déconseillé de s'éloigner du rivage, d'autant que les moyens de secours, lorsqu'ils existent, restent rudimentaires. En été, le meltem peut se lever brusquement : certaines plages de la côte sud sont superbes mais très exposées ; Plakia ▲ *244*, Frangocastello ▲ *247*, Xérokampos sont alors impraticables. Mais il existe partout de belles criques assez bien abritées.

Côte nord
Il existe de belles plages situées non loin des grandes villes, mais bondées les mercredis après-midi et les week-ends : à proximité d'Héraklion, les plages de Lygaria ou d'Haghia Pélagia ▲ *219*, à 20 km à l'est ou de Liménas Chernisou, à 30 km à l'ouest, offrent des rades bien protégées.
Près de Réthymnon, on a le choix entre la petite crique de Pétrès, à 10 km à l'ouest et la superbe baie de Bali ▲ *219*, à l'est. Non loin de La Canée, on peut trouver de charmantes criques dans la presqu'île d'Akrotiri ▲ *265*.

Côte est
Le site d'Ítanos, à 2 km au nord de Vai ▲ *210*, offre dans une baie splendide, loin de toute agitation, une série de rades bien abritées. Propriété de Moni Toplou, ce site admirable n'est pas touristique. La première crique, la plus proche de Vai, a l'avantage d'offrir un peu d'ombre. Les eaux y sont peu profondes, mais parfois encombrées d'algues. La seconde, à laquelle on accède directement par la route, présente des plaques un peu glissantes. La plus belle plage est au nord, en direction du cap Sidéros. Un parasol est indispensable. Au pied de la butte de Kastri, à deux pas des ruines de Paléokastro ▲ *218*, s'étend la belle plage de sable d'Iona ; les eaux de cette plage sont vertes et peu profondes. Tout près de l'embarcadère se trouvent plusieurs excellentes tavernes de poissons.

Côte sud
Non loin de Phaistos ▲ *178* on pourra apprécier la longue plage de sable blanc de Komos, bien protégée. Les tavernes ne manquent pas, notamment l'excellent Mystical View, qui domine la baie. Derrière les monts Astéroussia, près de Lentas, se trouve l'exceptionnelle crique des gorges d'Haghios Savas. À l'ouest d'Haghia Galini, une route asphaltée traversant des collines conduit à l'agréable plage d'Haghios Georgios. Plus loin, un chemin de terre aboutit à la paisible crique d'Haghios Pavlos. On trouvera des tavernes de poissons et des chambres à louer en face de l'îlot de Paximadia. Une autre crique idyllique est celle que l'on rejoint par un sentier depuis le monastère de Préveli ▲ *243*. Les randonneurs des gorges de Samaria ▲ *267* s'en retournant à Chora Sfakion peuvent faire une halte dans la baie tranquille de Loutro, aux eaux toujours fraîches.

Les îlots crétois

Pour ceux qui désirent sortir des sentiers battus, quelques îles du sud de la Crète

Gramvoussa

Haghiofarango

Gavdos

sont à recommander. Elles concilient les plaisirs de la plage, de la pêche, de la plongée et des balades archéologiques.

KOUFONISSI
En face du cap de Goudoura, Koufonissi, l'ancienne Lefki, est reliée quotidiennement à Makrigialos. N'y poussent, dans un paysage quasi africain, que quelques herbes folles qui nourrissaient autrefois de maigres troupeaux de chèvres. Des tamaris viennent d'y être plantés. On y trouve de splendides plages de sable blond, au pied de falaises crayeuses. Les eaux sont poissonneuses.

GAVDOS.
Cette île est à environ 3 h de Paléochora ▲ *280* et constitue l'extrémité méridionale du continent européen. De petits habitats y sont encore disséminés. Peu d'arbres y poussent : figuiers, caroubiers et quelques cèdres *juniperus.* Assimilée par certains à l'Ogygie d'Homère, Gavdos serait l'île de la nymphe Calypso, dont les habitants montrent volontiers la grotte. Repaire de corsaires au Moyen Âge, puis lieu d'exil, c'est aujourd'hui le paradis des pêcheurs.

GAÏDOURONISSI
À 1 h de bateau de Hiérapétra ▲ *215*, Gaïdouronissi, l'île des Ânes, est plus poétiquement nommée Chryssi, «la Dorée». Entre ses dunes de sable et ses petits bois de cèdres, on peut jouer les Robinson. Les eaux sont translucides et peu profondes. Le gros sable blond renferme une quantité surprenante de minuscules coquillages. Il vaut mieux prévoir un panier pique-nique, quelques bouteilles d'eau, et une Thermos, car l'unique taverne est généralement prise d'assaut par les vacanciers. On pourra néanmoins y consulter la carte de l'île qui donne de précieuses indications sur toutes les curiosités à voir : vestiges archéologiques, grotte, criques…

◆ LE B. A.-BA ◆

Oui : *nai*
Non : *okhi*
Avec : *mé*
Sans : *khoriss*
Quoi : *ti*
Pourquoi : *yati*
Où : *pou*
Quand : *poté*
Comment : *poss*

◆ POLITESSE ◆

S'il vous plaît : *parakalo*
Merci : *efkharisto*
Merci beaucoup : *efkharisto poly*
Excusez-moi : *sig-nomi, mé singkhorité*
Je vous en prie : tipota
Au revoir : *khairete, adio*
Bonjour : *kalimera*
Comment allez-vous ? : *ti kanéte ?*
Très bien : *poli kala*
OK. : *enn daxi*
Bonsoir : *kalispéra*
Bonne nuit : *kali nykhta*
Salut : *y asou*

◆ TEMPS-DATES ◆

Maintenant : *tora*
Plus tard : *méta*
Quelle heure est-il ? : *ti ora ine ?*
Matin : *proï*
Midi : *messiméri*
Après-midi : *apoyéma*
Soir : *vradhi*
Nuit : *nykhta*
Aujourd'hui : *siméra*
Demain : *avrio*
Hier : *khtess*
Jour : *(i)méra*
Semaine : *vdhomada*
Lundi : *dheftéra*
Mardi : *triti*
Mercredi : *tétarti*
Jeudi : *pemmti*
Vendredi : *paraskévi*
Samedi : *savato*
Dimanche : *kyriaki*
Mois : *minass*
Janvier : *ianouarios*
Février : *févrouarios*
Mars : *martios*
Avril : *aprilios*
Mai : *mayos*
Juin : *younios*
Juillet : *youlios*
Août : *avgoustos*
Septembre : *septemmbrios*
Octobre : *octovrios*
Novembre : *noémvrios*
Décembre : *dhékemmvrios*
Année : *khronos*

◆ COMPTER ◆

Un : *éna*
Deux : *dhio*
Trois : *tria*
Quatre : *tesséra*
Cinq : *pennde*
Six : *exi*
Sept : *efta*
Huit : *okhto*
Neuf : *ennia*
Dix : *dhéka*
Vingt : *ikossi*
Trente : *triannda*
Quarante : *sarannda*
Cinquante : *péninnda*
Soixante : *exinnda*
Soixante-dix : *evdhominnda*
Quatre-vingts : *oghdonnda*
Quatre-vingt-dix : *énéninnda*
Cent : *ékato*
Mille : *khilia*

◆ VOYAGER ◆

Aéroport : *aérodhromio*
Avion : *aéroplano*
Bateau : *karavi*
Port : *limani*
Gare des autobus : *stathmos léoforion*
Bagages : *aposkévés, bagazia*
Porteur : *akhthoforos*
Voiture : *aftokinito*
Permis de conduire : *adhia odhighissis*
Combien cela coûte-t-il par jour ? : *posso kostizi tinn iméra ?*
Taxi : *taxi*

◆ SUR LA ROUTE ◆

Route : *dhromos*
Garage : *garaz*
La voiture est en panne : *to aftokinito ékhi vlavi*
Le plein s'il vous plaît : *to yémizété me vennzini, parakalo*
Essence : *vennzini*
Normal, super, sans plomb : *apli, souper, amolivdhi*
Pouvez-vous vérifier... : *parakalo, élénnxte ...*
L'huile : *to ladhi*
Les pneus : *ta lastikha*

◆ SE DIRIGER ◆

Sommes-nous sur la bonne route pour... ? : *imaste sto sossto dhromo ya ... ?*
Mer : *thalassa*
Montagne : *vouno*
Village : *khorio*
Plage : *paralia*
Nord : *voria*
Sud : *notia*
Est : *anatolika*
Ouest : *dhitika*

◆ EN VILLE ◆

Autobus : *léoforio*
Où est le bus pour...? : *pou inai to léoforio ya...?*
Arrêt : *stasi*
Où est-ce, où se trouve... ? *pou inai...?*
À quelle distance ? *posso makria inai ?*
Près : *konnda*
Loin : *makria*
Droite : *dhexia*
Gauche : *aristéra*
Centre : *kenndro*
Rue : *dhromos, odos*
Avenue : *léoforos*
Place : *platia*

◆ L'ARGENT ◆

Banque : *trapéza*
Argent : *khrimata, lefta*
Je voudrais changer quelques francs : *thélo nallaxo mérika frannga*
Acceptez-vous les cartes de crédit ? : *pernete pistotiki karta ?*
Chèques de voyage : *traveller's cheques*

◆ VISITER ◆

Ouvert : *anikhto*
Fermé : *klisto*
Billet : *isitirio*
Église : *ekklissia*
Château : *kastro*
Palais : *palati*
Ruines : *arkhaia*
Musée : *moussio*
Temple : *naos*
Théâtre : *théatro*
Puis-je prendre une photo ? : *boro na paro mia fotografia ?*
Entrée : *issodhos*
Sortie : *exodhos*

◆ SE RESTAURER ◆

Restaurant : *estiatorio*
Taverne : *taverna*
Déjeuner : *messimériano fayito*
Dîner : *vradhino fayito*
Menu : *kataloghos*
Pouvons-nous avoir une table, s'il vous plaît ? : *boroume na ékhoume éna trapézi ?*
Un café : *énan kafé*
Un café au lait : *énan kafé mé ghala*
Un thé : *éna tsaï*
Un dessert : *éna glyko*
Chaud : *zesto*
Froid : *kryo*
Un verre : *éna potiri*
Assiette, plat : *piato*
Eau : *néro*
Eau minérale : *emmfayalométo*
Vin : *krassi*
Bouteille : *boukali*
Bière : *bira*
Viande : *kréass*
Poisson : *psari*
Légumes : *khortarika, lakhanika*
Pommes de terre : *patatés*
Pain : *psomi*
Sucre : *zakhari*
Riz : *rizi*
Salade : *salata*
Soupe : *soupa*
Fromage : *tyri*
Fruits : *frouta*
Addition : *logariasmos*

◆ SE LOGER ◆

Je voudrais une chambre : *tha ithéla éna dhomatio*
Une chambre simple, double : *éna mono, éna dhiplo*
Avec deux lits : *mé dhio krévatia*
Avec bain : *mé banio*
Avec douche : *mé douss*
Quel est le prix par nuit ? : *pia inai i timi ya mia nykhta ?*
Petit déjeuner : *to proïno*

◆ À LA POSTE ◆

La poste : *to takhydhromio*
Où est la poste la plus proche ? : *pou inai to takhydhromio ?*
Timbre-poste : *ghramatossimo*
Lettre : *ghrama*
Carte postale : *karta*
Télégramme : *tiléghrafima*
Pouvez-vous me passer le numéro suivant... ? : *borité na mou parété aftonn tonn arithmo... ?*

◆ URGENCES ◆

Pharmacie : *farmakio*
J'ai besoin d'un médecin : *khriazomai éna yatro*
Dentiste : *odhontoyatro*
Ambulance : *asthénoforo*
Hôpital : *nossokomio*
Policier : *astynomikos*
Bureau de police : *astynomia*

◆ COURSES ◆

Kiosque : *périptéro*
Magasin : *maghazi, katastima*
Bon marché : *ftino*
Cher : *akrivo*
Marché : *agora*
Boulangerie : *fournos*

PHRASES ◆ UTILES ◆

Je ne comprends pas : *dhenn katalavaino*
Je voudrais... : *thélo...*
Où puis-je téléphoner ? : *pou iparkhi tiléfono ?*
Combien cela coûte-t-il ? : *posso kani ?, posso kostizi... ?*
C'est trop cher : *inai poly akrivo*
Qu'est-ce que c'est ? : *ti inai afto ?*
À quelle heure ouvre... ? : *ti ora anighi ?*
À quelle heure ferme... ? : *ti ora klini ?*
Un paquet de cigarettes, s'il vous plaît : *éna pakéto tsighara, parakalo*
Pouvez-vous m'aider ? : *borité na mé voïthissété ?*

Carnet d'adresses

- Panorama
- Centre-ville
- Isolé
- Restaurant de luxe
- Restaurant typique
- Restaurant économique
- Hôtel de luxe
- Hôtel typique
- Hôtel économique
- Parking
- Garage surveillé
- Télévision
- Calme
- Piscine
- Cartes de crédit
- Prix enfants
- Animaux interdits
- Musique
- Orchestre
- Chambre avec téléphone

◆ Choisir un hôtel

♦ < 100-250 F.
♦♦ 250-500 F.
♦♦♦ > 500 F.

	Prix	Vue	Calme	Jardin, terrasse	Bar	Parking	Restaurant	Piscine
AMNISSOS								
Lakis	♦			●	●	●		●
Minoa Palace	♦♦	●	●		●	●	●	●
BALI (MPALI)								
Bali Beach	♦	●		●	●		●	●
LA CANÉE								
Amphora	♦♦	●	●				●	
Casa Delphino	♦♦	●	●					
Doma	♦♦	●	●					
Kastelli	♦		●					
Pandora	♦♦	●						
Porto Del Colombo	♦	●	●					
Porto Veneziano	♦♦	●	●			●	●	
Tina	♦							
CHERSONISSOS								
Chersonissos Maris	♦♦				●		●	●
Créta Maris	♦♦♦			●	●			●
Nana Beach	♦♦	●		●	●		●	●
Silva Maris	♦♦						●	●
Zorba Village	♦♦♦				●		●	●
ELOUNDA								
Astir Palace	♦♦♦			●	●			●
Elounda Mare	♦♦♦	●	●	●	●		●	●
Elounda Marmin	♦♦♦				●	●	●	●
Elounda Palm	♦♦	●		●		●		●
FODÉLÉ								
Domingo	♦		●					
HAGHIOS NIKOLAOS								
Apollon	♦							
Crystal	♦		●					●
Domenico	♦	●	●					●
El Greco	♦				●	●	●	
Minos Beach	♦♦♦	●		●	●		●	●
Pangalos	♦	●				●		
Saint Nicolas Bay	♦♦♦	●		●	●		●	●
HAGHIA PÉLAGIA								
Capsis Beach	♦♦♦	●		●	●		●	●
HÉRAKLION								
Agapi Beach	♦♦			●	●		●	●
Akti Zeus	♦♦♦				●		●	
Astoria Capsis	♦♦				●	●		●
Atlantis	♦♦	●	●		●	●	●	●
Atrion	♦♦		●	●	●			
Daidalos	♦				●			
El Greco	♦							
Espéria	♦		●		●	●		
Galaxi	♦♦				●		●	●
Irini	♦♦	●	●	●				
Lato	♦♦	●	●	●	●	●		
Lena Hotel	♦		●					
Marin	♦	●	●					
Mediterranean	♦♦	●	●	●				
Pétra	♦♦		●	●				
Xénia	♦♦	●	●		●		●	

	PRIX	VUE	CALME	JARDIN, TERRASSE	BAR	PARKING	RESTAURANT	PISCINE
HIÉRAPÉTRA								
Camiros	♦							
Pétra Mare	♦♦	●			●		●	●
KALI LIMÉNÉS								
Karavovrissi Beach	♦							
KASTÉLI KISSAMOS								
Kissamos	♦	●						
KATO ZAKROS								
Popy	♦	●						
Poséidon	♦							
KOLIMPARI								
Arion	♦♦						●	●
KRITSA								
Argyro	♦							
LENTAS								
Bengalows Lentas	♦	●	●					
Rooms for rent	♦	●	●			●		
MALIA								
Alexander Beach	♦♦			●	●		●	●
Grécotel Malia Park	♦♦				●		●	●
Ikaros Village	♦♦	●		●			●	●
Kernos Beach	♦♦♦	●		●	●		●	●
Sirines Beach	♦♦♦				●		●	●
MATALA								
Zarifia	♦	●			●			
MOCHLOS								
Aldiana Club	♦♦				●		●	●
Arétousa	♦	●	●			●	●	
Ermis	♦	●	●					
Meltémi	♦	●	●			●		
MYRTOS								
Esperides	♦			●	●	●		●
Mertiza Studios	♦		●					
Villa Mare	♦	●	●			●		
PALÉOCHORA								
Le Mali	♦	●	●					
PALÉOKASTRO								
Marina Village	♦♦	●	●	●		●		●
PHAISTOS								
Yannis	♦	●	●			●		
RÉTHYMNON								
Adélé Mare	♦♦♦				●		●	●
Créta Star A	♦♦				●		●	●
Créta Royal Luxe	♦♦				●		●	●
El Greco	♦♦			●	●		●	●
Léo	♦							
Palazzo Rimondi	♦♦		●	●	●			
Réthymno House	♦		●					
Rithimna	♦♦				●		●	●
SITIA								
Élysée	♦	●						
Helio-club Sitia Beach	♦♦	●			●		●	●
Marésol	♦♦				●		●	●
Vai	♦					●		

◆ < 100 F
◆◆ 100-150 F
◆◆◆ > 150 F

	PRIX	VUE	MANGER EN EXTÉRIEUR	CADRE	SPÉCIALITÉS CRÉTOISES	SPÉCIALITÉS DE POISSONS	MUSIQUE LIVE	TYPIQUE
AMNISSOS								
AMNISOS TAVERN	◆	●	●	●		●		
ANOGIA								
MITATO	◆			●				
ARCHANÈS								
RODAKINIES	◆				●			●
AXOS								
SOFIA	◆							●
LA CANÉE								
AÉRIKO	◆	●	●			●		
AKROYALL, CHEZ MYLONAKIS	◆◆							●
LE PANORAMA	◆◆	●			●			
TO PLATANI	◆							
LE RÉTRO	◆◆	●	●	●				
TOURKIKO	◆	●	●					
CHERSONISSOS								
DRAPIÉRIS	◆				●			
ÉLOUNDA								
KALYPSO	◆◆	●	●					
POULIS NICOLAS	◆◆	●	●			●		
VRITOMARTIS	◆◆	●				●		
FODÉLÉ								
EL GRECO	◆	●	●	●				
PIRAIKO	◆	●						
HAGHIA PÉLAGIA								
VOTSALO	◆◆	●	●			●		
HAGHIOS NIKOLAOS								
AKRATOS	◆◆	●				●		
LA BOUILLABAISSE	◆◆◆	●				●		
MYRTO	◆	●	●		●			
RESTAURANT DU LAC	◆◆◆	●				●		
VASSILI	◆◆	●	●					
HÉRAKLION								
ANTIGONI (TAVERNE)	◆		●					●
EMVOLO	◆				●			
ERGANOS	◆		●		●			
GALÉRA (TAVERNE)	◆					●		
GIOVANNI	◆							●
GORGONA (TAVERNE)	◆		●			●		
HILOTAS	◆		●	●				
HIPPOKAMBOS (TAVERNE)	◆					●		
ITAR	◆	●					●	
KONAKI	◆						●	

	Prix	Vue	Manger en extérieur	Cadre	Spécialités crétoises	Spécialitésde poissons	Musique live	Typique
KYRIAKOS	◆		●					
LUCULLO	◆	●	●					
TERZAKIS (TAVERNE)	◆				●			
TO STÉKI (TAVERNE)	◆		●	●	●			
VANGHÉLIS	◆							
VIA VENETO	◆	●						●
YAKOUMIS	◆							
HIÉRAPÉTRA								
ACROPOLIS	◆	●	●		●			
EL GRECO	◆	●				●		
GORGONA	◆	●				●		
KALI LIMÉNÉS								
KARAVO VRISSI BEACH	◆							
TAVERNA	◆	●						
KATO ZAKROS								
ANÉSSIS	◆				●			
KNOSSOS								
KHRIAZOMÉNOS	◆				●			
KRITSA								
CASTELLO	◆				●			●
MALIA								
CORALI	◆	●	●					
MATALA								
TA KYMATA	◆	●				●		
ZAFIRIA	◆	●				●		
ZEUS BEACH	◆	●				●		
MOCHLOS								
THE SEA SHELL	◆	●	●	●		●		
PALÉOKASTRO								
ANÉSSIS	◆							
PANORMOS								
CAVOS	◆	●	●			●		
MOURAGIO	◆	●	●			●		
PHAISTOS								
YANNIS	◆		●	●				
RÉTHYMNON								
ALANA	◆	●		●		●		
AVLI	◆◆◆	●	●	●		●		
CHEZ VASSILIS	◆◆					●		
PETRINO	◆			●		●		
TAVERNE «PARADISSOS»	◆							
SITIA								
ÉLYSÉE	◆	●	●			●		

1. Amphora
2. Casa Delphino
3. Doma
4. Kastelli
5. Pandora
6. Porto Del Colombo
7. Porto Veneziano
8. Tina

AMNISSOS

Indicatif tél. 081

Restaurant

Amnisos Tavern
Sur la plage.
Tél. (081) 22 22 82
Ouvert 9 h-22 h.
Fermé hors saison.
Taverne avec une belle terrasse. Spécialité : rouget.
50-100 F.

Hébergement

Lakis
Tél. (081) 24 33 17
Fermé de nov. à mars.
À deux pas de la mer, une vingtaine de chambres toutes blanches, décorées avec un goût très sûr. Piscine et bar avec terrasse. Service agréable.
200-250 F.

Minoa Palace
Plage d'Amnissos
Tél. (081) 22 78 02/24
Ouvert d'avril à oct.
124 chambres climatisées avec de très belles salles de bains en marbre. Bar, restaurants, discothèque, piscine, court de tennis... Accueil et service irréprochables.
250-450F.

ANOGIA

Indicatif tél. 081

Restaurants

Mitato
En bas du village
Tél. (081) 312 77
Ouvert 11 h-23 h.
Fermé hors saison.
Taverne tout en bois, bien tenue. Nourriture classique. Spécialité : viandes.
30-70 F.

ARCHANÈS

Indicatif tél. 081

Vie culturelle

Musée archéologique
Ouvert tous les jours
8 h 30-14 h 30,
fermé le mardi.

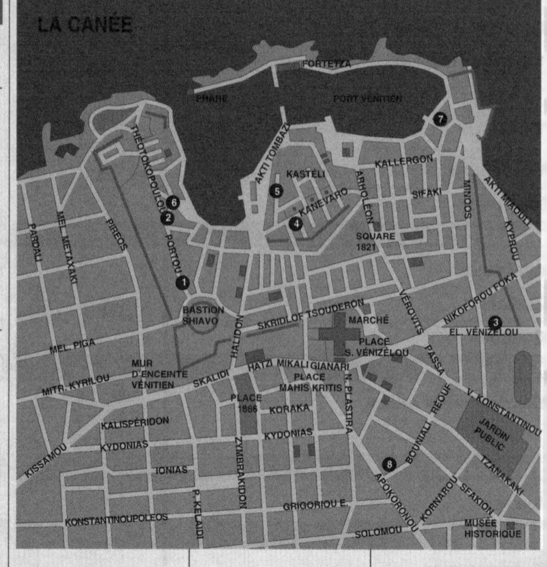

Sites

Nécropole de Fourni à 1 km.
Temple d'Anémospilia à 3 km.
Villa minoenne de Vathypétro à 3 km.

Restaurant

Rodakinies
Place du village
Tél. (081) 75 13 88
Ouvert 11 h-23 h.
Taverne où se retrouvent les villageois pour manger, prendre le café et discuter. Patron jeune et accueillant.
40-80 F.

AXOS

Indicatif tél. 0834

Restaurant

Sofia
Rue principale
Tél. (0834) 610 23
Ouvert 9 h-22 h.
Fermé hors saison.
Une taverne typique, tenue par une femme. Très bon accueil. Spécialité : viandes.
30-60 F.

BALI

Indicatif tél. 0834

Hébergement

Bali Beach Hotel
Sur la plage
Tél. (0834) 942 10/11
Vastes chambres avec balcon, salle de bains, donnant sur le golfe de Bali. Plage privée. Piscine découverte. Restaurant, bar.
200-250 F

LA CANÉE

Indicatif tél. 0821

Vie pratique

Office de tourisme
40, rue Kriari (4e ét.)
Tél. (0821) 264 26

Vie culturelle

Musée archéologique
Rue Halidon
Tél. (0821) 244 18
Ouvert lun. 12 h 30-19 h,
mar. au ven.8 h-19 h,
sam. dim. 8 h 30-15 h 30.

Musée historique
20, rue Sfakianaki
Ouvert lun.-ven. 9 h-13 h, 15 h-17 h 30.

Musée de la Marine
Akti Koundourioutou
Ouvert lun.-ven. 10 h-19 h, sam. 19 h-21 h
Fermé le lundi.

Maison crétoise
46, rue Khalido
Fermé le samedi.

Hébergement

Amphora
2, rue Parodos Théotokopoulou
Tél. (0821) 932 26
Construction datant du XIIIe siècle, aux influences turques et vénitiennes. Parquet dans les chambres. La sobriété et la grâce du décor rendent le séjour dans ce superbe hotel très agréable.
300-450 F.

CASA DELPHINO
9, rue Théophanous
Tél. (0821) 930 98
Dans une demeure vénitienne du XVIIe siècle, 12 suites exquises. Service très chaleureux.
420-500 F.

DOMA
124, E. Vénizélou
Tél. (0821) 217 72.
Ouvert de mars à oct.
Maison patricienne aménagée avec goût, calme, vue sur la mer.
env. 300 F.

KASTELLI
39, rue Kanevaro
Tél. (0821) 570 57
Fermé de nov. à mars.
Hôtel de charme, au décor agréable et fleuri. Très bon accueil.
175-200 F.

PANDORA
29, rue Lithinon
Tél. (0821) 435 88
Chambres avec cuisine et vue sur le port dans un immeuble de style néoclassique.
400-450 F.

PORTO DEL COLOMBO
Angle des rues Théofanois et Moschon
Tél. (0821) 509 75
Bel hôtel. Boiseries et parquet dans les chambres. Bonne adresse.
200-250 F.

PORTO VENEZIANO
Akti Enesséos Liménos
Tél. (0821) 293 11
Ouvert toute l'année
Hôtel calme, climatisé, restaurant. Belle vue.
350-400 F.

TINA
3, rue Bouniali
Tél. (0821) 425 27
Sans prétention mais confortable.
100-200 F.

RESTAURANTS

AÉRIKO
Quartier de Koum Kapi
En bord de mer. Service soigné. Spécialités : poissons et viandes.
70-100 F.

AKROYALI, CHEZ MYLONAKIS
Néa Khora. Akti Papanikoli
Tél. (0821) 581 37
La meilleure de toutes les tavernes de ce quartier.
90-120 F.

LE PANORAMA
Malaxa
Sur une colline surplombant la baie. Spécialités crétoises : chaussons aux herbes ou au fromage, avec raki.
100-140 F.

TO PLATANI
Route de Réthymnon, 2 km après Souda
Tél. (0821) 894 94
Taverne familiale sympathique. Spécialité : viandes.
50-90 F.

LE RÉTRO
Halépa, 1, Mavroghénidon
Tél. (0821) 583 86
Jardin et cadre agréable. Mondain.
100-140 F.

TOURKIKO
Village de Galatas
L'unique taverne turque de l'île. Repas copieux, belle vue, grande cour.
35-60 F.

EMPLETTES

CARMÉLA
Rue Angélou
Céramiques modernes de toutes sortes.

MARCHÉ COUVERT
Rue Halidon
Nombreuses boutiques d'artisanats en tout genre.

TOP HANAS
Rue Angélou
Broderies anciennes et tapis.

CHERSONISSOS

Indicatif tél. 0897

RESTAURANT

DRAPIÉRIS
Route de Lassithi, Pano-Hersonissos
Tél. (0897) 21 15 84
Taverne familiale. Nourriture copieuse. Spécialité : fleurs de courgettes farcies.
35-60 F.

HÉBERGEMENT

CHERSONISSOS MARIS
Sur la plage
Tél. (0897) 236 01.
Bar, restaurant, snack, piscine.
350-400 F.

CRÉTA MARIS
Limenas Hersonissou
Tél. (0897) 221 15
Hôtel et bungalows, architecture de style égéen. Équipements de luxe : plage privée, piscine, sports nautiques, tennis, cinéma de plein air.
750-850 F.

NANA BEACH
Sur la plage
Tél. (0897) 227 06
Ouvert d'avril à oct.
Hôtel et bungalows, bar, 2 restaurants, snack-bar, piscines découvertes et couvertes, sauna, tennis.
380-420 F.

SILVA MARIS
Limenas Hersonissou
Tél. (0897) 228 50
Hôtel et bungalows. Architecture d'un village crétois traditionnel. Belle piscine, restaurant, boutiques.
300-480 F.

ZORBA VILLAGE
Plage d'Anissara
Tél. (0897) 226 04
Oùvert de mars à oct.
113 bungalows et 36 appartements, restaurant, bar, plage, piscines, tennis, sports nautiques.
680-720 F.

ELOUNDA

Indicatif tél. 0841

RESTAURANTS

KALYPSO
Sur la place.
Tél. (0841) 414 24
Ouvert 9 h-16 h, 19 h-23 h.
Fermé hors saison.
Une belle salle à manger avec terrasse sur le port, service très souriant et serviable, très stylé également. Une adresse chic. Spécialité : fruits de mer.
90-150 F.

POULIS NICOLAS
Schisma Eloundas
Tél. (0841) 414 51
Ouvert 11 h-15 h, 18 h-23 h.
Fermé hors saison.

Les pieds dans l'eau, vous dégusterez toutes les spécialités de fruits de mer. Un peu cher. Spécialités : homard, langouste.
80-200 F.

VRITOMARTIS
Sur le port
Tél. (0841) 413 25
Ouvert 10 h-23 h.
Fermé hors saison.
Sur le port, au milieu des bateaux. La carte est diversifiée, surtout en poisson. Spécialité : selon arrivage.
80-120 F.

1. APOLLON
2. DOMENICO
3. EL GRECO
4. PANGALOS

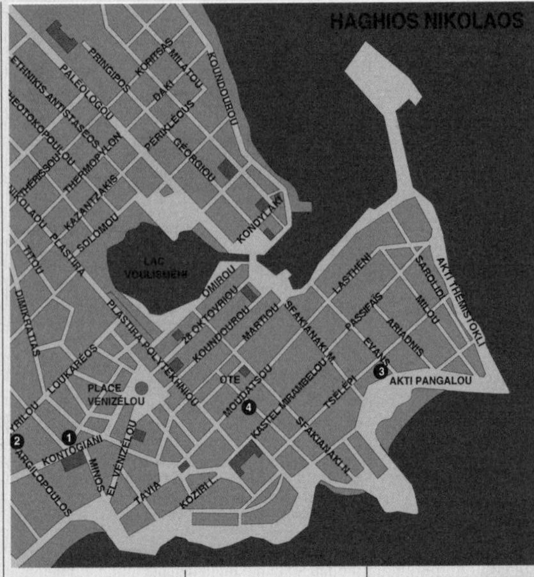

HÉBERGEMENT

ASTIR PALACE
Sur la plage
Tél. (0841) 415 80
Ouvert de mars à oct.
Un ensemble hôtelier aux prestations luxueuses mais dont l'esthétique laisse à désirer.
600-1 200 F.

ELOUNDA MARE
Route d'Haghios Nikolaos
Tél. (0841) 411 02
Ouvert d'avril à oct.
Un «Relais et châteaux», le seul de toute la Crète, situé dans le golfe de Mirambello. Les bungalows, éclatants de blancheur, sont disséminés parmi les fleurs. La plupart disposent d'une piscine privée. Le Yachting Club sert toute une gamme de poissons grillés. Le soir, la taverne du Vieux Moulin propose des spécialités grecques.
750-1 240 F.

ELOUNDA MARMIN
Schisma Eloundas
Tél. (0841) 415 13
Fermé de nov. à mars.
Petit complexe de luxe. Bungalows avec piscine, bar, etc. Accueil moyen, mais bon rapport qualité prix.
350-925 F.
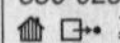

ELOUNDA PALM
Elounda
Tél. (0841) 418 25
Ouvert d'avril à oct.
Toutes les chambres sont grandes et donnent sur la mer. L'hôtel dispose aussi d'une piscine d'eau douce, d'un terrain de jeux pour les enfants et d'un parking.
370-400 F.

FODÉLÉ

Indicatif tél. 0815

RESTAURANTS

EL GRECO
Tél. (0815) 212 03
Ouvert 11 h-15 h, 18 h-22 h.
Fermé hors saison.
Ombragé, près d'un petit ruisseau, taverne idéale pour une restauration légère.
40-80 F.

PIRAIKO
Tél. (0815) 213 73
Ouvert 11 h-16 h, 18 h-22 h.
Fermé hors saison.
À 50 m du précédent, la même qualité de cuisine, limitée dans la variété mais correcte. Spécialité : viandes.
40-80 F.

HÉBERGEMENT

DOMINGO
Tél. (0815) 112 08
Ouvert toute l'année
Le seul hôtel de Fodélé qui soit vraiment dans le village.
130-170 F.

GORTYS

Indicatif tél. 0892

VIE CULTURELLE

SITE ARCHÉOLOGIQUE
Ouvert lun. -ven. 8 h-19 h
sam. dim. 8 h 30-15 h.
(17 h en hiver)

GOURNIA

Indicatif tél. 0842

VIE CULTURELLE

SITE MINOEN
Ouvert 9 h-15 h.

HAGHIA PÉLAGIA

Indicatif tél. 081

RESTAURANTS

VOTSALO
Sur la plage
Tél. (081) 81 10 22
Poissons pêchés le matin et crustacés à déguster en terrasse à deux pas de la mer.
80-150 F.

HÉBERGEMENT

CAPSIS BEACH
Haghia Pélagia
Tél. (081) 81 11 12
Grand complexe hôtelier construit sur la pénsinsule d'Haghia Pélagia. Site très agréable. Cet hôtel propose toutes les commodités d'un grand hôtel.
1 000-1 200 F.

HAGHIA TRIADA

Indicatif tél. 0892

VIE CULTURELLE

SITE MINOEN
Ouvert lun-sam. 9 h-15 h,
dim. et jours fériés 9 h 30-14 h 30

HAGHIOS NIKOLAOS

Indicatif tél. 0841

VIE PRATIQUE

OFFICE DU TOURISME
Sur le port, 20, Akti Koundourou
Tél. (0841) 223 57

BUREAU DE POSTE
9, rue du 28 Octobre

VIE CULTURELLE

MUSÉE ARCHÉOLOGIQUE
68, rue Paléologou
Tél. (0841) 22 462
Ouvert mar. sam. 9 h-15 h, dim. 9 h 30-14 h 30.
Fermé lun. Entrée : 10 F.

MUSÉE D'ART POPULAIRE
À côté de l'office du tourisme.
Ouvert 9 h-30-13 h, 17 h-20 h 30

RESTAURANTS

AKRATOS
15, rue Omirou
Tél. (0841) 227 24
Ouvert 11 h-23 h.
Fermé hors saison.
Situé sur le petit lac, à côté du port,

ce restaurant propose une grande variété de plats. Un peu cher mais la qualité est irréprochable. Spécialité : poissons frais.
70-180 F.

LA BOUILLABAISSE
Plage d'Amoudi
Tél. (0841) 223 45
Le restaurant de poissons du Minos Beach. Pour la vue et les crustacés.
200 F.

MYRTO
7, rue Kitroplatia
Tél. (0841) 241 48
Ouvert 9 h-23 h.
Fermé hors saison.
Sur une plage un peu à l'écart, donc un peu plus calme. Le service est rapide et le patron serviable. Cuisine correcte. Spécialités : souvlaki, moussaka.
60-120 F.

RESTAURANT DU LAC
17, rue Omirou
Tél. (0841) 224 14
Ouvert 11 h-23 h.
Fermé hors saison.
Restaurant de poissons, un service impeccable mais des prix élevés. Spécialités : crevettes, soupe de poissons.
100-200 F.

VASSILI
16, rue I. Koundourou
Tél. (0841) 282 01.
Une taverne traditionnelle sur les quais du «Saint-Tropez» crétois.
120 F.

HÉBERGEMENT

APOLLON
9, rue Minos
Tél. (0841) 230 23
Fermé d'oct à mars.
En centre-ville, 72 chambres bien équipées, très classiques ; proche de la plage.
120-150 F.

CRYSTAL
À l'écart de la ville, au bord d'une petite plage
Tél. (0841) 244 07
Fermé d'oct. à mars.
Hôtel de charme avec piscine. Touristique mais calme.
180-270 F.

DOMENICO
3, rue Argyropoulou
Tél. (0841) 228 45
Fermé de nov. à mars.
Au sud de la ville, à côté de la station de bus. Accueil agréable et décor typique. Vue sur la mer.
210-250 F.

EL GRECO
Akti Kitroplatia
Tél. (0841) 288 94
Ouvert de mars à déc.
45 chambres doubles, bar, restaurant et parking.
200-250 F
P

MINOS BEACH
Plage d'Amoudi
Tél. (0841) 223 45/9
Ouvert d'avr. à oct.
Spectaculaire avec ses bungalows construits sur les rochers, en bord de mer. Beau jardin fleuri. Piscine et plage privée. Bonne table.
550-1 100 F.

PANGALOS
17, rue Tsélépi
Tél. (0841) 221 46
Fermé d'oct. à mars.
À deux pas de la plage, un petit hôtel familial et sympathique. Chambres avec balcon.
150-170 F.

SAINT NICOLAS BAY
Sur la plage
Tél. (0841) 250 41/43
Ouvert de mars à nov.
130 bungalows climatisés, équipés d'un mini-bar et d'un poste de radio. Plage privée et 2 piscines d'eau de mer. 2 restaurants et une taverne.
400-1 300 F

HÉRAKLION

Indicatif tél. 081

VIE PRATIQUE

BUREAU DE POSTE
Place Daskaloyanni, près de la place Elefthérias

OFFICE DE TOURISME
Rue Xanthoudidou, face au Musée archéologique.

VIE CULTURELLE

HAGHIA EKATÉRINI, ÉGLISE ET MUSÉE DES ICÔNES
Place Haghia Ekatérini
Ouvert lun. mer. sam. 9 h 30-13 h, mar. jeu. ven. 17 h-19 h.
Fermé dim. et jours fériés.
Entrée : 5 F.

FORT VÉNITIEN
Tél. (081) 28 62 28
Ouvert lun. au sam. 8 h 45-15 h, dim. et jours fériés 9 h 30-14 h 30.
Entrée : 5 F.

MAISON KHRONAKIS
Rue Paléologou
Ouvert lun. au ven. 10 h-13 h.
Ancienne demeure d'un pacha, récemment restaurée.

MUSÉE ARCHÉOLOGIQUE
Place Elefthérias
Tél. (081) 22 60 92
Ouvert mar. ven. 8 h-19 h, sam. dim. 8 h 30-15 h, lun. 11 h-17 h.
Entrée : 15 F.

MUSÉE HISTORIQUE ET ETHNOGRAPHIQUE
Rue Kalokairinou, à l'ouest du fort
Tél. (081) 28 32 19
Ouvert lun. sam. 9 h-13h et 15 h-17 h 30.
Fermé dim. et jours fériés.
Entrée : 10 F.

PINACOTHÈQUE
Dans l'ancienne église Saint-Marc, place des Lions
Ouvert lun. au sam. 9 h-14 h
Fermé dim.

RESTAURANTS

EMVOLO
Impasse Miliara, donnant sur la rue Evans
Tél. (081) 28 42 44
Spécialités crétoises.
30-65 F.

ERGANOS
Avenue G. Ghiorgiadou
Tél. (081) 28 56 29
Petite terrasse. Spécialités crétoises.
40-60 F.

GIOVANNI
12, rue Koraïs
Tél. (081) 24.63.38
Ouvert le midi.
Cuisine grecque. Ambiance sympathique. Petit bar.
60-80 F.

1. ASTORIA CAPSIS
2. ATLANTIS
3. ATRION
4. DAIDALOS
5. EL GRECO
6. ESPÉRIA
7. GALAXI
8. IRINI
9. LATO
10. LENA HOTEL
11. MARIN
12. MEDITERRANEAN
13. PÉTRA
14. XÉNIA

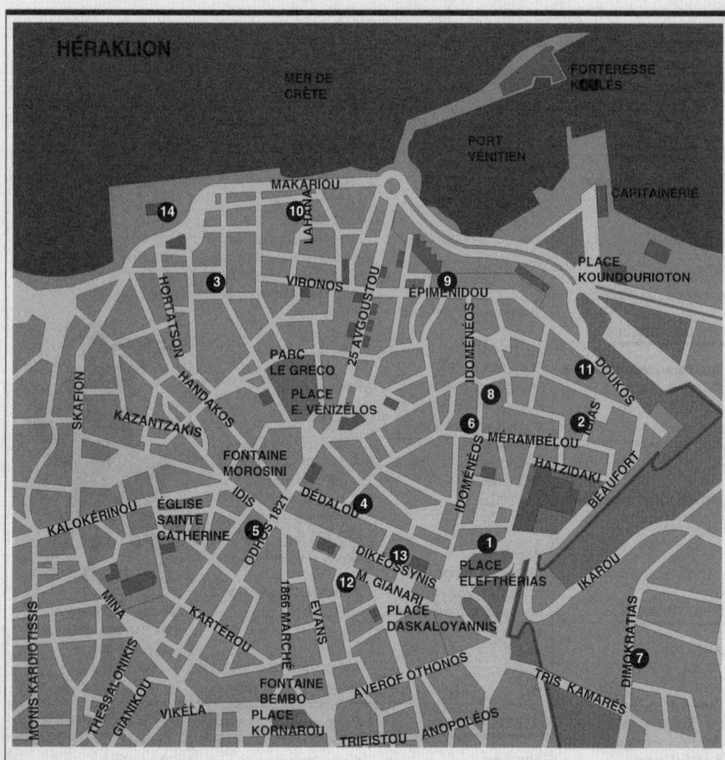

HILOTAS
Place de Panaghitsa, quartier Mastabas
Tél. (081) 25 72 53
Ouvert le soir.
Fermé le mer.
Cadre plaisant, cuisine de qualité, service prévenant, terrasse agréable.
30-80 F.
○

ITAR
16, rue Epiménidou
Tél. (081) 22 60 61
Ouvert le soir.
Au rez-de-chaussée d'un ancien palazzo vénitien. Orchestre de musique grecque.
60-90 F.
◑ ♫

KONAKI
À Kokkini Hani, environs d'Héraklion
Tél. (081) 761 229
Ouvert mar.-dim, fermé lun.
Cuisine internationale et spécialités grecques. Musique les jeu., ven., sam. et dim.
80-100 F.
♫

KYRIAKOS
53, av. Dimokratias
Tél. (081) 22 46 49
Ouvert le midi.
Fermé le mer.
Cuisine grecque classique mais soignée dans un cadre sobre. Agréable terrasse sur l'une des grandes artères de la ville
60-80 F.
◍ 🅲

LUCULLO
5, rue Koraïs
Tél. (081) 22 44 35
Ouvert 12 h 30-16 h 30 et 20 h-1 h.
Cadre agréable, jolie cour. Spécialités italiennes.
70-100 F.
☀

VANGHÉLIS
Kartéros
Tél. (081) 24 56 26
Une des meilleures tables de la périphérie d'Héraklion. Fortement recommandé.
75-100 F.
◑

VIA VENETO
Rue Epiménidou
Tél. (081) 28 54 30
Ouvert le soir.
Belle vue sur le port et la forteresse vénitienne. Piano-restaurant. Boîte de nuit.
90-100 F.
☀ ♫

TAVERNES

ANTIGONI
Avenue Knossou
Tél. (081) 23 02 70
Ouvert le midi, fermé dim.
Cuisine grecque familiale et copieuse. La gentillesse des patrons fait oublier l'exiguïté de la terrasse.
50-80 F.
◑ ○

GALÉRA
185, Léoforos Knossou
Tél. (081) 21 10 32
Restaurant de poissons.
50-70 F.

GORGONA
13, rue Viglas
Tél. (081) 28 95 16
Ouvert le sam. seulement.
Spécialités grecques, pikilia, *agréable jardin central.*
40-60 F.
◑ ○

HIPPOKAMBOS
Rue Sophias Vénizélou
Tél. (081) 28 02 40
Ouvert le midi.
Sans prétention, accueil sympathique, service rapide. Les propriétaires parlent français. Spécialités : fruits de mer et poissons.
40-80 F.

TERZAKIS
Place Haghiou Dimitriou
Tél. (081) 22 14 44
Ouvert le midi.
Assortiments de mézédés.
60-70 F.

TO STÉKI
Rue Viglas
Tél. (081) 22 54 00
Ouvert le soir.
Terrasse sous une treille, assortiment de spécialités grecques : pikilia.
40-60 F.

YAKOUMIS
8, rue Théodoraki
Tél. (081) 28 02 77
Dans une petite ruelle perpendiculaire à la rue du marché ; des côtelettes d'agneau succulentes.
50-70 F.

HÉBERGEMENT

AGAPI BEACH
Amoudara
Tél. 81 25 05 02
Ouvert d'avril à oct.
180 chambres, 100 bungalows, 12 suites. Bar, 2 piscines, snack, restaurant, café, taverne, discothèque, boutiques, 3 tennis, sports nautiques. Demi-pension obligatoire.
550-825 F.

AKTI ZEUS
Linopéramata
Tél. 81 82 15 03
Ouvert d'avril à oct.
380 chambres, 9 suites, toutes équipées, roof-garden, *air conditionné, bars, restaurants, discothèque, cafétéria, sports nautiques, tennis, golf miniature. Demi-pension obligatoire.*
700-800 F.

ASTORIA CAPSIS
5, place Eleftherias
Tél. (081) 22 90 12
Central, à deux pas du Musée archéologique. Roof-garden *avec piscine, bar-salon de thé très agréable donnant sur une rue piétonne.*
400-500 F.

ATLANTIS
2, rue Igias
Tél. (081) 22 91 03
Un des hôtels les plus luxueux d'Héraklion, avec piscine, tennis, billard, près du Musée archéologique. Bon restaurant, terrasse, galerie marchande, vue panoramique sur le port.
400-500 F.

ATRION
9, rue K. Paléologou
Tél. (081) 24 28 30
Ouvert toute l'année.
Moderne, calme, snack, salle TV, patio et jardin.
300-350 F.

DAIDALOS
15, rue Dédalou
Tél. (081) 24 48 12
Central, tout confort, bar, salle TV. La patronne parle français. Proche de la fontaine Morosini et des magasins.
180-230 F.

EL GRECO
4, rue 1821
Tél. (081) 28 10 71
Très central, proche de la station d'autobus pour Knossos.
180-200 F.

ESPÉRIA
22, rue Idoménéos
Tél. (081) 22 85 56
À deux pas du Musée archéologique, dans une petite rue calme. Bar, roof-garden, *chambres avec salle de bains.*
180-210 F.

GALAXY
67, av. Dimokratias
Tél. (081) 23 88 12
Ouvert toute l'année.
Moderne, bar, restaurant, cafétéria, sauna, jolie piscine, chambres agréables meublées avec goût.
550-600 F.

IRINI
4, rue Idoménéos
Tél. (081) 22 97 03
Chambres climatisées, terrasse avec vue sur le port. Calme.
320-380 F.

LATO
15, rue Épiménidou
Tél. (081) 22 81 03
Belle vue sur le port vénitien. Jardin en terrasse où l'on peut prendre un verre. Salle TV et bar.
260-310 F.

LENA HOTEL
10, Lahana
Tél. (081) 22 32 80
Petit hôtel familial, propre et calme. Petit déjeuner copieux.
110-130F.

MARIN
12, Doukos Beaufort
Tél. (081) 22 47 36
Tout près du port, vue sur la mer. Chambres avec douches ou salle de bains, ascenseur. Mobilier traditionnel.
220-260 F.

MEDITERRANEAN
Place Dikeossynis
Tél. (081) 28 93 31
Une adresse centrale, avec jardin en terrasse. De très jolies chambres, très bien décorées. Mais service très moyen.
280-350 F.

PÉTRA
55, rue Dikeossinis
Tél. (081) 22 99 12
Près de la place Eleftherias. Beaucoup de charme et une cour intérieure pour prendre son petit déjeuner. Chambres spacieuses.
280-315 F.

XÉNIA
2, rue Vénizélou
Tél. 81 28 40 00
A le double avantage d'être face au musée et à la mer. Grande salle de restaurant, bar, service impeccable. Très correct.
350-450 F.

HIÉRAPÉTRA

Indicatif tél. 0842

RESTAURANTS

ACROPOLIS
En face du port
Tél. (0842) 236 59
Ouvert 9 h-16 h, 18 h-23 h.
Fermé hors saison.
Beaucoup de touristes, mais terrasse très agréable. Spécialités : poulpe, souvlaki.
50-100 F.

EL GRECO
En bord de mer
Tél. (0842) 287 91
Ouvert 18 h-22 h.
Restaurant d'hôtel. Service stylé, bonne cuisine. Spécialité : poissons.
50-100 F.

GORGONA
En bord de mer
Ouvert 9 h-23 h.
Fermé hors saison.
Au milieu de nombreux autres restaurants du front de mer, celui-ci a préservé son authenticité. Spécialités : calamars, espadon.
50-100 F.

HÉBERGEMENT

CAMIROS
15, rue M. Kothri
Tél. (0842) 287 04
Dans un ancien immeuble bourgeois, de très belles parties communes, escaliers en marbre. Chambres un peu austères, accueil correct. Hôtel d'hommes d'affaires.
150-200 F.

PÉTRA MARE
Sur la plage
Tél. (0842) 233 419
Ouvert d'avril à oct.
Tennis, piscine, restaurant, discothèque, boutiques.
400-450 F.

VIE NOCTURNE

CHEZ VICTOR
Bord de mer
Tél. (0842) 255 16
Ouvert 08 h-03 h.
Bonne musique, ambiance jeune, bar à cocktails.

XANADU
Route de la plage
Tél. (0842) 262 80
Ouvert 22 h-04 h.
Fermé hors saison.
Grande discothèque très classique.

KALI LIMÉNÉS

Indicatif tél. 0892

RESTAURANT

KARAVO VRISSI BEACH
Route de Lentas
Tél. (0892) 422 02.
Ouvert de 8 h à 21 h.
Fermé hors saison.
Cuisine simple : salades, brochettes.
40-70F.

TAVERNA
Route de Lentas
Tél. (0892) 422 04.
Ouvert de 11 h à 22 h.
Fermé hors saison.
Vue magnifique

sur la baie. Spécialité : côtes d'agneau.
30-70F.

HÉBERGEMENT

KARAVOVRISSI BEACH
Sortie du village
Tél. (0892) 422 02
Ouvert d'avril à oct.
Petites chambres peintes en bleu. Douches à l'étage.
80-100F.

KASTÉLI KISSAMOS

Indicatif tél. 0822

SITE

Site de Polyrrhinia, à 7 km au sud-ouest

HÉBERGEMENT

KISSAMOS
Centre-ville
Tél. (0822) 220 86
Un petit hôtel récent.
Vue sur mer.
130-150F.

KATO ZAKROS

Indicatif tél. 0843

VIE CULTURELLE

PALAIS MINOEN
Ouvert lun. sam. 9 h-17 h, dim. et jours fériés 10 h-17 h.
À l'extrême est de l'île, au terme d'une route assez accidentée, dans un site superbe, le dernier des grands palais minoens à avoir été découvert.

RESTAURANT

ANÉSSIS
Tél. (0843) 933 74
Ouvert de 9 h à 23 h.
Fermé hors saison.
Accueil sympathique.
Spécialités : chaussons au fromage, rouget, espadon.
40-90F.

HÉBERGEMENT

POPY
Sur la plage
Tél. (0843) 933 77
Ouvert d'avril à oct.
Chambres à louer, fleuries, avec ou sans douches.
Vue imprenable.
120-160F.

POSÉIDON
Sur la plage.
15 chambres avec ou sans douches.
120-160F.

KNOSSOS

Indicatif tél. 081

VIE CULTURELLE

PALAIS MINOEN
Tél. 81 23 19 40
Ouvert lun. sam. 8 h-19 h, dim. 8 h-18 h, hors saison 8 h-17 h.

RESTAURANT

KHRIAZOMÉNOS
Avant l'aqueduc, sur la route d'Haghia Irini
Tél. (081) 23 19 15
Cuisine crétoise traditionnelle soignée.
30-60 F.

KOLIMPARI

Indicatif tél. 0824

HÉBERGEMENT

ARION
Sur la plage
Tél. (0824) 229 42
Petit hôtel confortable, belle piscine, restaurant.
Demi-pension obligatoire.
280-330 F.

KRITSA

Indicatif tél. 0841

VIE CULTURELLE

ÉGLISE PANAGHIA KÉRA
2 km avant Kritsa
Ouvert lun. sam. 8 h 30-15 h, dim. 8 h 30-14 h.

EMPLETTES

Petit village réputé pour la qualité de ses tissages.

RESTAURANT

CASTELLO
Grande place du village
Tél. (0841) 512 54
Ouvert 11 h-16 h, 19 h-22 h.
Fermé hors saison.
Au milieu des échoppes touristiques, ce restaurant constitue une halte sympathique.
Spécialités : salade grecque, souvlaki.
50-70 F.

HÉBERGEMENT

ARGYRO
Entrée du village
Tél. (0841) 516 13.
Fermé hors saison.
6 chambres bien tenues.
50-100F.

LENTAS

Indicatif tél. 0892

HÉBERGEMENT

BUNGALOWS LENTAS
Tél. (0892) 222 72
Fermé de nov. à mars.
Une vingtaine de bungalows non loin de la mer, un peu à l'écart du centre, joliment décorés, avec douches et W.C.
110-190 F.

ROOMS FOR RENT
Route de Kali Liménés.
Tél. (0892) 422 04
Fermé de nov. à mars.
Sur une route cahoteuse, une halte originale pour goûter au calme absolu.
8 bungalows avec douche à l'extérieur.
Superbe vue sur la mer.
80-100 F.

MALIA

Indicatif tél. 0897

VIE CULTURELLE

PALAIS MINOEN
Tél. (0897) 244 62
Ouvert lun. sam. 9 h-15 h, dim. et jours fériés 9 h 30-14 h 30.

RESTAURANT

CORALI
Bord de mer
Ouvert 9 h-23 h.
Fermé hors saison.
Un des nombreux restaurants de la plage très animée. Cuisine correcte. Spécialités grecques.
50-100 F.

HÉBERGEMENT

ALEXANDER BEACH
Sur la plage
Tél. (0897) 321 24
Ouvert de mars à oct.
200 chambres, restaurant, taverne, bars, piscine, sauna, 3 tennis, sports nautiques.
250-400 F.

GRÉCOTEL MALIA PARK
Sur la plage.
Tél. (0897) 314 60
Ouvert de mars à nov.
180 chambres, bar, restaurant, piscine, sports nautiques, tennis.
350-650 F.

IKAROS VILLAGE
Sur la plage
Tél. (0897) 312 67/9.
Ouvert de mars à oct.
Bungalows. Beaux jardins. Sauna, restaurant, taverne, 3 tennis.
300-450 F.

KERNOS BEACH
Sur la plage
Tél. (0897) 314 21/5
Ouvert d'avril à oct.
280 chambres, 3 bars, restaurant, taverne, golf miniature, 2 tennis, 2 piscines, nursery, boutiques. Demie-pension obligatoire, chambres avec vue sur mer.
530-780 F.

SIRINES BEACH
Sur la plage
Tél. (0897) 313 21
Ouvert d'avril à nov.
Bar, tennis, 2 piscines, boîte de nuit, restaurant.
750-850 F.

MATALA

Indicatif tél. 0892

RESTAURANT

TA KYMATA
Tél. (0892) 423 61
Ouvert 11 h-23 h.
Fermé hors saison.
Restaurant sur la plage, très bonne cuisine, poisson frais, bon accueil. Service rapide et chaleureux. Spécialités : rouget, poulpe, calamar.
60-100 F.

ZAFIRIA
Tél. (0892) 427 47
Ouvert 11 h-23 h.
Fermé hors saison.
En bord de mer, taverne de l'hôtel du même nom. Accueil sympathique, beaucoup de touristes. Spécialités : rouget, sole.
50-90 F.

ZEUS BEACH
Tél. (0892) 427 30
Ouvert 9 h-22 h.
Fermé hors saison.
Patron sympathique. Le plus près des grottes. Spécialités : rouget, sole, espadon.
40-80 F.

HÉBERGEMENT

ZAFIRIA
Tél. (0892) 421 12
Fermé de nov à mars.
Service attentionné pour ce grand hôtel possédant une taverne sur la plage, un bar, une salle de petit déjeuner. Chambres lumineuses.
120-180 F.

MOCHLOS

Indicatif tél. 0843

VIE CULTURELLE

L'îlot qui ferme la crique est un site archéologique ; accessible à la nage ; il faut cependant faire attention, dans le chenal, aux courants assez dangereux.

HÉBERGEMENT

ALDIANA CLUB
En dehors du village
Tél. (0843) 942 11
Ouvert d'avril à oct.
Restaurant, piscine, bar, discothèque, sports nautiques, tennis. 35 chambres et 100 bungalows. Pension complète obligatoire.
300-400 F.

ARÉTOUSA
Sur le port
Tél. (0843) 944 26
Fermé d'oct. à mars.
Patron très aimable, parlant anglais. Pension possédant une petite taverne où l'on peut goûter une vraie cuisine familiale.
100-120 F.

ERMIS
Sur le port
Tél. (0843) 940 74
Fermé d'oct. à mars.
Petite pension de 8 chambres tenue par un ancien pêcheur. Très économique, douches à l'extérieur. Calme assuré.
80-100 F.

MELTÉMI
À l'entrée du village
Tél. (0843) 944 32
Fermé de nov. à avril.
Des appartements neufs, tout confort, surplombant le village et le port. Très fleuris. S'adresser à la taverne Sea Shell.
150-180 F.

RESTAURANTS

THE SEA SHELL
Tél. (0843) 944 32
Ouvert 9 h-22 h.
Fermé hors saison.
Une très jolie terrasse sous une tonnelle, avec vue sur le petit port et les bateaux des pêcheurs. Service agréable et souriant. Spécialité : poissons.
40-100 F.

MONI ARKADI

VIE CULTURELLE

MONASTÈRE ET MUSÉE
Ouvert 8 h-13 h, 14 h-19 h (en été).

MONI PRÉVÉLI

VIE CULTURELLE

MONASTÈRE
Ouvert 8 h-13 h, 17 h-20 h.

MONT IDA

VIE CULTURELLE

GROTTE DE ZEUS
Ouvert 10 h-17h.

MYRTOS

Indicatif tél. 0842

HÉBERGEMENT

ESPERIDES
Sur la grande route à l'extérieur du village
Tél. (0842) 512 98
Fermé de nov. à mars.
Un hôtel touristique, au bord de la route, avec piscine, bar et terrasse.
160-200 F.

1. Léo
2. Palazzo Rimondi
3. Réthymnon House

MERTIZA STUDIOS
À l'entrée du village
Tél. (0842) 512 08
Fermé de nov. à mars.
Un très bel ensemble de bungalows tous neufs, très bien équipés. Patron adorable. Excellent rapport qualité-prix.
120-160 F.

VILLA MARE
Tél. (0842) 512 74
Fermé de nov. à mars.
Une très jolie maison blanche, fleurie, et très bien tenue. Vue sur la mer.
110-180 F.

PALÉOCHORA (SÉLINO)

Indicatif tél. 0823

HÉBERGEMENT

LE MALI
Près de la mer
Tél. (0823) 411 44
Fermé de nov. à mars.
Tout confort et service agréable, avec vue sur la mer.
150-200F.

PALÉOKASTRO

Indicatif tél. 0843

VIE CULTURELLE

À 19 km de Sitia, un site archéologique captivant. Près de la mer, à Roussolakkos, au milieu des oliviers. Les fouilles continuent encore aujourd'hui. Plus loin, vestiges d'un four minoen.

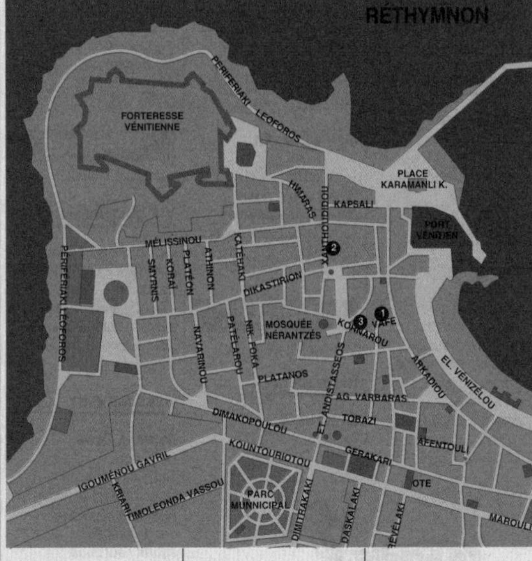

Sur le sommet de la colline de Petsofas se trouve un sanctuaire.

HÉBERGEMENT

MARINA VILLAGE
Route de la plage
Tél. (0843) 612 84
Fermé de nov. à mars.
Une ancienne maison de campagne rénovée, fleurie, avec piscine pour enfants, grand jardin. Chambres correctes.
200-280 F.

RESTAURANT

ANÉSSIS
Route de la plage
Tél. (0843) 614 79
Ouvert 11 h-16 h, 18 h-22 h
Fermé hors saison.
Cuisine familiale pour un prix modique dans ce restaurant un peu à l'écart de la ville. Nourriture simple mais bonne.
40-70 F.

PANORMOS

Indicatif tél. 0834

RESTAURANTS

CAVOS
Sur le port
Tél. (0834) 610 54
Ouvert 11 h-23 h.
Fermé hors saison.
Une taverne avec terrasse, sans prétention. Spécialité : poissons.
40-80 F.

MOURAGIO
Sur le port.
Tél. (0834) 512 97
Ouvert 11 h-23 h.
Fermé hors saison.
Taverne avec terrasse. Spécialité : poissons frais.
40-80 F.

PHAISTOS

Indicatif tél. 0892

VIE CULTURELLE

PALAIS MINOEN
Tél 89 29 13 15
Ouvert lun. sam. 8 h-19 h, dim. 8 h-18 h.

HÉBERGEMENT

YANNIS
Route de Matala
Tél. (0892) 914 94
Accueil charmant. Les chambres sont à l'écart, dans le jardin. Vue sur le site de Phaistos. Douches à l'extérieur.
95-120 F.

RESTAURANTS

YANNIS
Route de Matala
Tél (0892) 315 60
Ouvert 11 h-22 h.
Cuisine familiale, terrasse donnant sur le jardin. Légumes frais, patron adorable. Calme. Spécialité : lapin.
50-90 F.

RÉTHYMNON

Indicatif tél. 0831

VIE PRATIQUE

BUREAU DE POSTE
19, rue Moatsou
Taxis : principales stations près de la jetée et sur la place du jardin municipal.

OFFICE DE TOURISME
Sur la plage,
rue Elefthérios Vénizélou
Tél. (0831) 291 48

VIE CULTURELLE

FORTERESSE VÉNITIENNE
Ouvert 9 h-16 h 30.

MUSÉE ARCHÉOLOGIQUE
Ancienne prison, face à la forteresse.
Ouvert lun. -sam. 8 h 45- 15 h, dim. 9 h 30-14 h 30.
Fermé mar. et jours fériés.

MUSÉE HISTORIQUE
28, rue Messolonghiou
Ouvert mar. au dim. 9 h-13 h, 19 h-21 h.
Fermé lundi.

HÉBERGEMENT

ADÉLÉ MARE
Ancienne route d'Héraklion
Tél. (0831) 718 03
Ouvert mars à nov.
60 bungalows et 50 chambres, bars, restaurant, piscine, tennis, garderie.
400-620 F.

CRÉTA STAR A ET CRÉTA ROYAL LUXE
Ancienne route d'Héraklion
Tél. (0831) 718 12
Ouvert d'avril à oct.
320 chambres, bars, taverne, discothèque, piscine intérieure, sauna, gymnase, cinéma, garderie.
350-550 F.

EL GRECO
Ancienne route d'Héraklion
Tél. (0831) 712 01
Ouvert d'avril à oct.
320 chambres, bars, self, restaurant, café, piscine, sports nautiques, 3 tennis, golf miniature, garderie.
250-650 F.

LÉO
2, rue Vafe
Près du musée
Tél. (0831) 261 97
Toujours dans la vieille ville, dans une rue minuscule, un petit hôtel tout boisé, richement décoré. Accueil jeune et sympathique, mais peu de chambres.
140 -160 F.

PALAZZO RIMONDI
21, rue Xanthoudidou
Tél. (0831) 512 89
Un hôtel de grand luxe à prix pourtant abordable. Décor superbe, fontaine dans la cour intérieure, très beau bar. Suites, toutes exquises. À ne pas manquer.
200-400 F.

RÉTHIMNO HOUSE
1, rue Kornarou
Tél. (0831) 239 23
Dans une petite ruelle de la vieille ville, une pension au style anglais, tenue par une dame très attentionnée. Un peu vieillot.
120-130 F.

RITHIMNA
Ancienne route d'Héraklion
Tél. (0831) 294 91
Ouvert de mars à nov.
Bungalows et chambres, 4 bars, self, restaurant, café, grande piscine, 5 tennis couverts, sports nautiques, fitness club, *garderie.*
300-600 F.

RESTAURANTS

ALANA
11, rue Salaminos
Tél. (0831) 277 37
Ouvert 11 h-16 h, 18 h-23 h.
Fermé jours fériés.
Dans la vieille ville, une taverne typique et accueillante. Cadre agréable et menu de qualité. Spécialité : poissons.
50-100 F.

AVLI
22, rue Xanthoudidou
Radamanthyos
Tél. (0831) 292 57
Ouvert 11 h-15 h, 19 h-23 h.
Sûrement le plus beau restaurant de la ville. Dans une cour adorable, fleurie, très bien décorée. Le service est impeccable. Grande cuisine, carte variée. Le grand luxe. Spécialités : homard, langouste.
150-250 F.

CHEZ VASSILIS
Port vénitien
Tél. (0831) 229 67
Ouvert toute l'année.
Spécialité : poissons et fruits de mer.
100-150 F.

PETRINO
Rue Salaminos
Tél. (0831) 264 10
Ouvert 11 h-15 h, 18 h-23 h.
Derrière la fontaine Rimondi, un restaurant très bien décoré, lumières tamisées, cuisine parfaite. Spécialité : fruits de mer.
50-130 F.

TAVERNE «PARADISSOS» (CHEZ GAVALAS)
Platanias
Taverne familiale. Patron truculent. Excellentes boulettes de viande.
50-100 F.

SITIA

Indicatif tél. 0843

VIE CULTURELLE

MUSÉE ARCHÉOLOGIQUE
Route de Hiérapétra
Ouvert lun. ven. 8 h-15 h, sam. dim. 9 h-14 h 30.

HÉBERGEMENT

ÉLYSÉE
Sur la plage
14, rue K. Karamanli
Tél. (0843) 234 27
Chambres spacieuses, confortables, salle de bains élégantes.
180 -210 F.

HELIO-CLUB SITIA BEACH
Sur la plage
Tél. (0843) 288 21
Ouvert d'avril à oct.
150 chambres, bars, 2 piscines, discothèque, théâtre, restaurant.
300-500 F.

MARÉSOL
Haghia-Fotia
Tél. (0843) 289 50
26 bungalows, bar, restaurant, taverne, piscine, tennis, volley, ski nautique, club nautique.
300-500 F.

VAI
Rue du 4 Septembre
Tél. (0843) 222 88
Immeuble récent, dans le centre-ville. 44 chambres spacieuses avec salle de bains.
140-200 F.

RESTAURANT

ÉLYSÉE
14, rue K. Karamanli
Tél. (0843) 223 12
Ouvert 11 h-16 h, 18 h-22 h.
Restaurant avec une grande terrasse. Bonne cuisine et agréable. Spécialités : calamars, rouget.
40-80 F.

VARVARI (MYRTIA)

Indicatif tél. 081

VIE CULTURELLE

MUSÉE N. KAZANTZAKI
Tél. (081) 74 24 51
Ouvert lun. mer. sam. dim. 9 h-13 h, 16 h-20 h, mar. ven. 9 h-13 h, fermé le jeudi.
Le musée est fermé d'octobre à mars.

VORI

Indicatif tél. 0892

VIE CULTURELLE

MUSÉE ETHNOLOGIQUE
Ouvert 10 h-18 h (en saison).

ANNEXES

◆ Mythologie ◆

◆ BONNARD (A.) : *Les Dieux de la Grèce*, Aire, Paris, 1990.
◆ CALAME (C.) : *Thésée et l'imaginaire athénien*, Payot, Paris, 1990.
◆ DESAUTELS (J.) : *Dieux et mythes de la Grèce ancienne*, Presse U. Laval, 1989.
◆ FRONTISI-DUCROUX (F.) : *Dédale : Mythologie de l'artisan en Grèce ancienne*, La Découverte, Paris, 1975.
◆ GRIMAL (P.) : *Dictionnaire de la mythologie grecque et romaine*, Presses Universitaires de France, Paris, 1990.
◆ NILSON (M.-G.) : *Les Croyances religieuses de la Grèce antique*, Monfort G., Paris, 1984.
◆ PINSENT (J.) : *Dieux et déesses de l'Olympe*, Laffont, Paris, 1988.
◆ SCHMIDT (N.) : *Dictionnaire de la mythologie grecque et romaine*, Larousse, Paris, 1991.

◆ Philosophie ◆

◆ ARISTOTE : *Poétique*, Le Livre de Poche classique, Paris, 1990. *Rhétorique des passions*, Rivages, Paris, 1989.
◆ CHATELET (F.) : *Histoire de la philosophie, 01 La Philosophie païenne du VIe siècle av. J.-C. au IIIe siècle ap. J.-C.*, Hachette, Paris, 1972.
◆ PLATON : *Œuvres*, Garnier, Paris, 1939.
◆ VERNANT (J.-P.) : *Les Origines de la pensée grecque*, Presses Universitaires de France, Paris, 1990.

◆ Religion ◆

◆ BRUIT-ZAIDMAN (L.), SCHMITT-PANTEL (P.) : *La Religion grecque*, Armand Colin, Paris, 1989.
◆ GERNET (L.) : *Le Génie grec dans la religion*, Albin Michel, Paris, 1970.
◆ ROBERT (F.) : *La Religion grecque*, Presses Universitaires de France, Paris, 1984.
◆ TIMIADIS (E.) : *Le Monachisme orthodoxe*, Buchet/Chastel, Paris, 1981.
◆ VERNANT (J.-P.) : *Mythe et religion en Grèce ancienne*, La Découverte, Paris, 1974.

◆ Traditions ◆

◆ BAUD-BOVY (S.) : *Chansons populaires de la Crète occidentale*, Minkoff, Paris, 1972.
◆ PAPAMANOLI-GUEST (A.) : *Grèce : fêtes et rites*, Denoël, Paris, 1991.

Histoire ◆ ancienne ◆

◆ *Atlas du monde grec*, Nathan, Paris, 1982.
◆ BRANIGAN (K.), VICKERS (M.) : *La Grèce antique*, Armand Colin, Paris, 1981.
◆ FAURE (P.) : *Ulysse le Crétois*, Fayard, Paris, 1980.
◆ MATTON (R.) : *La Crète au cours des siècles*, Institut Français d'Athènes, Athènes, 1957. *La Crète antique*, Institut Français d'Athènes, Athènes, 1960.
◆ MATZ (FR.) : *La Crète et la Grèce primitive*, Paris, 1962.
◆ PLATON (N.), ALEXIOU (S.), GUANELLA (H.) : *La Crète antique*, Hachette, Paris, 1968.

Histoire ◆ moderne ◆

◆ BALLOT (J.) : *Histoire de l'insurrection crétoise*, Paris, 1868.
◆ BERARD (V.) : *Les Affaires de Crète*, Armand Colin, Paris, 1889.
◆ MABIRE (J.) : *Tombeau des paras allemands : Crète 1941*, Presses de la Cité, Paris, 1982.
◆ MALAMUT (E.) : *Les Îles de l'Empire byzantin (VIIIe-XIIe siècle)*, publication de la Sorbonne, Paris, 1988.
◆ PRÉVÉLAKIS (P.) : *Crète infortunée : chronique du soulèvement crétois de 1866 à 1869*, Les Belles Lettres, Paris, 1976.
◆ ROMILLY (J. DE) : *Problèmes de la démocratie grecque*, Presses-Pocket, Paris, 1986.
◆ SPENCER (J. H.) : *La Bataille de Crète*, Presses de la Cité, Paris, 1963.
◆ Tulard (J.) : *Histoire de la Crète*, Presses Universitaires de France, «Que sais-je ?», Paris, 1969.

◆ Civilisation ◆

◆ BOULANGER (N.) et SANDRIN (P.) : *L'Antiquité dévoilée par ses usages*, Les Belles Lettres, Paris, 1979.
◆ BROWN (P.) : *La Société et le Sacré dans l'Antiquité*, Seuil, Paris, 1985.
◆ CHAMOUX (F.) : *La Civilisation grecque à l'époque archaïque et classique*, Arthaud, Paris, 1963. *La Civilisation hellénistique*, Arthaud, Paris, 1985.
◆ COGNE (C.) : *Grèce*, Éditions Autrement, série Monde n° 39, Paris, 1989.
◆ DELVOYE (C.), ROUX (G.) : *La Civilisation grecque de l'Antiquité à nos jours*, Renaissance du livre, Paris, 1969.
◆ FAURE (P.) : La *Vie quotidienne en Crète au temps de Minos*, Hachette littérature, Paris, 1973.
◆ MASTORAKIS (M.), VAN EFFENTERRE (M.) : *Les Minoens, l'âge d'or de la Crète*, Armand Colin, Paris.
◆ OZANNE (I.) : *Les Mycéniens, pillards, paysans et poètes*, Armand Colin, Paris, 1990.
◆ PLATON (N.) : *La Civilisation égéenne*, Albin Michel, Paris, 1980.
◆ Van EFFENTERRE (H.) : *Les Égéens : aux origines de la Grèce : Chypre, Cyclades, Crète et Mycènes*, Armand Colin, Paris, 1966.
◆ VERNANT (J.-P.) : *Mythe et pensée chez les Grecs : études de psychologie historique*, La Découverte, Paris, 1988. *Mythe et société en Grèce ancienne*, La Découverte, Paris, 1974.

◆ Guides ◆

◆ *Le Grand Guide des îles grecques*, Gallimard, Paris, 1991.
◆ GUANELLA (H.) : *Lassithi : paysage, peuple, histoire*, Efstathiadis, Athènes, 1983. *Réthymnon*, Efstathiadis, Athènes, 1983.
◆ HAMON (H.) : *La Crète*, Seuil, «Points-Planète», Paris, 1989.
◆ HOPKINS (A.) : *Voyage en Crète*, Arthaud, «Voyages», Paris, 1991.
◆ KARPODINI-DIMITRIADI (E.) : *Les Îles grecques : un guide illustré de toutes les îles grecques*, Errance, Athènes, 1989.
◆ MICHAILIDOU (A.) : *Cnossos*, Errance, Athènes, 1989.
◆ STUART : *La Crète*, Efstathiadis, «Guide voyage», Athènes, 1981.
◆ TIRÉ (C.), VAN EFFENTERRE (H.) : *Guide des fouilles françaises en Crète*, Paris, 1966.
◆ VERNAY (P.) : *50 randonnées en Crète*, Astrolabe, Paris, 1986.

◆ ARTS ◆

◆ *Les Palais de Crète*, Atlas, Paris, 1983.
◆ BOARDMAN (J.) : *L'Art grec*, Thames & Hudson, 1989.
◆ BRUNEAU (P.) : *La Mosaïque antique*, Presse universitaire Paris-Sorbonne, 1987.
◆ CHARBONNEAUX (J.), MARTIN (R.) : *Grèce classique*, Gallimard, «L'Univers des formes», Paris, 1983.
◆ DEMARGNE (P.) : *Naissance de l'Art grec*, Gallimard, «L'Univers des formes», Paris, 1985.
◆ DUCELIER (A.) : *Les Byzantins. Histoire et culture*, Seuil, «Points Histoire», Paris, 1988.
◆ EMBERICOS (E.) : *L'École crétoise*, 1967.
◆ GUANELLA (H.) : *La Crète*, La Bibliothèque des Arts, Paris, 1983.
◆ GINOUVES (R.) : *L'Art grec*, Presses Universitaires de France, Paris, 1989.
◆ MAFFRE (J.-J.) : *L'Art grec*, Flammarion, «La Grammaire des styles», Paris, 1984.
◆ METZGER (A. et H.), SICRE (J.-P.) : *La Beauté nue : quinze siècles de peinture grecque*, Phébus, 1984.
◆ MICHÉLIS (P.-A.): *Esthétique de l'art byzantin*, Flammarion, Paris, 1959.
◆ PAPAOIANNOU (K.) : *L'Art grec : les sites archéologiques de la Grèce et de la Grande Grèce*, Citadelles, 1972.
◆ PAPAOIANNOU (K.) : *La Civilisation et l'Art de la Grèce ancienne*, LGF, Biblio Essais, 1990.
◆ RAVAISSON (F.) : *L'Art et les Mystères grecs : entretien avec Alain Pasquier*, L'Herne, 1985.
◆ ROLLEY (C.) : *Les Bronzes grecs*, Office du Livre, 1983.
◆ TOUCHEFEU-MEYNIER (O.) : *Thèmes odysséens dans l'art antique*, E. de Boccard, 1968.
◆ ZERVOS (C.) : *L'Art de la Crète néolithique et minoenne*, Paris, 1956.

◆ MUSÉES ◆

◆ ANDRONICOS (M.), Chatzidakis (M.), Karageorgis (V.) : *Le Musée d'Hérakleion*, Ekdotiki, Athènes, 1985.
Les Merveilles des Musées grecs, Errance, Athènes, 1989.

LITTÉRATURE ◆ ANCIENNE ◆

◆ *Anthologie grecque*, 8 volumes, Les Belles Lettres, Paris.
◆ ARISTOPHANE : *Théâtre complet*, Garnier-Flammarion, Paris, 1990.
◆ ESCHYLE : *Théâtre complet*, Garnier-Flammarion, Paris, 1964.
◆ EURIPIDE : *Iphigénie à Aulis, Médée, Andromaque*, Garnier-Flammarion, Paris, 1965.
◆ FLACELIÈRE (R.) : *Histoire littéraire de la Grèce*, Les Belles Lettres, Paris, 1983.
◆ HOMÈRE : *L'Iliade et l'Odyssée*, Garnier, Paris, 1988.
◆ SAPHO : *Poèmes et fragments*, L'Âge d'Homme, Paris, 1991.
◆ SOPHOCLE : *Antigone, Œdipe Roi, Électre*, Garnier-Flammarion, Paris, 1964.
◆ VERNANT (J.-P.), VIDAL-NAQUET (P.) : *Mythe et tragédie en Grèce ancienne*, La Découverte, Paris, 1986.
◆ XÉNOPHON : *Œuvres complètes*, Flammarion, Paris, 1967.

LITTÉRATURE ◆ MODERNE ◆

◆ ATHANASSIADIS (N.) : *Au-delà de l'humain*, Albin Michel, Paris, 1965.
Une jeune fille nue, Albin Michel, Paris, 1989.
◆ CAVAFY (C.) : *À la lumière du jour*, Fata Morgana, 1990.
Poèmes anciens et retrouvés, Seghers, 1979.
◆ DURRELL (L.) : *Cefalu*, Buchet/Chastel, Paris, 1961.
Les Îles grecques, Albin Michel, Paris.
Vénus et la mer, Buchet/Chastel, Paris, 1962.
◆ ELYTIS (O.) : *Axion Esti*, Gallimard, Paris, 1987.
Marie des Brumes, La Découverte, Paris, 1982.
◆ FAKINOS (A.) : *L'Aïeul*, Seuil, Paris, 1985.
Les Enfants d'Ulysse, Seuil, Paris, 1989.
FRANGIAS (A.) : *L'Épidémie*, Gallimard, Paris, 1979.
◆ KAZANTZAKI (N.) : *Alexis Zorba*, Éditions du Chêne, Paris, 1947.
Le Christ recrucifié, Plon, Paris, 1955.
Bilan d'une vie : Lettre au Greco, Plon, Paris, 1961.
La Liberté ou la mort, Presses-Pocket, Paris, 1987.
◆ MILLER (H.) : *Le Colosse de Maroussi*, Le Livre de poche, Paris, 1983.
◆ PRÉVÉLAKIS (P.) : *Chronique d'une cité*, Gallimard, Paris, 1960.
Le Crétois, Gallimard, Paris, 1962.
Le Compte à rebours, Les Belles Lettres, Paris, 1984.
Poèmes 1933-1940, Les Belles Lettres, Paris, 1987.
◆ RITSOS (Y.) : *Erotica*, Gallimard, Paris, 1984.
La Maison morte et autres poèmes, La Découverte, Paris, 1987.
◆ SEFERIS (G.) : *Poèmes, 1933-1955*, Mercure de France, Paris, 1985.
◆ Taktsis (C.) : *La Petite Monnaie*, Gallimard, Paris, 1988.
Le Troisième Anneau, Gallimard, Paris, 1981.
◆ TSIRKAS (S.) : *Cités à la dérive*, Seuil, «Points Roman», Paris, 1982.
Printemps perdu, Seuil, Paris, 1982.
◆ VASSILIKOS (V.) : *L'Eau de Kos*, Gallimard, Paris, 1980.
Le Fusil-harpon (nouvelles), Gallimard, Paris, 1973.
Rêves diurnes (nouvelles), Gallimard, Paris, 1988.
Z, Gallimard, Paris, 1972.
◆ VENEZIS (I.) : *Terre éolienne*, Gallimard, Paris, 1947.
◆ VITTI (M.) : *Histoire de la littérature grecque moderne*, Hatier, Paris, 1990.
◆ YOURCENAR (M.) : *La Couronne et la Lyre*, Gallimard, Paris, 1979.

RÉCITS, ◆ ESSAIS ◆

◆ DURRELL (L.) : *Les Îles grecques*, Albin Michel, Paris, 1979.
◆ EMBIRICOS (A.) : *La Renaissance crétoise*, Les Belles Lettres, Paris, 1960.
◆ GERMAIN (G.) : *Homère*, Seuil, «Écrivains de toujours», Paris, 1958.
◆ JANIAUD-LUST (C.) : *Nikos Kazantzaki, sa vie, son œuvre, 1883-1957*, Maspero, Paris, 1970.
◆ KAZANTZAKI (É.) : *Le Dissident*, Plon, Paris, 1968.
◆ LACARRIÈRE (J.) : *L'Été grec*, Plon, Paris, 1976.
◆ LACARRIÈRE (J.) : *En cheminant avec Hérodote : voyage aux extrémités de la terre*, Seghers, Paris, 1991.
◆ PITTON DE TOURNEFORT (J.) : *Voyage d'un botaniste : 1. L'Archipel grec*, La Découverte, Paris, 1985.
◆ SIPRIOT (P.) : *Entretiens avec Niko Kazantzaki*, ÉD. DU Rocher, «Alphée», Monaco, 1990.

◆ A ◆

◆ ABSIDE : espace de plan polygonal ou en arc de cercle, s'ouvrant sur un vaisseau, généralement à l'extrémité est de l'église.

◆ ACROPOLE : lieu élevé, colline ou rocher, qu'occupaient les plus importants édifices publics de la cité grecque, protégés par des fortifications.

◆ ACROTÈRE : amortissement composé d'un socle et d'un motif ornemental, au faîte du fronton.

◆ ADORANT : statuette de terre cuite, d'ivoire ou de bronze représentant homme ou femme dans une attitude de révérence.

◆ AGORA : place publique où se réunissent les citoyens.

◆ AMPHIPROSTYLE (TEMPLE) : temple où seules les façades antérieure et postérieure sont pourvues de portiques à colonnes.

◆ AMPHITHÉÂTRE : édifice à gradins, circulaire ou ovale, où avaient lieu les combats de gladiateurs ou d'animaux.

◆ AMPHORE : nom générique des vases à anses servant à conserver et à transporter les liquides.

◆ APPAREIL : taille et forme des éléments constitutifs d'un mur. À partir des XIe et XIIe siècles, l'appareil des églises grecques est constitué d'un décor alterné de briques et de moellons.

◆ ARC : courbe d'une voûte, en demi-cercle (plein cintre) ou brisée.

◆ ARCHITRAVE : partie inférieure de l'entablement, reposant sur les colonnes.

◆ ARCHIVOLTE : moulure le long de la voussure d'une arcade ou d'un portail.

◆ ATLANTE : statue d'homme remplaçant une colonne dans le soutien d'un élément d'architecture.

◆ ATRIUM : cour d'entrée d'un édifice antique ou d'une église paléochrétienne.

◆ AUTEL MINOEN : présentoir sacré de taille modeste, quadrangulaire, à flancs concaves.

◆ B ◆

◆ BAS-CÔTÉ : nef parallèle et latérale à la nef centrale.

◆ BASILIQUE : premier modèle des églises chrétiennes, à une ou plusieurs nefs.

◆ BERCEAU : voûte dont l'arc est en plein cintre.

◆ C ◆

◆ CAVEA : partie des gradins d'un théâtre antique où prenaient place les spectateurs.

◆ CHAPITEAU : partie supérieure de la colonne, couronnant le fût.

◆ CINTRE : courbe en demi-cercle d'une voûte ou d'un arc.

◆ CIRQUE : édifice à gradins où se déroulaient les courses de chars ; son plan est un rectangle fermé aux extrémités par deux demi-cercles où s'élèvent les oppidums.

◆ CHŒUR : espace délimité par une clôture et réservé aux officiants ; comprend généralement l'autel.

◆ COLLATÉRAUX : vaisseaux latéraux (bas-côtés) d'une église.

◆ CONCILE : assemblée des évêques qui établissent les textes et décrets sur des questions de doctrine et de discipline ecclésiastique. Le concile est dit œcuménique lorsque tous les évêques y sont représentés.

◆ CORDONS DE DENTS DE SCIE : corps de moulures découpés en dents de scie et décorant généralement le pourtour des fenêtres des églises byzantines.

◆ CORINTHIEN (ORDRE) : la base de la colonne comporte une plinthe, un tore, deux scoties entre filets séparées par deux baguettes couplées, et un tore ; le fût est cannelé ; le chapiteau est formé d'une corbeille feuillagée, généralement de feuilles d'acanthes, un abaque (ou tailloir) à cornes ; entre les tiges terminées en volutes (les crosses) monte une tige portant une fleur au centre de l'abaque.

◆ COUPOLE : couronnant un espace carré, elle est montée sur des pendentifs ou trompes d'angle, appuyés sur des piliers ou des colonnes.

◆ CROISÉE : intersection du transept et de la nef.

◆ D ◆

◆ DÉAMBULATOIRE : galerie entourant le chœur.

◆ DESPOTE : gouverneur d'une province de l'Empire byzantin.

◆ DIAZOMA : dans un théâtre antique, promenoir à mi-hauteur ou au sommet des gradins.

◆ DODÉCAORTON : cycles d'icônes correspondant aux danses, fêtes principales de l'année liturgique byzantine.

◆ DORIQUE : la colonne est dépourvue de base ; le fut est cannelé ; le chapiteau séparé du fut par un ou plusieurs anglets est formé d'un gorgerin, une échine, un abaque (ou tailloir) ; un filet, une baguette ou trois filets séparent le gorgerin de l'échine qui est un demi-cœur ou un chanfrein.

◆ E ◆

◆ ENCORBELLEMENT : partie en surplomb d'un édifice.

◆ ENTABLEMENT : partie composée de l'architrave et de la frise, entre le fronton et les colonnes.

◆ EXÈDRE : demi-rotonde garnie de bancs.

◆ EXTRADOS : surface extérieure d'une voûte ou d'une coupole.

◆ F ◆

◆ FRESQUE : technique de peinture murale exécutée avec des pigments d'origine minérale dilués à l'eau sur un mortier frais composé de sable et de chaux.

◆ FRISE : entre le fronton et l'architrave de l'entablement, bande horizontale où s'alternent métope et triglyphe.

◆ FRONTON : couronnement triangulaire composé d'un tympan encadré d'une corniche.

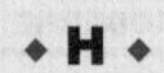

◆ H ◆

◆ HERMÉNIES : guide, manuel d'iconographie employé par les peintres d'icônes et d'église dans la chrétienté orientale.

◆ HIGOUMÈNE : supérieur d'un monastère orthodoxe.

◆ HYPOSTYLE : salle soutenue par des colonnes.

◆ I ◆

◆ ICÔNE: image vénérée dans la religion orthodoxe, peinte sur bois, ivoire, métal, etc.

◆ ICONOSTASE : cloison séparant la nef du sanctuaire proprement dit, généralement décorée de peintures murales et/ou d'icônes.

◆ IONIQUE : la base de la colonne comporte une plinthe, deux scoties séparées par deux baguettes, et un tore ; le fût est cannelé ; le chapiteau se compose d'une échine, de volutes, d'un abaque (ou tailloir) ; l'échine est généralement décorée d'oves, l'espace entre les volutes peut être orné de festons ; l'abaque porte alors souvent une fleur au centre.

◆ K ◆

◆ KATHOLIKON : église principale d'un monastère ou d'une paroisse.

◆ KARSTIQUE : plateau calcaire où prédomine l'érosion chimique.

◆ KOINÉ : expression de langage parlé ou écrit devenue commune à une entité culturelle.

◆ L ◆

◆ LIBATION : action de verser un liquide – vin, lait ou huile – (souvent à travers un rython) en offrande à une divinité.

◆ M ◆

◆ MAGASIN : bâtiments accolés perpendiculairement servant au stockage de denrées diverses.

◆ MÉGARON : pièce principale dans un palais mycénien ; de forme rectangulaire, elle comprend un porche à deux colonnes, un vestibule et une pièce carrée pourvue au centre d'un foyer qu'entourent quatre colonnes.

◆ MÉTOPE : dans la frise dorique, espace carré,

souvent nu, mais parfois orné d'un motif.

◆ Métropolite : évêque.

◆ Mosaïques : ornements plus coûteux que les peintures murales, généralement réservés aux fondations impériales, entre le xe et le xiiie siècle.

◆ Mur, ou salle à baies : invention crétoise qui consiste à remplacer un mur plein en une série de piliers ménageant des ouvertures.

◆ N ◆

◆ Narthex : vestibule de l'église, souvent surmonté d'une tribune et compris sous la même couverture que la nef.

◆ Nécropole : cité des morts.

◆ Nef : vaisseau d'une église ; désigne le vaisseau central.

◆ Nome : division administrative de la Grèce (correspond au département).

◆ Pope : prêtre dans les églises orthodoxes.

◆ O ◆

◆ Odéon : théâtre muni d'un toit, à gradins, semi-circulaire ou semi-ovale, où étaient donnés les concerts.

◆ Orchestra (orchestre) : en contrebas de la cavea d'un théâtre antique, partie circulaire, comprise entre les premiers rangs de spectateurs et le pulpitum où peuvent s'avancer les acteurs.

◆ Ordres : désigne également les parties composant la colonne (base, fût, chapiteau) et son entablement (architrave, frise et corniche) ; voir *dorique*, *ionique*, *corinthien.*

◆ Ornements d'églises : céramoplastiques ou plus rarement en reliefs encastrés ; à partir du xive siècle, apparition d'arcades, de festons et de niches en façade.

◆ Orophile : se dit d'une plante poussant dans les montagnes.

◆ P ◆

◆ Palatial : chronologie tenant compte du système palatial crétois qui se divise en Prépalatial (3000-2100 av. J.-C.) ; Protopalatial, l'ère des premiers palais (2100-1600 av. J.-C.) ; Néopalatial, l'ère des seconds palais (1650-1300 av. J.-C.).

◆ Pantokrator : représentation du Christ, seigneur Tout-Puissant de l'univers.

◆ Palais : ensemble monumental de constructions bâties autour d'une cour rectangulaire axée du nord au sud. Ces palais sont situés dans une ville.

◆ Parascaenium : dans un théâtre antique, murs de soutènement en retour du mur de scène, sur les côtés du plateau.

◆ Peintures murales (programme) : le Christ Pantokrator (le Tout-Puissant) est représenté dans la coupole ; le cycle des Grandes Fêtes, de sept à douze, décore généralement lunettes et voûtes ; apôtres, patriarches et prophètes sont figurés sur les parties hautes des murs et des piliers ; à ce programme de base s'ajoutent à partir des xe-xie siècles de nombreux enrichissements.

◆ Pendentifs : trompes, caractérisées par la forme triangulaire et concave de leurs intrados, permettant de passer du plan carré du mur à la coupole.

◆ Pithos : grande jarre servant à conserver des denrées solides ou liquides. Certaines, celles de Knossos par exemple, pouvaient dépasser la taille d'un homme en hauteur.

◆ Plan basilical : par analogie avec les basiliques paléochrétiennes, plan allongé à plusieurs vaisseaux, et dont le vaisseau central est éclairé par de hautes fenêtres.

◆ Plan en croix grecque inscrite avec coupole : évolution du plan quadrilobé paléochrétien ; les piliers soutenant la coupole sont remplacés à partir du xie siècle par des colonnes.

◆ Plan octogonal : octogone inscrit dans un carré et surmonté d'une coupole reposant sur huit colonnes reliées par des arcs.

◆ Plan triconque : souvent combiné en Grèce avec le plan en croix inscrite.

◆ Polythyron : pièce de séjour ou d'apparat constituée d'une salle aux murs percés de plusieurs baies.

◆ Portique : galerie ouverte entre colonnades ; désigne également une avancée de colonnes à l'entrée d'un édifice.

◆ Propylée : entrée monumentale, constituée généralement d'un portique à colonnes.

◆ Puits de lumière : étroite courette intérieure sur laquelle s'ouvrent des pièces.

◆ R ◆

◆ Redans : système qui consiste à avancer ou reculer des pans de murs sur l'alignement d'une façade afin d'éviter la monotonie et d'accrocher la lumière.

◆ Rinceau : motif ornemental stylisé de feuilles et de branches entrelacées.

◆ Rhyton : modèle le plus caractéristique de vase sacré minoen. Le rhyton est un vase à libations avec un fond percé, souvent de forme conique, il peut également représenter la forme de la tête d'un animal.

◆ S ◆

◆ Salle lustrale : petite pièce rectangulaire à demi enterrée prévue probablement pour des lustrations, des purifications ou autres rites mystérieux.

◆ Sanctuaire : pièce ou construction qui, par son aménagement ou son mobilier, semble avoir une destination cultuelle. Se trouve dans les palais, les maisons, ou isolé dans les villes et les campagnes.

◆ Sanctuaire de sommet : installation cultuelle perchée en haut d'une colline ou d'une montagne.

◆ Stuc : agglomérat de plâtre et de poussière de marbre servant à décorer une surface ; par extension, le motif décoratif lui-même.

◆ T ◆

◆ Tambour : soubassement cylindrique de la coupole, généralement octogonal à l'extérieur.

◆ Taurokathapsie : tauromachie : fête publique lors desquelles des exercices sportifs sont pratiqués avec des taureaux.

◆ Théâtre : édifice à gradins, semi-circulaire où se déroulaient les spectacles dramatiques.

◆ Transept : corps transversal et perpendiculaire à la nef centrale d'une église.

◆ Tribunes : galeries hautes ouvertes sur le vaisseau central, typiques des églises grecques et des premières basiliques constantinopolitaines.

◆ Trompes d'angles : petites voûtes servant de support au tambour de la coupole, construite dans un angle rentrant et sous un pan coupé ; remplacent parfois les pendentifs.

◆ Tympan : dans une église, espace compris entre le linteau et l'archivolte d'un portail.

◆ V ◆

◆ Vaisseau : espace intérieur d'une église.

◆ Vasque : bassin peu profond utilisé dans les thermes romains ; par la suite, large cuvette d'une fontaine.

◆ Ville : ensemble de maisons et d'installations reliées par un système de voiries cohérent.

◆ Village : tout petit groupe d'habitations.

◆ Villa : maison identifiable par sa taille, sa situation ou par la qualité de la construction. Peut se trouver en ville ou dans la campagne.

◆ Volute : motif ornemental en forme de spirale.

◆ Voussure : courbe ou élément de la courbe d'une voûte.

◆ Z ◆

◆ Zoodochos Pighi : icône représentant la Vierge tenant l'Enfant.

TABLE DES ILLUSTRATIONS

◆ Table des illustrations

Abréviations utilisées :
Coll. : collection
Cl. : cliché
E.F.A. : École française d'Athènes

Nous avons par ailleurs recherché en vain, les héritiers ou éditeurs de certains documents. Un compte leur est ouvert à nos éditions.

Index

◆ **J** ◆

◆ **K** ◆

◆ **L** ◆

Dans la même collection

Alpes-Maritimes,
Baie du Mont-Saint-Michel,
Bataille de Normandie,
Bouches-du-Rhône,
Calvados,
Charente-Maritime/Aunis,
Charente-Maritime/Saintonge,
Corse-du-Sud,
Côtes d'Armor,
Côte d'Émeraude,
Eure,
Finistère-Nord,
Finistère-Sud,
Guadeloupe,
Haute-Corse,
Haute-Provence,
Indre-et-Loire,
Le Louvre,
Loire-Atlantique,
Loir-et-Cher,
Manche,
Martinique,
Morbihan,
Orne,
Paris,
Pays Basque,
Rennes-Vitré-Fougères,
Restaurants de Paris,
Seine-Maritime,
Tahiti,
Var,
Vaucluse,
Vendée Maritime

Amsterdam,
Bali,
Bologne,
Égypte,
Florence,
Grèce,
Irlande,
Istanbul,
Londres,
Malaisie et Singapour,
Maroc,
Monde Maya,
New York,
Prague,
Québec,
Rome,
Saint-Pétersbourg,
San Francisco,
Séville/Andalousie,
Terre Sainte,
Thaïlande,
Tunisie,
Venise
Vienne,
Wallonie/Bruxelles.

Guides Gallimard
5, rue Sébastien Bottin
75007 Paris

Carte de Crète

Les chiffres en italique renvoient aux pages du guide et les coordonnées à la carte de la page suivante.

Héraklion *143-160,* **F3**
Kastéli *259,* **A3**
Paléochora *272,* **A4**
Gorges de Samaria *270,* **B4** ♥
La Canée *253-260,* **C3**
Souda *262,* **C3**
Sfakion *247,* **C4**
Réthymnon *229-238,* **D3**
Spili *242,* **D4** ♥
Mélidoni *220,* **E3**
Pérama *220,* **E3**
Moni Arkadi *221,* **E4** ♥
Anogia *225,* **E4**
Idéon Andron *226,* **E4**
Haghia Triada *182,* **E5** ♥
Phaistos *178-181,* **E5** ♥
Knossos *161-174,* **F4** ♥
Gortys *176,* **F4**
Malia *192-195,* **G4**
Skotino *191,* **G4**
Psychro *198,* **G4**
Néapoli *196,* **H4**
Spinalonga *202,* **H4**
Haghios Nikolaos *199-204,* **H4** ♥
Hiérapétra *215,* **H5**
Sitia *206-207,* **I4** ♥
Zakros *212-213,* **J4**

À paraître

Alsace,
Parc national des Cévennes,
Parc régional du Luberon,
Naples/Pompéi.

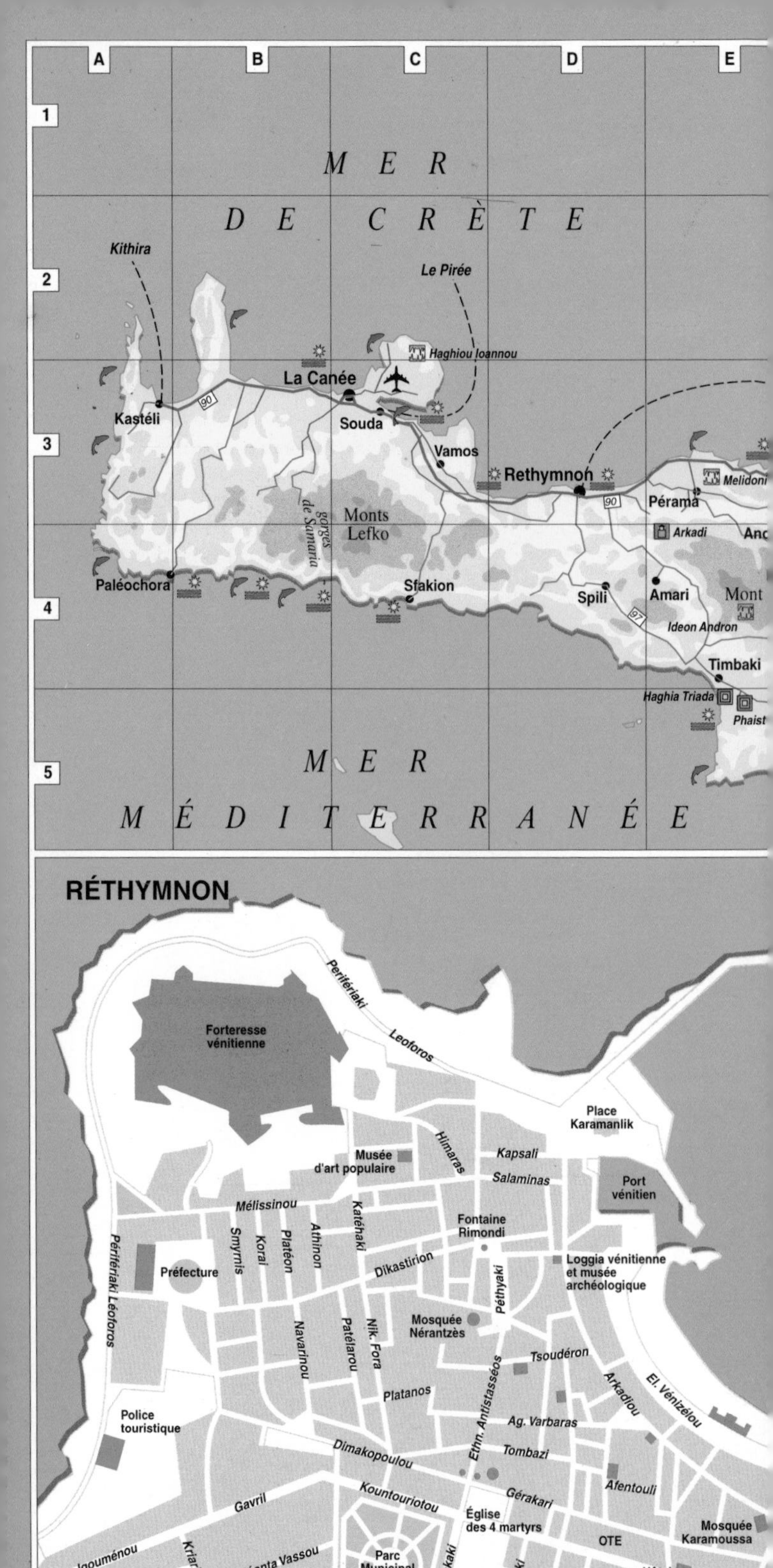

A
B
C
D
E
1
2
3
4
5
MER DE CRÈTE
Kithira
Le Pirée
Haghiou Ioannou
La Canée
Kastéli
90
Souda
Vamos
Rethymnon
Melidoni
Pérama
Arkadi
Monts Lefko
gorges de Samaria
Paléochora
Sfakion
Spili
Amari
Mont
97
Ideon Andron
Timbaki
Haghia Triada
Phaist
MER MÉDITERRANÉE
RÉTHYMNON
Périfériaki
Leoforos
Forteresse vénitienne
Place Karamanlik
Musée d'art populaire
Himaras
Kapsali
Salaminas
Port vénitien
Mélissinou
Katéhaki
Smyrnis
Koraï
Platéon
Athinon
Fontaine Rimondi
Périfériaki Léoforos
Préfecture
Dikastirion
Péthyaki
Loggia vénitienne et musée archéologique
Navarinou
Patélarou
Nik. Fora
Mosquée Nérantzès
Tsoudéron
Ethn. Antistasséos
Platanos
Arkadiou
El. Vénizélou
Police touristique
Ag. Varbaras
Dimakopoulou
Tombazi
Afentouli
Kountouriotou
Gérakari
Gavril
Église des 4 martyrs
Mosquée Karamoussa
OTE
Igouménou
Kriari
Timoléonta Vassou
Parc Municipal
Dimitrakaki
Daskalaki
Prévélaki
Hôtel de ville
Marouli